MW00583580

LOS CLÁSICOS DEL TEATRO HISPANOAMERICANO

I

Los clásicos del teatro hispanoamericano

I

Selección, introducciones, notas
y bibliografías de
GERARDO LUZURIAGA
y RICHARD REEVE

SEGUNDA EDICIÓN AMPLIADA

TEZONTLE

FONDO DE CULTURA ECONÓMICA
MÉXICO

Primera edición, 1975
Segunda edición (corregida y aumentada), 1994

Carretera Picacho-Ajusco, 227; 14200 México, D. F.

ISBN 968-16-4006-3 (tomo I)
ISBN 968-16-4487-5 (Obra completa)

Impreso en México

PRÓLOGO A LA SEGUNDA EDICIÓN

Variados y significativos cambios han ocurrido en los estudios del teatro de Hispanoamérica desde la publicación de la primera edición de *Los clásicos del teatro hispanoamericano* en 1975. En las universidades, particularmente las estadunidenses, ya se estudia el teatro latinoamericano como una asignatura independiente, paralela en méritos a la narrativa y a la poesía, y de ellas se gradúan especialistas en la materia en número cada vez mayor. Se han establecido programas y centros de investigación teatral en Canadá, Estados Unidos, México, Argentina y otros países del continente. Varias revistas dedicadas al género, algunas ya con décadas de existencia, se han ganado un lugar seguro en los estantes de toda buena biblioteca. Algunos de los estudios monográficos y panorámicos más interesantes en el ámbito de la cultura hispánica publicados en años recientes tienen que ver con el teatro de América Latina. No cabe duda de que la teatrología hispanoamericana es una disciplina que ha adquirido ya un alto grado de madurez y sofisticación.

Si bien es cierto que entre los investigadores hay un grupo considerable que se ha interesado en estudiar de preferencia a autores contemporáneos o en ilustrar sus nuevos métodos de análisis con textos dramáticos predominantemente recientes, también es claro que un buen número de ellos dedica cada vez más atención a dramaturgos y obras de épocas anteriores, ya sea por el atractivo histórico que ofrecen, ya por su idoneidad para nuevos enfoques teóricos. Prueba de esto son, por ejemplo, varios estudios iluminadores que han aparecido en los últimos años sobre el *Rabinal Achí*, Juan Ruiz de Alarcón, Sor Juana Inés de la Cruz, el grotesco criollo, Roberto Arlt y Rodolfo Usigli, entre otros.

En respuesta a este renovado interés por el teatro de Hispanoamérica, y ante las instancias de numerosos colegas, decidimos preparar esta nueva edición de *Los clásicos del teatro hispanoamericano*, cuya primera versión, que llevaba también el sello editorial del Fondo de Cultura Económica, fue tan bondadosamente acogida por profesores, estudiantes y otros aficionados al teatro, y se agotó hace mucho tiempo. Hemos hecho en esta segunda edición algunos cambios que creemos harán todavía más útil esta antología.

En primer lugar, hemos añadido algunos textos dramáticos y hemos sustituido otros. En la primera parte, hemos incluido *Los empeños de una casa* de Sor Juana Inés de la Cruz, autora cuya obra ha suscitado en años recientes un enorme interés crítico, y hemos mantenido su *Loa para el auto sacramental de "El Divino Narciso"* y su *Sainete segundo*. En la segunda parte hemos agregado obras de tres nuevos autores que, a nuestro modo de ver, deberían ser revalorados: Mauricio Magdaleno, de México; Armando Discépolo, de Argentina, y Germán Luco Cruchaga, de Chile. De Roberto Arlt hemos optado por incluir *Saverio el Cruel*, a cambio de su pieza breve *La isla desierta*.

Además, hemos actualizado las bibliografías correspondientes a cada autor, de modo que quienes se interesen por obtener más información acerca de una obra o dramaturgo determinado encontrarán en ellas los datos de los principales estudios publicados hasta la fecha. En cuanto a las introducciones generales e individuales, han quedado virtualmente inmodificadas en esta nueva edición, por considerar que han cumplido y pueden seguir cumpliendo adecuadamente con su función orientadora.

Los Ángeles, Universidad de California
Junio de 1991

GERARDO LUZURIAGA
RICHARD REEVE

NOTA: En febrero de 1992 falleció Richard Reeve, en Los Ángeles. Esta nueva edición del libro que él tanto apreció, está dedicada a su memoria.

GERARDO LUZURIAGA

EL TEATRO HISPANOAMERICANO DESDE SUS ORÍGENES HASTA 1900

EL AÑO 1492, tan importante históricamente en el mundo hispánico, es un año clave en la evolución del teatro español. Unos tres meses después de la llegada de Cristóbal Colón a las Indias, Juan del Encina, el patriarca del teatro en España, estrenó sus primeras églogas en la corte de su protector en Salamanca, el Duque de Alba. Su teatro era un principio y, como tal, bastante rudimentario, que guardaba poca relación con el pujante movimiento teatral posterior de la Edad de Oro. Por tanto, el legado que España pudo entregar al teatro hispanoamericano en los primeros años de éste fue muy exiguo. Algunas explicaciones del por qué del lento desarrollo de la literatura en el Nuevo Mundo sólo poseen una validez parcial cuando se trata del teatro. La censura y la falta de imprentas que restringieron la difusión de la novela tendrían muy poca influencia en frustrar la composición o estreno de dramas. Algunos historiadores sugieren que la época de la Conquista era de gran actividad y había poco lugar para espíritus contemplativos. Ese argumento tendría validez en las zonas de exploración y conquista, mas no en las grandes ciudades que pronto cayeron en poder del invasor. También se ha sugerido que, a diferencia de los otros géneros literarios, el teatro necesita grandes concentraciones de población, para gozar de un éxito comercial. Ciertamente, a excepción de Lima y la ciudad de México, no hay grandes ciudades en Hispanoamérica hasta el final del siglo XIX. Quizá el problema más serio que los dramaturgos americanos tenían que afrontar era el prestigio del teatro español —el mejor del continente europeo, del mundo, en aquel entonces. Además, el problema de todas las colonias: deben consumir, pero no producir ni estar en competencia —y los hispanoamericanos consumieron con avidez la literatura de la metrópoli, aun en el siglo XIX, después de su independencia política.

Hasta hace poco eran contadas las personas que reconocían el desarrollo y la importancia del teatro prehispánico. Quizá su significación mayor consiste en que, debido a su popularidad con los indígenas, los misioneros se aprovecharon de esa tradición y pasión histriónica para enseñarles el cristianismo. Se especula mucho sobre la posibilidad de que el teatro indígena pudiera seguir evolucionando como tradición oral y sin el beneficio de una lengua escrita. Varios de los primeros observadores, y hasta críticos modernos como Pedro Henríquez Ureña, han sugerido que algunas producciones teatrales se asemejan al primitivo teatro griego. En América el teatro era parte de ceremonias religiosas e incluía danzas y cantos. Los participantes recitaban versos acerca de hechos históricos o leyendas —grandes batallas, aventuras de sus héroes y dioses. Los cronistas de las Antillas, México y el Perú coinciden en describir escenarios o plataformas erigidas en las plazas. *Rabinal Achí*, a pesar de su descubrimiento tardío en el siglo pasado, debe de remontarse a esos momentos prehispánicos. Es el ejemplo más cabal que se ha preservado. Es de suponer que los guías religiosos de los indios hicieron todo lo posible para que sus secretos no cayeran en manos de los españoles. Algunos danzantes y cantores eran nobles, como observa el Inca Garcilaso de la Vega, al describir ciertas presentaciones en la corte del Inca. Otros actores, probablemente profesionales, venían de las masas, sobre todo los payasos que solían ser enanos y de cuerpos deformados. Con esa tradición ya establecida, los misioneros se mostraban muy ansiosos de aprovecharse de esa afición para indoctrinarles en la religión cristiana.

El crítico del teatro colonial José Juan Arrom, divide el teatro americano del siglo XVI en tres categorías: teatro misionero (algunos críticos prefieren llamarlo "evangelizador"), teatro escolar (o "humanista", según otros) y teatro criollo. Las primeras piezas presentadas para la edificación espiritual de los indios eran pantomimas en las que predominaba el espectáculo visual. Después de una década los frailes habían aprendido los idiomas nativos y escribían y dirigían "autos" y "ejemplos" en esas lenguas. El misionero Motolinia describe en sus memorias la representación de *La caída de nuestros primeros padres* en Tlaxcala, México, en 1538, y Garcilaso en sus *Comentarios reales* habla de las producciones teatrales de los jesuitas entre los indios, en Lima, Cuzco y Potosí. Según Arrom, la gran obra misionera disminuye después de 1574 y decae la actividad teatral en las lenguas aborígenes.

La Compañía de Jesús también dio un gran empuje al teatro escolar que consistía en diálogos alegóricos, coloquios y tragedias. Carecía de acción dramática y el propósito principal era dar a los seminaristas una oportunidad para practicar el latín. Al principio, la mayoría de las piezas se componía en latín, pero con el transcurso del tiempo un gran porcentaje se escribía en español. El público para estos espectáculos era muy reducido y este género probablemente tuvo poca influencia sobre la evolución del teatro en este hemisferio.

Sin lugar a dudas, la clase de teatro que tuvo más resonancia y gozó de más adherentes era el teatro criollo, o sea el teatro para los inmigrantes españoles y sus hijos. Se escribían numerosas obras, algunas de tema religioso y otras seculares, pero nadie las estimaba en mucho en su época y se han conservado muy pocas. De esta corriente criolla han provenido los nombres de autores que conocemos hoy. El dramaturgo más importante de Hispanoamérica durante el siglo XVI es el hispanomexicano Fernán González de Eslava (1534-1601). Sus comedias poseen una frescura y vitalidad que se echan de menos en la mayor parte de las composiciones de la época. Otro mexicano, Juan Pérez Ramírez, nacido en 1545, produce *Desposorio espiritual entre el pastor Pedro y la Iglesia mexicana*, pieza alegórica al estilo de las églogas de Juan del Encina. Cristóbal de Llerena (1540?-1610?), hombre de iglesia en Santo Domingo, se hizo famoso con un entremés tan crítico de la sociedad isleña, que causó su exilio.

El Siglo de Oro español se fundamenta en gran medida en la obra de sus dramaturgos que llenan en todas partes las casas de comedias. El Nuevo Mundo ahora gozaba de compañías de actores que venían de la península con las últimas novedades. Se construían los primeros corrales destinados exclusivamente a representaciones teatrales. Aun el padre del teatro de tema histórico, Juan de la Cueva, había pasado algunos años en México, de 1574 a 1577. Pero a pesar de los actores talentosos y los nuevos edificios, el mismo prestigio del teatro español y la facilidad con que podían traer las novedades de España destruían en gran parte las aspiraciones de los jóvenes dramaturgos de las colonias. ¿Cómo competir con un Lope o un Calderón? Pero eso es precisamente lo que ocurre con dos escritores de Nueva España. Algunos han censurado a Ruiz de Alarcón (1581?-1639) por no haber mencionado a México en sus escritos y por su aparente falta de interés en crear un teatro nacional en su tierra. Pero Alarcón se atrevió a competir con los mejores dramaturgos del momento y en su propia casa –y si no los superó, por lo menos se igualó hasta el punto de ser considerado uno de los cuatro grandes del teatro del Siglo de Oro.

Otro genio literario de México, Sor Juana Inés de la Cruz (1648-1695), descuella en la producción dramática de la segunda mitad del siglo XVII. Muchos críticos la incorporan a la literatura peninsular y consideran que su muerte en 1695 cierra la Edad de Oro. No es fácil explicar cómo pudo crecer un genio en las colonias, en México, la frontera cultural del mundo. Sor Juana nunca salió de su país natal, su educación formal era muy limitada; además tenía todas las puertas cerradas en razón de su sexo. No puso a prueba su destreza con los grandes de la escena española como lo hizo Alarcón, pero su fama recorrió por todo el virreinato y hasta por la península ibérica. Su público no eran las masas, sino la corte –uno de muchos rasgos que tiene en común con Calderón de la Barca.

El Perú es la otra región americana con una considerable actividad teatral durante esta época. También tenía una gran metrópoli con una elegante corte virreinal y una universidad importante. El indio "El Lunarejo", Juan de Espinosa Medrano (1639?-1688), autor del famoso *Apologético en favor de don Luis de Góngora* (1662), tiene fama de haber sido el mejor poeta barroco de Sudamérica. Produjo varias comedias religiosas, entre ellas, *Amar su propia muerte* y *Auto sacramental del Hijo Pródigo*, ésta en lengua quechua. Juan del Valle y Caviedes (1645-1697?), conocido por su poesía satírica, sobre todo contra los médicos, escribió tres piececitas: *Entremés del Amor alcalde*, *Baile del Amor médico* y *Baile del Amor tahúr*, en las cuales compara el amor a una cárcel, a una enfermedad y a un juego de azar. El tercer poeta peruano, Pedro de Peralta Barnuevo (1664-1743), escribió varios dramas durante el siglo XVIII. Tienen poco valor estético y su interés principal se deriva del uso excesivo de la tramoya. Otra de las formas teatrales en boga era la zarzuela que en razón de su música se hizo muy popular.

La escena hispanoamericana y la de España caen en un estado de decadencia durante el siglo XVIII. Aparentemente, el público sigue asistiendo al teatro, pero no es testigo de obras nuevas sino de aquellas del Siglo de Oro y de traducciones de comedias francesas. Una ojeada a *El Diario de México*, uno de los primeros periódicos de Nueva España, muestra que en el primer decenio era popular Moratín, pero también lo eran Lope, Tirso, Alarcón y Calderón, este último más que nadie. Probablemente el hecho más importante en la historia del teatro hispanoamericano en ese siglo es la preeminencia que cobra el drama en los nuevos virreinatos y capitanías. En Santa Fe, Argentina, en 1717 Antonio Fuentes Arco escribió una loa para celebrar la supresión de un impuesto a la yerba mate. Se atribuye a un rioplatense, Juan Bautista Maciel, un sainete costumbrista titulado *El amor de la estanciera*, que según José Juan Arrom, es un animado cuadro costumbrista, precursor de la literatura gauchesca. Se cree que el sainete fue compuesto entre 1787 y 1792. Cristóbal de Aguilar (m. 1828), residente de Córdoba, fue autor de cinco obras ligeras y graciosas: *Venció al desprecio el desdén*, *El premio de la codicia*, *Los niños y los locos dicen verdades*, *El triunfo de la prudencia y oficios de la amistad* y *La industria contra la fuerza*. Quizá el drama más importante del Río de la Plata habría sido *Siripo* (1789), de Manuel de Lavardén (1754-1801?), acerca de un incidente de la Conquista. Desgraciadamente sólo se conserva un fragmento de esa tragedia.

En Cuba, Santiago de Pita (m. 1755) escribe *El príncipe jardinero y fingido Cloridano*, alrededor de 1730 o 1733. Está basado en un episodio clásico de Grecia. Hacia el final del siglo, Buenaventura Pascual Ferrer (1772-1851) presenta en La Habana un sainete, *La mujer impertinente, el marido más paciente y el cortejo subteniente*.

El Perú durante esta época también es escenario de mucha actividad literaria. Fray Francisco del Castillo (1716-1770), mejor conocido como el Ciego de la Merced, es tema de varias anécdotas de Ricardo Palma. El sacerdote escribe teatro basado en la historia peruana. El drama peruano más famoso del siglo es sin duda *Ollantay*. Es fuente de muchas polémicas sobre su origen. El año de su representación en un pueblo cerca del Cuzco, 1780, es muy significativo. De tema heroico, tiene resonancia histórica porque 1780 marca el año de la rebelión de indios más seria en toda la historia colonial, capitaneada por Túpac Amaru.

La agitación de las guerras de independencia casi detuvo la actividad teatral en Hispanoamérica durante los dos primeros decenios del siglo XIX. El neoclasicismo estaba en boga y las comedias de Moratín eran muy populares. El romanticismo que llega a las Américas alrededor de 1820 parece animar a los jóvenes escritores y, a pesar de la popularidad del Duque de Rivas, Zorrilla, Hugo y Dumas, pronto aparecen piezas americanas en los escenarios. En México Fernando Calderón (1809-1845), además de unos cuantos dramas históricos, produce *A ninguna de las tres* (1839), una sátira deliciosa sobre la educación de las hijas y se juzga como una contestación a *Marcela o ¿cuál de las tres?*, de Bretón de los Herreros. Se suele clasificar a Manuel Eduardo de Gorostiza (1789-1851) como dramaturgo de transición entre Moratín y Bretón de los Herreros. La mayoría de sus comedias fue escrita en España antes de 1820 y con más de una década de anterioridad a su regreso a su tierra natal, México. El romanticismo en toda su furia y pasión está aún muy evidente en *La hija del rey* (1876) del mexicano José Peón y Contreras (1843-1917). A pesar de la fecha tardía de su estreno, es comparable con lo más exaltado de Zorrilla y el Duque de Rivas en España. En México, lo mismo que en otros países hispanoamericanos, los genios en géneros literarios no dramáticos probaron su mano en el teatro, con resultados desiguales –Manuel Acuña y Manuel José Othón, en México, y José Martí en Cuba y varios de los proscritos argentinos: Juan Bautista Alberdi, Bartolomé Mitre y José Mármol. La gran poeta cubana, Gertrudis Gómez de Avellaneda (1814-1873), produjo uno de los mejores dramas psicológicos del siglo en su *Baltasar* (1858). Desgraciadamente, no se lee mucho, debido a su tema bíblico (Daniel y Nabucodonosor) en vez de americano.

El costumbrismo es otra faceta teatral del siglo y dio origen a una serie de comedias que hoy en día nos entusiasman mucho más que las románticas. Dos dramaturgos peruanos son de los mejores del género: Felipe Pardo y Aliaga (1806-1868), autor de *Los frutos de la educación* (1829) y Manuel Ascensio Segura (1805-1871) cuyos personajes y lenguaje típicos nos resultan todavía muy amenos. En la misma vena, el más grande comediógrafo chileno del siglo es Daniel Barros Grez (1834-1904), quien trata en forma graciosa los conflictos entre el campo y la ciudad –tema de suma importancia en la literatura de la época.

En la Argentina, además del teatro de mérito relativo de los proscritos, el nombre más conocido de la época es Pedro Echagüe (1828-1889) cuyos dramas retóricos nos recuerdan a Echegaray en España. La obra más popular de Echagüe fue *Rosas* (1860), estrenada ocho años después de la caída del dictador. Durante los veinte años siguientes el teatro rioplatense entra en un periodo de decadencia, para que luego resucite por medio de la pantomima de un payaso ilustrando las aventuras de un gaucho matrero, en *Juan Moreira*. Se entusiasmó el público argentino acordándose del gaucho nacional que estaba a punto de desaparecer y que entonces no representaba ningún peligro, como en tiempos de Rosas, ni ningún "problema", como durante la presidencia de Sarmiento.

Es irónico que el teatro hispanoamericano empezara bajo la forma de danza-pantomima cuando los indios no poseían una lengua escrita y que después de medio milenio se renovara con otra pantomima en un circo de Buenos Aires, ciudad destinada a ser una de las más grandes del mundo de habla española y la sede de la actividad teatral de Sudamérica. Durante los cinco siglos había madurado la literatura hispanoamericana y podría compararse con las grandes literaturas universales. Durante esos cinco siglos varios genios teatrales vieron la luz en un clima literario poco hospitalario. Otros sin excesiva preparación ni tradición seguían su propia trayectoria, quizá sin mucho éxito, mas por lo menos nos proporcionan una visión fascinante de otras épocas y otros mundos.

R. R.

RABINAL ACHÍ
[*Anónimo, Guatemala, siglo* XV?]

Esta "tragedia" maya ha llegado hasta nosotros gracias a la diligencia del erudito Charles Étienne Brasseur de Bourbourg, quien, siendo administrador eclesiástico de Rabinal, Guatemala, la oyó por primera vez de labios del indio Bartolo Ziz, en 1855. Al año siguiente pudo presenciar una representación dirigida por el propio Ziz. Una vez revisado y completado el texto, lo tradujo al francés, y en 1862 publicó en París esta versión francesa, junto con el original quiché. Desde entonces, la pieza dramática *Rabinal Achí* ha sido objeto de numerosos estudios y traducciones, así como de adaptaciones para la escena moderna.

Son muchos los críticos que concuerdan con Georges Raynaud en que ésta "es la única pieza del antiguo teatro amerindio que haya llegado hasta nosotros, sin que podamos descubrir en ella, sea en la forma, sea en el fondo, la más mínima traza de una palabra, de una idea, de un hecho, de origen europeo. La pieza pertenece, por entero, a los tiempos prehispánicos". En efecto, nada tiene en común con las formas dramáticas traídas a América por los españoles, ni en el asunto, ni en la estructura, ni en el estilo, ni en el concepto moral. El asunto es épico y a la vez religioso, pues trata de hazañas bélicas entre dos tribus y del sacrificio del protagonista en honor de los dioses. La danza coreográfica y la música están de tal forma entrelazadas con la acción, que la pieza en sí resulta una especie de drama-ballet. El lenguaje es para nosotros extraño, pero ricamente imagístico y metafórico, primitivamente poético. Existe en este drama un muy curioso formulismo dramático, similar al formulismo épico primitivo y aun al bíblico. Se hace sistemático uso del paralelismo que, en su índole múltiple, podría explicarse como formulismo protocolar, o como afán de simetría y ritmo, o como elemento musical, o como simple recurso nemotécnico. Se han señalado coincidencias entre esta "tragedia" india y las tragedias de la Grecia clásica, y obviamente, se hace notar el uso del coro, de la máscara (especialmente si se la interpreta como identidad del personaje), y aun la presencia de una fuerza superior preconcebida que rige fatalmente el destino del Varón (o Guerrero) de Queché, el protagonista. Por último, el hecho de que el drama culmine con el sacrificio humano —vicariamente, como es de suponer—, alude a una esfera moral enteramente distinta a la cristiana impuesta por los europeos.

BIBLIOGRAFÍA SUMARIA

Acuña, René, *Introducción al estudio del Rabinal Achí*, México, UNAM, Instituto de Investigaciones Filológicas, 1975.

Brasseur de Bourbourg, Charles Étienne, *Rabinal Achí, ou le drama-ballet du tun, pièce scénique de la ville de Rabinal. Transcrite pour la première fois par Bartolo Ziz, ancien de la même ville*, Collection de documents dans les langues indigènes, pour servir à l'étude de l'histoire et de la philologie de l'Amérique ancienne, París, Arthus Bertrand, 1862.

Cardoza y Aragón, Luis, "El Rabinal Achí", *Anales de la Sociedad de Geografía e Historia*, vol. V, núm. 6, Guatemala, marzo-junio de 1930.

Cid Pérez, José (comp.), *Teatro indio precolombino*, Madrid, Aguilar, 1964, pp. 88-116, 208-221 y 321-350.

Foster, William David, "Una aproximación a la escritura del *Rabinal Achí*", *Revista Chilena de Literatura*, núm. 22, noviembre de 1983, pp. 57-72.

Gallegos Valdés, Luis, "El Rabinal Achí", *Cultura*, vol. 45, El Salvador, julio-septiembre de 1967, pp. 49-54.

Henríquez Ureña, Pedro, "El teatro de la América Española de la época colonial", *Boletín del Instituto de Estudios de Teatro*, Buenos Aires, octubre de 1949, pp. 161-183.

Leinaweaver, Richard E., "Rabinal Achí: Commentary" y "Rabinal Achí: English Translation", *Latin American Theatre Review*, vol. I, núm. 2, primavera de 1968, pp. 3-53.

Liano, Dante, "Ante los vastos muros: hipótesis acerca de las relaciones entre la ideología de un texto y la ideología de su sociedad", *Studi dell' Instituto Linguistico*, vol. supl. 1, Florencia, 1980, pp. 73-98.

Monterde, Francisco (comp.), *Teatro indígena pre-hispánico (Rabinal Achí)*, México, Biblioteca del Estudiante Universitario, núm. 71, 1955.

Padial Guerchouch, Anita, "Estudio comparativo del *Rabinal Achí* y la tragedia griega", *Cuadernos Americanos*, vol. CCXLIX, núm. 4, 1983, páginas 159-189.

———, y M. Vázquez-Bigi, *Quiché Vinak: tragedia. Nueva versión española y estudio histórico-literario del llamado "Rabinal Achí"*, México, Fondo de Cultura Económica, 1991.

Raynaud, George, y Luis Cardoza y Aragón (comps.), *El varón de Rabinal: ballet-drama de los indios quichés de Guatemala: con música indígena*, México, Porrúa, 1975.

Rodríguez Rouanet, Francisco, "Notas sobre una representación actual del *Rabinal Achí* o *Baile del Tun*", *Guatemala Indígena*, vol. II, núm. 1, Guatemala, Instituto Indigenista Nacional, 1962, pp. 25-55.

Villacorta C., J. Antonio, *Rabinal Achí, drama danzado de los indios quichés de Rabinal en Guatemala*, Buenos Aires, Nova, 1944.

———, *El Rabinal Achí y otros estudios*, Guatemala, Imprenta Galindo, 1979.

Wolff, Eleanor (trad.), *Rabinal: An Ancient Play of the Quiché Indians of Guatemala*, Lexington, Kentucky, King Library Press, 1977.

Rabinal Achí

PERSONAJES DEL DRAMA-BALLET

EL JEFE CINCO-LLUVIA,[1] *Gobernador*[2] *de los de la ciudad de Rabinal.*[3]
EL VARÓN DE RABINAL,[4] *el más destacado entre los varones,*[5] *hijo del jefe Cinco-Lluvia.*
EL VARÓN DE LOS QUECHÉ,[6] *Gobernador de los yaqui,*[7] *de los de Cunén*[8] *y Chahul,*[9] *hijo del Hechicero de los varones,*[10] *Hechicero del Envoltorio,*[11] *Gobernador de los hombres Queché.*[12]
LA SEÑORA,[13] *esposa*[14] *del jefe Cinco-Lluvia.*
Madre de las Plumas, Madre de los Verdes Pajarillos,[15] *Piedra Preciosa,*[16] *prometida del Varón de Rabinal.*
Ixok-Mun, sirviente.[17]
Un sirviente del Varón de Rabinal.
Doce águilas amarillas, doce jaguares amarillos,[18] *varones de la ciudad de Rabinal.*
Abundantes guerreros, abundantes servidores. Guerreros y servidores del Varón de Rabinal. Danzantes.

La acción se desarrolla en Cakyug-Zilic-Cakocaonic-Tepecanic;[19] los cuadros I y III, del primer acto, frente a la fortaleza; el cuadro II y el segundo acto, en el interior de la misma.

PRIMER ACTO

CUADRO PRIMERO

El Varón de Rabinal y su gente danzan en ronda. El Varón de los Queché llega de pronto y se pone a bailar en medio del círculo moviendo su lanza corta, como si quisiera herir con ella, en la cabeza, al Varón de Rabinal. El movimiento de la ronda es cada vez más rápido.

EL VARÓN DE LOS QUECHÉ.—¡Acércate, jefe violentador,[20] jefe deshonesto![20]

¡Será el primero a quien no acabaré de cortar la raíz, el tronco; ese jefe de los Chacach,[21] de los Zaman,[22] el Caük[23] de Rabinal!

Esto es lo que digo ante el cielo, ante la tierra.[24] Por eso no pronunciaré abundantes palabras.

¡El cielo, la tierra, estén contigo,[25, 26] el más destacado entre los varones, Varón de Rabinal!

El Varón de Rabinal.—*(Al bailar agita un lazo con el que se propone sujetar a su enemigo.)* ¡Efectivamente! ¡Valeroso varón, hombre de los Cavek Queché![27] Eso dijo tu voz ante el cielo, ante la tierra. "Acércate, jefe violentador,[20] jefe deshonesto.[20]

"¿Será el único a quien no acabaré por cortar la raíz, el tronco, ese jefe de los Chacach, de los Zaman, el Caük de Rabinal?" ¿Así dijiste?[28]

Sí, efectivamente, aquí está el cielo; sí, efectivamente, aquí está la tierra.[29]

Te entregaste[30] al hijo de mi flecha, al hijo de mi escudo,[31] a mi maza yaqui, a mi hacha yaqui,[32] a mi red, a mis ataduras, a mi tierra blanca,[33] a mis yerbas mágicas,[34] a mi vigor, a mi valentía.

Sea así o no sea así, yo te enlazaré con mi fuerte cuerda, mi fuerte lazo, ante el cielo, ante la tierra.

¡El cielo, la tierra, estén contigo, valiente, varón, hombre prisionero y cautivo!

Lo ha sujetado con el lazo y tira de éste, para atraerlo hacia sí. Cesa la música, y la danza se interrumpe. Hay un prolongado silencio, en el cual ambos varones, fingiéndose iracundos, se ven cara a cara. Después, sin acompañamiento musical ni danza, pronuncia el siguiente parlamento el Varón de Rabinal y le replica el Varón de los Queché.

¡Eh! valiente, varón, prisionero, cautivo. Ya enlacé al de su cielo, al de su tierra.

Sí, efectivamente, el cielo; sí, efectivamente, la tierra te han entregado al hijo de mi flecha, al hijo de mi escudo, a mi maza yaqui, a mi hacha yaqui, a mi red, a mis ataduras, a mi tierra blanca, a mis yerbas mágicas.

Di, revela dónde están tus montañas, dónde están tus valles;[35] si naciste en el costado de una montaña, en el costado de un valle.

¿No serías un hijo de las nubes, un hijo de las nublazones?[36] ¿No vendrías arrojado por las lanzas, por la guerra?[37]

Esto es lo que dice mi voz ante el cielo, ante la tierra. Por eso no pronunciaré abundantes palabras.

¡El cielo, la tierra, estén contigo, hombre prisionero, cautivo!

El Varón de los Queché.—¡Ah cielo, ah tierra! ¿Es verdad que dijiste eso, que pronunciaste voces absurdas[38] ante el cielo, ante la tierra, ante mis labios y mi cara?:[39] ¿Que soy un valiente, un varón? Eso dijo tu voz.

¡Vamos! ¿Sería un valiente, vamos, sería un varón y habría venido arrojado por la lanza, por la guerra?

Mas aquí tu voz dijo también: "Di, revela el aspecto de tus montañas, el aspecto de tus valles". Así dijiste.

¡Vamos! ¿Sería un valiente, ¡vamos!, sería un varón, y diría, revelaría el aspecto de mis montañas, el aspecto de mis valles?

¿No está claro que nací en el costado de una montaña, en el costado de un valle, yo el hijo de las nubes, el hijo de las nublazones? ¡Vamos!, ¿diría, revelaría mis montañas, mis valles?

¡Ah! ¡Cómo rebasan el cielo, cómo rebasan la tierra! Por eso no pronunciaré abundantes palabras, destacado entre los varones, Varón de Rabinal.

¡El cielo, la tierra, estén contigo! *(Se reanuda el baile. Vuelve a sonar la música.)*

El Varón de Rabinal.—¡Eh! valiente, varón, hombre prisionero, cautivo. ¿Así dijo tu voz ante el cielo, ante la tierra? "¡Vamos! ¿Sería un valiente, ¡vamos!, sería un varón, y diría, revelaría mis montañas, mis valles?

"¿No está claro que nací en el costado de una montaña, en el costado de un valle, yo el hijo de las nubes, el hijo de las nublazones?"

¿No dijo esto tu voz? Si no dices, si no revelas el aspecto de tus montañas, el aspecto de tus valles, permita el cielo, permita la tierra, que te haga ir, sujeto o destrozado,[40] ante mi Gobernador, ante mi mandatario, en mis vastos muros, en mi vasta fortaleza.

Esto dice mi voz ante el cielo, ante la tierra.

¡El cielo, la tierra estén contigo, hombre prisionero, cautivo!

El Varón de los Queché.—¡Ah cielo, ah tierra! Tu voz dijo ante el cielo, ante la tierra: "Se podrá hacer nacer, salir, las voces, las palabras, que diré contigo, ante el cielo, ante la tierra.

"Aquí hay con qué hacerlas nacer, con qué hacerlas salir, para que tú digas, para que tú reveles el aspecto de tus montañas, el aspecto de tus valles. Si no los dices, si no los revelas, permita el cielo, permita la tierra, que te haga ir, sujeto o destrozado, ante mi Gobernador, mi mandatario."

Eso dijo tu voz ante el cielo, ante la tierra.

¡Ah cielo, ah tierra! ¿A quién diré, revelaré el aspecto de mis montañas, el aspecto de mis valles?

¿A ustedes, tapicholes;[41] a ustedes, pájaros?[42]

¡Yo, el valiente, yo el varón, jefe de los extranjeros de Cunén, de los extranjeros de Chahul!

Ciertamente el jefe Hechicero de los varones, Hechicero del Envoltorio, bajó diez veces[43] el camino de las nubes, de las nublazones, en mis montañas, en mis valles.

¿Cómo hacer bajar, cómo hacer subir las voces, las palabras, que diré contigo ante el cielo, ante la tierra?

¡El cielo, la tierra, estén contigo, destacado entre los varones, Varón de Rabinal!

EL VARÓN DE RABINAL.—Valiente, varón, hombre de los Cavek Quiché, ¿eres mi auxiliar, eres mi hermano mayor, eres mi hermano menor? ¡Magnífico! ¡Y cómo podría mi espíritu haber olvidado verte, olvidado mirarte, en los vastos muros, en la vasta fortaleza!

Eras tú, sin duda, el que imitaba el grito del coyote, el que imitaba el grito del zorro, el grito de la comadreja, del jaguar,[44] en los vastos muros, en la vasta fortaleza, para atraernos a ti,[45] a nosotros los blancos niños, los blancos hijos;[46] para llevarnos a los vastos muros, ante la vasta fortaleza; para alimentarnos con amarilla miel silvestre, con verde miel silvestre,[47] que toma nuestro Gobernador, nuestro mandatario el abuelo[48] Cinco-Lluvia.

Entonces ¿por qué hacer alarde, provocar como tú lo has hecho, mi decisión, mi valentía?

No han sido esos gritos los que nos llamaron, los que nos atrajeron a los doce jefes,[49] cada uno jefe de su muro, de su fortaleza.

No nos dijiste de veras: "Ustedes, hombres libres,[50] los doce valientes, hombres libres, los doce varones, deben venir a escuchar lo que se les ordena, porque cada uno de sus alimentos, cada una de sus bebidas fue disuelta, consumida, destruida, convertida en piedra pómez.[51]

"Sólo la cigarra, sólo los grillos hacen oír su canto en los muros, en la fortaleza de esos blancos niños, de esos blancos hijos, porque sólo son nueve, diez los que están[52] en sus muros, en su fortaleza.

"Por eso nosotros hemos dejado de alimentar a los blancos niños,[53] a los blancos hijos, porque comemos el plato frito, el frijol grande, el[54] plato de langostas, el plato de loros, los platos combinados."

¿No era esto lo que decía la advertencia que se nos hizo a los jefes, los guerreros? ¿No había en esto con qué rebasar los deseos de tu valentía, de tu denuedo?

Y Belehe Mokoh,[55] Belehe Chumay,[56] con esa valentía, ese denuedo, ¿no fueron a hacerse arrollar, a hacerse sepultar por nuestros guerreros, por nuestros jefes, en Cotom,[56] en Tikiram, llamados así?

He aquí que pagarás ahora ese trastorno, bajo el cielo, sobre la tierra. Tú dijiste, por consiguiente, adiós a tus montañas, a tus valles, porque aquí cortaremos tu raíz, tu tronco, bajo el cielo, sobre la tierra.

Ya no te acontecerá jamás, de día, de noche, bajar, salir de tus montañas, de tus valles.

Es preciso que mueras aquí, que desaparezcas aquí,[57] bajo el cielo, sobre la tierra.

Por eso yo comunicaré esta noticia a la cara de mi Gobernador, a la cara de mi mandatario, en los vastos muros, en la vasta fortaleza.

Esto dice mi voz ante el cielo, ante la tierra. Por eso no pronunciaré abundantes palabras.

¡El cielo, la tierra, estén contigo, hombre de los Cavek Queché!

EL VARÓN DE LOS QUECHÉ.—¡Eh! ¡valiente varón, destacado entre los varones, Varón de Rabinal! Esto dijo tu voz ante el cielo, ante la tierra: "¿Por qué hacer alarde de mi valentía, hacer alarde de mi denuedo?" Esto dijo tu voz.

Realmente llamaron al comenzar, llamaron a mi Gobernador, a mi mandatario. Ésa fue la única razón de mi arribo, de mi llegada de mis montañas, de mis valles.

De aquí partió un mensaje de llamada, bajo el cielo, sobre la tierra, ante los muros del comando de Cakyug-Zilic-Cakocaonic-Tepecanic; tal el nombre, la boca, la cara[58] de esos muros, de esa fortaleza.

¿No fue aquí donde ataron las diez cargas de cacao para comprar, las cinco cargas de cacao fino,[59] destinadas a mi Gobernador, a mi mandatario, Hechicero jefe, Hechicero de los varones, Hechicero del Envoltorio; ésos son su nombre, su boca, su cara, en mis muros, en mi fortaleza?

Desde que eso se le presentó, el jefe, Hechicero jefe, Hechicero del Envoltorio, en el acto deseó, por ese motivo, la muerte de los Chacachs, de los Zaman, del Caük de Rabinal, delante de los Ux;[60] de los Pokoman.

Procedamos lúcidamente. Vayan a decir que desea ver la valentía, el denuedo del jefe de la montaña Queché, del valle Queché.

Venga a tomar posesión de las hermosas montañas, de los hermosos valles. Venga, pues, mi hermano menor, mi hermano mayor.[61]

Venga a tomar posesión, aquí, bajo el cielo, sobre la tierra, de esas hermosas montañas, de esos hermosos valles.

Venga a sembrar, a hacer viveros, allí donde se apretujan los retoños de nuestros pepinos,[62] de nuestras buenas calabazas, los retoños de nuestras matas de frijol.

Esto afirmó tu desafío, tu grito de llamada, ante mi Gobernador, mi mandatario. De este modo se lanzó en seguida el desafío, el grito[63] de mi Gobernador, de mi mandatario; "¡Eh, eh! mi valeroso, mi varón, ve a contestar y torna pronto, porque arribó un mensaje de llamada, que llegó bajo el cielo, sobre la tierra.

"Eleva tu vigor, tu valentía, bajo el cielo, sobre la tierra, el hijo de mi flecha, el hijo de mi escudo; torna pronto a la vertiente de la montaña, a la vertiente del valle."

Así llegó el reto, el grito de mi Gobernador, de mi mandatario.

Yo me había marchado. Ponía las señales[64] de las tierras, allá donde se recuesta el sol, donde comienza la noche, donde el frío tortura, donde la helada tortura, en Pan-Tzahaxak,[65] llamado así.

Entonces mostré el hijo de mi flecha, el hijo de mi escudo. Volví al costado de la montaña, al costado del valle.

Allá por primera vez, yo lancé mi reto, mi grito, ante Cholochic Huyu,[66] Cholochic-Chah,[67] llamados así.

Salí de allá; iba a lanzar mi reto, mi grito, por segunda vez, a Nim Che Paraveno, a Cabrakán,[68] llamados así.[69]

Salí de allá; iba a lanzar por cuarta vez mi reto, mi grito, a Xol Chacach,[70] llamado así.

Allá supe que el gran tambor de sangre,[71] el tamboril de sangre[72] los hacían sonar las doce águilas amarillas[73] los doce jaguares amarillos.

Palpitaba el cielo, palpitaba la tierra con el gran ruido, la gran agitación de las doce águilas amarillas, los jaguares amarillos; con los servidores, las servidoras del varón.

Allá se inició mi canto ante el cielo, ante la tierra: "¡Acércate violentador, jefe deshonesto!

"¿Será el primero a quien no acabaré de cortar la raíz, el tronco, ese jefe de los Chacach, de los Zaman, el Caük de Rabinal."

Eso dijo mi palabra. ¿Qué harás ¡oh, jefe!, ya que no he podido aniquilarte ni destrozarte, pues sólo he podido decir mi voz, cantar ante el cielo, ante la tierra, destacado entre los varones, Varón de Rabinal?

Habla, por consiguiente, tú también, a tu vez.

¡El cielo, la tierra, estén contigo, destacado entre los varones, Varón de Rabinal!

El Varón de Rabinal.—¡Ah! valiente, varón, hombre de los Cavek Queché. ¿Eso dice tu voz ante el cielo, ante la tierra?

De veras son las palabras que has dicho, sin modificar las palabras que has dicho: "De veras partió de aquí un mensaje de llamada; de veras nos llamaron en las montañas Queché, en los valles Queché."

Realmente no fue una falta, no fue malo que llamaran, para oírlo, al Hechicero jefe, al Hechicero del Envoltorio, cuando él deseaba la muerte, la desaparición del jefe de los Chacach, de los Zaman, del

Caük de Rabinal, por los de Ux, por los de Pokoman, aquí bajo el cielo, sobre la tierra.

"Procedamos lúcidamente, para lograr que venga el jefe de las montañas Queché, de los valles Queché, con su valentía, con su denuedo. Venga a tomar posesión de las hermosas montañas, de los hermosos valles. Venga a sembrar, venga a hacer sus viveros."

¡Pues bien!, sembraremos, haremos nuestros viveros, allá donde se apretujan los retoños de nuestros buenos pepinos, los retoños de nuestras buenas calabazas, de nuestras buenas matas de frijol.

Así, por consiguiente, dijo nuestra voz ante el cielo, ante la tierra.

Por eso, tú nos provocaste inútilmente, nos amenazaste en vano, aquí bajo el cielo, sobre la tierra.

Gracias al cielo, gracias a la tierra, te vertiste ante nuestros muros, ante nuestra fortaleza. Por eso nosotros aceptaremos el reto, aceptamos la lucha; combatiremos a los de Ux, a los de Pokoman.

Yo te encomendaré, por consiguiente, la misión de la llamada. Ve, corre ante Nim-Be,[74] donde el pájaro bebe en el agua;[75] ante Cholochic-Zakchun,[76] llamado así.

No accedas a lo que quieren los corazones de los de Ux, de los de Pokoman.

No dejes de luchar en sus montañas, en sus valles. Aniquila, destroza, bajo el cielo, sobre la tierra.

Eso dijo, desde luego, mi voz; mas no fue necesario que vieras, que miraras a los de Ux, a los de Pokoman, pues ellos se transformaron en moscas, en mariposas, en hormigones, en hormiguitas,[77] y sólo eran grandes sus filas, sus columnas, para ascender por la cuesta del monte llamado Equempek Gamahal.[78]

Entonces dirigí mi vista, mi contemplación, a la cara del cielo, a la cara de la tierra; en ese momento vi a los de Ux, a los de Pokoman; mi corazón decayó, mi corazón se sintió herido al verte, al mirarte, porque tú habías accedido a lo que deseaban los de Ux, los de Pokoman.

Entonces lancé mi grito, mi reto contra ti: ¡Eh, eh! valiente, varón, hombre de los Cavek Queché: ¿por qué dejas de luchar contra los de Ux, contra los de Pokoman, en sus montañas, en sus valles?

¡Ah cielo, ah tierra! Realmente, esperaban en nuestras montañas, en nuestros valles, que tú lanzaras tu reto, tu grito contra los de Ux, los de Pokoman.

¿Has respondido con tu desafío, con tu grito, contra los de Ux, los de Pokoman, aquellos que habían lanzado su reto, su grito?

"¡Ah! ¡ah! que tornen ¡ah! los de Ux, los de Pokoman a escuchar aquí las órdenes, bajo el cielo, sobre la tierra." Eso dijo tu voz.

Entonces los de Ux, los de Pokoman, te respondieron: "Valiente, varón, hombre de los Cavek Queché, abandona la lucha en nuestras montañas, en nuestros valles.

"¿No nacimos aquí, con nuestros niños, nuestros hijos,[79] donde bajan las negras nubes, las blancas nubes, donde el frío tortura, donde la helada tortura?

"Lejos se hallan los ramajes, los verdes ramajes, el amarillo cacao para las compras, el amarillo cacao fino, el oro, la plata, los bordados, la orfebrería, con mis niños, mis hijos.

"Aquí están mis niños, aquí están mis hijos; allá no existe para ellos sufrimiento, absoluto o relativo, si desean sostenerse; mientras reposas llega una carga de cacao para comprar, una carga de cacao fino, porque ellos son bordadores, orfebres,[80] del amanecer a la noche.[81]

"Pero contempla a los niños, ve a los hijos del más destacado entre los varones, del Varón de Rabinal. Ellos sólo con gran dolor, con gran padecimiento logran alimentarse, total o parcialmente, del amanecer a la noche.

"Una de sus piernas ve hacia adelante, otra pierna ve hacia atrás; sólo hay cojos, mancos;[82] los sobrinos, los nietos del más destacado entre los varones, del Varón de Rabinal, del amanecer a la noche."

Eso repuso al reto, al grito, de los de Ux, de los de Pokoman, debido a la envidia de sus corazones.

Y tú les respondiste: "¡Eh, eh! ¡Ustedes los de Ux, ah, ustedes los de Pokoman! ¿Eso dicen sus voces, ante el cielo, ante la tierra?

"En lo que concierne a esos niños, a esos hijos del Varón de Rabinal, no hay que tocar sus caras; por lo que se refiere a sus medios de subsistir, su manera de vivir bajo el ancho cielo, bajo los lados del cielo, a la cabeza de la tierra, a los pies de la tierra,[83] en una alcoba o en dos alcobas, porque son vigorosos, porque son denodados.

"Tus niños, tus hijos, al contrario, se pierden, se dispersan, van y vienen; se colocan en orden, van a sus montañas, a sus valles.

"Quizá de allí sólo vuelvan uno, dos a sus muros, a su fortaleza, porque se les aniquila, se les persigue mientras buscan sus alimentos, su manera de vivir.

"Entre los niños, los hijos del valiente, del varón más destacado entre los varones, del Varón de Rabinal, si uno, dos se van, uno, dos tornan a sus muros, a su fortaleza." Eso dijo tu voz a los de Ux, a los de Pokoman.

Por esto es lo que dijo mi voz: ¡Eh, eh! valeroso varón, hombre de los Cavek Queché. Se ha escuchado el reto, el grito que lanzaron los de Ux, los de Pokoman.

¡Ah cielo, ah tierra! Era preciso que estuvieran iracundos por abandonar, bajo el cielo, sobre la tierra a mis niños, mis hijos.

Debe decirse que no pudieron tomar posesión de esas hermosas montañas, de esos hermosos valles.

Es sorprendente que hayas venido a acabar muchos días, muchas noches, bajo el cielo, sobre la tierra; que hayas venido a terminar el hijo de tu flecha, el hijo de tu escudo; que hayas venido a terminar la cara de tu vigor, la cara de tu energía.

Nada has obtenido, y hay que decir que de nada has podido adueñarte bajo el cielo, sobre la tierra. Sabías dónde estaban los límites de tu tierra que viene a unirse a los costados de las montañas, a los costados de los valles.

Debe decirse que soy el valiente, el varón, destacado entre los varones, el Varón de Rabinal, quien adquirió renombre con sus niños, con sus hijos, bajo el cielo, sobre la tierra.

Esto dice mi voz ante el cielo, ante la tierra.

¡El cielo, la tierra, estén contigo, valiente, varón, hombre de los Cavek Queché!

EL VARÓN DE LOS QUECHÉ.—¡Ah! ¡ah! ¡oh cielo, oh tierra! Tu voz dice verazmente que no he logrado adueñarme aquí, bajo el cielo, sobre la tierra, de las hermosas montañas, de los hermosos valles. ¿Fue inútil, en vano, que viniera aquí a concluir muchos días, muchas noches bajo el cielo, sobre la tierra?

¿Mi valentía, mi denuedo, entonces, no me han servido?

¡Ah cielo, ah tierra! Me fui, por consiguiente, a mis montañas, a mis valles. Esto dice mi voz ante el cielo, ante la tierra.

Anduve por el costado de las montañas, el costado de los valles; allá, en la punta que llaman Camba,[84] puse mis señales.

Mi voz dice, por eso, ante el cielo, ante la tierra:

Llamándolo, podría hacer que saliera el jefe de Camba, para poner mis sandalias sobre las cabezas[85] de los niños, las cabezas de los hijos del más destacado entre los varones, del Varón de Rabinal.

Así expresó su queja mi corazón. Pero si hasta el mismo cielo quisiese castigarme, si la tierra quisiese castigarme, diría mi voz:

Me fui de allá a poner mis señales[86] a la cima de la montaña Zaktihel,[87] del valle Zaktihel;[87] lancé mi reto, mi grito. ¡Ah cielo! ¡ah tierra!

¿Es verdad que de nada me he adueñado aquí bajo el cielo, sobre la tierra?

De allá bajé en seguida a la cuenca del río y vi entonces las tierras nuevas, antiguas; las tierras de las amarillas espigas, de los amarillos frijoles, de los blancos frijoles, de las aves con garras.[88]

Mi voz dijo entonces esto, ante el cielo, ante la tierra: ¿No podría llevarme un poco de esta tierra nueva, antigua, con ayuda del hijo de mi flecha, el hijo de mi escudo? Entonces allí hundí mis sandalias en la tierra nueva, antigua.[89]

De allá me fui en seguida a colocar mis señales sobre la punta Xtincurun, frente a Ximbal Ha, llamados así.[90]

De allá también partí: fui a plantar mis señales a la punta llamada Quezentum;[91] allá redoblé en el tambor por el deseo de mi corazón, durante trece veces veinte días, trece veces veinte noches,[92] porque no había logrado adueñarme bajo el cielo, sobre la tierra, de las hermosas montañas, de los hermosos valles.

Esto dijo mi voz ante el cielo, ante la tierra: ¡Ah, oh cielo, oh tierra! Es verdad que no logré adueñarme de nada aquí, bajo el cielo, sobre la tierra; que vine inútilmente, en vano, a acabar muchos días, muchas noches.

Esto dijo mi voz ante el cielo, ante la tierra.

Vine, por consiguiente, a dar fin a la cara de mi fuerza, la cara de mi energía; mi valor, mi denuedo no me sirvieron.

Esto dice mi voz, ante el cielo, ante la tierra.

Me fui a mis montañas, a mis valles. Mi voz dijo en seguida que yo recorrí el costado de las montañas, el costado de los valles; esto dijo mi voz.

¡El cielo, la tierra, estén contigo, el más destacado entre los varones, Varón de Rabinal!

EL VARÓN DE RABINAL.—¡Ah! valiente, varón, hombre de los Cavek Queché. ¡Mis niños, mis hijos! ¿Por qué atrajiste a mis niños, a mis hijos? Nada tenías que hacer con ellos.

Déjalos en sus montañas, en sus valles. Si no los dejas, permita el cielo, permita la tierra, que trastorne el cielo, que trastorne la tierra.[93]

Esto dijo mi reto porque me había marchado; me dedicaba a colocar las señales de la tierra en la punta llamada Mucutzunun;[94] cuando secuestraste a los blancos niños, a los blancos hijos, ayudado por el hijo de tu flecha, ayudado por el hijo de tu escudo, sin que el eco de tu corazón oyese mi reto, mi grito.

Entonces recorrí el costado de las montañas, el costado de los valles, y puse mis señales en Pan-Ahachel,[95] llamado así. Allá lancé mi reto, mi grito, contra ti.

Hasta entonces dejaste a los blancos niños, a los blancos hijos, allá en Nim Che, en Cabrakán Paraveno, llamados así; efectivamente a corta distancia de las montañas Queché, de los valles Queché.[96]

De allá regresaron ellos, recorrieron ellos los costados de las montañas, los costados de los valles; hueco el vientre, vacío el estómago, regresaron ellos; no obstante, ellos no se dispersaron en sus muros, en sus fortalezas, sino que se avecindaron en Panamaka,[97] llamado así. Entonces viniste contra mi Gobernador, mi mandatario, allá en el lugar de los Baños,[98] llamado así. No me había marchado; estaba a punto de colocar las señales de las tierras, allá en Tzam-Ha,[99] ante Quiluyach Abah,[100] llamados así.

Entonces abandoné mi vista, mi contemplación ante el cielo, ante la tierra. Grande era el espacio donde marchaban las nubes, donde marchaban las nublazones, frente a los vastos muros, frente a la vasta fortaleza.

Allá lancé mi reto, mi grito, ante el cielo, ante la tierra.

Mi voz dijo así: ¡Eh, eh, valiente, varón, hombre de los Cavek Queché! A mi Gobernador, mi mandatario, ¿por qué viniste a secuestrarlo del interior de los vastos muros, del interior de la vasta fortaleza?

Nada tenías que ver con él. ¡Permítele, pues, que torne a los vastos muros, a la vasta fortaleza! Esto dijo mi voz: mas tu corazón no se conmovió al oír mi reto, mi grito.

Mi voz dijo también: Si no dejas ir a mi Gobernador, mi mandatario, permita el cielo, permita la tierra, que yo trastorne el cielo, que trastorne la tierra,[93] que recorra el cielo, que recorra la tierra. Esto dijo mi voz.

Pero tu corazón no se conmovió al escuchar mi reto, mi grito. Recorrí, pues, los costados de las altas, hermosas montañas, de los grandes, hermosos valles, y fui a colocar mis señales en el interior de los vastos muros, dentro de la vasta fortaleza.

Pero no vi sino el horizonte donde marchaban las nubes, donde marchaban las nublazones, frente a los vastos muros, frente a la vasta fortaleza.

Sólo la cigarra, sólo el grillo venían a vibrar, venían a cantar[101] en los vastos muros, en la vasta fortaleza.

Pero mi corazón desfalleció, mi corazón decayó, y he recorrido los costados de las montañas, los costados de los valles, hasta que llegué a las montañas Queché, a los valles Queché; hasta que logré alcanzar a mi Gobernador, mi mandatario, bien amurallado atrás y adelante, en la piedra, en la cal.

Me lancé allí con el hijo de mi flecha, con el hijo de mi escudo, mi maza yaqui, mi hacha yaqui, mi valor, mi denuedo. Vi entonces a mi Gobernador, mi mandatario, completamente abandonado en la piedra, en la cal.[102]

Lo saqué de allí con la ayuda del hijo de mi flecha, el hijo de mi escudo. Debo decir que si yo no hubiera estado allí, en verdad habrías cortado la raíz, el tronco de mi Gobernador, de mi mandatario, en la montaña Queché, el valle Queché.

Así fue como volví a verlo. Con la ayuda del hijo de mi flecha, del hijo de mi escudo, le conduje de nuevo a los muros, a la fortaleza, a mi Gobernador, mi mandatario.

¿No asolaste dos, tres pueblos; las ciudades con barrancos[103] de Balamvac,[104] cuyo suelo pedregoso resuena con las pisadas; de Chi-Calcaraxah,[105] de Chi-Cunu,[106] de Chi-Gozibal-Tagah-Tulul,[107] llamados así?

¿Hasta cuándo tu corazón dejará de estar envidioso, celoso, de mi valor, de mi denuedo? Pero vas a pagarlo, bajo el cielo, sobre la tierra.

Trasmitiré, por consiguiente, la noticia de tu presencia en los vastos muros, en la vasta fortaleza, a mi Gobernador, a mi mandatario.

Has dicho, pues, adiós a tus montañas, a tus valles, porque aquí cortaremos tu raíz, tu tronco, bajo el cielo, sobre la tierra.

Realmente así será. Por eso, no pronunciaré abundantes palabras.

¡El cielo, la tierra, estén contigo, hombre de los Cavek Queché!

El Varón de los Queché.—¡Eh, valiente, varón, Varón de Rabinal! ¿Dice eso tu voz ante el cielo, ante la tierra? No cambiaré las palabras que has dicho, ante el cielo, ante la tierra, a mis labios, a mi cara. Debo decir que ejecuté mal, al principio, las órdenes de nuestro Gobernador, nuestro mandatario.

"Ellos nos provocaron, ellos nos retaron", había dicho la voz de nuestro Gobernador, de nuestro mandatario, el jefe de Teken Toh,[108] el jefe de Teken Tihax,[109] Gumarmachi,[110] en Taktazib,[111] Taktazimah,[112] Cuxuma Ah,[113] de Cuxuma Cho,[114] de Cuxuma Zivan,[115] de Cuxuma Cab,[116] de Cuxuma Tziquin.[117] Éstos son los nombres, los labios, las caras[118] de nuestro Gobernador, de nuestro mandatario.

"Vengan ¡oh! los doce denodados, los varones; vengan a escuchar las órdenes." Ésta fue la voz que habló, a ellos al principio; en seguida, a ti; debido a la miseria, el derroche, la falta de orden que hubo allí en los puestos, en los cargos públicos.

En los vastos muros, en la vasta fortaleza, sólo hay nueve blancos niños, diez blancos hijos en los vastos muros, en la vasta fortaleza.[119]

Esa fue la voz que habló a ellos y a ti. Como de nada había podido adueñarme aquí, debido al deseo de mi corazón, yo hice venir, yo hice tornar a los blancos niños, los blancos hijos, mientras que ellos estaban distraídos en Iximché[120] buscando las colmenas de miel amarilla, de miel verde.

Cuando los vi, mi voz dijo ante el cielo, ante la tierra: ¿No podría secuestrar a esos blancos niños, a esos blancos hijos, para que se avecinen en mis montañas, en mis valles?

Mi voz dijo: Los conduciré ante mi Gobernador, mi mandatario, a la montaña Queché, al valle Queché.

Mi voz dijo: Aquí hay, pues, un poco de estas tierras nuevas, antiguas; de las blancas espigas abiertas, de los amarillos frijoles, de los blancos frijoles.

De allí vine a Pan Cakil,[121] llamado así, porque mi corazón estaba con los blancos niños, con los blancos hijos.

Por eso, pues, lanzaste tu reto, tu grito. Entonces lloró mi corazón, se quejó mi corazón, al oír tu reto, tu grito. Pero en seguida los dejé libres, allá en Nim Che, en Cabrakán Pan-Araveno, llamados así.

Faltaba poco para que los blancos niños, los blancos hijos llegasen a mis montañas, a mis valles, a las montañas Queché, a los valles Queché.

De ese modo se fueron, así tornaron los blancos niños, los blancos hijos; hueco el interior de su vientre, vacío el interior de su estómago. Prosiguieron la marcha por los costados de las montañas, por los costados de los valles.

No obstante, no llegaron hasta sus muros, su fortaleza; se avecindaron, por consiguiente, en Panamaka, llamado así.

Ciertamente fui yo el que procedí mal, cuando secuestré a tu Gobernador, tu mandatario, allá en el lugar de los Baños, llamado así; mientras que él iba a bañarse, yo lo secuestré, ayudado del hijo de mi flecha, ayudado del hijo de mi escudo.

Lo trasladé a mis montañas, a mis valles; montañas Queché, valles Queché, debido al deseo de mi corazón, porque de nada había podido adueñarme bajo el cielo, sobre la tierra. Lo encerré, pues, en los muros de cal y piedra; tapié su cara, con la cal, la piedra.

Debo decir que he procedido mal, porque tu voz dijo: "Asolaste dos, tres pueblos; las ciudades con barrancos de Balamvac, donde el suelo pedregoso resuena con las pisadas; de Chi-Calcaraxah, de Chi-Cunu, de Chi-Gozibal-Tagah-Tulul, llamados así."

Ciertamente, procedí mal entonces, debido al deseo de mi corazón, y pagaré ahora bajo el cielo, sobre la tierra.

No hay otras palabras en mi boca, en mi cara. Sólo la ardilla, sólo el pájaro, aquí ante mí, te gritarán, quizá, ¡oh jefe!

¿No dijo tu voz también: "Voy a trasmitir la noticia de tu presencia a la cara de mi Gobernador, mi mandatario, en los vastos muros, en la vasta fortaleza. Has dicho adiós a tus montañas, a tus valles, porque aquí cortaremos tu raíz, tu tronco, aquí bajo el cielo, sobre la tierra"? Esto dijo tu voz.

¿No podríamos proceder lúcidamente como hermano mayor, como hermano menor? Te adornaría, te decoraría con mi oro, con mi plata, con el hijo de mi flecha, con el hijo de mi escudo, con mi maza yaqui, con mi hacha yaqui, aun con mis guirnaldas,[122] con mis sandalias.

Trabajaría aquí, te serviría como tu niño, como tu hijo, aquí bajo el cielo, sobre la tierra, como señal suprema de que tú no me dejas marchar a mis montañas, a mis valles.[118]

Esto dice mi voz ante el cielo, ante la tierra.

¡El cielo, la tierra, estén contigo, valiente, varón, destacado entre los varones, Varón de Rabinal!

El Varón de Rabinal.—¡Ah, valiente, varón, hombre de los Cavek Queché! ¿No dijo tu voz ante el cielo, ante la tierra: "¿No podría yo adornarte, decorarte, con mi oro, con mi plata, con el hijo de mi flecha, con el hijo de mi escudo, con mis guirnaldas, con mis sandalias; trabajar aquí, servirte, bajo el cielo, sobre la tierra?" Esto dijo tu voz.

Pero entonces iría a decir a la cara de mi Gobernador, de mi mandatario: "Un valiente, un varón nos había combatido tras los vastos muros, la vasta fortaleza, durante trece veces veinte días, durante trece veces veinte noches; nuestro sueño no había sido un reposo,[123] y en seguida yo me he adornado, decorado con su oro, con su plata, con su maza yaqui, con su hacha yaqui, aun con sus guirnaldas, sus sandalias."

¡Y yo podría ir a decir a la cara de mi Gobernador, de mi mandatario, que lo he dejado en seguida regresar a sus montañas, a sus valles! ¿Iría a decir eso a la cara de mi Gobernador, de mi mandatario?

Pero estoy bien provisto, colmado de dones por mi Gobernador, mi mandatario; tengo oro, plata; tengo el hijo de mi flecha, el hijo de mi escudo, mi maza yaqui, mi hacha yaqui; estoy bien provisto, estoy colmado de dones por mi Gobernador, mi mandatario, en los vastos muros, en la vasta fortaleza.

Por eso voy a trasmitir la noticia de tu presencia frente a los vastos muros, frente a la vasta fortaleza, a la cara de mi Gobernador, de mi mandatario.

Si mi Gobernador, mi mandatario permite que te deje marchar a las montañas, a los valles; si mi Gobernador lo dice, entonces te dejaré marchar a las montañas, a los valles. Sí, si mi Gobernador dice eso, te dejaré marchar.

Pero si mi Gobernador, mi mandatario dice: "Tráelo ante mis labios, mi cara, para que yo vea hasta qué punto sus labios, su cara son de un valiente, de un varón"; si mi Gobernador, mi mandatario dice esto, te lo comunicaré.

Esto dice mi voz ante el cielo, ante la tierra.

¡El cielo, la tierra, estén contigo, valiente, varón, hombre de los Cavek Queché!

EL VARÓN DE LOS QUECHÉ.—¡Pues bien, que así sea, valiente varón, Varón de Rabinal! Si debes trasmitir la noticia de mi presencia a la cara de tu Gobernador, en los vastos muros, en la vasta fortaleza, anúnciame, pues.

¡El cielo, la tierra, estén contigo, el más destacado entre los varones, Varón de Rabinal!

CUADRO SEGUNDO

EL VARÓN DE RABINAL.—*(Ante el jefe Cinco-Lluvia, que ocupa un asiento bajo, con respaldo, adornado con labores antiguas. Junto a él, la señora, su esposa, rodeada de sirvientes, guerreros, águilas y jaguares.)* ¡Te saludo, oh jefe! ¡Te saludo, oh señora! Doy gracias al cielo, doy gracias a la tierra. Aquí tú proteges, abrigas, bajo el toldo de plumas de verdes pajarillos,[124] en los vastos muros, en la vasta fortaleza.

Así como yo soy un valiente, un varón, y he llegado hasta tus labios, tu cara, en los vastos muros, en la vasta fortaleza, de igual manera aquí está un valiente, un varón, que se nos enfrentó durante trece veces veinte días, durante trece veces veinte noches, tras los vastos muros, tras la vasta fortaleza, donde nuestro sueño no era un reposo. El cielo nos lo ha entregado, la tierra nos lo entregó enlazado; al hijo de mi flecha, al hijo de mi escudo.

Lo he atado, lo he enlazado, con mi fuerte cuerda, con mi fuerte lazo, con mi maza yaqui, con mi hacha yaqui, con mi red, con mis ataduras, con mis yerbas mágicas.

Después hice que se manifestaran sus labios sin que se cubrieran de espuma:[125] los labios de ese valiente, de ese varón; en seguida él habló ante sus montañas, ante sus valles, a mis labios, a mi cara, a mí, el valiente, el varón.

Era ese valiente, ese varón, el que imitaba el grito del coyote, el que imitaba el grito del zorro, el que imitaba el grito de la comadreja, más allá de los vastos muros, la vasta fortaleza, para atraer, para provocar a los blancos niños, a los blancos hijos.

Fue ese valiente, ese varón, el que aniquiló a nueve o diez blancos niños, blancos hijos. Fue, también, ese valiente el que te secuestró en los Baños.

Fue ese valiente, ese varón el que asoló dos o tres pueblos; la ciudad con barrancos de Balamvac donde el suelo pedregoso resuena con las pisadas, llamada así.

¿No pondrá, por consiguiente, el deseo de tu corazón un final a ese valor, a ese denuedo? ¿No lo previenen nuestros gobernadores, nuestros mandatarios, cada uno Gobernador de muros, de fortalezas: el jefe de Teken Toh, el jefe de Teken Tihax, Gumarmachi Tactazib, Tactazimah, Cuxuma Ah, Cuxuma Zivan, Cuxuma Cho, Cuxuma Cab, Cuxuma Tziquin?

Éstos son sus nombres, sus labios, sus caras. Ahora él viene a pagar, bajo el cielo, sobre la tierra.

Aquí cortaremos su raíz, su tronco; aquí bajo el cielo, sobre la tierra, ¡oh Gobernador, jefe Cinco-Lluvia!

El Jefe Cinco-Lluvia.—¡Mi valiente, mi varón! Gracias al cielo, gracias a la tierra, has llegado a los vastos muros, a la vasta fortaleza, ante mis labios, ante mi cara, ante mí, tu Gobernador, yo el jefe Cinco-Lluvia.

Por consiguiente, gracias al cielo, gracias a la tierra, que el cielo te haya entregado, que la tierra te haya entregado ese valiente, ese varón; que lo hayan arrojado al hijo de tu flecha, al hijo de tu escudo; que lo hayas sujetado, que tú hayas enlazado, valiente, a ese varón.

Pero que no haga estruendo; pero que no escandalice cuando llegue a la entrada de los vastos muros, de la vasta fortaleza; porque debe amársele, debe admirársele[126] en los vastos muros, en la vasta fortaleza; porque aquí se hallan sus doce hermanos mayores, sus doce hermanos menores, los de los metales preciosos, los de las piedras preciosas.[127]

Sus labios, sus caras, no se hallan todavía completos: quizá ha venido a integrar su grupo en los vastos muros, en la vasta fortaleza. Aquí hay doce águilas amarillas, doce jaguares amarillos; sus bocas, sus fauces, no están completas; quizá ese valiente, quizá ese varón ha venido a completar a unos y a otros.

Hay aquí bancos de metales preciosos, asientos de metales preciosos; hay unos donde se puede estar sentado; hay otros donde no se puede estar sentado: quizá ese valiente, ese varón, ha venido a sentarse en aquéllos.

Hay aquí doce bebidas, doce licores que embriagan, de los llamados Ixtatzunun:[128] dulces, refrescantes, alegres, gratos, atrayentes; de los que se bebe antes de dormir, aquí en los vastos muros, en la vasta fortaleza; bebidas de jefes: quizá ese valiente vino para beberlas.[129]

Hay telas muy finas y bien tramadas; brillantes, esplendentes, labor de mi madre,[130] de mi señora; por ese esplendente trabajo de mi madre, de mi señora, quizá ese valiente, ese varón, vino para estrenar su delicadeza.

También está la Madre de las Plumas, la Madre de los Verdes Pajarillos, traída de Tzam-Gam-Carchag;[131] quizá ese valiente, quizá ese varón, vino para estrenar sus labios, su cara; vino para bailar con ella, dentro de los vastos muros, en la vasta fortaleza.

Quizá ese valiente ha venido para convertirse en yerno de clan,[132] cuñado de clan, en los vastos muros, en la vasta fortaleza.

Si es sumiso, si es modesto, si se humilla, si humilla su cara, entonces puede entrar. Esto dice mi voz ante el cielo, ante la tierra.

¡El cielo, la tierra, estén contigo, destacado entre los varones!

EL VARÓN DE RABINAL.—Jefe Cinco-Lluvia, dame tu aprobación, ante el cielo, ante la tierra. Mi voz dice esto: Aquí está mi vigor, mi denuedo, que habías entregado, que habías afirmado a mis labios, en mi cara.

Dejaré aquí, por consiguiente, mi flecha, mi escudo. Consérvalos, pues; guárdalos en su cubierta, en su arsenal; que reposen allí: yo reposaré también, porque cuando debíamos dormir no había, a causa de ellos, reposo para nosotros.

Te los dejo, por consiguiente, en los vastos muros, en la vasta fortaleza. Esto dice mi voz, ante el cielo, ante la tierra.

¡El cielo, la tierra, estén contigo, mi Gobernador, mi mandatario, jefe Cinco-Lluvia!

EL JEFE CINCO-LLUVIA.—Mi valiente, mi varón, ¿no dice eso tu voz, ante el cielo, ante la tierra?: "Aquí está mi vigor, aquí está mi denuedo; aquí está mi flecha, aquí está mi escudo, que tú habías entregado, que tú habías afirmado a mis labios, a mi cara.

"Te los entrego, pues, para que los conserves; para que los guardes en los vastos muros, en la vasta fortaleza, en su cubierta, en su arsenal." ¿No es esto lo que dijo tu voz?

Pero ¿cómo los conservaría, cómo los guardaría en su cubierta, en su arsenal? ¿Cuáles armas tendría, entonces, contra los que vinieran a descubrirse a la cabeza de las tierras,[133] al pie de las tierras?[133]

¿Qué armas, también, habrá para nuestros niños, para nuestros hijos, cuando ellos vengan a buscar, a obtener su alimento, en las cuatro esquinas, en los cuatro lados?[134]

Aquí, por consiguiente, una vez, dos veces, deberás tomar tu vigor, tu denuedo, tu flecha, tu escudo, que aquí te entrego, mi valiente, mi varón, destacado entre los varones, Varón de Rabinal.

¡El cielo, la tierra, estén contigo!

EL VARÓN DE RABINAL.—¡Está muy bien! Aquí, por consiguiente, volveré a tomar mi vigor, mi denuedo, que me has entregado; que has afirmado a mis labios, a mi cara. Así pues, tomaré eso una vez, dos veces.

Esto dice mi voz ante el cielo, ante la tierra.

Por todo ello, te dejaré un instante en los vastos muros, en la vasta fortaleza.

¡El cielo, la tierra, estén contigo, mi Gobernador, mi mandatario, jefe Cinco-Lluvia!

El Jefe Cinco-Lluvia.—¡Está muy bien, mi valiente, mi varón! Sé cauto: no vayas a caer, a lastimarte, mi valiente, mi varón, destacado entre los varones, Varón de Rabinal.

¡El cielo, la tierra, estén contigo!

CUADRO TERCERO

El Varón de Rabinal.—*(Liberta al Varón de los Queché, de las ligaduras que lo ataban al árbol.)* ¡Eh! valiente, varón, hombre de los Cavek Queché. Ya he anunciado tu presencia en los vastos muros, en la vasta fortaleza, ante la cara de mi Gobernador, mi mandatario.

Mi Gobernador, mi mandatario dijo esto, para prevenir a tu valentía, a tu denuedo: "Que él no haga estruendo, que no escandalice sino que se humille, que humille su cara, cuando llegue a la entrada de los vastos muros, de la vasta fortaleza, aquí bajo el cielo, sobre la tierra; porque debe amársele, debe admirársele aquí en los vastos muros, en la vasta fortaleza, ya que estará cabal el interior de los vastos muros, de la vasta fortaleza.

"Hay doce hermanos menores, doce hermanos mayores: los de los metales preciosos, los de las piedras preciosas; quizá sus caras no estén completas; quizá ese varón venga a integrar su grupo.

"También hay doce águilas amarillas, doce jaguares amarillos. Sus fauces no están cabales; quizá ese valiente, ese varón, venga a completar a unos y otros.

"También hay bancos de metales preciosos, asientos de metales preciosos; quizá ese valiente, ese varón, venga para sentarse en ellos.

"Aquí, también, está guardada la Madre de las Plumas, la Madre de los Verdes Pajarillos, la Piedra Preciosa, traída de Tzam-Gam-Carchag. Sus labios están sin estrenar; su rostro no ha sido tocado: quizá ese valiente, quizá ese varón venga para estrenar sus labios, su rostro.

"Hay también doce bebidas, doce licores embriagantes, dulces, refrescantes: bebidas de jefes, en los vastos muros, en la vasta fortaleza; quizá ese valiente, quizá ese varón venga para beberlas.

"Hay también telas muy finas, muy bien tramadas: brillantes, resplandecientes, labor de mi madre, de mi señora; quizá ese valiente, quizá ese varón, venga para estrenarlas.

"¿No viene él, también para convertirse en mi yerno de clan, cuñado de clan, aquí en los vastos muros, en la vasta fortaleza?" Esto dijo la voz de mi Gobernador, mi mandatario.

Vengo, pues, a prevenirte que no hagas estruendo, que no escandalices, cuando llegues a la entrada de los altos muros, de la alta fortaleza; que te inclines, que dobles la rodilla, al llegar ante mi Gobernador, mi mandatario, el abuelo, el jefe Cinco-Lluvia.

Esto dice mi voz ante el cielo, ante la tierra. Nuestras pláticas no se prolongarán más.

¡El cielo, la tierra, estén contigo, hombre de los Cavek Queché!

EL VARÓN DE LOS QUECHÉ.—¡Eh! valiente, varón, Varón de Rabinal. ¿No dijo así tu voz ante el cielo, ante la tierra?: "Yo trasmití la noticia de tu presencia ante mi Gobernador, ante mi mandatario, en los vastos muros, en la vasta fortaleza."

Esto dijo tu voz: "Por eso vengo a prevenirte, valiente, varón. Tráelo a que comparezca ante mis labios, ante mi cara, en los vastos muros, en la vasta fortaleza; para que vea en sus labios, para que vea en su cara lo valeroso que es él, lo viril que es él.

"Ve a prevenirlo: que no haga estruendo, que no escandalice, cuando llegue ante mis labios, ante mi cara; que se humille, que humille su cara; porque si es un valiente, si es un varón, es sumiso, humilde; porque lo amarán, lo admirarán, aquí en los vastos muros, en la vasta fortaleza. Así habló mi Gobernador, mi mandatario."

¿No dijo eso tu voz? ¡Vamos! ¿sería un valiente, sería un varón, si me humillase, si humillase mi cara?

Aquí ves con lo que me humillaré: aquí está mi flecha, aquí está mi escudo, aquí está mi maza yaqui, aquí está mi hacha yaqui; éstos serán mis útiles para doblegarme, para doblar la rodilla, cuando llegue a la entrada de los vastos muros, de la vasta fortaleza.

Quiera el cielo, la tierra, que yo pueda abatir la grandeza; el día en que nació[135] tu Gobernador, tu mandatario.

Quiera el cielo, la tierra, que yo pueda golpear la parte inferior de sus labios, la parte superior de sus labios, en los vastos muros, en la vasta fortaleza, y que antes padezcas también eso, valiente, varón, destacado entre los varones, Varón de Rabinal. *(Al decir estas palabras se aproxima, amenazante, al Varón de Rabinal.)*

IXOK-MUN.– *(Interponiéndose entre los dos varones.)* Valiente varón, hombre de los Cavek-Queché, no mates a mi valiente, mi varón, el destacado entre los varones, el Varón de Rabinal.

SEGUNDO ACTO

EL VARÓN DE LOS QUECHÉ.–*(Llega ante el jefe Cinco-Lluvia.)* ¡Te saludo, varón! Soy el que acaba de llegar a la entrada de los vastos muros, de la vasta fortaleza, donde extiendes tus manos, donde extiendes tu sombra.[136] Vinieron a dar la noticia de mi presencia a tus labios, a tu cara.

Soy un valiente, un varón, porque tu valiente, tu varón, destacado entre los varones, el Varón de Rabinal, vino a lanzar su reto, su grito, a mis labios, a mi cara.

"He trasmitido la noticia de tu presencia a la cara de mi Gobernador, de mi mandatario, en los vastos muros, en la vasta fortaleza. La voz de mi Gobernador, de mi mandatario dijo esto: «Haz, pues, que entre ese valiente, ese varón, ante mis labios, ante mi cara, para que vea en sus labios, para que vea en su cara, lo valiente que es él, lo varón que es él.»

"«Advierte a ese valiente, a ese varón, que no haga estruendo, que no escandalice, que se humille, que humille su cara, cuando llegue a la entrada de los vastos muros, a la entrada de la vasta fortaleza.»"

¡Pues bien!, soy un valiente, soy un varón, y si tengo que humillarme, que humillar mi cara, aquí tengo con qué humillarme; aquí está mi flecha, aquí está mi escudo, con que yo doblegaré tu destino, el día de tu nacimiento; golpearé la parte inferior de tus labios, la parte superior de tus labios, y vas a resentirlo, ¡oh jefe! *(Amenaza con sus armas al jefe Cinco-Lluvia.)*

IXOK-MUN.–Valiente, varón, hombre de los Cavek Queché, no mates a mi Gobernador, mi mandatario, el jefe Cinco-Lluvia, en los vastos muros, en la vasta fortaleza, donde está encerrado.

EL VARÓN DE LOS QUECHÉ.–Haz, pues, que preparen mi banco, mi asiento, porque así era como en mis montañas, en mis valles, se ilustraba mi destino, se ilustraba el día de mi nacimiento.

Allá tengo mi banco, allá tengo mi asiento. ¿Me quedaré en este lugar expuesto a la helada, me quedaré expuesto al frío? Esto dice mi voz ante el cielo, ante la tierra.

¡El cielo, la tierra estén contigo, jefe Cinco-Lluvia!

EL JEFE CINCO-LLUVIA.–Valiente, varón, hombre de los Cavek Queché: gracias al cielo, gracias a la tierra, has llegado a los vastos muros, a la vasta fortaleza donde extiendo mis manos, extiendo mi sombra, yo el abuelo, el jefe Cinco-Lluvia.

Así pues, di, revela, ¿por qué imitaste el grito del coyote, el grito del zorro, el grito de la comadreja, más allá de los vastos muros, más allá de la vasta fortaleza, para provocar, para atraer a mis blancos niños, mis blancos hijos; para atraerlos ante los vastos muros, la vasta fortaleza, en Iximché; para tratar de hallar, de encontrar, la miel amarilla, la miel verde de las abejas, el alimento que era para mí, el abuelo, el jefe Cinco-Lluvia, en los vastos muros, en la vasta fortaleza?

Fuiste quien secuestró a los nueve, a los diez blancos niños, blancos hijos, que estuvieron a punto de ser llevados a las montañas Queché, a los valles Queché, si mi arrojo, mi bravura, no se hubieran hallado alerta; porque allá habrías cortado la raíz, el tronco de los blancos niños, de los blancos hijos.

Viniste, también, a secuestrarme allá en los Baños. Allá fui apresado por el hijo de tu flecha, el hijo de tu escudo.

Me encerraste en la piedra, la cal, en las montañas Queché, en los valles Queché; allá habrías acabado por cortar mi raíz, mi tronco, en las montañas Queché, los valles Queché.

Por eso mi valiente, mi varón, el más destacado entre los varones, el Varón de Rabinal, me libertó de allá, me arrancó de allá, con ayuda del hijo de su flecha, el hijo de su escudo.

Si no hubiese existido mi valiente, mi varón, efectivamente allí habrías cortado mi raíz, mi tronco.

Así me trajeron nuevamente a los vastos muros, a la vasta fortaleza. Asolaste también dos, tres pueblos; las ciudades con barrancos de Balamvac, donde el suelo pedregoso resuena bajo las pisadas; de Calcaraxah, Cunu, Gozibal-Tagah-Tulul, llamadas así.

¿Cuándo dejará de dominarte el deseo de tu corazón, de tu decisión, de tu denuedo? ¿Hasta cuándo permitirás que obren, permitirás que se agiten?

Esa decisión, ese denuedo, no quedaron sepultados, ocultos, en Cotom, en Tikiram, en Beleheh Mokoh, en Belehe Chumay?

Esa decisión, ese denuedo ¿no fueron a hacerse sepultar, a hacerse ocultar, por nosotros los gobernadores, nosotros los mandatarios, en cada uno de los muros, de la fortaleza?

Mas tú pagarás eso aquí, bajo el cielo, sobre la tierra. Has dicho, pues, adiós a tus montañas, a tus valles, porque aquí morirás, fallecerás, bajo el cielo, sobre la tierra.

¡El cielo, la tierra, estén contigo, hombre de los Cavek Queché!

EL VARÓN DE LOS QUECHÉ.—Jefe Cinco-Lluvia, dame tu aprobación ante el cielo, ante la tierra. Efectivamente aquí están las palabras, efectivamente aquí están las opiniones que tú has expresado ante el cielo, ante la tierra; efectivamente he obrado mal.

Tu voz también dijo: "¿No has provocado, llamado a los blancos niños, los blancos hijos, para atraerlos a buscar, a descubrir la miel amarilla, la miel verde de las abejas, el alimento que era para mí, el abuelo, el jefe Cinco-Lluvia, en los vastos muros, en la vasta fortaleza?"

Eso dijo tu voz. Efectivamente procedí mal, debido al deseo de mi corazón, porque no había logrado adueñarme de esas hermosas montañas, de esos hermosos valles, aquí bajo el cielo, sobre la tierra.

Tu voz también ha dicho: "Fuiste quien vino a secuestrarme; quien se apoderó de mí en los Baños."

Eso dijo tu voz. Efectivamente he obrado mal, debido al deseo de mi corazón.

Tu voz dijo también: "Asolaste dos, tres pueblos; las ciudades con barrancos de Balamvac, donde el suelo pedregoso resuena con las pisadas; de Calcaraxah, Cunu, Gozibal-Tagah-Tulul." Eso dijo tu palabra.

Efectivamente procedí mal, debido al deseo de mi corazón, porque no había logrado adueñarme de las hermosas montañas, de los hermosos valles, aquí bajo el cielo, sobre la tierra.

Tu voz ha dicho también: "Di adiós a tus montañas, a tus valles; di tu voz, porque aquí morirás, fallecerás; aquí cortaremos tu raíz, tu tronco; aquí bajo el cielo, sobre la tierra." Eso dijo tu voz.

Efectivamente desobedecí tu voz, tus mandatos, aquí ante el cielo, ante la tierra, debido al deseo de mi corazón.

Si es preciso que yo muera aquí, que fallezca aquí, entonces esto es lo que dice mi voz a tus labios, a tu cara: Ya que estás bien provisto, que estás abastecido, en los altos muros, en la alta fortaleza, concédeme tu alimento, tus bebidas: esas bebidas de jefes llamadas Ixtatzunun; las doce bebidas, los doce licores embriagantes, dulces, refrescantes, alegres, atrayentes, que se beben antes de dormir, en los vastos muros, en la vasta fortaleza, y también los portentos de tu madre, de tu señora.

Las probaré un instante, como suprema señal de mi muerte,[137] de mi fallecimiento, bajo el cielo, sobre la tierra. Eso dice mi palabra.

¡El cielo, la tierra, estén contigo, jefe Cinco-Lluvia!

EL JEFE CINCO-LLUVIA.—¡Valiente, varón, hombre de los Cavek Queché! Esto dijo tu voz ante el cielo, ante la tierra: "Concédeme tu alimento, tus bebidas. Las recibiré para probarlas." Esto dijo tu voz. "Ésa será la suprema señal de mi muerte, de mi fallecimiento", dijo tu voz. Pues yo te las doy, pues yo te las otorgo.

Servidores, servidoras, que traigan mi alimento, mis bebidas. Que las den a ese valiente, ese varón, hombre de los Cavek Queché, como suprema señal de su muerte, de su fallecimiento, aquí bajo el cielo, sobre la tierra.

UN SIRVIENTE.—Está bien, mi Gobernador, mi mandatario. Los daré a ese valiente, a ese varón, hombre de los Cavek Queché. *(Traen los sirvientes una mesa cargada de manjares y bebidas.)* Prueba algo del alimento, las bebidas, de mi Gobernador, mi mandatario, el abuelo, el jefe Cinco-Lluvia, en los vastos muros, en la vasta fortaleza en la cual vive en su encierro mi Gobernador, mi mandatario, valiente varón.

EL VARÓN DE LOS QUECHÉ.—*(Come y bebe con desdén. A continuación se va a bailar ante la corte. Después regresa y dice.)* ¡Oh jefe Cinco-Lluvia! ¿Es ése tu alimento, es ésa tu bebida? Efectivamente nada hay que decir, nada hay en uno y otra que los recomiende a mis labios, a mi cara.

¡Si probaras un instante, en mis montañas, en mis valles, las bebidas atrayentes, gratas, alegres, dulces, refrescantes, que pruebo en mis montañas, en mis valles!

¡Mi voz dice esto ante el cielo, ante la tierra!

¿Es ésa la mesa de tus manjares; es ésa la copa en que bebes?... ¡Pero si ése es el cráneo de mi abuelo;[138] ésa es la cabeza de mi padre,[138] la que veo, la que contemplo! ¿No se podría hacer lo mismo con los huesos de mi cabeza, con los huesos de mi cráneo; cincelar mi boca, cincelar mi cara?

De ese modo, al salir de mis montañas, de mis valles, a cambiar cinco cargas de cacao para comprar, cinco cargas de cacao fino de mis montañas, de mis valles, mis niños, mis hijos dirán: "Aquí está el cráneo de nuestro abuelo, de nuestro padre."

Eso dirán mis niños, mis hijos, aquí, del amanecer a la noche.

Está aquí, también, el hueso de mi brazo; aquí está el mango de la calabaza de metales preciosos que resonará, que producirá estruendo, en los vastos muros, en la vasta fortaleza.

Está aquí, también, el hueso de mi pierna; está aquí la baqueta del tambor grande, del tamboril, que harán palpitar el cielo, la tierra, en los vastos muros, en la vasta fortaleza.

Está aquí lo que dice también mi voz: "Te prestaré la obra pulida, brillante, esplendente, muy bien tramada, labor de mi madre, de mi señora, para que te adornes con ella en los vastos muros, en la vasta fortaleza, en los cuatro rincones, en los cuatro lados, como suprema señal de mi muerte, de mi fallecimiento, aquí bajo el cielo, sobre la tierra."

El Jefe Cinco-Lluvia.—¡Valiente, varón, hombre de los Cavek Queché!

¿Qué quieres, pues, qué es lo que solicitas? No obstante, yo te lo daré, como suprema señal de tu muerte, de tu fallecimiento aquí bajo el cielo, sobre la tierra.

Servidores, servidoras, que traigan la obra pulida, brillante, esplendente, muy bien tramada, labor que han hecho en los vastos muros, en la vasta fortaleza, y la den a ese valiente, a ese varón, como suprema señal de su muerte, de su fallecimiento, aquí bajo el cielo, sobre la tierra.

Un Sirviente.—Está bien, mi Gobernador, mi mandatario. Daré a ese valiente, a ese varón lo que pide. Valiente, varón, aquí está esa labor bien tramada que deseas, que solicitas. Te la doy, pero no la deshagas, no la maltrates. *(Entrega el sirviente al varón una especie de manto en que se envuelve.)*

El Varón de los Queché.—A esas flautas, esos tambores,[139] ¿nos sería posible sonar ahora como mi flauta, como mi tambor? Toquen, pues, la melodía grande, la melodía breve.

Que toque mi flauta yaqui, mi tambor yaqui, mi flauta queché, mi tambor queché,[140] la danza del preso, del cautivo en mis montañas, en mis valles, como para que haga palpitar el cielo, para que haga palpitar la tierra.

Que nuestra frente, nuestra cabeza se dobleguen, cuando demos vueltas golpeando con el pie; cuando bailemos, cadenciosos, golpeando el suelo,[141] con los servidores, con las servidoras, aquí bajo el cielo, sobre la tierra.

Esto dice mi voz ante el cielo, ante la tierra.

¡El cielo, la tierra, estén con ustedes, oh flautas, oh tambores! *(Danza el varón en ronda, ante la corte, y en cada rincón lanza su grito de guerra.)*

¡Oh jefe Cinco-Lluvia! Dame tu aprobación, ante el cielo, ante la tierra. Aquí tienes lo que me habías prestado, lo que me habías concedido.

Vengo a devolverlo, vengo a dejarlo suspendido a la entrada de los vastos muros, de la vasta fortaleza. Consérvalo, guárdalo en su cubierta, en su caja, en los vastos muros, en la vasta fortaleza.

Accediste a mis deseos, a mi petición, ante el cielo, ante la tierra, y lo he expresado en los vastos muros, la vasta fortaleza; en los cuatro rincones, en los cuatro lados, como suprema señal de mi muerte, de mi fallecimiento, aquí bajo el cielo, sobre la tierra.

Pero si es verdad que estás bien provisto, que tú estás abastecido, en los vastos muros, en la vasta fortaleza, concédeme a la Madre de las Plumas, la Madre de los Verdes Pajarillos, la Piedra Preciosa, traída de Tzam-Gam-Carchag, cuyos labios están aún por estrenar, cuya cara no ha sido tocada, para que estrene su boca, que estrene su cara.

Que baile con ella, que yo la muestre en los vastos muros, en la vasta fortaleza, en los cuatro rincones, en los cuatro lados, como suprema señal de mi muerte, de mi fallecimiento, bajo el cielo, sobre la tierra. ¡El cielo, la tierra, estén contigo, jefe Cinco-Lluvia!

EL JEFE CINCO-LLUVIA.—¡Valiente, varón, hombre de los Cavek Queché! ¿Qué quieres, pues, qué es lo que solicitas? No obstante, yo te concedo lo que quieres, porque aquí está confinada la Madre de las Plumas, la Madre de los Verdes Pajarillos, la Piedra Preciosa, traída de Tzam-Gam-Carchag, cuyos labios están aún por estrenar, cuya faz no ha sido tocada; y te la concedo, valiente, varón, como suprema señal de tu muerte, de tu fallecimiento, aquí bajo el cielo, sobre la tierra.

Servidores, servidoras, que conduzcan aquí a la Madre de las Plumas, la Madre de los Verdes Pajarillos; que den a ese valiente, que den a ese varón lo que él quiere, lo que él solicita, como suprema señal de su muerte, de su fallecimiento, aquí bajo el cielo, sobre la tierra.

IXOK-MUN.—Está bien, mi Gobernador, mi mandatario. Voy a darla a ese valiente, a ese varón. *(Conducen a la Madre de las Plumas ante el Varón de los Queché.)*

Aquí está, valiente, varón, hombre de los Cavek Queché. Te doy lo que quieres, lo que solicitas; mas no ofendas, no lastimes a la Madre de las Plumas, la Madre de los Verdes Pajarillos, la Piedra Preciosa. Muéstrala al bailar, solamente, en los vastos muros, en la vasta fortaleza.

El Varón de los Queché saluda a la doncella, que se mantiene alejada de él mientras baila, vuelto siempre el rostro hacia aquél, quien la sigue en igual forma, ondulando ante ella, lo mismo que un manto. De ese modo dan vuelta en torno a la corte, al son de las trompetas, y después vuelven a situarse cerca del jefe Cinco-Lluvia.

EL VARÓN DE LOS QUECHÉ.—Jefe Cinco-Lluvia, dame tu aprobación ante el cielo, ante la tierra. Aquí tienes a aquella a quien me proporcionaste, me concediste como compañera.

Ya fui a mostrarla, fui a bailar con ella en los cuatro rincones, en los cuatro lados, en los vastos muros, en la vasta fortaleza.[142] Ahora consérvala, guárdala, en los vastos muros, en la vasta fortaleza.

Mi voz dice también: Recuérdalo, debes prestarme las doce águilas amarillas, los doce jaguares amarillos que encontré de día, de noche, con sus armas, sus dardos en la mano.

Préstamelos para ir con ellos a practicar con el hijo de mi flecha, con el hijo de mi escudo, en los cuatro rincones, en los cuatro lados, en los vastos muros, en la vasta fortaleza, únicamente, como suprema señal de mi muerte, de mi fallecimiento, aquí bajo el cielo, sobre la tierra.

¡El cielo, la tierra, estén contigo, jefe Cinco-Lluvia!

EL JEFE CINCO-LLUVIA.—¡Valiente, varón, hombre de los Cavek Queché! Tu voz dice esto ante el cielo, ante la tierra: "Que pueda yo prestarte las doce águilas amarillas, los doce jaguares amarillos." Esto dice tu palabra.

Pues bien, te concedo, te presto las doce águilas amarillas, los doce jaguares amarillos, que quieres, que pides a mis labios, a mi cara.

Vayan, pues, ¡oh, mis águilas, mis jaguares! Procedan de modo que ese valiente, ese varón, pueda ir con todos a practicar la esgrima con el hijo de su flecha, el hijo de su escudo, en los cuatro rincones, en los cuatro lados.

EL VARÓN DE LOS QUECHÉ.—*(Sale con las águilas y los jaguares, y ejecuta con ellos una danza de guerra, en torno de la corte. Después regresa al estrado en donde está el jefe Cinco-Lluvia con su familia.)* Jefe Cinco-Lluvia, dame tu aprobación ante el cielo, ante la tierra. Me has concedido lo que yo quería, lo que te pedí: las águilas amarillas, los jaguares amarillos. He ido con ellos a practicar la esgrima con el hijo de mi flecha, con el hijo de mi escudo.

¿Son ésas, pues, tus águilas; son ésos, pues, tus jaguares? No se puede hablar de ellos ante mis labios, ante mi faz, porque algunos ven, algunos no ven; no tienen dientes, no tienen garras.

¡Si vinieras a ver, un instante, los de mis montañas, de mis valles! Aquéllos ven vigorosamente, miran vigorosamente; luchan, combaten con dientes y garras.

EL JEFE CINCO-LLUVIA.—Valiente, varón, hombre de los Cavek Queché, hemos visto los dientes de las águilas, de los jaguares que están en tus montañas, en tus valles. ¿Cómo es, pues, la vista, la mirada, de tus águilas, de tus jaguares, que están en tus montañas, que están en tus valles?...

EL VARÓN DE LOS QUECHÉ.—Jefe Cinco-Lluvia, dame tu aprobación, ante el cielo, ante la tierra. Esto dice mi voz, a tus labios, a tu cara: Concédeme trece veces veinte días, trece veces veinte noches,[142] para que vaya a decir adiós a la cara de mis montañas, a la cara de mis valles, adonde iba antes a los cuatro rincones, a los cuatro lados, a buscar, a obtener lo necesario para alimentarme, para comer.

Nadie responde al Varón de los Queché, quien al bailar desaparece un instante. Después, sin regresar al estrado en donde el jefe Cinco-Lluvia está sentado, se acerca a las águilas y a los jaguares, colocados en medio de la corte, en torno de algo como un altar.

¡Oh águilas! ¡Oh jaguares! "Se ha marchado", dijeron hace poco. No me había marchado; fui solamente a decir adiós a la cara de mis montañas, a la cara de mis valles, donde antes iba a buscar algo para alimentarme, para comer, en los cuatro rincones, en los cuatro lados.

¡Ah, oh cielo! ¡Ah, oh tierra! Mi decisión, mi denuedo, no me han servido. Busqué mi camino bajo el cielo, busqué mi camino sobre la tierra, apartando las yerbas, apartando los abrojos. Mi decisión, mi denuedo, no me han servido.

¡Ah, oh cielo! ¡Ah, oh tierra! ¿Debo, realmente, morir, fallecer aquí, bajo el cielo, sobre la tierra?

¡Oh mi oro! ¡Oh mi plata! ¡Oh hijos de mi flecha, hijos de mi escudo! ¡Que mi maza yaqui, mi hacha yaqui, mis guirnaldas, mis sandalias, vayan a mis montañas, a mis valles![143]

Que lleven mis noticias ante mi Gobernador, mi mandatario, porque dijo esto la voz de mi Gobernador, mi mandatario: "Hace mucho tiempo que mi decisión, que mi denuedo, buscan, hallan mi alimento, mi comida."

Eso dijo la voz de mi Gobernador, de mi mandatario; que ya no lo diga, puesto que sólo aguardo mi muerte, mi fallecimiento, bajo el cielo, sobre la tierra.

¡Ah, oh cielo! ¡Ah, oh tierra! Ya que es necesario que muera, que fallezca aquí bajo el cielo, sobre la tierra, ¡cómo no puedo cambiarme por esa ardilla, ese pájaro, que mueren sobre la rama del árbol, sobre el retoño del árbol donde consiguieron con que alimentarse, con que comer,[144] bajo el cielo, sobre la tierra!

¡Oh águilas! ¡Oh jaguares! Vengan, pues, a cumplir su misión, a cumplir su deber; que sus dientes, que sus garras me maten en un momento, porque soy un varón llegado de mis montañas, de mis valles.

¡El cielo, la tierra, estén con todos! ¡Oh águilas! ¡Oh jaguares!

(Las águilas y los jaguares rodean al Varón de los Queché: se supone que lo tienden sobre la piedra de los sacrificios, para abrirle el pecho,[145] *mientras todos los presentes bailan en ronda.)*

NOTAS

Las siguientes notas son de Francisco Monterde y provienen de *Teatro indígena prehispánico (Rabinal Achí)*, México, Biblioteca del Estudiante Universitario, núm. 71, 1955.

1. *Hobtoh* (Jobtoj): Se podría traducir este nombre por "Fina Lluvia", pero hay mayores probabilidades de que tenga el sentido de "Cinco-Lluvia", que designaría el día del nacimiento del jefe.

2. *Rahaual:* "Jefe supremo, gobernador."

3. *Rabinal:* Significa, probablemente, "linaje"; de *rab*, "eslabón, hilo, surco". (*Cf. mecatl*, en México; *ayllu*, en Perú.)

4. *Achí:* El *vir* latino; en consecuencia, diferente de *vinah*, que corresponde al *homo* latino. En español, la palabra *varón* corresponde a *achí*. La vieja voz francesa varón es, desde hace tiempo, sólo un título de nobleza. (*Barón*, en castellano. F. M.) (*Tlacatl*, en náhuatl.)

5. *Galel-Achí:* "Destacado entre los varones", alta dignidad diferente de la de *Galel-Vinak*, "Destacado entre los hombres". La voz *ahau*, en todas las lenguas de familia maya, no indica un "rey"; es, sencillamente, la palabra "jefe", con toda su vaguedad.

6. *Queché:* "Numerosas florestas." Este nombre que designa el conjunto de tres grandes tribus, quizá es una deformación de un nombre primitivo; deformación fonético-geográfica que se remonta a la época de las migraciones. El nombre primitivo *quitzé* o, mejor, *ah quitzé*, "Los del Envoltorio", nombre religioso que se había dado a esos pueblos, tuvo su origen en un objeto sagrado, de gran potencia mágica, que se guardaba casi siempre envuelto y constituía su paladión, su oráculo portátil.

7. *Rahaual yaqui:* Título que llevaba aquel de los miembros del Gran Consejo de las tribus quichés que estaba encargado, de manera especial, de vigilar y proteger a los *yaqui*. *Yaqui:* este nombre no tiene ninguna relación con la actual tribu de los yaquis. Designa, con mucha frecuencia, a los mexicanos. Puede, no obstante, designar a otros pueblos, porque no sólo los vocabularios quiché-español lo traducen por el término vago: "extranjero", sino que también puede significar, sencillamente, "hombres o cosas que no son del lugar que habitamos", como lo prueba *El Varón de Rabinal*, en donde se califica de *yaqui* a cualquiera, y aun al arma quiché, siempre que proceda de poblaciones vecinas. En todas partes, en todas las épocas, los pueblos, grandes o pequeños, han despreciado a sus vecinos, aplicándoles graciosos epítetos: "bestias, animales inmundos, chinches, tartamudos, mudos, etcétera", y muchos otros que no puedo repetir aquí. (*Cf.* por ejemplo *Anales de los Xahil*.) Quizá los quichés emplearían con mayor gusto este vocablo, *yaqui*, porque en su lengua tenía varios significados secundarios: "alzados, despiertos" (por huir y espiar), y el significado de "langosta", animal muy pequeño, pero muy dañino. En el capítulo X de su *Relación*, Diego de Landa dice que los jefes de Mayapán no mataron a los auxiliares mexicanos de sus enemigos "porque eran extranjeros", explicación demasiado humanitaria. Landa no comprendía bien el maya –lengua en la cual le informaban–, y a eso se deben algunos

de sus errores. Supongo que le dijeron "porque eran yaqui", es decir, mexicanos; en consecuencia, pertenecientes a un pueblo temido; *yaqui* servía para nombrar a los extranjeros y, en los últimos tiempos, especialmente a los mexicanos. En el caso presente, se refiere a los extranjeros que habitaban los pueblos de Cunén y Chahul.

He combatido demasiado la *nahuatlomanía*, para no tratar de evitar la *nahuatlofobia*. Por tanto, aventuraré la siguiente hipótesis: los mercaderes-espías de Tenochtitlan, que tenían por protector divino a Yavatecuhtli, "Jefe de los Viajeros", respondían a las preguntas obligatorias sobre su nombre, su profesión, su país: "somos yaqui", es decir, "viajeros", empleando una palabra de su lengua que quienes les interrogaban tomaron por un nombre propio. Y de este modo los maya-quichés aplicaron este epíteto a todos cuantos venían de México, primeramente, y de cualquier otro país, después.

8. "Medicinas, sangradores."

9. "Agujero de flecha." Cunén y Chahul existen todavía, a quince leguas más o menos al Norte de Santa Cruz del Quiché, cerca de Rebah. Hay muchas ruinas.

10. *Balam Achí: Balam*, en todas las lenguas de la familia maya, designa a la vez al jaguar y al mago, hechicero, ya que se atribuye a éste el poder de metamorfosearse en jaguar. Ni el *Libro del Consejo* (Popol Vuh), ni el *Título de los señores de Totonicapán*, ni los *Anales de los Xahil*, contienen ese título de *Hechicero de los varones*.

11. *Balam Quiché*: La anteposición de este título al de Balam Achí, me hace suponer que su sentido exacto sería, sencillamente, *Hechicero de los quichés*. Sin embargo, doy en mi traducción: Hechicero del Envoltorio, que es el nombre o, más exactamente, el título del principal de los cuatro héroes fundadores fabulosos, míticos, de los pueblos quichés, y sabemos por el *Título de Totonicapán* que, después de su desaparición del mundo terrestre, sus hijos (y después sus descendientes) tomaron sus títulos.

12. *Rahual Queché Vinak*: El Gobernador de los hombres, es diferente del Gobernador de los varones.

13. *Xox Ahau*: Traduzco por "señora", tomado en el sentido de esposa del jefe, jefa.

14. *Ixokil*: Como la forma *Ahaual*, de *Ahau*, esta forma de *Ixok* "esposa", parece tener un significado de superioridad. La poligamia estaba permitida a los grandes jefes; sobre todo, por razones políticas. (*Cf.* el Mikado en la Constitución japonesa.) Se puede traducir *Ixokil*, por "esposa principal".

15. *U Chuch gug*: "La madre de las plumas verdes." *U Chuch raxon*: "la madre de los raxon". Los *raxon* eran pajarillos de verde plumaje muy estimado. (*Rax*, significa verde.)

16. *Ri-Yamanim Xtecoc: Yamanic*, "piedra preciosa", "pedrería". *Xtecok*, "piedra preciosa"; a esta última palabra Brasseur, erróneamente, ha agregado como final *Bi*, "nombre".

17. *Mun*: "La traducción "esclava" es excesiva. (Se ha sugerido que, a pesar del nombre femenino que lleva *–Ixok-Mun–*, sería hombre, y parece confirmarlo el hecho de que las demás mujeres no hablan, en el drama. F. M.)

18. *Cot*: "Águilas" y *Balam*, "jaguares", son como los *quauhtli*, "águilas" y los *océlotl*, "jaguares" de los mexicanos, título que llevan algunos guerreros cuyas demostraciones de valentía (y a veces parece que simplemente para algunos torneos) les habían dado el derecho de cubrirse con las pieles y cabezas de esos animales. Esos guerreros constituían la flor del ejército.

19. Como no conozco ninguna leyenda, ningún mito que se refiera a esta ciudad, confieso que la traducción "rojas (o ardientes) llagas calmadas (o de la víbora) irritándose, agravándose" que sugiero, es quizá demasiado fantástica; pero me parece, sin embargo, menos extraña que aquella: "fuego guardado de la víbora que se arrastra irritada subiendo". Las ruinas que se hallan a una legua al Norte de la actual Rabinal, situadas sobre un alto terraplén que domina la llanura, son perfectamente visibles, desde Rabinal. La construcción principal, situada en las dos extremidades de altas pirámides, debió de ser muy extensa.

20. *Vorom ahau, Cakon ahau*: Tienen significados obscenos.

21. "Las Cestas".

22. "Los Campos", Chacach y Zaman estaban situadas, según Brasseur, en la montaña de Xoy Abah, a unas diez leguas al S.O. de Rabinal. Sus ruinas quizá sean las ahora conocidas con el nombre de *Belehe Tzal*, "Los nueve muros" (o edificios), *Belehe Qoxtun*, "Las nueve fortalezas".

23. *Caük*: Hay muchas posibilidades de que sea, según otros textos, una de las formas del nombre Cavek (o Cavik, o Cauek o Cauik); nombre de una de las tres tribus que constituían el pueblo Quiché. Como Tohil, "pluvioso", era el dios tribal de los cavek queché, podría forjarse la hipótesis, quizá demasiado imaginativa, de que haya relación entre *caük* y *caok* (*cahog, caog*) "lluvia".

24. Verdadero idiotismo quiché ese "ante el cielo, ante la tierra". A menudo podría suprimirse, en las traducciones, o sustituirlo por "frente, cerca, etcétera", en los abundantes sitios donde aparece.

25. *La, lal*: Especie de pronombre de la segunda persona del singular que implica la idea de respeto, de gran corrección. Los traduzco por tu, te, contigo, etcétera.

26. "Que el cielo, la tierra estén contigo". Expresión meramente protocolaria.

27. *Cavek Queché Inak*: En esta y en algunas otras expresiones semejantes, hombre, en singular, significa "jefe".

28. En quiché (como algunas otras lenguas), no existen nuestras comillas ("). Las sustituyen con dos "él dice", colocados uno antes de la cita y el otro después. Se podría, sin peligro, suprimir uno de ellos.

29. "Aquí está el cielo, aquí está la tierra." Con esta expresión protocolar, el personaje toma como testigo al mundo entero.

30. "Dar, darse a la muerte o a una persona", "entregarse, rendirse".

31. Se podría interpretar "hijo de mi flecha" por "punta de mi flecha", como lo hiciera Brasseur; pero ¿"hijo de mi escudo"? Es mejor conservar el idiotismo quiché, para que no pierda el estilo su color, o, si no, suprimir simplemente la palabra "hijo". (Posiblemente, lo que prolonga el vigor de uno y otro brazos. F. M.)

32. La maza, el hacha, son siempre tratados en este texto de *yaqui*. A veces, Brasseur conserva la palabra *yaqui*; otras, entregado a la sacrosanta toltecomanía, la traduce por "tolteca". No daré el sentido especial "mexicano" porque nada prueba que los quichés se hayan servido de armas de ese género, de origen o de forma mexicana.

33. *Zahcab*: "La tierra blanca", con la cual se untaba a la víctima antes de sacrificarla y que después se volvió un símbolo (y un medio mágico) de victoria.

34. Tampoco pude, como Brasseur, encontrar lo que era el "zalmet" y, por lo mismo, aunque *met* significa algodón, me satisfago con el sentido de "yerbas mágicas" que indicara al Abate su sirviente indígena; además, porque dicho significado concuerda con el "zahcab" precedente. (*Cf.* en Sahagún la fricción con yerbas, que precedía al sacrificio. F. M.)

35. "Declarar sus montañas, sus valles, etcétera." No sólo el hecho de conocer el estado civil de su enemigo, daba poder mágico sobre él, sino que era una especie de deshonra para un vencido (y para su pueblo) hacer una revelación de esa clase. Sólo victoriosos se daban a conocer. "Montañas y valles", significa el país entero.

36. Parece que "hijo de las nubes, de las nublazones" tiene doble sentido: el uno serio, "venido de las altas montañas", el otro irónico, "sin importancia, quimérico".

37. Simple desertor, en fuga, cobarde.

38. En francés equivale a "pitoyable", advirtiendo que no en sentido de tener piedad, sino en el sentido de palabra ridícula, grotesca, estúpida, etcétera. (L. C. A.)

39. A mis labios, a mi cara (o a tu boca, tu faz), expresión quiché que se podría traducir, sencillamente, por "a mí", "a ti".

40. Muerto o vivo (cautivo).

41. *Tapichol*: "Pajaritos que cantan como los ruiseñores".

42. *Tziquin*: "Pájaro", tiene a menudo el sentido especial de "águila", que podría muy bien usarse en el caso presente, porque el varón Queché lo dice con ironía.

43. "Soy un guerrero valiente y no es la primera vez que dejo mi *oppidiem* elevado, para ir a la guerra".

44. Se imita los gritos de los animales, para hacer salir a los cazadores fuera de las fortalezas, de sus murallas.

45. La "llamada" de los hombres, como la llamada de los animales, significa provocación. "Llamar" tiene el sentido de "retar", "provocar".

46. Blancos (o buenos) niños, blancos (o buenos) hijos, indica a los subordinados, los vasallos, subordinados a la tribu, y también a los guerreros subordinados a los grandes jefes o al jefe supremo.

47. "Amarilla, verde", es decir "rica, excelente"; la miel parece haber sido un tributo (o un regalo muy estimado); en consecuencia, los cazadores esperan que, por una buena presa, merecerían esa golosina o se les permitiría conseguirla para ofrecerla al jefe supremo de la ciudad.

48. "Abuelo, antepasado, anciano, padre" son títulos de respeto.

49. Aquí, como en otros párrafos y en la lista de los personajes, se en-

cuentran doce guerreros, doce jefes, en vez de los trece acostumbrados. ¿Por qué? Sería simplemente por estar el consejo legislativo, administrativo, ejecutivo, judicial, formado por trece consejeros principales ("consejeros que tienen derecho a un banco", dicen otros textos), iguales en principio y elegidos cada uno por su clan o sub-clan o, más bien, parece por su *clan artificial* de varones. Había, además, el Presidente o Jefe Supremo (que también llevaba, *honoríficamente*, los títulos de todas las dignidades y que dirigía, de modo particular, la ciudad entera). Quedaban otros doce consejeros que tenían, fuera del Consejo, funciones especiales y probablemente injerencia más determinada en algún barrio. Se debe observar, como lo revela, por ejemplo, el *Popol Vuh*, que el Consejero-Jefe tenía también su barrio. En resumen, si se permite esta comparación, había un Consejero-Jefe y doce Consejeros; total, trece, así como hay un cabo y cuatro soldados, total, cinco. (*Cf.* nota 8 del Apéndice. F. M.)

50. Además de las diferentes acepciones que se refieren a la idea de "engendrar", *alah* tiene el de "libre" (hombre, animal, cosa) que prefiero en este caso; porque "hombre libre", es decir, "no vasallo, no tributario", obedece perfectamente a la ley del paralelismo, ya que está de acuerdo con *achí*: "varón".

51. Desaparecida, como un líquido en una piedra porosa.

52. Ya casi no queda ninguno.

53. "Hemos dejado de matar a nuestros guerreros porque a fuerza de matarlos uno a uno, ya no quedan más."

54. Aunque estemos muy poco informados acerca de la antigua cocina quiché, traté de ser más preciso que Brasseur y aun explicar ciertos nombres que él no había traducido. Esta enumeración de platos podría hacer creer también que esta frase significa: "ya no matamos más, ya no comemos más, en las comidas sacrificatorias, a vuestros guerreros, por una parte porque ya no hay más; por otra, porque nuestra victoria nos ha vuelto ricos y nos permite otros alimentos". (Motivo religioso, más bien. F. M.)

55. *Belehe Mokoh*: "Nueve coyunturas". *Belehe chumay*, "nueve codos", sería el lugar de una importante derrota quiché. El paralelismo me hace preferir "nueve coyunturas", a "nueve oteros", para el primer nombre, a pesar de que parezca, según Brasseur, referirse a una matanza.

56. *Cotom*: Significa tal vez "esculpido, grabado" o "arreglado, ordenado". En lo que se refiere a *Tikiram*, tal vez podía ser la idea de "comenzar" y en tal caso tomar "arreglar" por el primer nombre: esto es muy hipotético. *Tikiram*, sería quizá el nombre de una sierra, al Norte de la llanura de Rabinal, y sobre una de sus gargantas estaría situada *Cak-Yug*.

57. La muerte no es una destrucción completa, al menos inmediata, sino una especie de desaparición, como lo indica el sentido "Lugar del Desvanecimiento, de la Desaparición, etcétera", del nombre Xibalbá, lugar subterráneo de ultratumba, alumbrado durante la noche por el sol y de día por la luna.

58. Metáfora quiché. Aquí "labios, cara, rostro, boca, faz u ojos", significa simplemente el hombre, es decir, el individuo mismo, la personalidad, según ideas de la América Media y de otras partes.

59. "Los tributos".

60. Los Ux y los Pokomanes pertenecen al grupo maya. Esos pueblos do-

minaban la Verapaz, antes de la llegada de los Ah Rabinal. Después fueron alejados hacia el Norte. Los que hoy existen, pueblan Cobán y sus alrededores. Ux "ser, piedra de afilar, cosechar el algodón, mosca"; ¿estarían, quizá, muy dedicados al cultivo del algodón? *Pokoman* podría también ser interpretado de muchos modos; mas supongo que hay que preferir "separados (es decir, fracción) de los Mam". Esta última palabra significa "antepasados" y no "silenciosos" o "mudos", como quisiera una sátira de los cakchiqueles deformando *Mam* en *Mem*.

61. "Hermano mayor, hermano menor", quiere decir "pariente"; a menudo, es simple fórmula de cortesía.

62. "Retoños", "brotes", podría ser suprimido o sustituido por "productos, frutos".

63. Grito de guerra.

64. "Las señales". En esos países de intensa agricultura, los límites de las tierras tenían una gran importancia; sobre todo, porque en América no existía la propiedad territorial, raíz familiar o individual. Esas limitaciones estaban, en su mayor parte, destinadas a toda una tribu, con sublimitaciones clánicas. Tenían que estar hechas (*Cf. Título de los señores de Totonicapán, "in fine"*) por los más altos jefes, bajo la dirección del jefe supremo.

65. Estos lugares están al Oeste y sobre altas montañas nevadas. En efecto, *Pan Tzahaxak*, "en las hojas secas" (?), sería –según Brasseur– el nombre de la cumbre más alta de los Cuchumatanes, hacia la aldea actual de Soloma, al Oeste del Quiché.

66. "Hilera de colinas."

67. "Hilera de pinos."

68. *Nim Che Paraveno, Cabrakán*, debe de ser un error de copia, que hay que reemplazar por *Nim Che, Cabrakán Pan Araveno* (o *P'Araveno*), que se encuentra más adelante en el texto. El nombre *Nim Che* del primer lugar, es de fácil traducción: "gran bosque, gran floresta". En cuanto al segundo nombre, me ha sido imposible encontrar una interpretación de *Araveno*, palabra que no parece quiché. *Cabrakán*, "gran gigante de la tierra", sirve para designar ya sea los temblores de tierra o al dios que los causa.

69. "En los recodos" del río de la montaña. Quizá era una antigua ciudad de los Oga, "Los nocturnos", pueblo ribereño del Chixsoy o del Lacandón, al Oeste de Rabinal.

70. "Entre las cañas gigantes." (Traducción incierta.)

71. *Latz tun*, el gran *tun* de guerra. *El tun* (*tunkul* en Yucatán, *teponaztli*, en México), muy empleado siempre, es el gran tambor sagrado.

72. *Lotz gohom*, el pequeño tambor de guerra. El *gohom* (*Tlapamhuéhuetl* de los mexicanos) es el tambor pequeño.

73. Los nombres de los colores son, con frecuencia, empleados como superlativos. Un pasaje de los *Anales de los Xachil* me hace creer que tanto en este texto como en el presente, "amarillo" significa lo que se relaciona con los altos dignatarios y sus súbditos. Brasseur, que nunca es parco en epítetos, lo traduce aquí por "furibundos, coléricos".

74. "Camino real (camino grande)."

75. Aquí, probablemente, una vez más, el pájaro es el águila. Un lugar en donde el águila bebe, significaría lugar muy elevado, cruzado solamente por un camino de montaña.

76. "Cal blanca arreglada."

77. Huyeron en multitud.

78. "Abajo de la caverna de las amarillas espigas secas." (?)

79. "Nosotros somos autóctonos" y, además, nuestro país no tiene con qué provocar envidia.

80. "Mis administrados, mis vasallos, tienen una vida tanto más fácil y más feliz cuanto que a todo aquello que les da (plantas y minerales) el país, hay que sumar las grandes ganancias comerciales de sus industrias artísticas; la fortuna les llega mientras duermen."

81. "De día, de noche", "de la mañana a la noche", equivale a constantemente.

82. "Sus administrados, sus vasallos, no tienen industria, son muy pobres; están siempre listos para marcharse, para emigrar, no importa hacia dónde, para escapar a su miseria."

83. Cuádruple fórmula que significa, sencillamente: "por todas partes, por todos lados".

84. *Camba*, lugar vecino de la llanura de Rabinal.

85. "Vencer, entregarse, someter a vasallaje, a tributo."

86. Mis señales, mis linderos, etcétera.

87. *Zaktihel*, "piedra de cal", según Brasseur. Cerca de la llanura de Rabinal.

88. *Riuxgag tziquin*: No se comprende, realmente por qué Brasseur tradujo estas palabras por "frijoles de todas clases", en vez de "pájaros de garras". (Por otra parte, Brasseur ha hecho una traducción muy imaginativa del final de este párrafo.)

89. "Tomé posesión de ellas."

90. "Mansión de las ligaduras, prisión." Cerca de la llanura de Rabinal.

91. Terraplén cubierto de ruinas, a menos de dos leguas de Rabinal, citado en las leyendas Quezentún: "ellos comienzan a tocar el tambor". (?)

92. El periodo ritual de las fiestas movibles. Aunque el texto no diga la razón por la cual dura la expedición ese tiempo, es un dato interesantísimo: muestra, una vez más, la relación íntima de la religión y de la magia, con la guerra.

93. "Poner al mundo en completo desorden"; una exageración como tantas otras de la lengua quiché.

94. "Colibríes (o lanzas) enterrados (o escondidos)." Más allá de la ciudad de Salamá.

95. Es aún actualmente el pueblo de Pan Ahachel. "En los matazanos", sobre el lago del mismo nombre, llamado también Lago de *Atitlán* (exactamente Atitlán, "lugar de la abuela ancestral mágica").

96. Este dato sitúa, aproximadamente, el lugar *Cabrakán Paraveno*.

97. Tal vez sea la actual *Tzacualpa*, la Pamaca del *Popol Vuh*, que Ximénez traduce por "En el agua caliente".

98. *Chi r'Atinibal*, muy probablemente *Chi r'Atinibal Tohil*, "en los baños

de Tohil" ("lluvioso"). *Tohil*, principal dios tribal de los quichés. Fuentes termales, a seis leguas al Suroeste de Cubulco, Excepcionalmente doy la traducción de este nombre de lugar, en el texto.

99. "Mansión de la Punta."

100. "Rocas enfrentadas", cerca del pueblo de San Raimundo, a unas ocho leguas de Guatemala.

101. Modo empleado frecuentemente para significar que un sitio se ha vuelto desierto.

102. Cautivo. No parece que la América Media haya conocido nuestras prisiones, lugares de castigo, de larga detención. En los edificios a los cuales puede aplicarse este nombre se encerraba, sencillamente, a los cautivos hasta el día en que eran sacrificados.

103. *Civan* (*Zivan*), "barranca, foso", natural o artificial. Por eso el nombre de las poblaciones fortificadas va, a menudo, seguido de *Civan*.

104. "Brujo Gavilán." *Vac*, el gavilán, es el mensajero de los Hurakán "Maestros Gigantes", grandes dioses del rayo, del fuego del cielo. (*Cf. Popol Vuh*.)

105. "En la Costa de las Verdes Cañas." (?)

106. "Los médicos" o "los *pudenda*".

107. "Valle lleno de yerba y de los zapotillos rojos."

108. "Lluvias amontonadas."

109. "Sílex amontonado."

110. "Calabazas trabajadas."

111. "Bosques cortados, arreglados."

112. "Postes arreglados."

113. "Racimos de cañas."

114. "Racimos de lagos."

115. "Racimos de barrancos."

116. "Racimos de tierras."

117. "Racimos de pájaros (águilas)." (?)

118. Son las ciudades en que él manda, como jefe supremo, es la enumeración de sus dominios.

119. La mala administración había causado la ruina; los vasallos se alejaron y los fieles se marcharon.

120. *Iximché*: "Bambú de la gran especie", dice Brasseur. "Especie de árbol llamado "Ramón", parecido a las *brasimium*", señala Brinton. Iximché es también el nombre de la ciudad (Antigua Guatemala) de los cakchiqueles.

121. "En lo rojo (o en el fuego)."

122. *Atziak*: Guirnalda.

123. Siempre en alarma.

124. Los verdes pajarillos *raxon*.

125. "Él habló voluntariamente sin (demasiado) furor."

126. Se amará, se admirará la actitud digna y heroica del cautivo al que se va a sacrificar.

127. En honor a sus hazañas, sus armas y sus trajes están adornados con gran variedad de joyas, piedras preciosas, etcétera, por lo que se llama a esos

guerreros "los de los metales preciosos, los de las pedrerías, los de las esmeraldas, etcétera." Brasseur traduce: "los guardianes del tesoro".

128. *Ixtatzunun*: "Vosotros esperad colibríes", traduce Brinton. (*Ixtaz*: rana. *Tzunin*: lanza, exhalar, colibrí.) Son descomposiciones poco aceptables. ¿Estará bien la ortografía de la palabra?

129. Probablemente esto encierra una amenazadora ironía. En efecto, esos licores reservados a los varones de la tribu, no son rehusados a los enemigos vencidos, antes de ejecutarlos.

130. Como lo veremos más adelante, "Madre" sólo es, en este caso, un epíteto de alto respeto, sin que signifique alguna relación filial, verdadera.

131. *Tzam-Gam-Carchag*: *Tzam* indica prominencia, *Gam*, "gradas, cuerda", etcétera. *Carchag*, "hermano menor adornado". (Interpretaciones muy dudosas. Ortografía insegura.) *¿Carchag* o *Carchah? Carchah*, "juegos de pelota adornados".

132. En Guatemala, como en México y en otras muchas regiones de la América Media y del Viejo Mundo, un guerrero cautivo, sobre todo si era de gran arrojo, podía —a veces— escapar a la muerte, cuando la tribu que lo había capturado lo adoptaba. Es evidente que una de las mejores pruebas, podría decirse "condiciones", de esa adopción, era el matrimonio con alguna mujer de la tribu. Al casarse en alguno de los clanes, se convertía en yerno o en suegro de las diversas clases de edad de los otros más clanes.

133. "A la cabeza de las tierras, a los pies de las tierras", es decir, a los límites de las tierras. En todos los países cuya principal riqueza es agrícola, las demarcaciones bien señaladas de las tierras cultivables, son de imperiosa necesidad, muy a menudo indicada en otros textos, por ejemplo en el *Título de Totonicapán* y en los múltiples títulos de propiedades indígenas del siglo XVI. En consecuencia, manifestarse a los pies o a la cabeza de la tierra de una tribu, sin autorización previa, constituía una violación del territorio, un *casus belli*.

134. Cuando ellos pasen los límites, cuando ellos invadan los campos cultivados.

135. En la América Media, como en otros países, de la situación en el calendario, sobre todo en el calendario religioso-mágico (aquí el de 260 días), dependía de modo casi absoluto la buena o mala suerte, la fortuna o el infortunio de cada individuo. De ahí el origen de la expresión "día de nacimiento" por "destino, renombre, gloria".

136. Se comprende fácilmente que en los países calurosos, tanto en el Antiguo Mundo como en el Nuevo Mundo, una de las principales insignias de los jefes (obligados, más que ningún otro, a permanecer en sus asientos al aire libre), haya sido el quitasol. Según la dignidad, así era el número de doseles superpuestos. De ahí nace la expresión: "sombra, sombreado", para indicar la potencia de los jefes y, naturalmente su protección.

137. Esas concesiones, esos favores *in articulo mortis*, se convierten, desde luego, en símbolo del inminente sacrificio.

138. Como otros pueblos, los quichés hacían copas con los cráneos de los vencidos famosos. Esas copas estaban tanto más adornadas y eran tanto más

estimadas, cuanto más ilustre había sido el guerrero. Era pues, un título de gloria para un cautivo, saber que su cráneo sería una copa, y eso es lo que *reclama* ardientemente nuestro héroe. Hasta pide que de los huesos de sus brazos se haga el mango del instrumento de música religiosa y bélica formado de una calabaza; reclama que los huesos de sus piernas sirvan de baquetas, para tocar el tambor de guerra. Para sostener sus altas pretensiones, da algo así como un antecedente o derecho hereditario; simula reconocer los cráneos de sus antepasados, en las copas que se le presentan.

139. Los quichés tienen dos pronombres de cortesía, de distinción, para la segunda persona; el del singular, *la*, *lal*, ya señalado; el otro: *Alak*, para el plural; lo traduzco por suyo, ustedes.

140. Su flauta, su tambor, son extranjeros (*yaqui*) y son queché. Eso justifica lo que dije en nota precedente, sobre la palabra yaqui.

141. Brasseur indica, con razón, que el texto, a pesar de ser tan conciso, caracteriza esa danza que los españoles han llamado "zapateado", lo que corresponde en quiché a *Yiic*: "dar vueltas golpeando con el pie"; *Xahil*: "golpear el suelo y bailar con cadencia".

142. De todos los favores que se le conceden, el único que no toma despectivamente el Varón de los Queché, es el de bailar con "*Piedra Preciosa*". Ni siquiera pretende tener en su patria algo más bello, algo mejor. ¿Galantería? Más bien, religión. (Tampoco desdeña el manto. F. M.)

143. Los restos de la víctima, especialmente sus armas, eran, por consiguiente, enviados a la ciudad de origen de aquélla.

144. Mueren allá en donde vivieron, en su pequeñísima patria.

145. Brasseur omite decir si las águilas y los jaguares hacen un ademán que simboliza el hecho de arrancar el corazón y de presentarlo al sol y a los cuatro puntos cardinales. (Eso habría sido antes de la Conquista. F. M.)

FERNÁN GONZÁLEZ DE ESLAVA
[*México, 1534-1601*]

La obra dramática de este escritor, español de nacimiento y mexicano por adopción, sobresale, por su calidad y su abundancia relativa, en el panorama del teatro hispanoamericano del siglo XVI. A pesar de la considerable reputación de que gozó en su tiempo como poeta y dramaturgo en la Nueva España, muy poco se sabe acerca de su vida. Al parecer, era oriundo de Andalucía y se trasladó a México al final de la década de 1550. Concluyó en México sus estudios y se hizo sacerdote. Según propio testimonio, estuvo en prisión con motivo de un entremés en que se criticaba el impuesto de la alcabala. Lo que ha llegado hasta nosotros de su producción dramática, gracias a una recopilación de sus obras publicadas en 1610 por Fernando Vello de Bustamante, consta de dieciséis *coloquios* (entre los que se destacan el de Jonás —el séptimo— y el del bosque divino —el decimosexto—), nueve *loas* y cuatro entremeses. Las notas más características de su teatro son la hábil versificación, la agilidad del diálogo y la índole popular de los personajes (especialmente en los entremeses), la presencia de abundantes referencias históricas, geográficas y costumbristas, el registro de locuciones regionales. Sus coloquios son breves piezas alegóricas sobre asuntos tanto sacros como profanos. Las loas, por la categoría dramática a que pertenecen, se definen por su intención de obsequiosidad. Seguramente, la parte de su creación dramática que nos resulta más entretenida por su humor popular y aun picaresco, es la de los entremeses. Aquí se incluyen el de Diego Moreno y Teresa y el de los dos rufianes, conocido también como el entremés del ahorcado. Los otros dos son el de Lope Bodigo y Juan Garabato, y el de Presunción, Ignorancia y Ocio.

BIBLIOGRAFÍA SUMARIA

Alonso, Amado, "Biografía de Fernán González de Eslava", *Revista de Filología Hispánica*, vol. II, 1940, pp. 213-321.

Arrom, José Juan, *Historia del teatro hispanoamericano (Época colonial)*, México, Editorial de Andrea, 1967, pp. 38-41.

Frenk Alatorre, Margit, *Villancicos, romances, ensaladas y otras canciones devotas: libro segundo de Los coloquios espirituales y sacramentales y canciones divinas, México, Diego López Dávalos, 1610*, Biblioteca Novohispana, México, El Colegio de México, 1989.

Greer Johnson, Julie, "Three Celestina Figures of Coloquial Spanish American Literature", *Celestinesca: Boletín Informativo Internacional*, vol. V, núm. 1, mayo de 1981, pp. 41-46.

Jiménez Rueda, Julio, "La edad de Fernán González de Eslava", *Revista Mexicana de Estudios Antropológicos*, vol. II, 1928, pp. 102-106.

Johnson, Harvey L., "The staging of González de Eslava's 'Coloquios'", *Hispanic Review*, vol. VIII, 1940, pp. 343-346.

Martínez Gómez, Juana, "Algunas consideraciones sobre el 'Coloquio XVI' de Fernán González de Eslava", *Anales de Literatura Hispanoamericana*, vol. VIII, núm. 9, 1980, pp. 113-133.

Rama, Ángel, "Las señas de Jonás sobre el pueblo mexicano", *Escritura*, vol. V, núm. 20, julio-diciembre de 1982, pp. 179-239.

Rojas Garcidueñas, José (comp.), *Coloquios espirituales y sacramentales de Fernán González de Eslava*, 2 vols., México, Porrúa, 1958.

Ronsenstein, Cynthia, "El papel de la comicidad en el teatro de Fernán González de Eslava", *La Palabra y el Hombre*, núm. 39, julio-septiembre de 1966, pp. 405-412.

Schilling, Hildburg (comp.), *Teatro profano en la Nueva España*, México, Imprenta Universitaria, 1958, pp. 175-184.

Torres Rioseco, Antonio, "El primer dramaturgo americano, Fernán González de Eslava", *Hispania*, vol. XXIV, 1941, pp. 161-170.

Weber de Kuralt, Frida, *Lo cómico en el teatro de Fernán González de Eslava*, Buenos Aires, Universidad de Buenos Aires, 1963.

Entremés del ahorcado

Entre dos rufianes, que el uno había dado al otro un bofetón, y el que le había recibido venía a buscar al otro para vengarse. El Agresor, *viendo venir de lejos a su contrario, se fingió ahorcado; y viéndolo así el* Afrentado, *dijo lo siguiente:*

RUFIÁN AFRENTADO.—Mi espada y mi brazo fuerte,
mi tajo con mi revés,
en blanco salió esta suerte,
pues éste se os fue por pies
a la cueva de la muerte.
Porque, juro al mar salado,
no se me hubiera escapado
en vientre de la ballena,
que allí le diera carena,
si no se hubiera ahorcado.
Estoy por ir a sacallo
del infierno, cueva esquiva,
y esto no por remediallo,
sino por hacer que viva,
y vivo, después matallo.
Y esto fuera al desdichado
pena y tormento doblado
verse puesto en mi presencia.
Hiciéralo, en mi conciencia,
si no se hubiera ahorcado.
Repartiera como pan
al hijo de la bellaca,
los brazos en Coyoacán,
y las piernas en Oaxaca,
y la panza en Michoacán.
Y lo que queda sobrado
ante mí fuera quemado,
y fuera poco castigo.
Yo hiciera lo que digo,
si no se hubiera ahorcado.
De mis hechos inhumanos

éste ha dado testimonio,
pues tuvo por más livianos
los tormentos del demonio
que los que doy por mis manos.
Él hizo como avisado,
porque lo hubiera pringado,
o hecho mil añicos
y quebrado los hocicos,
si no se hubiera ahorcado.

Cada vez que acaba de glosar "si no estuviera ahorcado", acometía a darle una estocada, y el que le ahorcó, *le tenía el brazo, diciéndole: "No ensucie vuesa merced su espada en un hombre muerto, porque no es valentía." Y habiéndose ido el rufián agraviado, el otro se desenlazó y dijo al que estaba presente: "Oiga vuesa merced cómo le voy glosando la letra."*

RUFIÁN AGRESOR.–Aquel bellaco putillo,
más menguado que la mengua,
me huyó. Quiero seguillo
para sacalle la lengua
por detrás del colodrillo.
Aquel bellaco azotado,
sucio, puerco y apocado,
puso lengua en mi persona.
Hiciérale la mamona,
si no estuviera ahorcado.
El brazo y el pie derecho
con que me hizo ademanes,
le cortara y, esto hecho,
los echara en el estrecho
que llaman de Magallanes.
Y, estando aquí arrodillado,
le diera un tajo volado
que le cortara por medio.
Hiciéralo sin remedio,
si no estuviera ahorcado.
Las barbas, por más tormento,
una a una le pelara,
y después, por mi contento,
por escobas las tomara,
y barriera mi aposento.

Y no quedara vengado
con velle barbipelado,
que en ellas, por vida mía,
escupiera cada día,
si no estuviera ahorcado.
¿Éste, dicen, que es valiente?
¿y anda conmigo en consejas?
Si estuviera aquí presente,
le cortara las orejas,
y las clavara en su frente.
Y así quedara afrentado,
de todos vituperado,
y después de esto hiciera
que en viernes se las comiera,
si no estuviera ahorcado.

Entremés de Diego Moreno y Teresa

TERESA.—¿Que en México he de quedar?
No haré, así Dios me ayude:
no lo podré soportar
que un alguacil me desnude
sin quererme respetar.
No sé qué mujer honrada
en este México queda,
premática pregonada
y que yo no traiga seda,
llamaréme malograda.
Marido Diego Moreno
DIEGO.—¡Ah,Teresa! ¿Qué decís?
TERESA.—Que según sois todo bueno
mátenme, si no venís
con las manos en el seno.
DIEGO.—No las traigo sino fuera;
mas espada no saqué.
TERESA.—Por cierto, más me valiera,
cuando con vos me casé,
que mala landre me diera.
DIEGO.—¿Por la seda estáis mohina?
¿No veis que no alcanzo un pan?
TERESA.—Señor, llevadme a la China,
porque allá no pasarán
premáticas tan ahina.
DIEGO.—Mujer, mira lo que digo,
que es bueno el pueblo en que estamos;
cada cual es nuestro amigo;
por eso no es bien que vamos
a buscar pan de trastrigo.
TERESA.—¡Qué marido y qué señor!
Maridillo de nonada,
mira quién es mi dolor
para estar con él casada
hija de conquistador.
Siempre su seso tropieza

en contra de lo que quiero,
él es de pies a cabeza
como mano de mortero,
todo hecho de una pieza.

DIEGO.—Mi señora y mi mujer,
deprended de mi paciencia,
porque yo os hago saber
que si vos queréis pendencia
yo no la quiero tener.

TERESA.—¿No tenéis de mí mancilla?

DIEGO.—Mujer ¿por qué os enojastes?

TERESA.—Sabed que es esta rencilla
porque ayer no me comprastes
una negra gargantilla.

DIEGO.—Que no la puedo comprar,
ni puedo cumplir con tanto,
ni me puedo sustentar,
y en pasando este disanto
me tienen de ejecutar.

TERESA.—Contino sois lloraduelos,
contino os faltan haberes.
No tengo yo dos sayuelos
y veo a cien mil mujeres
arrastrando terciopelos.

DIEGO.—¿Pués no os compré un escofión
porque os toquéis como niña?

TERESA.—¿Qué vale aqueso? Un tostón.

DIEGO.—También os compré basquiña
y un riquísimo jubón.

TERESA.—Por ser de extraña manera
el jubón nunca me plugo.

DIEGO.—Pues mujer, si lo supiera,
yo le rogara al verdugo
que a dos manos os lo diera.

TERESA.—Ése vos lo merecéis
y a fe que habéis de llevallo.

DIEGO.—Teresa ¿no callaréis?
Pues que sabéis que yo callo
mil cosas que vos sabéis.

TERESA.—A Satanás os ofrezco.
¿Y de mí qué habéis callado?

DIEGO.—Mujer, mirá que padezco,
y que debo ser honrado,
pues por mujer os merezco.
TERESA.—¿No veis el mozo gentil?
DIEGO.—Mujer, gran favor es ése.
TERESA.—¿Vos me merecéis, civil?
mirá quién, que no merece
una mujer de huipil.
DIEGO.—No me toquéis, que no os toco:
mujer, que no os hago daño.
TERESA.—¡Tocarme vos, pan y moco!
Arre, tocarme, mal año,
un hombre tan para poco.
DIEGO.—Aquí del rey, que me mata.
TERESA.—Yo os haré que me soñéis.
DIEGO.—No me arañéis como gata,
que yo huelgo que me deis
con esas manos de plata.
TERESA.—Espera, espera, cobarde:
¡Ah, tacaño! ¿No esperáis?
DIEGO.—Yo os aguardaré en la tarde,
que agora, según estáis,
no hay diablo que os aguarde.
Comidas sean de alanos
mujeres que tanto pueden.
Tengamos paz como hermanos.
TERESA.—Por mi fe, primero queden
vuestras barbas en mis manos.
DIEGO.—¡Oh, quién tuviera un garrote
para defenderme agora!
TERESA.—Toma, toma, bellacote.
DIEGO.—No tiréis tanto, señora.
Que me arrancáis un bigote.
¡Jesús! ¿No ven cuál me pára,
siendo yo su amor primero?
Sin barbas tengo la cara...
Mal año para un barbero
que tan bien me las quitara.
TERESA.—El valor de mi persona
ya queda bien parecido.
¿Conmigo el necio se entona?

DIEGO.—Mujer ¿de dónde ha venido
ser conmigo tan burlona?
TERESA.—No penséis que burlo, macho.
DIEGO.—No habléis mis desatinos.
¡Ah, mujer! ¿No será empacho
que me vean los vecinos
medio hombre y medio muchacho?
Mujer, ¿queréis perdonarme?
TERESA.—Sí, no quedándome aquí.
A la China heis de llevarme.
DIEGO.—Pues, mujer, veníos tras mí
presto, que voy a embarcarme.
¡Ah de nao! ¿Queréis que entremos?
MAESTRE.—Pitá, si queréis entrar.
DIEGO.—Allá nos concertaremos;
acabá presto de echar
la plancha, para que entremos.
MAESTRE.—Entrá ya. ¿Por qué no entráis?
TERESA.—Dadme algo en que me tenga.
DIEGO.—Teneos, que no caigáis.
TERESA.—Plega a Dios que a vos os venga
lo que a mí deseáis.

JUAN RUIZ DE ALARCÓN
[*México, 1581?-1639*]

Los críticos no han logrado ponerse de acuerdo sobre el lugar específico en México ni sobre la fecha de nacimiento de Alarcón. En 1600 se trasladó a España después de algunos años de estudio en la Universidad de México. Se graduó de Bachiller en Cánones y Letras por la de Salamanca en 1602. Luego de ejercer abogacía en Sevilla, retorna en 1608 a Nueva España, donde concluyó sus estudios e hizo oposiciones, sin resultado, a varias cátedras. Viajó una vez más en 1613 a España, en donde se dedicó a escribir comedias durante los tres lustros siguientes. Su carrera literaria cesó poco después de haber sido nombrado relator del Consejo de Indias en 1626.

Corcovado de pecho y espalda, de muy corta estatura, barbibermejo y algo patizambo, Ruiz de Alarcón estaba mal preparado para soportar los rigores del mundillo teatral de su época, y las injuriosas burlas de que fue objeto en vida lo acompañaron hasta la tumba; una noticia de su muerte rezaba: "Murió D. Juan de Alarcón, poeta famoso, así por sus comedias como por sus corcovas."

Veintitrés dramas han sido atribuidos a Ruiz de Alarcón, a más de varias piezas compuestas en colaboración con Tirso de Molina y otros. Entre sus obras más conocidas están: *El tejedor de Segovia*, *Ganar amigos*, *Los pechos privilegiados*, *No hay mal que por bien no venga*, *El examen de maridos* y sus dos más famosas: *Las paredes oyen* y *La verdad sospechosa*.

Alarcón pertenece a los "cuatro grandes" del teatro del Siglo de Oro español, junto con Lope de Vega, Tirso de Molina y Calderón de la Barca. De los cuatro, él es el gran moralista, pero como han señalado Hill y Harlan, difiere de Tirso (el teólogo) o de Calderón (el escolástico). Las virtudes que defiende no son las que conducen a la santidad, sino las que vencen los vicios más comunes que deterioran la dignidad humana. Alarcón es también único entre los "grandes", por su constante respeto para la mujer; nada de mujeres disfrazadas recorriendo toda la península en busca de sus amantes. Se distingue asimismo por la presentación interior de sus personajes, por una finísima matización psicológica. En su práctica de moderación y equilibrio (especialmente en evitar complicadas intrigas secundarias), se nos aparece hoy día mucho más moderno que cualquiera de sus contemporáneos. Su estilo puede carecer del brillo y vivacidad de los otros dramaturgos del momento; pero, como indica Romera Navarro, "era esmeradísimo en la composición literaria: descuidos, olvidos, repeticiones no se notarán en las comedias de Alarcón. El verso y el estilo son casi impecables".

Y sobre todo, puesto que la imitación es señal de respeto, Alarcón contó con admiradores y emuladores en algunas capitales europeas, particularmente en París.

Desde 1913, cuando Pedro Henríquez Ureña llamó por primera vez la atención acerca de la mexicanidad en Alarcón, ha aparecido un buen número de ensayos referentes a la influencia de su nacionalidad sobre sus escritos. Entre las características que se suelen observar en este respecto se encuentran ciertas peculiaridades léxicas, la cortesía de sus héroes y otras notas aún más sutiles.

BIBLIOGRAFÍA SUMARIA

Abreu Gómez, Ermilo, *Juán Ruiz de Alarcón, bibliografía crítica*, México, Botas, 1939.

Alatorre, Antonio, "Para la historia de un problema: la mexicanidad de Juan Ruiz de Alarcón", *Anuario de Letras*, vol. IV, México, Facultad de Filosofía y Letras de la Universidad Nacional Autónoma de México, 1964, pp. 161-202.

Arrom, José Juan, *Historia del teatro hispanoamericano. Época colonial*, México, Editorial de Andrea, 1967, pp. 50-57.

Burke, James F., "The 'Banquet of Senses' in *La verdad sospechosa.*" *Hispanic Studies in Honor of Alan D. Deyermond: A North American Tribute*, John S. Miletich (comp.), Hispanic Seminary of Medieval Studies, Madison, Wisconsin, 1986, pp. 51-56.

Castro Leal, Antonio (comp.), *Ruiz de Alarcón, su vida y su obra*, 2 vols., México, Cuadernos Americanos, 1943.

___, *Ruiz de Alarcón: Cuatro Comedias*, México, Porrúa, 1964.

Concha, Jaime, "El tema del segundón y *La verdad sospechosa*", *Revista de Crítica Literaria*, vol. XIV, núm. 28, 1988, pp. 253-279.

___, "Introducción al teatro de Ruiz de Alarcón", *Ideologies and Literature*, vol. II, núm. 9, enero-febrero de 1979, pp. 34-64.

Frenk Alatorre, Margit, "El teatro de Juan Ruiz de Alarcón", *Escritura*, vol. V, núm. 10, julio-diciembre de 1980, pp. 241-269.

Henríquez Ureña, Pedro, "Don Juan Ruiz de Alarcón", *Seis ensayos en busca de nuestra expresión*, Buenos Aires, Biblioteca Argentina de Buenas Ediciones Literarias, 1928, pp. 79-99.

Jones, Michael, "Five Liars: French, English, and Italian imitations of *La verdad sospechosa*", AUMLA: *Journal of the Australasian University Language and Literature*, vol. LXII, noviembre de 1984, pp. 192-207.

King, Willard F., *Juan Ruiz de Alarcón, letrado y dramaturgo*, México, El Colegio de México, 1989.

Larson, Catherine, "Labels and Lies: Names and Don García's World in *La verdad sospechosa*", *Revista de Estudios Hispánicos*, vol. XX, núm. 2, mayo de 1986, pp. 95-112.

Lewis Galanes, Adriana, "Una cala en el alegado didactismo de Ruiz de Alarcón", *Revista de Estudios Hispánicos*, vol. XX, núm. 2, mayo de 1986, pp. 113-122.

London, John, *Claves de "La verdad sospechosa"*, México, Diana, 1991.

Madrigal, José, "*La verdad sospechosa* y su falsa soteriología", *Revista de Cultura*, vol. XVII, 1988, pp. 129-132.

Malcolm Gaylord, Mary, "The Telling Lies in *La verdad sospechosa*", *MLN*, vol. CIII, núm. 2, marzo de 1988, pp. 223-238.

Pastos, David J., "The Independent Heroines in Ruiz de Alarcón's Major Comedias", *Bulletin of the Comediantes*, vol. XL, invierno de 1988, pp. 227-235.

Patterson, Alan K. G., "Reversal and Multiple Role-Playing in Alarcón's *La verdad sospechosa*", *Bulletin of Hispanic Studies*, vol. LXI, núm. 3, julio de 1984, pp. 361-368.

Poesse, Walter, *Juan Ruiz de Alarcón*, Nueva York, Twayne, 1972.

Romera Navarro, M., *Historia de la literatura española*, Boston, D. C. Heath, 1949, pp. 348-360.

Sandoval Sánchez, Alberto, "Aportes para una canonización de Juan Ruiz de Alarcón en la literatura latinoamericana", *Revista de Crítica Literaria Latinoamericana*, vol. XIV, núm. 28, julio-diciembre de 1988, pp. 281-290.

Schons, Dorothy, "The Mexican Background of Alarcón", *Publications of the Modern Language Association*, vol. LVII, núm. 1, marzo de 1949, pp. 89-104.

Sito Alba, Manuel (comp.), *Mudarse por mejorarse; La verdad sospechosa*, Clásicos Plaza y Janés, Biblioteca Crítica de Autores, Barcelona, Plaza y Janés, 1986.

Urbina, Eduardo, "La razón de más fuerça': triple juego de *La verdad sospechosa*", *Hispania*, vol. VII, núm. 4, diciembre de 1987, pp. 724-730.

Vesser, Harold A., " 'That Dangerous Supplement': *La verdad sospechosa* and the Literary Speech Situation", *Things Done with Words: Speech Acts in Hispanic Drama*, Elias L. Rivers (comp.), Newark, Delaware, Juan de la Cuesta, 1986, pp. 51-71.

Vetterling, Mary-Anne, "La magia en las comedias de Juan Ruiz de Alarcón", *Cuadernos Americanos*, vol. CCXXXI, núm. 4, julio-agosto de 1980, páginas 230-247.

Waisman, Teresa, "*La verdad sospechosa* de Alarcón y la historia", *Plural*, vol. VI, núm. 81, junio de 1978, pp. 22-31.

La verdad sospechosa

PERSONAJES

DON GARCÍA, *galán.*	*Un Letrado.*
DON JUAN, *galán.*	CAMINO, *escudero.*
DON FÉLIX, *galán.*	*Un paje.*
DON BELTRÁN, *viejo grave.*	JACINTA, *dama.*
DON SANCHO, *viejo grave.*	LUCRECIA, *dama.*
DON JUAN, *viejo grave.*	ISABEL, *criada.*
TRISTÁN, *gracioso.*	*Un criado.*

La escena es en Madrid

PRIMER ACTO

ESCENA I

Sala en casa de don Beltrán.
Por una puerta, don García, de estudiante, y un letrado viejo, de camino, y por otra, don Beltrán y Tristán.

DON BELTRÁN.—Con bien vengas, hijo mío.
DON GARCÍA.—Dame la mano, señor.
DON BELTRÁN.—¿Cómo vienes?
DON GARCÍA.— El calor
del ardiente y seco estío
me ha afligido de tal suerte,
que no pudiera llevallo,
señor, a no mitigallo
con la esperanza de verte.
DON BELTRÁN.—Entra, pues, a descansar.
Dios te guarde. ¡Qué hombre vienes!
Tristán...
TRISTÁN.— Señor...
DON BELTRÁN.— Dueño tienes
nuevo ya de quien cuidar.

Sirve desde hoy a García;
que tú eres diestro en la corte,
y él bisoño.

TRISTÁN.– En lo que importe
yo le serviré de guía.

DON BELTRÁN.–No es criado el que te doy,
mas consejero y amigo.

DON GARCÍA.–Tendrá ese lugar conmigo. *(Vase.)*

TRISTÁN.–Vuestro humilde esclavo soy. *(Vase.)*

ESCENA II

Don Beltrán, el Letrado.

DON BELTRÁN.–Déme, señor Licenciado,
los brazos.

LETRADO.– Los pies os pido.

DON BELTRÁN.–Alce ya. ¿Cómo ha venido?

LETRADO.–Büeno, contento, honrado
de mi señor don García,
a quien tanto amor cobré,
que no sé cómo podré
vivir sin su compañía.

DON BELTRÁN.–Dios le guarde; que en efecto
siempre el señor Licenciado
claros indicios ha dado
de agradecido y discreto.
Tan precisa obligación
me huelgo que haya cumplido
García, y que haya acudido
a lo que es tanta razón.
Porque le aseguro yo
que es tal mi agradecimiento,
que, como un corregimiento
mi intercesión le alcanzó
(según mi amor, desigual),
de la misma suerte hiciera
darle también, si pudiera,
plaza en Consejo Real.

LETRADO.–De vuestro valor lo fío.

DON BELTRÁN.—Sí, bien lo puede creer;
mas yo me doy a entender
que, si con el favor mío
en ese escalón primero
se ha podido poner, ya
sin mi ayuda subirá
con su virtud al postrero.

LETRADO.—En cualquier tiempo y lugar
he de ser vuestro criado.

DON BELTRÁN.—Ya, pues, señor Licenciado,
que el timón ha de dejar
de la nave de García,
y yo he de encargarme dél,
que hiciese por mí y por él
sola una cosa querría.

LETRADO.—Ya, señor, alegre espero
lo que me queréis mandar.

DON BELTRÁN.—La palabra me ha de dar
de que lo ha de hacer, primero.

LETRADO.—Por Dios juro de cumplir,
señor, vuestra voluntad.

DON BELTRÁN.—Que me diga una verdad
le quiero sólo pedir.
Ya sabe que fue mi intento
que el camino que seguía
de las letras don García
fuese su acrecentamiento;
que para un hijo segundo,
como él era, es cosa cierta
que es ésa la mejor puerta
para las honras del mundo.
Pues como Dios se sirvió
de llevarse a don Gabriel,
mi hijo mayor, con que él
mi mayorazgo quedó,
determiné que, dejada
esa profesión, viniese
a Madrid, donde estuviese,
como es cosa acostumbrada
entre ilustres caballeros
en España; porque es bien

que las nobles casas den
a su rey sus herederos.
   Pues como es ya don García
hombre que no ha de tener
maestro, y ha de correr
su gobierno a cuenta mía;
   y mi paternal amor
con justa razón desea
que, ya que el mejor no sea,
no le noten por peor,
   quiero, señor Licenciado,
que me diga claramente,
sin lisonja, lo que siente
(supuesto que le he crïado)
   de su modo y condición,
de su trato y ejercicio,
y a qué género de vicio
muestra más inclinación.
   Si tiene alguna costumbre
que yo cuide de enmendar,
no piense que me ha de dar
con decirlo pesadumbre.
   Que él tenga vicio es forzoso;
que me pese, claro está;
mas saberlo me será
útil, cuando no gustoso.
   Antes en nada, a fe mía,
hacerme puede mayor
placer, o mostrar mejor
lo bien que quiere a García,
   que en darme este desengaño
cuando provechoso es,
si he de saberlo después
que haya sucedido un daño.

LETRADO.—Tan estrecha prevención,
señor, no era menester
para reducirme a hacer
lo que tengo obligación;
   pues es caso averiguado
que cuando entrega al señor
un caballo el picador

que lo ha impuesto y enseñado,
si no le informa del modo
y los resabios que tiene,
un mal suceso previene
al caballero y dueño y todo.
Deciros verdad es bien;
que demás del juramento,
daros una purga intento
que os sepa mal y haga bien.
De mi señor don García
todas las acciones tienen
cierto acento, en que convienen
con su alta genealogía.
Es magnánimo y valiente,
es sagaz y es ingenioso,
es liberal y piadoso;
si repentino, impaciente.
No trato de las pasiones
propias de la mocedad,
porque en ésas con la edad
se mudan las condiciones.
Mas una falta no más
es la que le he conocido,
que por más que le he reñido,
no se ha enmendado jamás.

DON BELTRÁN.—¿Cosa que a su calidad
será dañosa en Madrid?

LETRADO.—Puede ser.

DON BELTRÁN.—¿Cuál es? Decid.

LETRADO.—No decir siempre verdad.

DON BELTRÁN.—¡Jesús, qué cosa tan fea
en hombre de obligación!

LETRADO.—Yo pienso que, o condición
o mala costumbre sea.
Con la mucha autoridad
que con él tenéis, señor,
junto con que ya es mayor
su cordura con la edad,
ese vicio perderá.

DON BELTRÁN.—Si la vara no ha podido,
en tiempo que tierna ha sido,

enderezarse, ¿qué hará
siendo ya tronco robusto?

LETRADO.—En Salamanca, señor,
son mozos, gastan humor,
sigue cada cual su gusto:
hacen donaire del vicio,
gala de la travesura,
grandeza de la locura;
hace al fin la edad su oficio.
Mas en la corte mejor
su enmienda esperar podemos,
donde tan validas vemos
las escuelas del honor.

DON BELTRÁN.—Casi me mueve a reír
ver cuán ignorante está
de la corte. ¿Luego acá
no hay quien le enseñe a mentir?
En la corte, aunque haya sido
un extremo don García,
hay quien le dé cada día
mil mentiras de partido.
Y si aquí miente el que está
en un puesto levantado
en cosa en que al engañado
la hacienda o honor le va,
¿no es mayor inconveniente
quien por espejo está puesto
al reino...? Dejemos esto,
que me voy a maldiciente.
Como el toro a quien tiró
la vara una diestra mano,
arremete al más cercano
sin mirar a quien le hirió,
así yo, con el dolor
que esta nueva me ha causado,
en quien primero he encontrado
ejecuté mi furor.
Créame que si García
mi hacienda, de amores ciego,
disipara, o en el juego
consumiera noche y día;

si fuera de ánimo inquieto
y a pendencias inclinado,
si mal se hubiera casado,
si se muriera en efeto,
no lo llevara tan mal
como que su falta sea
mentir. ¡Qué cosa tan fea!
¡Qué opuesta a mi natural!
Ahora bien: lo que he de hacer
es casarle brevemente,
antes que este inconveniente
conocido venga a ser.
Yo quedo muy satisfecho
de su buen celo y cuidado,
y me confieso obligado
del bien que en esto me ha hecho.
¿Cuándo ha de partir?

LETRADO.— Querría
luego.

DON BELTRÁN.—¿No descansará
algún tiempo, y gozará
de la corte?

LETRADO.— Dicha mía
fuera quedarme con vos;
pero mi oficio me espera.

DON BELTRÁN.—Ya entiendo: volar quisiera,
porque va a mandar. A Dios. *(Vase.)*

LETRADO.—Guárdeos Dios.—Dolor extraño
le dio al buen viejo la nueva.
Al fin, el más sabio lleva
agramente un desengaño. *(Vase.)*

ESCENA III

Las Platerías.

Don García, de galán; Tristán.

DON GARCÍA.—¿Díceme bien este traje?

TRISTÁN.—Divinamente, señor.

¡Bien hubiese el inventor
deste holandesco follaje!
Con un cuello apanalado
¿qué fealdad no se enmendó?
Yo sé una dama a quien dio
cierto amigo gran cuidado
mientras con cuello le vía;
y una vez que llegó a verle
sin él, la obligó a perderle
cuanta afición le tenía,
porque ciertos costurones
en la garganta cetrina
publicaban la ruïna
de pasados lamparones.
Las narices le crecieron,
mostró un gran palmo de oreja,
y las quijadas, de vieja,
en lo enjuto, parecieron.
Al fin, el galán quedó
tan otro del que solía,
que no le conocería
la madre que le parió.

DON GARCÍA.—Por esa y otras razones
me holgara de que saliera
premática que impidiera
esos vanos canjilones.
Que, demás de esos engaños,
con su holanda el extranjero
saca de España el dinero
para nuestros proprios daños.
Una valoncilla angosta,
usándose, le estuviera
bien al rostro, y se anduviera
más a gusto a menos costa.
Y no que con tal cuidado
sirve un galán a su cuello,
que por no descomponello,
se obliga a andar empalado.

TRISTÁN.—Yo sé quién tuvo ocasión
de gozar su amada bella,
y no osó llegarse a ella
por no ajar un canjilón.

Y esto me tiene confuso:
todos dicen que se holgaran
de que valonas se usaran,
y nadie comienza el uso.

DON GARCÍA.—De gobernar nos dejemos
el mundo. ¿Qué hay de mujeres?

TRISTÁN.—El mundo dejas, ¿y quieres
que la carne gobernemos?
¿Es más fácil?

DON GARCÍA.— Más gustoso.

TRISTÁN.—¿Eres tierno?

DON GARCÍA.— Mozo soy.

TRISTÁN.—Pues en lugar entras hoy
donde amor no vive ocioso.
Resplandecen damas bellas
en el cortesano suelo
de la suerte que en el cielo
brillan lucientes estrellas.
En el vicio y la virtud
y el estado hay diferencia,
como es varia su inflüencia,
resplandor y magnitud.
Las señoras, no es mi intento
que en este número estén,
que son ángeles a quien
no se atreve el pensamiento.
Sólo te diré de aquellas
que son, con almas livianas,
siendo divinas, humanas;
corruptibles, siendo estrellas.
Bellas casadas verás
conversables y discretas,
que las llamo yo planetas
porque resplandecen más.
Éstas, con la conjunción
de maridos placenteros,
influyen en extranjeros
dadivosa condición.
Otras hay cuyos maridos
a comisiones se van,
o que en las Indias están
o en Italia, entretenidos.

No todas dicen verdad
en esto, que mil taimadas
suelen fingirse casadas
por vivir con libertad.
Verás de cautas pasantes
hermosas recientes hijas:
éstas son estrellas fijas,
y sus madres son errantes.
Hay una gran multitud
de señoras de tusón,
que entre cortesanas son
de la mayor magnitud.
Síguense tras las tusonas
otras que serlo desean,
y aunque tan buenas no sean,
son mejores que busconas.
Éstas son unas estrellas
que dan menor claridad;
mas en la necesidad
te habrás de alumbrar con ellas.
La buscona no la cuento
por estrella, que es cometa;
pues ni su luz es perfecta,
ni conocido su asiento.
Por las mañanas se ofrece
amenazando al dinero,
y en cumpliéndose el agüero,
al punto desaparece.
Niñas salen, que procuran
gozar todas ocasiones:
éstas son exhalaciones
que mientras se queman, duran.
Pero que adviertas es bien,
si en estas estrellas tocas,
que son estables muy pocas,
por más que un Perú les den.
No ignores, pues yo no ignoro,
que un signo el de Virgo es,
y los de cuernos son tres,
Aries, Capricornio y Toro;
Y así, sin fiar en ellas,

lleva un presupuesto solo,
y es que el dinero es el polo
de todas estas estrellas.

DON GARCÍA.—¿Eres astrólogo?

TRISTÁN.— Oí,
el tiempo que pretendía
en palacio, astrología.

DON GARCÍA.—¿Luego has pretendido?

TRISTÁN.— Fui
pretendiente, por mi mal.

DON GARCÍA.—¿Cómo en servir has parado?

TRISTÁN.—Señor, porque me han faltado
la fortuna y el caudal;
aunque quien te sirve, en vano
por mejor suerte suspira.

DON GARCÍA.—Deja lisonjas, y mira
el marfil de aquella mano,
el divino resplandor
de aquellos ojos, que juntas
despiden entre las puntas
flechas de muerte y amor.

TRISTÁN.—¿Dices aquella señora
que va en el coche?

DON GARCÍA.— ¿Pues cuál
merece alabanza igual?

TRISTÁN.—¿Qué bien encajaba agora
esto de coche del sol,
con todos sus adherentes
de rayos de fuego ardientes
y deslumbrante arrebol!

DON GARCÍA.—¿La primer dama que vi
en la corte, me agradó?

TRISTÁN.—¿La primera en tierra?

DON GARCÍA.— No,
la primera en cielo sí;
que es divina esta mujer.

TRISTÁN.—Por puntos las toparás
tan bellas, que no podrás
ser firme en un parecer.
Yo nunca he tenido aquí
constante amor ni deseo,

que siempre por la que veo
me olvido de la que vi.
DON GARCÍA.—¿Dónde ha de haber resplandores
que borren los de estos ojos?
TRISTÁN.—Míraslos ya con antojos
que hacen las cosas mayores.
DON GARCÍA.—¿Conoces, Tristán?...
TRISTÁN.— No humanes
lo que por divino adoras;
porque tan altas señoras
no tocan a los Tristanes.
DON GARCÍA.—Pues yo, al fin, quien fuere sea,
la quiero y he de servilla.
Tú puedes, Tristán, seguilla.
TRISTÁN.—Detente; que ella se apea
en la tienda.
DON GARCÍA.— Llegar quiero.
¿Úsase en la corte?
TRISTÁN.— Sí,
con la regla que te di,
de que es el polo el dinero.
DON GARCÍA.—Oro traigo.
TRISTÁN.— ¡Cierra, España!
Que a César llevas contigo.
Mas mira si en lo que digo
mi pensamiento se engaña.
Advierte, señor, si aquella
que tras ella sale agora,
puede ser sol de su aurora,
ser aurora de su estrella.
DON GARCÍA.—Hermosa es también.
TRISTÁN.— Pues mira
si la criada es peor.
DON GARCÍA.—El coche es arco de amor,
y son flechas cuantas tira.
Yo llego.
TRISTÁN.— A lo dicho advierte...
DON GARCÍA.—¿Y es...?
TRISTÁN.— Que a la mujer rogando,
y con el dinero dando.
DON GARCÍA.—¡Consista en eso mi suerte!

TRISTÁN.—Pues yo, mientras hablas, quiero
que me haga relación
el cochero de quién son.
DON GARCÍA.—¿Dirálo?
TRISTÁN.— Sí, que es cochero.

ESCENA IV

Jacinta, Lucrecia e Isabel, con mantos; cae Jacinta, y llega don García y dale la mano.

JACINTA.—¡Válgame Dios!
DON GARCÍA.— Esta mano
os servid de que os levante,
si merezco ser Atlante
de un cielo tan soberano.
JACINTA.—Atlante debéis de ser,
pues lo llegáis a tocar.
DON GARCÍA.—Una cosa es alcanzar
y otra cosa merecer.
¿Qué vitoria es la beldad
alcanzar, por quien me abraso,
si es favor que debo al caso,
y no a vuestra voluntad?
Con mi propia mano así
el cielo; mas, ¿qué importó,
si ha sido porque él cayó,
y no porque yo subí?
JACINTA.—¿Para qué fin se procura
merecer?
DON GARCÍA.—Para alcanzar.
JACINTA.—Llegar al fin sin pasar
por los medios, ¿no es ventura?
DON GARCÍA.—Sí.
JACINTA.— Pues, ¿cómo estáis quejoso
del bien que os ha sucedido,
si el no haberlo merecido
os hace más venturoso?
DON GARCÍA.—Porque como las acciones
del agravio y el favor

reciben todo el valor
sólo de las intenciones,
por la mano que os toqué
no estoy yo favorecido,
si haberlo vos consentido
con esa intención no fue.
Y así, sentir me dejad
que cuando tal dicha gano,
venga sin alma la mano
y el favor sin voluntad.

JACINTA.—Si la vuestra no sabía,
de que agora me informáis
injustamente culpáis
los defetos de la mía.

ESCENA V

Tristán. Dichos.

TRISTÁN. *(Aparte.)*—El cochero hizo su oficio:
nuevas tengo de quién son.

DON GARCÍA.—¿Qué hasta aquí de mi afición
nunca tuvistes indicio?

JACINTA.—¿Cómo, si jamás os vi?

DON GARCÍA.—¿Tan poco ha valido, ¡ay Dios!,
más de un año que por vos
he andado fuera de mí?

TRISTÁN. *(Aparte.)*—¿Un año, y ayer llegó
a la corte?

JACINTA.— ¡Bueno a fe!
¿Más de un año? Juraré
que no os vi en mi vida yo.

DON GARCÍA.—Cuando del indiano suelo
por mi dicha llegué aquí,
la primer cosa que vi
fue la gloria de ese cielo;
y aunque os entregué al momento
el alma, habéisla ignorado,
porque ocasión me ha faltado
de deciros lo que siento.

JACINTA.—¿Sois indiano?
DON GARCÍA.— Y tales son
mis riquezas, pues os vi,
que al minado Potosí
le quito la presunción.
TRISTÁN. *(Aparte.)*—¿Indiano?
JACINTA.— ¿Y sois tan guardoso
como la fama los hace?
DON GARCÍA.—Al que más avaro nace
hace el amor dadivoso.
JACINTA.—¿Luego, si decís verdad,
preciosas ferias espero?
DON GARCÍA.—Si es que ha de dar el dinero
crédito a la voluntad,
serán pequeños empleos
para mostrar lo que adoro,
daros tantos mundos de oro
como vos me dais deseos.
Mas ya que ni al merecer
de esa divina beldad,
ni a mi inmensa voluntad
ha de igualar el poder,
por lo menos os servid
que esta tienda que os franqueo
dé señal de mi deseo.
JACINTA. *(Aparte.)*—No vi tal hombre en Madrid.
Lucrecia, ¿qué te parece (aparte a ella)
del indiano liberal?
LUCRECIA.—Que no te parece mal,
Jacinta, y que lo merece.
DON GARCÍA.—Las joyas que gusto os dan,
tomad deste aparador.
TRISTÁN. *(Aparte a su amo.)*—Mucho te arrojas, señor.
DON GARCÍA.—Estoy perdido, Tristán.
ISABEL. *(Aparte a las damas.)*—Don Juan Viene.
JACINTA.— Yo agradezco,
señor, lo que me ofrecéis.
DON GARCÍA.—Mirad que me agraviaréis,
si no lográis lo que ofrezco.
JACINTA.—Yerran vuestros pensamientos,
caballero, en presumir

que puedo yo recebir
más que los ofrecimientos.
DON GARCÍA.—Pues, ¿qué ha alcanzado de vos
el corazón que os he dado?
JACINTA.—El haberos escuchado.
DON GARCÍA.—Yo lo estimo.
JACINTA.— A Dios.
DON GARCÍA.— A Dios,
y para amaros me dad
licencia.
JACINTA.— Para querer
no pienso que ha menester
licencia la voluntad. *(Vanse las mujeres.)*

ESCENA VI

Don García, Tristán.

DON GARCÍA. *(A Tristán).*—Síguelas.
TRISTÁN.— Si te fatigas,
señor, por saber la casa
de la que en amor te abrasa,
ya la sé.
DON GARCÍA.—Pues no las sigas;
que suele ser enfadosa
la diligencia importuna.
TRISTÁN—"Doña Lucrecia de Luna
se llama la más hermosa,
que es mi dueño; y la otra dama
que acompañándola viene,
sé dónde la casa tiene;
mas no sé cómo se llama."
Esto respondió el cochero.
DON GARCÍA.—Si es Lucrecia la más bella,
no hay más que saber, pues ella
es la que habló, y la que quiero;
que como el autor del día
las estrellas deja atrás,
de esa suerte a las demás
la que me cegó vencía.

TRISTÁN.—Pues a mí la que calló
me pareció más hermosa.
DON GARCÍA.—¡Qué buen gusto!
TRISTÁN.— Es cierta cosa
que no tengo voto yo;
mas soy tan aficionado
a cualquier mujer que calla,
que bastó para juzgalla
más hermosa, haber callado.
Mas dado, señor, que estés
errado tú, presto espero,
preguntándole al cochero
la casa, saber quién es.
DON GARCÍA.—Y Lucrecia, ¿dónde tiene
la suya?
TRISTÁN.— Que a la Vitoria
dijo, si tengo memoria.
DON GARCÍA.—Siempre ese nombre conviene
a la esfera venturosa
que da eclíptica a tal luna.

ESCENA VII

Don Juan y don Félix. Dichos.

DON JUAN. *(A don Félix)*.—¿Música y cena? ¡Ah fortuna!
DON GARCÍA.—¿No es éste don Juan de Sosa?
TRISTÁN.—El mismo.
DON JUAN.— ¿Quién puede ser
el amante venturoso
que me tiene tan celoso?
DON FÉLIX.—Que lo vendréis a saber
a pocos lances, confío.
DON JUAN.—¡Que otro amante le haya dado
a quien mía se ha nombrado,
música y cena en el río!
DON GARCÍA.—¡Don Juan de Sosa!
DON JUAN.— ¿Quién es?
DON GARCÍA.—¿Ya olvidáis a don García?
DON JUAN.—Veros en Madrid lo hacía,
y el nuevo traje.

DON GARCÍA.— Después,
que en Salamanca me vistes,
muy otro debo de estar.
DON JUAN.—Más galán sois de seglar
que de estudiante lo fuistes.
¿Venís a Madrid de asiento?
DON GARCÍA.—Sí.
DON JUAN.—Bien venido seáis.
DON GARCÍA.—Vos, don Félix, ¿cómo estáis?
DON FÉLIX.—De veros, por Dios, contento.
Vengáis bueno en hora buena.
DON GARCÍA.—Para serviros. ¿Qué hacéis?
¿De qué habláis? ¿En qué entendéis?
DON JUAN.—De cierta música y cena
que en el río dio un galán
esta noche a una señora,
era la plática agora.
DON GARCÍA.—¿Música y cena, don Juan?
¿Y anoche?
DON JUAN.— Sí.
DON GARCÍA.— ¿Mucha cosa?
¿Grande fiesta?
DON JUAN.— Así es la fama.
DON GARCÍA.—¿Y muy hermosa la dama?
DON JUAN.—Dícenme que es muy hermosa.
DON GARCÍA.—¡Bien!
DON JUAN.— ¿Qué misterios hacéis?
DON GARCÍA.—De que alabéis por tan buena
esa dama y esa cena,
si no es que alabando estéis
mi fiesta y mi dama así.
DON JUAN.—¿Pues tuvistes también boda
anoche en el río?
DON GARCÍA.— Toda
en eso la consumí.
TRISTÁN. *(Aparte)*.—¿Qué fiesta o qué dama es ésta,
si a la corte llegó ayer?
DON JUAN.—¿Ya tenéis a quien hacer,
tan recién venido, fiesta?
Presto el amor dio con vos.
DON GARCÍA.—No ha tan poco que he llegado,
que un mes no haya descansado.

TRISTÁN. *(Aparte)*.–Ayer llegó, ¡voto a Dios!
Él lleva alguna intención.
DON JUAN.–No lo he sabido, a fe mía,
que al punto acudido habría
a cumplir mi obligación.
DON GARCÍA.–He estado hasta aquí secreto.
DON JUAN.–Ésa la causa habrá sido
de no haberlo yo sabido.
Pero, ¿la fiesta en efeto
fue famosa?
DON GARCÍA.– Por ventura
no la vio mejor el río.
DON JUAN. *(Aparte)*.–¡Ya de celos desvarío!
¿Quién duda que la espesura
del Sotillo el sitio os dio?
DON GARCÍA.–Tales señas me vais dando,
don Juan, que voy sospechando
que la sabéis como yo.
DON JUAN.–No estoy de todo ignorante,
aunque todo no lo sé:
dijéronme no sé qué
confusamente; bastante
a tenerme deseoso
de escucharos la verdad:
forzosa curiosidad
en un cortesano ocioso...
(Aparte.) O en un amante con celos.
DON FÉLIX. *(Aparte a don Juan)*.–Advertid cuán sin pensar
os han venido a mostrar
vuestro contrario los cielos.
DON GARCÍA.–Pues a la fiesta atended;
contaréla, ya que veo
que os fatiga ese deseo.
DON JUAN.–Haréisnos mucha merced.
DON GARCÍA.–Entre las opacas sombras
y opacidades espesas
que el Soto formaba de olmos,
y la noche de tinieblas,
se ocultaba una cuadrada,
limpia y olorosa mesa,
a lo italiano curiosa,

a lo español opulenta.
En mil figuras prensados
manteles y servilletas,
sólo invidiaron las almas
a las aves y a las fieras.
Cuatro aparadores puestos
en cuadra correspondencia,
la plata blanca y dorada,
vidrios y barros ostentan.
Quedó con ramas un olmo
en todo el Sotillo apenas;
que dellas se edificaron
en varias partes seis tiendas.
Cuatro coros diferentes
ocultan las cuatro dellas;
otra, principios y postres,
y las vïandas, la sexta.
Llegó en su coche mi dueño,
dando envidia a las estrellas,
a los aires suavidad,
y alegría a la ribera.
Apenas el pie que adoro
hizo esmeraldas la yerba,
hizo cristal la corriente,
las arenas hizo perlas,
cuando en copia disparados
cohetes, bombas y ruedas,
toda la región del fuego
bajó en un punto a la tierra.
Aun no las sulfúreas luces
se acabaron, cuando empiezan
las de veinte y cuatro antorchas
a obscurecer las estrellas.
Empezó primero el coro
de chirimías; tras ellas
el de las vigüelas de arco
sonó en la segunda tienda.
Salieron con suavidad
las flautas de la tercera,
y en la cuarta cuatro voces
con guitarras y arpas suenan.

Entre tanto, se sirvieron
treinta y dos platos de cena,
sin los principios y postres,
que casi otros tantos eran.
Las frutas y las bebidas
en fuentes y tazas, hechas
del cristal que da el invierno
y el artificio conserva,
de tanta nieve se cubren,
que Manzanares sospecha,
cuando por el soto pasa,
que camina por la sierra.
El olfato no está ocioso
cuando el gusto se recrea,
que de espíritus süaves
de pomos y cazolejas,
y distilados sudores
de aromas, flores y yerbas,
en el Soto de Madrid
se vio la región sabea.
En un hombre de diamantes,
delicadas de oro flechas,
que mostrasen a mi dueño
su crueldad y mi firmeza,
al sauce, al junco y al mimbre
quitaron su preeminencia:
que han de ser oro las pajas
cuando los dientes son perlas.
En esto, juntos en folla,
los cuatro coros comienzan
desde conformes distancias
a suspender las esferas;
tanto, que invidioso Apolo,
apresuró su carrera,
porque el principio del día
pusiese fin a la fiesta.

DON JUAN.—¡Por Dios, que la habéis pintado
de colores tan perfectas,
que no trocara el oírla
por haberme hallado en ella!

TRISTÁN. *(Aparte)*.—¡Válgate el diablo por hombre!

¡Que tan de repente pueda
pintar un convite tal
que a la verdad misma venza!

DON JUAN. *(Aparte a don Félix)*.–¡Rabio de celos!

DON FÉLIX.– No os dieron
del convite tales señas.

DON JUAN.–¿Qué importa, si en la substancia,
el tiempo y lugar concuerdan?

DON GARCÍA.–¿Qué decís?

DON JUAN.– Que fue el festín
más célebre que pudiera
hacer Alejandro Magno.

DON GARCÍA.–¡Oh! Son niñerías éstas,
ordenadas de repente.
Dadme vos que yo tuviera
para prevenirme un día:
que a las romanas y griegas
fiestas que al mundo admiraron,
nueva admiración pusiera. *(Mira adentro.)*

DON FÉLIX. *(Aparte a don Juan)*.–Jacinta es la del estribo
en el coche de Lucrecia.

DON JUAN. *(Aparte a don Félix)*.–Los ojos a don García
se le van, por Dios, tras ella.

DON FÉLIX.–Inquieto está y divertido.

DON JUAN.–Ciertas son ya mis sospechas.

DON JUAN Y DON GARCÍA.–A Dios.

DON FÉLIX.– Entrambos a un punto
fuistes a una cosa mesma.
(Vanse don Juan y don Félix.)

ESCENA VIII

Don García, Tristán.

TRISTÁN.–No vi jamás despedida
tan conforme y tan resuelta.

DON GARCÍA.–Aquel cielo, primer móvil
de mis acciones, me lleva
arrebatado tras sí.

TRISTÁN.–Disimula y ten paciencia,

que el mostrarse muy amante
antes daña que aprovecha,
y siempre he visto que son
venturosas las tibiezas.
Las mujeres y los diablos
caminan por una senda,
que a las almas rematadas
ni las siguen ni las tientan;
que el tenellas ya seguras
les hace olvidarse dellas,
y sólo de las que pueden
escapárseles, se acuerdan.

DON GARCÍA.—Es verdad, mas no soy dueño
de mí mismo.

TRISTÁN.— Hasta que sepas
extensamente su estado,
no te entregues tan de veras;
que suele dar quien se arroja
creyendo las apariencias,
en un pantano cubierto
de verde, engañosa yerba.

DON GARCÍA.—Pues hoy te informa de todo.

TRISTÁN.—Eso queda por mi cuenta.
Y agora, antes que reviente,
dime, por Dios, qué fin llevas
en las ficciones que he oído,
siquiera para que pueda
ayudarte, que cogernos
en mentira será afrenta.
Perulero te fingiste
con las damas.

DON GARCÍA.— Cosa es cierta,
Tristán, que los forasteros
tienen más dicha con ellas;
y más si son de las Indias,
información de riqueza.

TRISTÁN.—Ese fin está entendido;
mas pienso que el medio yerras,
pues han de saber al fin
quién eres.

DON GARCÍA.— Cuando lo sepan,

habré ganado en su casa
o en su pecho ya las puertas
con ese medio, y después
yo me entenderé con ellas.

TRISTÁN.—Digo que me has convencido,
señor; mas agora venga
lo de haber un mes que estás
en la corte. ¿Qué fin llevas,
habiendo llegado ayer?

DON GARCÍA.—Ya sabes tú que es grandeza
esto de estar encubierto
o retirado en su aldea,
o en su casa descansando.

TRISTÁN.—¡Vaya muy en hora buena!
Lo del convite entra agora.

DON GARCÍA.—Fingílo, porque me pesa
que piense nadie que hay cosa
que mover mi pecho pueda
a invidia o admiración,
pasiones que al hombre afrentan;
que admirarse es ignorancia,
como invidiar es bajeza.
Tú no sabes a qué sabe,
cuando llega un portanuevas
muy orgulloso a contar
una hazaña o una fiesta,
taparle la boca yo
con otra tal, que se vuelva
con sus nuevas en el cuerpo,
y que reviente con ellas.

TRISTÁN.—¡Caprichosa prevención,
si bien peligrosa treta!
La fábula de la corte
serás, si la flor te entrevan.

DON GARCÍA.—Quien vive sin ser sentido,
quien sólo el número aumenta,
y hace lo que todos hacen,
¿en qué difiere de bestia?
Ser famosos es gran cosa;
el medio cual fuere sea.
Nómbrenme a mí en todas partes

y murmúrenme siquiera;
pues uno por ganar nombre
abrasó el templo de Efesia;
y al fin, es éste mi gusto,
que es la razón de más fuerza.

TRISTÁN.—Juveniles opiniones
sigue tu ambiciosa idea,
y cerrar has menester
en la corte la mollera. *(Vanse.)*

ESCENA IX

Sala en casa de don Sancho.
Jacinta e Isabel, con mantos; don Beltrán, don Sancho.

JACINTA.—¡Tan grande merced!

DON BELTRÁN.— No ha sido
amistad de un solo día
la que esta casa y la mía,
si os acordáis, se han tenido;
y así, no es bien que extrañéis
mi visita.

JACINTA.— Si me espanto
es, señor, por haber tanto
que merced no nos hacéis.
Perdonadme; que ignorando
el bien que en casa tenía,
me tardé en la Platería,
ciertas joyas concertando.

DON BELTRÁN.—Feliz pronóstico dais
al pensamiento que tengo,
pues cuando a casaros vengo,
comprando joyas estáis.
Con don Sancho, vuestro tío,
tengo tratados, señora,
hacer parentesco agora
nuestra amistad, y confío
(puesto que, como discreto,
dice don Sancho que es justo
remitirse a vuestro gusto)
que esto ha de tener efeto.

Que pues es la hacienda mía
y calidad tan patente,
sólo falta que os contente
la persona de García;
y aunque ayer a Madrid vino
de Salamanca el mancebo,
y de invidia el rubio Febo
le ha abrasado en el camino,
bien me atreveré a ponello
ante vuestros ojos claros,
fiando que ha de agradaros
desde la planta al cabello,
si licencia le otorgáis
para que os bese la mano.

JACINTA.—Encarecer lo que gano
en la mano que me dais,
si es notorio, es vano intento;
que estimo de tal manera
las prendas vuestras, que diera
luego mi consentimiento,
a no haber de parecer
(por mucho que en ello gano)
arrojamiento liviano
en una honrada mujer;
que el breve determinarse
en cosas de tanto peso,
o es tener muy poco seso
o gran gana de casarse.
Y en cuanto a que yo lo vea,
me parece, si os agrada,
que para no arriesgar nada,
pasando la calle sea.
Que si como puede ser,
y sucede a cada paso,
después de tratarlo, acaso
se viniese a deshacer,
¿de qué me hubieran servido,
o qué opinión me darán
las visitas de un galán
con licencias de marido?

DON BELTRÁN.—Ya por vuestra gran cordura,

si es mi hijo vuestro esposo,
le tendré por tan dichoso
como por vuestra hermosura.

DON SANCHO.–De prudencia puede ser
un espejo la que oís.

DON BELTRÁN.–No sin causa os remitís,
don Sancho, a su parecer.
Esta tarde con García
a caballo pasaré
vuestra calle.

JACINTA.– Yo estaré
detrás de esa celosía.

DON BELTRÁN.–Que le miréis bien os pido,
que esta noche he de volver,
Jacinta hermosa, a saber
cómo os haya parecido.

JACINTA.–¿Tan apriesa?

DON BELTRÁN.– Este cuidado
no admiréis; que es ya forzoso,
pues si vine deseoso,
vuelvo agora enamorado.
Y a Dios.

JACINTA.– A Dios.

DON BELTRÁN.– ¿Dónde vais?

DON SANCHO.–A serviros.

DON BELTRÁN.– No saldré.

DON SANCHO.–Al corredor llegaré.
con vos, si licencia dais. *(Vanse don Sancho y don Beltrán.)*

ESCENA X

Jacinta, Isabel.

ISABEL.–Mucha priesa te da el viejo.

JACINTA.–Yo se la diera mayor,
pues tan bien le está a mi honor,
si a diferente consejo
no me obligara el amor;
que aunque los impedimentos

del hábito de don Juan,
dueño de mis pensamientos,
forzosa causa me dan
de admitir otros intentos,
como su amor no despido,
por mucho que lo deseo,
que vive en el alma asido,
tiemblo, Isabel, cuando creo
que otro ha de ser mi marido.

ISABEL.—Yo pensé que ya olvidabas
a don Juan, viendo que dabas
lugar a otras pretensiones.

JACINTA.—Cáusanlo estas ocasiones,
Isabel; no te engañabas;
que como ha tanto que está
el hábito detenido,
y no ha de ser mi marido
si no sale, tengo ya
este intento por perdido.
Y así, para no morirme,
quiero hablar y divertirme,
pues en vano me atormento;
que en un imposible intento
no apruebo el morir de firme.
Por ventura encontraré
alguno que tal merezca
que mano y alma le dé.

ISABEL.—No dudo que el tiempo ofrezca
sujeto digno a tu fe;
y si no me engaño yo,
hoy no te desagradó
el galán indiano.

JACINTA.— Amiga,
¿quieres que verdad te diga?
Pues muy bien me pareció,
y tanto, que te prometo
que si fuera tan discreto
tan gentilhombre y galán
el hijo de don Beltrán,
tuviera la boda efeto.

ISABEL.—Esta tarde le verás
con su padre por la calle.

JACINTA.—Veré sólo el rostro y talle;
el alma, que importa más,
quisiera ver con hablalle.
ISABEL.—Háblale.
JACINTA.— Hase de ofender
don Juan, si llega a sabello,
y no quiero, hasta saber
que de otro dueño he de ser,
determinarme a perdello.
ISABEL.—Pues da algún medio, y advierte
que siglos pasas en vano,
y conviene resolverte;
que don Juan es, desta suerte,
el perro del hortelano.
Sin que lo sepa don Juan
podrás hablar, si tú quieres,
al hijo de don Beltrán;
que como en su centro están
las trazas en las mujeres.
JACINTA.—Una pienso que podría
en este caso importar.
Lucrecia es amiga mía:
ella puede hacer llamar
de su parte a don García;
que como secreta esté
yo con ella en su ventana,
este fin conseguiré.
ISABEL.—Industria tan soberana
sólo de tu ingenio fue.
JACINTA.—Pues parte al punto, y mi intento
le di a Lucrecia, Isabel.
ISABEL.—Sus alas tomaré al viento.
JACINTA.—La dilación de un momento
le di que es un siglo en él.

ESCENA XI

Don Juan, que encuentra a Isabel al salir. Jacinta.

DON JUAN.—¿Puedo hablar a tu señora?
ISABEL.—Sólo un momento ha de ser,

que de salir a comer
mi señor don Sancho es hora. *(Vase.)*

DON JUAN.—Ya, Jacinta, que te pierdo,
ya que yo me pierdo, ya...

JACINTA.—¿Estás loco?

DON JUAN.— ¿Quién podrá
estar con tus cosas cuerdo?

JACINTO.—Repórtate y habla paso,
que está en la cuadra mi tío.

DON JUAN.—Cuando a cenar vas al río,
¿cómo haces dél poco caso?

JACINTA.—¿Qué dices? ¿Estás en ti?

DON JUAN.—Cuando para trasnochar
con otro tienes lugar,
¿tienes tío para mí?

JACINTA.—¿Trasnochar con otro? Advierte
que aunque eso fuese verdad,
era mucha libertad
hablarme a mí de esa suerte;
cuanto más que es desvarío
de mi loca fantasía:

DON JUAN.—Ya sé que fue don García
el de la fiesta del río;
ya los fuegos que a tu coche,
Jacinta, la salva hicieron;
ya las antorchas que dieron
sol al Soto a media noche;
ya los cuatro aparadores
con vajillas varïadas;
las cuatro tiendas pobladas
de instrumentos y cantores.
Todo lo sé y sé que el día
te halló, enemiga, en el río:
di agora que es desvarío
de mi loca fantasía,
di agora que es libertad
el tratarte desta suerte,
cuando obligan a ofenderte
mi agravio y tu liviandad...

JACINTA.—¡Plega a Dios!...

DON JUAN.— ¡Deja invenciones!;
calla, no me digas nada,
que en ofensa averiguada
no sirven satisfacciones.
Ya, falsa, ya sé mi daño;
no niegues que te he perdido;
tu mudanza me ha ofendido,
no me ofende el desengaño.
Y aunque niegues lo que oí,
lo que vi confesarás;
que hoy lo que negado estás,
en sus mismos ojos vi.
Y su padre, ¿qué quería
agora aquí? ¿Qué te dijo?
¿De noche estás con el hijo,
y con el padre de día?
Yo lo vi; ya mi esperanza
en vano engañar dispones;
ya sé que tus dilaciones
son hijas de tu mudanza.
Mas, cruel, ¡viven los cielos,
que no has de vivir contenta!
Abrásate, pues revienta
este vulcán de mis celos.
El que me hace desdichado,
te pierda, pues yo te pierdo.
JACINTA.—¿Tú eres cuerdo?
DON JUAN.— ¿Cómo cuerdo,
amante y desesperado?
JACINTA.—Vuelve, escucha; que si vale
la verdad, presto verás
qué mal informado estás.
DON JUAN.—Voyme, que tu tío sale.
JACINTA.—No sale; escucha, que fío
satisfacerte.
DON JUAN.— Es en vano,
si aquí no me das la mano.
JACINTA.—¿La mano? Sale mi tío.

SEGUNDO ACTO

ESCENA I

Sala en casa de don Beltrán.

Don García, en cuerpo, leyendo un papel; Tristán y Camino.

DON GARCÍA. *(Lee.)–"La fuerza de una ocasión me hace exceder del orden de mi estado. Sabrála vuestra merced esta noche por un balcón que le enseñará el portador, con lo demás que no es para escrito; y guarde nuestro Señor..."*

¿Quién este papel me escribe?
CAMINO.–Doña Lucrecia de Luna.
DON GARCÍA.–El alma sin duda alguna
que dentro en mi pecho vive.
¿No es ésta una dama hermosa,
que hoy antes de mediodía
estaba en la Platería?
CAMINO.–Sí, señor.
DON GARCÍA.– ¡Suerte dichosa!
Informadme, por mi vida,
de las partes desta dama.
CAMINO.–Mucho admiro que su fama
esté de vos escondida.
Porque la habéis visto, dejo
de encarecer que es hermosa;
es discreta y virtuosa,
su padre es viudo y es viejo;
dos mil ducados de renta
los que ha de heredar serán,
bien hechos.
DON GARCÍA.– ¿Oyes, Tristán?
TRISTÁN.–Oigo, y no me descontenta.
CAMINO.–En cuanto a ser principal,
no hay que hablar: Luna es su padre,
y fue Mendoza su madre,
tan finos como un coral.
Doña Lucrecia, en efeto
merece un rey por marido.
DON GARCÍA.–¡Amor, tus alas te pido

para tan alto sujeto!
¿Dónde vive?
CAMINO.– A la Vitoria.
DON GARCÍA.–Cierto es mi bien. Que seréis,
dice aquí, quien me guiéis
al cielo de tanta gloria.
CAMINO.–Serviros pienso a los dos.
DON GARCÍA.–Y yo lo agradeceré.
CAMINO.–Esta noche volveré,
en dando las diez, por vos.
DON GARCÍA.–Eso le dad por respuesta
a Lucrecia.
CAMINO.– A Dios quedad. *(Vase.)*

ESCENA II

Don García, Tristán.

DON GARCÍA.–¡Cielos! ¿Qué felicidad,
amor, qué ventura es ésta?
¿Ves, Tristán, cómo llamó
la más hermosa el cochero
a Lucrecia, a quien yo quiero?
Que es cierto que quien me habló
es la que el papel me envía.
TRISTÁN.–Evidente presunción.
DON GARCÍA.–Que la otra, ¿qué ocasión
para escribirme tenía?
TRISTÁN.–Y a todo mal suceder,
presto de duda saldrás;
que esta noche la podrás
en la habla conocer.
DON GARCÍA.–Y que no me engañe es cierto,
según dejó en mi sentido
impreso el dulce sonido
de la voz con que me ha muerto.

ESCENA III

Un paje, con un papel. Dichos.

PAJE.–Éste, señor don García,
es para vos.

DON GARCÍA.— No esté así.
PAJE.—Criado vuestro nací.
DON GARCÍA.—Cúbrase, por vida mía. *(Lee a solas.)*
"Averiguar cierta cosa
importante a solas quiero
con vos: a las siete espero
en San Blas. Don Juan de Sosa."
(Aparte.) ¡Válgame Dios! ¡Desafío!
¿Qué causa puede tener
don Juan, si yo vine ayer,
y él es tan amigo mío?)
Decid al señor don Juan
que esto será así
(Vase el paje.)
TRISTÁN.— Señor,
mudado estás de color:
¿qué ha sido?
DON GARCÍA.— Nada, Tristán.
TRISTÁN.—¿No puedo saberlo?
DON GARCÍA.— No.
TRISTÁN. *(Aparte)*.—Sin duda es cosa pesada.
DON GARCÍA.—Dame la capa y espada.
(Vase Tristán.)
¿Qué causa le he dado yo?

ESCENA IV

Don Beltrán. Don García; después, Tristán.

DON BELTRÁN.—García...
DON GARCÍA.— Señor...
DON BELTRÁN.— Los dos
a caballo hemos de andar
juntos hoy, que he de tratar
cierto negocio con vos.
DON GARCÍA.—¿Mandas otra cosa?
(Sale Tristán y dale de vestir a don García.)
DON BELTRÁN.— ¿Adónde
vais cuando el sol echa fuego?
DON GARCÍA.—Aquí a los trucos me llego
de nuestro vecino el Conde.

DON BELTRÁN.—No apruebo que os arrojéis,
siendo venido de ayer,
a daros a conocer
a mil que no conocéis,
si no es que dos condiciones
guardéis con mucho cuidado,
y son: que juguéis contado,
y habléis contadas razones.
Puesto que mi parecer
es éste, haced vuestro gusto.
DON GARCÍA.—Seguir tu consejo es justo.
DON BELTRÁN.—Haced que a vuestro placer
aderezo se prevenga
a un caballo para vos.
DON GARCÍA.—A ordenallo voy. *(Vase.)*
DON BELTRÁN.— A Dios.

ESCENA V

Don Beltrán, Tristán.

DON BELTRÁN. *(Aparte).*—
¡Qué tan sin gusto me tenga
lo que su ayo me dijo!)
¿Has andado con García,
Tristán?
TRISTÁN.— Señor, todo el día.
DON BELTRÁN.—Sin mirar en que es mi hijo,
si es que el ánimo fiel
que siempre en tu pecho he hallado
agora no te ha faltado,
me di lo que sientes dél.
TRISTÁN.—¿Qué puedo yo haber sentido
en un término tan breve?
DON BELTRÁN.—Tu lengua es quien no se atreve,
que el tiempo bastante ha sido,
y más a tu entendimiento.
Dímelo, por vida mía,
sin lisonja.

TRISTÁN.— Don García,
mi señor, a lo que siento,
que he de decirte verdad,
pues que tu vida has jurado...
DON BELTRÁN.—De esa suerte has obligado
siempre a mí tu voluntad.
TRISTÁN.—Tiene un ingenio excelente
con pensamientos sutiles;
mas caprichos juveniles
con arrogancia imprudente.
De Salamanca rebosa
la leche, y tiene en los labios
los contagiosos resabios
de aquella caterva moza:
aquel hablar arrojado,
mentir sin recato y modo,
aquel jactarse de todo,
y hacerse en todo extremado.
Hoy, en término de una hora,
echó cinco o seis mentiras.
DON BELTRÁN.—¡Válgame Dios!
TRISTÁN.— ¿Qué te admiras?
Pues lo peor falta agora:
que son tales, que podrá
cogerle en ellas cualquiera.
DON BELTRÁN.—¡Ah, Dios!
TRISTÁN.— Yo no te dijera
lo que tal pena te da,
a no ser de ti forzado.
DON BELTRÁN.—Tu fe conozco y tu amor.
TRISTÁN.—A tu prudencia, señor,
advertir será excusado
el riesgo que correr puedo
si esto sabe don García,
mi señor.
DON BELTRÁN.— De mí confía;
pierde, Tristán, todo el miedo.
Manda luego aderezar
los caballos. *(Vase Tristán.)*

ESCENA VI

DON BELTRÁN.—Santo Dios,
pues esto permitís vos,
esto debe de importar.
¿A un hijo solo, a un consuelo
que en la tierra le quedó
a mi vejez triste, dio
tan gran contrapeso el cielo?
Ahora bien, siempre tuvieron
los padres disgustos tales;
siempre vieron muchos males
los que mucha edad vivieron.
¡Paciencia! Hoy he de acabar,
si puedo, su casamiento;
con la brevedad intento
este daño remediar,
antes que su liviandad,
en la corte conocida,
los casamientos le impida
que pide su calidad.
Por dicha, con el cuidado
que tal estado acarrea,
de una costumbre tan fea
se vendrá a ver enmendado;
que es vano pensar que son
el reñir y aconsejar
bastantes para quitar
una fuerte inclinación.

ESCENA VII

Tristán. Don Beltrán.

TRISTÁN.—Ya los caballos están,
viendo que salir procuras,
probando las herraduras
en las guijas del zaguán;
porque con las esperanzas
de tan gran fiesta, el overo

a solas está, primero,
ensayando sus mudanzas;
y el bayo, que ser procura
émulo al dueño que lleva,
estudia con alma nueva
movimiento y compostura.

DON BELTRÁN.—Avisa, pues, a García.

TRISTÁN.—Ya te espera tan galán,
que en la corte pensarán
que a estas horas sale el día. *(Vanse.)*

ESCENA VIII

Sale en casa de don Sancho,
Isabel, Jacinta.

ISABEL.—La pluma tomó al momento
Lucrecia, en ejecución
de tu agudo pensamiento,
y esta noche en su balcón
para tratar cierto intento
le escribió que aguardaría,
para que puedas en él
platicar con don García.
Camino llevó el papel,
persona de quien se fía.

JACINTA.—Mucho Lucrecia me obliga.

ISABEL.—Muestra en cualquier ocasión
ser tu verdadera amiga.

JACINTA.—¿Es tarde?

ISABEL.— Las cinco son.

JACINTA.—Aun durmiendo me fatiga
la memoria de don Juan;
que esta siesta le he soñado
celoso de otro galán. *(Miran adentro.)*

ISABEL.—¡Ay señora! ¡Don Beltrán
y el perulero a su lado!

JACINTA.—¿Qué dices?

ISABEL.— Digo que aquel

que hoy te habló en la Platería
viene a caballo con él.
¡Mírale!

JACINTA.— ¡Por vida mía,
que dices verdad, que es él!
¡Hay tal! ¿Cómo el embustero
se nos fingió perulero,
si es hijo de don Beltrán?

ISABEL.—Los que intentan, siempre dan
gran presunción al dinero,
y con ese medio hallar
entrada en tu pecho quiso;
que debió de imaginar
que aquí le ha de aprovechar
más ser Midas que Narciso.

JACINTA.—En decir que ha que me vio
un año, también mintió,
porque don Beltrán me dijo
que ayer a Madrid su hijo
de Salamanca llegó.

ISABEL.—Si bien lo miras, señora,
todo verdad puede ser;
que entonces te pudo ver,
irse de Madrid, y agora
de Salamanca volver.
Y cuando no, ¿qué te admira
que quien a obligar aspira
prendas de tanto valor,
para acreditar su amor
se valga de una mentira?
Demás que tengo por llano,
si no miente mi sospecha,
que no lo encarece en vano;
que hablarte hoy su padre, es flecha
que ha salido de su mano.
No ha sido, señora mía,
acaso que el mismo día
que él te vio y mostró quererte,
venga su padre a ofrecerte
por esposo a don García.

JACINTA.—Dices bien; mas imagino

que el término que pasó
desde que el hijo me habló
hasta que su padre vino,
fue muy breve.

ISABEL.— Él conoció
quién eres; encontraría
su padre en la Platería;
hablóle, y él, que no ignora
tus calidades, y adora
justamente a don García,
vino a tratarlo al momento.

JACINTA.—Al fin, como fuere sea.
De sus partes me contento;
quiere el padre, él me desea:
da por hecho el casamiento. *(Vanse.)*

ESCENA IX

Paseo de Atocha.

Don Beltrán, Don García.

DON BELTRÁN.—¿Qué os parece?

DON GARCÍA.— Que animal
no mi mejor en mi vida.

DON BELTRÁN.—¡Linda bestia!

DON GARCÍA.— Corregida
de espíritu racional.
¡Qué contento y bizarría!

DON BELTRÁN.—Vuestro hermano don Gabriel,
que perdone Dios, en él
todo su gusto tenía.

DON GARCÍA.—Ya que convida, señor,
de Atocha la soledad,
declara tu voluntad.

DON BELTRÁN.—Mi pena, diréis mejor.
¿Sois caballero, García?

DON GARCÍA.—Téngome por hijo vuestro.

DON BELTRÁN.—¿Y basta ser hijo mío
para ser vos caballero?

DON GARCÍA.–Yo pienso, señor, que sí.
DON BELTRÁN.–¡Qué engañado pensamiento!
Sólo consiste en obrar
como caballero, el serlo.
¿Quién dio principio a las casas
nobles? Los ilustres hechos
de sus primeros autores.
Sin mirar sus nacimientos,
hazañas de hombres humildes
honraron sus herederos.
Luego en obrar mal o bien
está el ser malo o ser bueno.
¿Es así?
DON GARCÍA.–Que las hazañas
den nobleza, no lo niego;
mas no neguéis que sin ellas
también la da el nacimiento.
DON BELTRÁN.–Pues si honor puede ganar
quien nació sin él, ¿no es cierto
que por el contrario puede,
quien con él nació, perdello?
DON GARCÍA.–Es verdad.
DON BELTRÁN.– Luego si vos
obráis afrentosos hechos,
aunque seáis hijo mío,
dejáis de ser caballero;
luego si vuestras costumbres
os infaman en el pueblo,
no importan paternas armas,
no sirven altos abuelos.
¿Qué cosa es que la fama
diga a mis oídos mesmos
que a Salamanca admiraron
vuestras mentiras y enredos?
¡Qué caballero y qué nada!
Si afrente al noble y plebeyo
sólo el decirle que miente,
decid, ¿qué será el hacerlo,
si vivo sin honra yo,
según los humanos fueros,
mientras de aquel que me dijo

que mentía no me vengo?
¿Tan larga tenéis la espada,
tan duro tenéis el pecho,
que penséis poder vengaros,
diciéndolo todo el pueblo?
¿Posible es que tenga un hombre
tan humildes pensamientos,
que viva sujeto al vicio
mas sin gusto y sin provecho?
El deleite natural
tiene a los lacivos presos;
obliga a los cudiciosos
el poder que da el dinero;
el gusto de los manjares,
al glotón; el pasatiempo
y el cebo de la ganancia,
a los que cursan el juego;
su venganza, al homicida;
al robador, su remedio;
la fama y la presunción,
al que es por la espada inquieto:
Todos los vicios, al fin,
o dan gusto o dan provecho;
mas de mentir, ¿qué se saca
sino infamia y menosprecio?

DON GARCÍA.—Quien dice que miento yo
ha mentido.

DON BELTRÁN.— También eso
es mentir, que aun desmentir
no sabéis sino mintiendo.

DON GARCÍA.—¡Pues si dais en no creerme...!

DON BELTRÁN.—¿No seré necio si creo
que vos decís verdad solo,
y miente el lugar entero?
Lo que importa es desmentir
esta fama con los hechos,
pensar que éste es otro mundo,
hablar poco y verdadero;
mirar que estáis a la vista
de un Rey tan santo y perfeto,
que vuestros yerros no pueden

hallar disculpa en sus yerros;
que tratáis aquí con grandes,
títulos y caballeros,
que si os saben la flaqueza,
os perderán el respeto;
que tenéis barba en el rostro,
que al lado ceñís acero,
que nacistes noble, al fin,
y que yo soy padre vuestro.
Y no he de deciros más,
que esta sofrenada espero
que baste para quien tiene
calidad y entendimiento.
Y agora, porque entendáis
que en vuestro bien me desvelo,
sabed que os tengo, García,
tratado un gran casamiento.

DON GARCÍA. *(Aparte)*.–¡Ay, mi Lucrecia!

DON BELTRÁN.– Jamás
pusieron, hijo, los cielos
tantas, tan divinas partes
en un humano sujeto,
como en Jacinta, la hija
de don Fernando Pacheco,
de quien mi vejez pretende
tener regalados nietos.

DON GARCÍA. *(Aparte)*.–¡Ay, Lucrecia! Si es posible,
tú sola has de ser mi dueño.

DON BELTRÁN.–¿Qué es esto? ¿No respondéis?

DON GARCÍA. *(Aparte)*.–¡Tuyo he de ser, vive el cielo!

DON BELTRÁN.–¿Qué os entristecéis? Hablad;
no me tengáis más suspenso.

DON GARCÍA.–Entristézcome, porque es
imposible obedeceros.

DON BELTRÁN.–¿Por qué?

DON GARCÍA.– Porque soy casado.

DON BELTRÁN.–¡Casado! ¡Cielos! ¿Qué es esto?
¿Cómo, sin saberlo yo?

DON GARCÍA.–Fue fuerza, y está secreto.

DON BELTRÁN.–¡Hay padre más desdichado!

DON GARCÍA.–No os aflijáis, que en sabiendo

la causa, señor, tendréis
por venturoso el efeto.

DON BELTRÁN.—Acabad, pues, que mi vida
pende sólo de un cabello.

DON GARCÍA. *(Aparte:* Agora os he menester,
sutilezas de mi ingenio.)
En Salamanca, señor
hay un caballero noble,
de quien es la alcuña Herrera,
y don Pedro el propio nombre.
A éste dio el cielo otro cielo
por hija, pues con dos soles
—sus dos purpúreas mejillas—
hace claros horizontes.
Abrevio, por ir al caso,
con decir que cuantas dotes
pudo dar naturaleza
en tierna edad, la componen.
Mas la enemiga fortuna,
observante en su desorden,
a sus méritos opuesta,
de sus bienes la hizo pobre;
que demás de que su casa
no es tan rica como noble,
al mayorazgo nacieron
antes que ella dos varones.
A ésta, pues, saliendo al río
la vi una tarde en su coche,
que juzgara el de Faetón
si fuese Erídano el Tormes.
No sé quién los atributos
del fuego en Cupido pone;
que yo de un súbito hielo
me sentí ocupar entonces.
¿Qué tienen que ver del fuego
las inquietudes y ardores,
con quedar absorta una alma,
con quedar un cuerpo inmóvil?
Caso fue verla forzoso,
viéndola, cegar de amores;

pues, abrasado, seguirla,
júzguelo un pecho de bronce.
Pasé su calle de día,
rondé su puerta de noche;
con terceros y papeles
le encarecí mis pasiones
hasta que al fin condolida
o enamorada, responde,
porque también tiene amor
juridición en los dioses.
Fui acrecentando finezas
y ella aumentando favores,
hasta ponerme en el cielo
de su aposento una noche.
Y cuando solicitaban
el fin de mi pena enorme,
conquistando honestidades,
mis ardientes pretensiones,
siento que su padre viene
a su aposento: llamóle,
porque jamás tal hacía,
mi fortuna aquella noche.
Ella turbada, animosa
(¡mujer al fin!), a empellones
mi casi difunto cuerpo
detrás de su lecho esconde.
Llegó don Pedro, y su hija,
fingiendo gusto, abrazóle
por negarle el rostro en tanto
que cobraba sus colores.
Asentáronse los dos,
y él con prudentes razones
le propuso un casamiento
con uno de los Monroyes.
Ella, honesta como cauta,
de tal suerte le responde,
que ni a su padre resista,
ni a mí, que la escucho, enoje.
Despidiéronse con esto,
y cuando ya casi pone

en el umbral de la puerta
el viejo los pies, entonces...
¡mal haya, amén, el primero
que fue inventor de relojes!,
uno que llevaba yo
a dar comenzó las doce.
Oyólo don Pedro, y vuelto
hacia su hija: "¿De dónde
vino ese reloj?" Le dijo.
Ella respondió: "Envióle,
para que se le aderecen,
mi primo don Diego Ponce,
por no haber en su lugar
relojero ni relojes."
"Dádmele, dijo su padre,
porque yo ese cargo tome."
Pues entonces doña Sancha,
que éste es de la dama el nombre,
a quitármele del pecho
cauta y prevenida corre,
antes que llegar él mismo
a su padre se le antoje.
Quitémele yo, y al darle,
quiso la suerte que toquen
a una pistola que tengo
en la mano, los cordones.
Cayó el gatillo, dio fuego;
al tronido desmayóse
doña Sancha; alborotado
el viejo, empezó a dar voces.
Yo, viendo el cielo en el suelo
y eclipsados sus dos soles,
juzgué sin duda por muerta
la vida de mis acciones,
pensando que cometieron
sacrilegio tan enorme
del plomo de mi pistola
los breves volantes orbes.
Con esto, pues, despechado,
saqué rabioso el estoque;
fueran pocos para mí

en tal ocasión mil hombres.
A impedirme la salida,
como dos bravos leones,
con sus armas sus hermanos
y sus criados se oponen;
mas, aunque fácil, por todos
mi espada y mi furia rompen,
no hay fuerza humana que impida
fatales disposiciones;
pues al salir por la puerta,
como iba arrimado, asióme
la alcayata de la aldaba
por los tiros del estoque.
Aquí, para desasirme,
fue fuerza que atrás me torne,
y entre tanto mis contrarios
muros de espadas me oponen.
En esto cobró su acuerdo
Sancha, y para que se estorbe
el triste fin que prometen
estos sucesos atroces,
la puerta cerró, animosa,
del aposento, y dejóme
a mí con ella encerrado,
y fuera a mis agresores.
Arrimamos a la puerta
baúles, arcas y cofres;
que al fin son de ardientes iras
remedio las dilaciones.
Quisimos hacernos fuertes;
mas mis contrarios feroces
ya la pared me derriban
y ya la puerta me rompen.
Yo, viendo que aunque dilate,
no es posible que revoque
la sentencia de enemigos
tan agraviados y nobles,
viendo a mi lado la hermosa
de mis desdichas consorte,
y que hurtaba a sus mejillas

el temor sus arreboles;
viendo cuán sin culpa suya
conmigo fortuna corre,
pues con industria deshace
cuanto los hados disponen,
por dar premio a sus lealtades,
por dar fin a sus temores,
por dar remedio a mi muerte,
y dar muerte a más pasiones,
hube de darme a partido
y pedirles que conformen
con la unión de nuestras sangres
tan sangrientas disensiones.
Ellos, que ven el peligro,
y mi calidad conocen,
lo acetan, después de estar
un rato entre sí discordes.
Partió a dar cuenta al Obispo
su padre, y volvió con orden
de que el desposorio pueda
hacer cualquier sacerdote.
Hízose, y en dulce paz
la mortal guerra trocóse,
dándote la mejor nuera
que nació del Sur al Norte.
Mas en que tú no lo sepas
quedamos todos conformes,
por no ser con gusto tuyo
y por ser mi esposa pobre;
pero ya que fue forzoso
saberlo, mira si escoges
por mejor tenerme muerto
que vivo y con mujer noble.

DON BELTRÁN.—Las circunstancias del caso
son tales, que se conoce
que la fuerza de la suerte
te destinó esa consorte;
y así, no te culpo en más
que en callármelo.

DON GARCÍA.— Temores

de darte pesar, señor,
me obligaron.

DON BELTRÁN.— Si es tan noble,
¿qué importa que pobre sea?
¡Cuánto es peor que lo ignore,
para que habiendo empeñado
mi palabra, agora torne
con eso a doña Jacinta!
¡Mira en qué lance me pones!
Toma el caballo, y temprano,
por mi vida, te recoge,
porque de espacio tratemos
de tus cosas esta noche.

DON GARCÍA.—Iré a obedecerte al punto
que toquen las oraciones. *(Vase don Beltrán.)*

ESCENA X

DON GARCÍA.—Dichosamente se ha hecho;
persuadido el viejo va:
ya del mentir no dirá
que es sin gusto y sin provecho,
pues es tan notorio gusto
el ver que me haya creído,
y provecho haber huido
de casarme a mi disgusto.
¡Bueno fue reñir conmigo
porque en cuanto digo miento,
y dar crédito al momento
a cuantas mentiras digo!
¡Qué fácil de persuadir
quien tiene amor suele ser!
Y, ¡qué fácil en creer
el que no sabe mentir!
Mas ya me aguarda don Juan.
(A uno que está dentro.)
¡Hola! Llevad el caballo.
Tan terribles cosas hallo
que sucediéndome van,
que pienso que desvarío:
vine ayer, y en un momento

tengo amor y casamiento
y causa de desafío.

ESCENA XI

Don Juan. Don García.

DON JUAN.—Como quien sois lo habéis hecho,
don García.
DON GARCÍA.— ¿Quién podía,
sabiendo la sangre mía,
pensar menos de mi pecho?
Mas vamos, don Juan, al caso
por que llamado me habéis.
Decid, ¿qué causa tenéis,
que por sabella me abraso,
de hacer este desafío?
DON JUAN.—Esa dama a quien hicistes,
conforme vos me dijistes,
anoche fiesta en el río,
es causa de mi tormento,
y es con quien dos años ha
que, aunque se dilata, está
tratando mi casamiento.
Vos ha un mes que estáis aquí,
y de eso, como de estar
encubierto en el lugar
todo ese tiempo de mí,
colijo que habiendo sido
tan público mi cuidado,
vos no lo habéis ignorado,
y así, me habéis ofendido.
Con esto que he dicho, digo
cuanto tengo que decir;
y es que o no habéis de seguir
el bien que ha tanto que sigo,
o si acaso os pareciere
mi petición mal fundada,
se remita aquí a la espada,
y la sirva el que venciere.

DON GARCÍA.—Pésame que sin estar
del caso bien informado,
os hayáis determinado
a sacarme a este lugar.
La dama, don Juan de Sosa,
de mi fiesta, ¡vive Dios!,
que ni la habéis visto vos,
ni puede ser vuestra esposa;
que es casada esta mujer,
y ha tan poco que llegó
a Madrid, que sólo yo
sé que la he podido ver.
Y cuando ésa hubiera sido,
de no verla más os doy
palabra como quien soy,
o quedar por fementido.
DON JUAN.—Con eso se aseguró
la sospecha de mi pecho,
y he quedado satisfecho.
DON GARCÍA.—Falta que lo quede yo;
que haberme desafiado
no se ha de quedar así.
Libre fue el sacarme aquí,
mas habiéndome sacado,
me obligastes, y es forzoso,
puesto que tengo de hacer
como quien soy, no volver
sino muerto o vitorioso.
DON JUAN.—Pensad, aunque a mis desvelos
hayáis satisfecho así,
que aun deja cólera en mí
la memoria de mis celos.
(Sacan las espaldas y acuchíllanse.)

ESCENA XII

Don Félix. Dichos.

DON FÉLIX.—¡Deténganse, caballeros,
que estoy aquí yo!
DON GARCÍA.— ¡Que venga

agora quien me detenga!
DON FÉLIX.—¡Vestid los fuertes aceros;
que fue falsa la ocasión
desta pendencia!
DON JUAN.— Ya había
dícholo así don García;
pero por la obligación
en que pone el desafío
desnudó el valiente acero.
DON FÉLIX.—Hizo como caballero
de tanto valor y brío;
y pues bien quedado habéis
con esto, merezca yo
que a quien de celoso erró,
perdón y la mano deis.
DON GARCÍA.—Ello es justo, y lo mandáis. *(Danse las manos.)*
Mas mirad de aquí adelante,
en caso tan importante,
don Juan, cómo os arrojáis.
Todo lo habéis de intentar
primero que el desafío;
que empezar es desvarío
por donde se ha de acabar. *(Vase.)*

ESCENA XIII

Don Juan, don Félix.

DON FÉLIX.—Extraña ventura ha sido
haber yo a tiempo llegado.
DON JUAN.—¿Qué en efeto me he engañado?
DON FÉLIX.—Sí.
DON JUAN.—¿De quién lo habéis sabido?
DON FÉLIX.—Súpelo de un escudero
de Lucrecia.
DON JUAN.— Decid, pues,
cómo fue.
DON FÉLIX.— La verdad es
que fue el coche y el cochero
de doña Jacinta anoche

al Sotillo, y que tuvieron
gran fiesta las que en él fueron;
pero fue prestado el coche.
Y el caso fue que a las horas
que fue a ver Jacinta bella
a Lucrecia, ya con ella
estaban las matadoras,
las dos primas de la quinta.

DON JUAN.—¿Las que en el Carmen vivieron?

DON FÉLIX.—Sí, pues ellas le pidieron
el coche a doña Jacinta,
y en él con la oscura noche
fueron al río las dos.
Pues vuestro paje, a quien vos
dejastes siguiendo el coche,
como en él dos damas vio
entrar cuando anochecía,
y noticia no tenía
de otra visita, creyó
ser Jacinta la que entraba
y Lucrecia.

DON JUAN.— Justamente.

DON FÉLIX.—Siguió el coche diligente,
y cuando en el Soto estaba,
entre la música y cena
lo dejó, y volvió a buscaros
a Madrid, y fue el no hallaros
ocasión de tanta pena;
porque yendo vos allá
se deshiciera el engaño.

DON JUAN.—En eso estuvo mi daño;
mas tanto gusto me da
el saber que me engañé,
que doy por bien empleado
el disgusto que he pasado.

DON FÉLIX.—Otra cosa averigüé,
que es bien graciosa.

DON JUAN.— Decid.

DON FÉLIX.—Es que el dicho don García
llegó ayer en aquel día
de Salamanca a Madrid,

y en llegando se acostó,
y durmió la noche toda,
y fue embeleco la boda
y festín que nos contó.

DON JUAN.—¿Qué decís?
DON FÉLIX.— Esto es verdad.
DON JUAN.—¿Embustero es don García?
DON FÉLIX.—Eso un ciego lo vería;
porque tanta variedad
de tiendas, aparadores,
vajillas de plata y oro,
tanto plato, tanto coro
de instrumentos y cantores,
¿no eran mentira patente?
DON JUAN.—Lo que me tiene dudoso
es que sea mentiroso
un hombre que es tan valiente,
que de su espada el furor
diera a Alcides pesadumbre.
DON FÉLIX.—Tendrá el mentir por costumbre
y por herencia el valor.
DON JUAN.—Vamos, que a Jacinta quiero
pedille, Félix, perdón,
y decille la ocasión
con que esforzó este embustero
mi sospecha.
DON FÉLIX.— Desde aquí
nada le creo, don Juan.
DON JUAN.—Y sus verdades serán
ya consejos para mí. *(Vanse.)*

ESCENA XIV

Calle
Tristán, don García y Camino, de noche.

DON GARCÍA.—Mi padre me dé perdón:
que forzado le engañé.
TRISTÁN.—¡Ingeniosa excusa fue!
Pero, dime: ¿qué invención
agora piensas hacer

con que no sepa que ha sido
el casamiento fingido?

DON GARCÍA.—Las cartas le he de coger
que a Salamanca escribiere,
y las respuestas fingiendo
yo mismo, iré entreteniendo
la ficción cuanto pudiere.

ESCENA XV

Jacinta, Lucrecia e Isabel, a la ventana. Don García, Tristán y Camino, en la calle.

JACINTA.—Con esta nueva volvió
don Beltrán bien descontento,
cuando ya del casamiento
estaba contenta yo.

LUCRECIA.—¿Que el hijo de don Beltrán
es el indiano fingido?

JACINTA.—Sí, amiga.

LUCRECIA.— ¿A quién has oído
lo del banquete?

JACINTA.— A don Juan.

LUCRECIA.—Pues, ¿cuándo estuvo contigo?

JACINTA.—Al anochecer me vio,
y en contármelo gastó
lo que pudo estar conmigo.

LUCRECIA.—¡Grandes sus enredos son!
¡Buen castigo te merece!

JACINTA.—Estos tres hombres parece
que se acercan al balcón.

LUCRECIA.—Vendrá al puesto don García,
que ya es hora.

JACINTA.— Tú, Isabel,
mientras hablamos con él,
a nuestros viejos espía.

LUCRECIA.—Mi padre está refiriendo
bien de espacio un cuento largo
a tu tío.

ISABEL.— Yo me encargo

de avisaros en viniendo. *(Vase.)*
CAMINO. *(A don García).*–
Éste es el balcón adonde
os espera tanta gloria. *(Vase.)*

ESCENA XVI

Don García y Tristán, en la calle; Jacinta y Lucrecia, a la ventana.

LUCRECIA.–Tú eres dueño de la historia;
tú en mi nombre le responde.
DON GARCÍA.–¿Es Lucrecia?
JACINTA.– ¿Es don García?
DON GARCÍA.–Es quien hoy la joya halló
más preciosa que labró
el cielo en la Platería;
es quien, en llegando a vella,
tanto estimó su valor,
que dio, abrasado de amor,
la vida y alma por ella.
Soy, al fin, el que se precia
de ser vuestro, y soy quien hoy
comienzo a ser, porque soy
el esclavo de Lucrecia.
JACINTA. *(Aparte, a Lucrecia).*–Amiga, este caballero
para todas tiene amor.
LUCRECIA.–El hombre es embarrador.
JACINTA.–Él es un gran embustero.
DON GARCÍA.–Ya espero, señora mía,
lo que me queréis mandar.
JACINTA: Ya no puede haber lugar
lo que trataros quería...
TRISTÁN. *(Al oído a su amo).*–¿Es ella?
DON GARCÍA.– Sí.
JACINTA.– ...Que trataros
un casamiento intenté
bien importante, ya sé
que es imposible casaros.
DON GARCÍA.–¿Por qué?
JACINTA.– Porque sois casado.

DON GARCÍA.—¿Que yo soy casado?
JACINTA.— Vos.
DON GARCÍA.—Soltero soy, ¡vive Dios!
Quien lo ha dicho os ha engañado.
JACINTA. *(Aparte, a Lucrecia)*.—¿Viste mayor embustero?
LUCRECIA.—No sabe sino mentir.
JACINTA.—¿Tal me queréis persuadir?
DON GARCÍA.—¡Vive Dios, que soy soltero!
JACINTA. *(Aparte, a Lucrecia)*.—Y lo jura.
LUCRECIA.— Siempre ha sido
costumbre del mentiroso,
de su crédito dudoso
jurar para ser creído.
DON GARCÍA.—Si era vuestra blanca mano
con la que el cielo quería
colmar la ventura mía,
no pierda el bien soberano,
pudiendo esa falsedad
probarse tan fácilmente.
JACINTA. *(Aparte)*.—¡Con qué confianza miente!
¿No parece que es verdad?
DON GARCÍA.—La mano os daré, señora,
y con eso me creeréis.
JACINTA.—Vos sois tal, que la daréis
a trescientas en una hora.
DON GARCÍA.—Mal acreditado estoy
con vos.
JACINTA.— Es justo contigo;
porque mal puede conmigo
tener crédito quien hoy
dijo que era perulero,
siendo en la corte nacido;
y siendo de ayer venido,
afirmó que ha un año entero
que está en la corte; y habiendo
esta tarde confesado
que en Salamanca es casado
se está agora desdiciendo;
y quien pasando en su cama
toda la noche, contó

que en el río la pasó
haciendo fiesta a una dama.

TRISTÁN. *(Aparte).*–Todo se sabe.

DON GARCÍA.– Mi gloria,
escuchadme, y os diré
verdad pura, que ya sé
en qué se yerra la historia.

Por las demás cosas paso,
que son de poco momento,
por tratar del casamiento,
que es lo importante del caso.

Si vos hubiérades sido
causa de haber yo afirmado,
Lucrecia que soy casado,
¿será culpa haber mentido?

JACINTA.–¿Yo la causa?

DON GARCÍA.– Sí, señora.

JACINTA.–¿Cómo?

DON GARCÍA.– Decíroslo quiero.

JACINTA. *(Aparte, a Lucrecia).*–Oye, que hará el embustero
lindos enredos agora.

DON GARCÍA.–Mi padre llegó a tratarme
de darme otra mujer hoy;
pero yo, que vuestro soy,
quise con eso excusarme;

que mientras hacer espero
con vuestra mano mis bodas,
soy casado para todas,
sólo para vos soltero.

Y como vuestro papel
llegó esforzando mi intento,
al tratarme el casamiento
puse impedimento en él.

Éste es el caso: mirad
si esta mentira os admira,
cuando ha dicho esta mentira
de mi afición la verdad.

LUCRECIA. *(Aparte).*–
Mas, ¿si lo fuese?

JACINTA. *(Aparte:* ¡Qué buena
la trazó y qué de repente!).–

Pues, ¿cómo tan brevemente
os puedo dar tanta pena?
¡Casi aun no visto me habéis,
y ya os mostráis tan perdido!
¿Aun no me habéis conocido,
y por mujer me queréis?

DON GARCÍA.—Hoy vi vuestra gran beldad
la vez primera, señora;
que el amor me obliga agora
a deciros la verdad.
Mas si la causa es divina,
milagro el efeto es,
que el dios niño, no con pies,
sino con alas, camina.
Decir que habéis menester
tiempo vos para matar
fuera, Lucrecia, negar
vuestro divino poder.
Decís que sin conoceros
estoy perdido. ¡Pluguiera
a Dios que no os conociera,
por hacer más en quereros!
Bien os conozco: las partes
sé bien que os dio la Fortuna,
que sin eclipse sois Luna,
que sois Mendoza sin martes,
que es difunta vuestra madre,
que sois sola en vuestra casa,
que de mil doblones pasa
la renta de vuestro padre.
Ved si estoy mal informado:
¡ojalá, mi bien, que así
lo estuviérades de mí!

LUCRECIA. *(Aparte)*.—Casi me pone en cuidado.

JACINTA.—Pues Jacinta ¿no es hermosa?
no es discreta, rica y tal,
que puede el más principal
desealla por esposa?

DON GARCÍA.—Es discreta, rica y bella;
mas a mí no me conviene.

JACINTA.—Pues, decid, ¿qué falta tiene?

DON GARCÍA.–La mayor, que es no querella.
JACINTA.–Pues yo con ella os quería
casar, que ésa sola fue
la intención con que os llamé.
DON GARCÍA.–Pues será vana porfía;
que por haber intentado
mi padre, don Beltrán, hoy
lo mismo, he dicho que estoy
en otra parte casado.
Y si vos, señora mía,
intentáis hablarme en ello,
perdonad, que por no hacello,
seré casado en Turquía.
Esto es verdad, ¡vive Dios!,
porque mi amor es de modo,
que aborrezco aquello todo,
mi Lucrecia, que no es vos.
LUCRECIA. *(Aparte)*.–¡Ojalá!
JACINTA.– ¡Que me tratéis
con falsedad tan notoria!
Decid, ¿no tenéis memoria,
o vergüenza no tenéis?
¿Cómo, si hoy dijistes vos
a Jacinta que la amáis,
agora me lo negáis?
DON GARCÍA.–¡Yo a Jacinta! ¡Vive Dios,
que sola con vos he hablado
desde que entré en el lugar!
JACINTA.–¡Hasta aquí pudo llegar
el mentir desvergonzado!
Si en lo mismo que yo vi
os atrevéis a mentirme,
¿qué verdad podréis decirme?
Idos con Dios, y de mí
podéis desde aquí pensar,
si otra vez os diere oído,
que por divertirme ha sido;
como quien para quitar
el enfadoso fastidio
de los negocios pesados,
gasta los ratos sobrados
en las fábulas de Ovidio. *(Vase.)*

DON GARCÍA.—¡Escuchad, Lucrecia hermosa!
LUCRECIA. *(Aparte).*—Confusa quedo. *(Vase.)*
DON GARCÍA.— Estoy loco.
¿Verdades valen tan poco?
TRISTÁN.—En la boca mentirosa.
DON GARCÍA.—¡Que haya dado en no creer
cuanto digo!
TRISTÁN.— ¿Qué te admiras,
si en cuatro o cinco mentiras
te ha acabado de coger?
De aquí, si lo consideras,
conocerás claramente
que quien en las burlas miente,
pierde el crédito en las veras.

TERCER ACTO

ESCENA I

Sala en casa de don Sancho.

Camino, con un papel. Lucrecia.

CAMINO.—Éste me dio para ti
Tristán, de quien don García
con justa causa confía
lo mismo que tú de mí;
que aunque su dicha es tan corta,
que sirve, es muy bien nacido,
y de suerte ha encarecido
lo que tu respuesta importa,
que jura que don García
está loco.
LUCRECIA.— ¡Cosa extraña!
¿Es posible que me engaña
quien desta suerte porfía?
El más firme enamorado
se cansa si no es querido,
¿y éste puede ser fingido,
tan constante y desdeñado?

CAMINO.—Yo, al menos, si en las señales
se conoce el corazón,
ciertos juraré que son,
por las que he visto, sus males;
que quien tu calle pasea
tan constante noche y día,
quien tu espesa celosía
tan atento brujulea;
quien ve que de tu balcón,
cuando él viene, te retiras,
y ni te ve ni le miras,
y está firme en tu afición;
quien llora, quien desespera,
quien porque contigo estoy
me das dineros, que es hoy
la señal más verdadera,
yo me afirmo en que decir
que miente es gran desatino.

LUCRECIA.—Bien se echa de ver, Camino,
que no le has visto mentir.
¡Pluguiera a Dios fuera cierto
su amor! Que a decir verdad,
no tarde en mi voluntad
hallaran sus ansias puerto.
Que sus encarecimientos,
aunque no los he creído,
por lo menos han podido
despertar mis pensamientos:
que dado que es necedad
dar crédito al mentiroso,
como el mentir no es forzoso,
y puede decir verdad,
oblígame la esperanza
y el propio amor a crecer
que conmigo puede hacer
en sus costumbres mudanza.
Y así, por guardar mi honor
si me engaña lisonjero,
y si es su amor verdadero,
porque es digno de mi amor,

quiero andar tan advertida
a los bienes y a los daños,
que ni admita sus engaños,
ni sus verdades despida.
CAMINO.—De ese parecer estoy.
LUCRECIA.—Pues dirásle que cruel
rompí sin vello el papel;
que esta respuesta le doy.
Y luego tú, de tu aljaba,
le di que no desespere,
y que si verme quisiere,
vaya esta tarde a la otava
de la Madalena.
CAMINO.— Voy.
LUCRECIA.—Mi esperanza fundo en ti.
CAMINO.—No se perderá por mí,
pues ves que Camino soy. *(Vanse.)*

ESCENA II

Sale en casa de don Beltrán.

Don Beltrán, don García, Tristán.

(Don Beltrán saca una carta abierta y se la da a don García.)

DON BELTRÁN.—¿Habéis escrito, García?
DON GARCÍA.—Esta noche escribiré.
DON BELTRÁN.—Pues abierta os la daré,
porque leyendo la mía,
conforme a mi parecer
a vuestro suegro escribáis;
que determino que vais
vos en persona a traer
vuestra esposa, que es razón;
porque pudiendo traella
vos mismo, enviar por ella
fuera poca estimación.
DON GARCÍA.—Es verdad; mas sin efeto
será agora mi jornada.

DON BELTRÁN.—¿Por qué?
DON GARCÍA.— Porque está preñada;
y hasta que un dichoso nieto
te dé, no es bien arriesgar
su persona en el camino.
DON BELTRÁN.—¡Jesús! Fuera desatino,
estando así, caminar.
Mas dime: ¿cómo hasta aquí
no me lo has dicho, García?
DON GARCÍA.—Porque yo no lo sabía;
y en la que ayer recebí
de doña Sancha, me dice
que es cierto el preñado ya.
DON BELTRÁN.—Si un nieto varón me da,
hará mi vejez felice.
Muestra; que añadir es bien
cuánto con esto me alegro.
(Tómale la carta que le había dado.)
Mas di, ¿cuál es de tu suegro
el propio nombre?
DON GARCÍA.— ¿De quién?
DON BELTRÁN.—De tu suegro.
DON GARCÍA. *(Aparte:* Aquí me pierdo.)
Don Diego.
DON BELTRÁN.— O yo me he engañado,
o otras veces le has nombrado
don Pedro.
DON GARCÍA.— También me acuerdo
de eso mismo; pero son
suyos, señor, ambos nombres.
DON BELTRÁN.—¡Diego y Pedro!
DON GARCÍA.— No te asombres;
que por una condición
"don Diego" se ha de llamar
de su casa el sucesor.
Llamábase mi señor
"don Pedro" antes de heredar;
y como se puso luego
"don Diego", porque heredó,
después acá se llamó
Ya "don Pedro", ya "don Diego".

DON BELTRÁN.—No es nueva esa condición
en muchas casas de España.
A escribirle voy. (Vase.)

ESCENA III

Don García, Tristán.

TRISTÁN.— Extraña
fue esta vez tu confusión.
DON GARCÍA.—¿Has entendido la historia?
TRISTÁN.—Y hubo bien en qué entender.
El que miente ha menester
gran ingenio y gran memoria.
DON GARCÍA.—Perdido me vi.
TRISTÁN.— Y en eso
pararás al fin, señor.
DON GARCÍA.—Entre tanto, de mi amor
veré el bueno o mal suceso.
¿Qué hay de Lucrecia?
TRISTÁN.— Imagino,
aunque de dura se precia,
que has de vencer a Lucrecia
sin la fuerza de Tarquino.
DON GARCÍA.—¿Recibió el billete?
TRISTÁN.— Sí,
aunque a Camino mandó
que diga que lo rompió;
que él lo ha fiado de mí.
Y pues lo admitió, no mal
se negocia tu deseo,
si aquel epigrama creo
que a Nevia escribió Marcial:
"Escribí; no respondió
Nevia: luego dura está;
mas ella se ablandará,
pues lo que escribí leyó."
DON GARCÍA.—Que dice verdad sospecho.
TRISTÁN.—Camino está de tu parte,
y promete revelarte

los secretos de su pecho;
y que ha de cumplillo espero,
si andas tú cumplido en dar;
que para hacer confesar
no hay cordel como el dinero.
Y aun fuera bueno, señor,
que conquistaras tu ingrata
con dádivas, pues que mata
con flechas de oro el amor.

DON GARCÍA.—Nunca te he visto grosero,
sino aquí, en tus pareceres.
¿Es ésta de las mujeres
que se rinden por dinero?

TRISTÁN.—Virgilio dice que Dido
fue del troyano abrasada,
de sus dones obligada
tanto como de Cupido.
¡Y era reina! No te espantes
de mis pareceres rudos,
que escudos vencen escudos,
diamantes labran diamantes.

DON GARCÍA.—¿No viste que la ofendió
mi oferta en la Platería?

TRISTÁN.—Tu oferta la ofendería,
señor, que tus joyas no.
Por el uso te gobierna;
que a nadie en este lugar
por desvergonzado en dar
le quebraron brazo o pierna.

DON GARCÍA.—Dame tú que ella lo quiera,
que darle un mundo imagino.

TRISTÁN.—Camino dará camino,
que es el polo desta esfera.
Y porque sepas que está
en buen estado tu amor,
ella le mandó, señor,
que te dijese que hoy va
Lucrecia a la Madalena
a la fiesta de la otava,
como que él te lo avisaba.

DON GARCÍA.—¡Dulce alivio de mi pena!

Con ese espacio me das
nuevas que me vuelven loco?
TRISTÁN.–Dóytelas tan poco a poco
porque dure el gusto más. *(Vanse.)*

ESCENA IV

Claustro del convento de la Magdalena, con puerta a la iglesia.

Jacinta y Lucrecia, con mantos.

JACINTA.–¿Qué prosigue don García?
LUCRECIA.–De modo que con saber
su engañoso proceder,
como tan firme porfía,
casi me tiene dudosa.
JACINTA.–Quizá no eres engañada,
que la verdad no es vedada
a la boca mentirosa.
Quizá es verdad que te quiere,
y más donde tu beldad
asegura esa verdad
en cualquiera que te viere.
LUCRECIA.–Siempre tú me favoreces;
mas yo lo creyera así,
a no haberte visto a ti,
que al mismo sol oscureces.
JACINTA.–Bien sabes tú lo que vales,
y que en esta competencia
nunca ha salido sentencia,
por tener votos iguales.
Y no es sola la hermosura
quien causa amoroso ardor,
que también tiene el amor
su pedazo de ventura.
Yo me holgaré que por ti,
amiga, me haya trocado,
y que tú hayas alcanzado
lo que yo no merecí;
porque ni tú tienes culpa,

ni él me tiene obligación.
Pero vé con prevención,
que no te queda disculpa
si te arrojas en amar,
y al fin quedas engañada
de quien estás ya avisada
que sólo sabe engañar.

LUCRECIA.—Gracias, Jacinta, te doy;
mas tu sospecha corrige,
que estoy por creerle, dije;
no que no quererle estoy.

JACINTA.—Obligaráte el creer
y querrás, siendo obligada:
y así es corta la jornada
que hay de creer a querer.

LUCRECIA.—Pues, ¿qué dirás si supieres
que un papel he recebido?

JACINTA.—Diré que ya le has creído,
y aun diré que ya le quieres.

LUCRECIA.—Erráraste; y considera
que tal vez la voluntad
hace por curiosidad
lo que por amor no hiciera.
¿Tú no le hablastes gustosa
en la Platería?

JACINTA.— Sí.

LUCRECIA.—¿Y fuiste en oírle allí
enamorada o curiosa?

JACINTA.—Curiosa.

LUCRECIA.— Pues yo con él
curiosa también he sido,
como tú en haberle oído,
en recebir su papel.

JACINTA.—Notorio verás tu error,
si adviertes que es el oír
cortesía; y admitir
un papel claro favor.

LUCRECIA.—Eso fuera a saber él
que su papel recebí;
mas él piensa que rompí,
sin leello, su papel.

JACINTA.—Pues con eso es cierta cosa
que curiosidad ha sido.
LUCRECIA.—En mi vida me ha valido
tanto gusto el ser curiosa.
Y porque su falsedad
conozcas, escucha y mira
si es mentira la mentira
que más parece verdad.
(Saca un papel y lo abre.)

ESCENA V

Camino, don García y Tristán. Dichos.

CAMINO. *(Aparte a don García).*—
¿Veis la que tiene en la mano
un papel?
DON GARCÍA.— Sí.
CAMINO.— Pues aquélla
es Lucrecia.
DON GARCÍA *(Aparte:* ¡Oh, causa bella
de dolor tan inhumano!
Ya me abraso de celoso).—
¡Oh, Camino, cuánto os debo!
TRISTÁN *(A Camino).*—
Mañana os vestís de nuevo.
CAMINO.—Por vos he de ser dichoso.
DON GARCÍA.—Llegarme, Tristán, pretendo
adonde, sin que me vea,
si posible fuere, lea
el papel que está leyendo.
TRISTÁN.—No es difícil; que si vas
a esta capilla arrimado,
saliendo por aquel lado,
de espaldas la cogerás.
DON GARCÍA.—Bien dices. Ven por aquí.
(Vanse don García, Tristán y Camino.)
JACINTA.—Lee bajo, que darás
mal ejemplo.

LUCRECIA.— No me oirás.
Toma y lee para ti. *(Da el papel a Jacinta.)*
JACINTA.—Ése es mejor parecer.

ESCENA VI

Don García y Tristán, por otra puerta, cogen de espaldas a Jacinta y Lucrecia.

TRISTÁN.—Bien el fin se consiguió.
DON GARCÍA.—Tú, si ves mejor que yo,
procura, Tristán, leer.
JACINTA. *(Lee).*—"Ya que mal crédito cobras
de mis palabras sentidas,
dime si serán creídas,
pues nunca mienten, las obras.
Que si consiste el creerme,
señora, en ser tu marido,
y ha de dar el ser creído
materia al favorecerme,
por éste, Lucrecia mía,
que de mi mano te doy
firmado, digo que soy
ya tu esposo don García."
DON GARCÍA. *(Aparte a Tristán).*—
¡Vive Dios, que es mi papel!
TRISTÁN.—¡Pues qué! ¿No lo vio en su casa?
DON GARCÍA.—Por ventura lo repasa,
regalándose con él.
TRISTÁN.—Comoquiera te está bien.
DON GARCÍA.—Comoquiera soy dichoso.
JACINTA.—Él es breve y compendioso;
o bien siente o miente bien.
DON GARCÍA. *(A Jacinta).*—
Volved los ojos, señora,
cuyos rayos no resisto.
JACINTA. *(Aparte a Lucrecia).*—
Cúbrete, pues no te ha visto,
y desengáñate agora.
(Tápanse Lucrecia y Jacinta.)

LUCRECIA. *(Aparte a Jacinta)*.–
Disimula y no me nombres.
DON GARCÍA.–Corred los delgados velos
a ese asombro de los cielos,
a ese cielo de los hombres.
¿Posible es que os llego a ver,
homicida de mi vida?
Mas como sois mi homicida,
en la iglesia hubo de ser.
Si os obliga a retraer
mi muerte, no hayáis temor;
que de las leyes de amor
es tan grande el desconcierto,
que dejan preso al que es muerto,
y libre al que es matador.
Ya espero que de mi pena
estáis, mi bien, condolida,
si el estar arrepentida
os trajo a la Madalena.
Ved cómo el amor ordena
recompensa al mal que siento;
pues si yo llevé el tormento
de vuestra crueldad, señora,
la gloria me llevo agora
de vuestro arrepentimiento.
¿No me habláis, dueño querido?
¿No os obliga el mal que paso?
¿Arrepentíos acaso
de haberos arrepentido?
Que advirtáis, señora, os pido
que otra vez me mataréis;
si porque en la iglesia os veis
probáis en mí los aceros,
mirad que no ha de valeros
si en ella el delito hacéis.
JACINTA.–¿Conocéisme?
DON GARCÍA.– ¡Y bien, por Dios!
Tanto, que desde aquel día
que os hablé en la Platería,
no me conozco por vos;
de suerte que de los dos

vivo más en vos que en mí;
que tanto, desde que os vi,
en vos transformado estoy,
que ni conozco el que soy,
ni me acuerdo del que fui.

JACINTA.—Bien se echa de ver que estáis
del que fuistes olvidado,
pues sin ver que sois casado
nuevo amor solicitáis.

DON GARCÍA.—¡Yo casado! ¿En eso dais?

JACINTA.—¿Pues no?

DON GARCÍA.— ¡Qué vana porfía!
Fue, por Dios, invención mía,
por ser vuestro.

JACINTA.— O por no sello;
y si os vuelven a hablar dello,
seréis casado en Turquía.

DON GARCÍA.—Y vuelvo a jurar, por Dios,
que en este amoroso estado
para todas soy casado,
y soltero para vos.

JACINTA. *(Aparte a Lucrecia)*.—
¿Ves tu desengaño?

LUCRECIA. *(Aparte)*.— ¡Ah, cielos!
Apenas una centella
siento de amor, y ya della
nacen vulcanes de celos.

DON GARCÍA.—Aquella noche, señora,
que en el balcón os hablé,
¿todo el caso no os conté?

JACINTA.—¡A mí en balcón!

LUCRECIA. *(Aparte)*.— ¡Ah, traidora!

JACINTA.—Advertid que os engañáis.
¿Vos me hablastes?

DON GARCÍA.— ¡Bien, por Dios!

LUCRECIA. *(Aparte)*.—¡Habláisle de noche vos,
y a mí consejos me dais!

DON GARCÍA.—Y el papel que recebistes,
¿negaréislo?

JACINTA.— ¿Yo papel?

LUCRECIA. *(Aparte)*.—¡Ved qué amiga tan fiel!

DON GARCÍA.—Y sé yo que lo leístes.

JACINTA.—Pasar por donaire puede,
cuando no daña, el mentir;
mas no se puede sufrir
cuando ese límite excede.

DON GARCÍA.—¿No os hablé en vuestro balcón,
Lucrecia, tres noches ha?

JACINTA. *(Aparte.* ¡Yo Lucrecia! Bueno va:).—
Toro nuevo, otra invención.
A Lucrecia ha conocido,
y es muy cierto el adoralla;
pues finge, por no enojalla,
que por ella me ha tenido.

LUCRECIA. *(Aparte).*—Todo lo entiendo. ¡Ah, traidora!
Sin duda que le avisó
que la tapada fui yo,
y quiere enmendallo agora
con fingir que fue el tenella
por mí, la causa de hablalla.

TRISTÁN. *(A don García).*—
Negar debe de importalla,
por la que está junto della,
ser Lucrecia.

DON GARCÍA.— Así lo entiendo;
que si por mí lo negara,
encubriera ya la cara.
Pero no se conociendo,
¿se hablaran las dos?

TRISTÁN.— Por puntos
suele en las iglesias verse
que parlan, sin conocerse,
los que aciertan a estar juntos.

DON GARCÍA.—Dices bien.

TRISTÁN.— Fingiendo agora
que se engañaron tus ojos,
lo enmendarás.

DON GARCÍA.— Los anteojos
de un ardiente amor, señora,
me tienen tan deslumbrado,
que por otra os he tenido.

Perdonad; que yerro ha sido
de esa cortina causado;
que como a la fantasía
fácil engaña el deseo,
cualquiera dama que veo
se me figura la mía.

JACINTA. *(Aparte).*–Entendíle la intención.

LUCRECIA. *(Aparte).*–Avisóle la taimada.

JACINTA.–Según eso, la adorada
es Lucrecia.

DON GARCÍA.– El corazón,
desde el punto que la vi,
la hizo dueño de mi fe.

JACINTA. *(Aparte).*–
¡Bueno es esto!

LUCRECIA. *(Aparte).*–¡Que ésta esté
haciendo burla de mí!
No me doy por entendida,
por no hacer aquí un exceso.

JACINTA.–Pues yo pienso que a estar de eso
cierta, os fuera agradecida
Lucrecia.

DON GARCÍA.– ¿Tratáis con ella?

JACINTA.–Trato, y es amiga mía;
tanto, que me atrevería
a afirmar que en mí y en ella
vive sólo un corazón.

DON GARCÍA. *(Aparte.* Si eres tú, bien claro está
¡Qué bien a entender me da
su recato y su intención!).–
Pues ya que mi dicha ordena
tan buena ocasión, señora,
pues sois ángel, sed agora
mensajera de mi pena.
Mi firmeza le decid,
y perdonadme si os doy
este oficio.

TRISTÁN. *(Aparte).*–Oficio es hoy
de las mozas en Madrid.

DON GARCÍA.–Persuadilda que a tan grande
amor ingrata no sea.

JACINTA.—Hacelde vos que lo crea,
que yo la haré que se ablande.
DON GARCÍA.—¿Por qué no creerá que muero,
pues he visto su beldad?
JACINTA.—Porque, si os digo verdad,
no os tiene por verdadero.
DON GARCÍA.—¡Ésta es verdad, vive Dios!
JACINTA.—Hacelde vos que lo crea.
¿Qué importa que verdad sea,
si el que la dice sois vos?
Que la boca mentirosa
incurre en tan torpe mengua,
que solamente en su lengua
es *la verdad sospechosa.*
DON GARCÍA.—Señora...
JACINTA.— Basta: mirad
que dais nota.
DON GARCÍA.— Yo obedezco.
JACINTA.—¿Vas contenta?
LUCRECIA.— Yo agradezco,
Jacinta, tu voluntad. *(Vanse las dos.)*

ESCENA VII

Don García, Tristán.

DON GARCÍA.—¿No ha estado aguda Lucrecia?
¡Con qué astucia dio a entender
que le importaba no ser
Lucrecia!
TRISTÁN.—A fe que no es necia.
DON GARCÍA.—Sin duda que no quería
que la conociese aquella
que estaba hablando con ella.
TRISTÁN.—Claro está que no podía
obligalla otra ocasión
a negar cosa tan clara
porque a ti no te negara
que te habló por su balcón,
pues ella misma tocó

los puntos de que tratastes
cuando por él os hablastes.

DON GARCÍA.—En eso bien me mostró
que de mí no se encubría.

TRISTÁN.—Y por eso dijo aquello:
"y si os vuelven a hablar dello,
seréis casado en Turquía."
Y esta conjetura abona
más claramente el negar
que era Lucrecia, y tratar
luego en tercera persona
de sus propios pensamientos,
diciéndote que sabía
que Lucrecia pagaría
tus amorosos intentos,
con que tú hicieses, señor,
que los llegase a creer.

DON GARCÍA.—¡Ah, Tristán! ¿Qué puedo hacer
para acreditar mi amor?

TRISTÁN.—¿Tú quieres casarte?

DON GARCÍA.— Sí.

TRISTÁN.—Pues pídela.

DON GARCÍA.— ¿Y si resiste?

TRISTÁN.—Parece que no le oíste
lo que dijo agora aquí:
"Hacelde vos que lo crea;
que yo la haré que se ablande."
¿Qué indicio quieres más grande
de que ser tuya desea?
Quien tus papeles recibe,
quien te habla en sus ventanas,
muestras ha dado bien llanas
de la afición con que vive.
El pensar que eres casado
la refrena solamente,
y queda ese inconveniente
con casarte remediado;
pues es el mismo casarte,
siendo tan gran caballero,
información de soltero;
y cuando quiera obligarte

a que des información,
por el temor con que va
de tus engaños, no está
Salamanca en el Japón.

DON GARCÍA.–Sí está para quien desea,
que son ya siglos en mí
los instantes.

TRISTÁN.– Pues aquí,
¿no habrá quien testigo sea?

DON GARCÍA.–Puede ser.

TRISTÁN.– Es fácil cosa.

DON GARCÍA.–Al punto los buscaré.

TRISTÁN.–Uno yo te le daré.

DON GARCÍA.–Y, ¿quién es?

TRISTÁN.– Don Juan de Sosa.

DON GARCÍA.–¿Quién? ¿Don Juan de Sosa?

TRISTÁN.– Sí.

DON GARCÍA.–Bien lo sabe.

TRISTÁN.– Desde el día
que te habló en la Platería
no le he visto, ni él a ti.
Y aunque siempre he deseado
saber qué pesar te dio
el papel que te escribió,
nunca te lo he preguntado,
viendo que entonces severo
negaste y descolorido;
mas agora, que he venido
tan a propósito, quiero
pensar que puedo, señor,
pues secretario me has hecho
del archivo de tu pecho,
y se pasó aquel furor.

DON GARCÍA.–Yo te lo quiero contar,
que pues sé por experiencia
tu secreto y tu prudencia,
bien te lo puedo fiar.
A las siete de la tarde
me escribió que me aguardaba
en San Blas don Juan de Sosa
para un caso de importancia.

Callé, por ser desafío,
que quiere el que no lo calla
que le estorben o le ayuden,
cobardes acciones ambas.
Llegué al aplazado sitio,
donde don Juan me aguardaba
con su espada y con sus celos,
que son armas de ventaja.
Su sentimiento propuso;
satisfice a su demanda,
y por quedar bien, al fin,
desnudamos las espadas.
Elegí mi medio al punto,
y haciéndole una ganancia
por los grados del perfil,
le di una fuerte estocada.
Sagrado fue de su vida
un Agnus Dei que llevaba,
que topando en él la punta,
hizo dos partes mi espada.
Él sacó pies del gran golpe
pero con ardiente rabia
vino tirando una punta;
mas yo, por la parte flaca
cogí su espada, formando
un atajo. Él presto saca
—como la respiración
tan corta línea le tapa,
por faltarle los dos tercios
a mi poco fiel espada—
la suya, corriendo filos;
y como cerca me halla
(porque yo busqué el estrecho,
por la falta de mis armas),
a la cabeza, furioso,
me tiró una cuchillada.
Recibíla en el principio
de su formación y baja
matándole el movimiento
sobre la suya mi espada.
¡Aquí fue Troya! Saqué

un revés con tal pujanza,
que la falta de mi acero
hizo allí muy poca falta;
que abriéndole en la cabeza
un palmo de cuchillada,
vino sin sentido al suelo,
y aun sospecho que sin alma.
Dejéle así, y con secreto
me vine. Esto es lo que pasa,
y de no verle estos días,
Tristán, es ésta la causa.

TRISTÁN.—¡Qué suceso tan extraño!
¿Y si murió?

DON GARCÍA.— Cosa es clara
porque hasta los mismos sesos
esparció por la campaña.

TRISTÁN.—¡Pobre don Juan!... Mas ¿no es éste,
que viene aquí?

ESCENA VIII

Don Juan y don Beltrán. Dichos.

DON GARCÍA.— ¡Cosa extraña!

TRISTÁN.—¿También a mí me la pegas?
¿Al secretario del alma?
(Aparte.) Por Dios, que se lo creí,
con conocelle las mañas.
Mas, ¿a quién no engañarán
mentiras tan bien trovadas?)

DON GARCÍA.—Sin duda que le han curado
por ensalmo.

TRISTÁN.— Cuchillada
que rompió los mismos sesos,
¿en tan breve tiempo sana?

DON GARCÍA.—¿Es mucho? Ensalmo sé yo
con que un hombre en Salamanca,
a quien cortaron a cercen
un brazo con media espalda,
volviéndosele a pegar,

en menos de una semana
quedó tan sano y tan bueno
como primero.

TRISTÁN.— ¡Ya escampa!

DON GARCÍA.—Esto no me lo contaron;
yo lo vi mismo.

TRISTÁN.— Eso basta.

DON GARCÍA.—De la verdad, por la vida,
no quitaré una palabra.

TRISTÁN. *(Aparte).*—¡Que ninguno se conozca!
señor, mis servicios paga
con enseñarme ese salmo.

DON GARCÍA.—Está en dicciones hebraicas,
y si no sabes la lengua,
no has de saber pronunciarlas.

TRISTÁN.—Y tú, ¿sábesla?

DON GARCÍA.— ¡Qué bueno!
Mejor que la castellana:
hablo diez lenguas.

TRISTÁN.— *(Aparte:* Y todas
para mentir no te bastan.)
Cuerpo de verdades lleno
con razón el tuyo llaman,
pues ninguna sale dél.
(Aparte.) Ni hay mentira que no salga.

DON BELTRÁN. *(A don Juan).*—
¿Qué decís?

DON JUAN.— Esto es verdad:
ni caballero ni dama
tiene, si mal no me acuerdo,
de esos nombres Salamanca.

DON BELTRÁN. *(Aparte:*
Sin duda que fue invención
de García, cosa es clara.
Disimular me conviene.)
Gocéis por edades largas,
con una rica encomienda,
de la cruz de Calatrava.

DON JUAN.—Creed que siempre he de ser
más vuestro cuanto más valga.
Y perdonadme, que ahora,

por andar dando las gracias
a esos señores, no os voy
sirviendo hasta vuestra casa. *(Vase.)*

ESCENA IX

Don Beltrán, don García, Tristán.

DON BELTRÁN. *(Aparte).*—¡Válgame Dios! ¿Es posible?
que a mí no me perdonaran
las costumbres deste mozo?
¿Que aun a mí en mis proprias canas
me mintiese, al mismo tiempo
que riñéndoselo estaba?
¿Y que le creyese yo
en cosa tan de importancia
tan presto, habiendo ya oído
de sus engaños la fama?
Mas, ¿quién creyera que a mí
me mintiera, cuando estaba
reprehendiéndole eso mismo?
Y, ¿qué juez se recelara
que el mismo ladrón le robe,
de cuyo testigo trata?
TRISTÁN.—¿Determínaste a llegar?
DON GARCÍA.—Sí, Tristán.
TRISTÁN.— Pues Dios te valga.
DON GARCÍA.—Padre...
DON BELTRÁN.—¡No me llames padre,
vil! Enemigo me llama;
que no tiene sangre mía
quien no me parece en nada.
Quítate de ante mis ojos
que por Dios, si no mirara...
TRISTÁN. *(Aparte a don García).*—
El mar está por el cielo:
mejor ocasión aguarda.
DON BELTRÁN.—¡Cielos! ¿Qué castigo es éste?
¿Es posible que a quien ama

la verdad como yo, un hijo
de condición tan contraria
le diésedes? ¿Es posible
que quien tanto su honor guarda
como yo, engendrese un hijo
de inclinaciones tan bajas,
y a Gabriel, que honor y vida
daba a mi sangre y mis canas,
llevásedes tan en flor?
Cosas son que a no mirarlas
como cristiano...

DON GARCÍA. *(Aparte).*—¿Qué es esto?

TRISTÁN. *(Aparte a su amo).*—
Quítate de aquí. ¿Qué aguardas?

DON BELTRÁN.—Déjanos solos, Tristán.
Pero vuelve, no te vayas;
por ventura la vergüenza
de que sepas tú su infamia
podrá en él lo que no pudo
el respeto de mis canas.
Y cuando ni esta vergüenza
le obligue a enmendar sus faltas,
servirále por lo menos
de castigo el publicallas.
Di, liviano, ¿qué fin llevas?
Loco, di, ¿qué gusto sacas
de mentir tan sin recato?
Y cuando con todos vayas
tras tu inclinación, ¿conmigo
siquiera no te enfrenaras?
¿Con qué intento el matrimonio
fingiste de Salamanca,
para quitarles también
el crédito a mis palabras?
¿Con qué cara hablaré yo
a los que dije que estabas
con doña Sancha de Herrera
desposado? ¿Con qué cara,
cuando, sabiendo que fue

fingida esta doña Sancha,
por cómplices del embuste
infamen mis nobles canas?
¿Qué medio tomaré yo
que saque bien esta mancha,
pues a mejor negociar,
si de mí quiero quitarla,
he de ponerla en mi hijo,
y diciendo que la causa
fuiste tú, he de ser yo mismo
pregonero de tu infamia?
Si algún cuidado amoroso
te obligó a que me engañaras,
¿qué enemigo te oprimía?
¿Qué puñal te amenazaba,
sino un padre, padre al fin?
Que este nombre solo basta
para saber de qué modo
le enternecieran tus ansias.
¡Un viejo que fue mancebo,
y sabe bien la pujanza
con que en pechos juveniles
prenden amorosas llamas!

DON GARCÍA.—Pues si lo sabes, y entonces
para excusarme bastara,
para que mi error perdones
agora, padre, me valga.
Parecerme que sería
respetar poco tus canas
no obedecerte, pudiendo,
me obligó a que te engañara.
Error fue, no fue delito;
no fue culpa, fue ignorancia;
la causa amor, tú mi padre,
pues tú dices que esto basta.
Y ya que el daño supiste,
escucha la hermosa causa,
porque el mismo dañador
el daño te satisfaga.

Doña Lucrecia, la hija
de don Juan de Luna, es alma
desta vida; es principal
y heredera de su casa;
y para hacerme dichoso
con su hermosa mano, falta
sólo que tú lo consientas,
y declares que la fama
de ser yo casado tuvo
ese principio, y es falsa.

DON BELTRÁN.—¡No, no! ¡Jesús!
¡Calla! ¿En otra
habías de meterme? ¡Basta!
Ya, si dices que ésta es luz,
he de pensar que me engañas.

DON GARCÍA.—No, señor: lo que a las obras
se remite es verdad clara,
y Tristán, de quien te fías,
es testigo de mis ansias.
Dilo, Tristán.

TRISTÁN.— Sí, señor:
lo que dice es lo que pasa.

DON BELTRÁN.—¿No te corres desto? Di:
¿no te avergüenza que hayas
menester que tu criado
acredite lo que hablas?
Ahora bien, yo quiero hablar
a don Juan, y el cielo haga
que te dé a Lucrecia, que eres
tal, que ella es la engañada.
Mas primero he de informarme
en esto de Salamanca;
que ya temo que en decirme
que me engañaste, me engañas.
Que aunque la verdad sabía
antes que a hablarte llegara,
la has hecho ya sospechosa
tú con sólo confesarla. *(Vase.)*

DON GARCÍA.—Bien se ha hecho.

TRISTÁN.— ¡Y cómo bien!
Que yo pensé que hoy probabas
en ti aquel salmo hebreo
que brazos cortados sana.—*(Vanse.)*

ESCENA X

(Sala con vistas a un jardín, en casa de don Juan de Luna.)
Don Juan de Luna, don Sancho.

DON JUAN DE LUNA.—Parece que la noche ha refrescado.
DON SANCHO.—Señor don Juan de Luna, para el río
éste es fresco en mi edad demasïado.
DON JUAN DE LUNA.—Mejor será que en ese jardín mío
se nos ponga la mesa, y que gocemos
la cena con sazón, templado el frío.
DON SANCHO.—Discreto parecer. Noche tendremos
que dar a Manzanares más templada;
que ofenden la salud estos extremos.
DON JUAN DE LUNA. *(Dirigiéndose adentro).*—
Gozad de vuestra hermosa convidada
por esta noche en el jardín, Lucrecia.
DON SANCHO.—Veáisla, quiera Dios, bien empleada;
que es un ángel.
DON JUAN DE LUNA.—Demás de que no es necia,
y ser cual veis, don Sancho, tan hermosa,
menos que la virtud la vida precia.

ESCENA XI

Un criado. Dichos.

CRIADO. *(A don Sancho).*—
Preguntando por vos, don Juan de Sosa
a la puerta llegó, y pide licencia.
DON SANCHO.—¿A tal hora?
DON JUAN DE LUNA.— Será ocasión forzosa.
DON SANCHO.—Entre el señor don Juan. *(Va el criado a avisar.)*

ESCENA XII

Don Juan, con un papel. Don Juan de Luna, don Sancho.

DON JUAN. *(A don Sancho).*— A esa presencia
sin el papel que veis, nunca llegara;
mas ya con él faltaba la paciencia,
que no quiso el amor que dilatara
la nueva un punto, si alcanzar la gloria
consiste en eso, de mi prenda cara.
Ya el hábito salió: si en la memoria
la palabra tenéis que me habéis dado,
colmaréis con cumplirla mi vitoria.

DON SANCHO.—Mi fe, señor don Juan, habéis premiado,
con no haber esta nueva tan dichosa
por un momento solo dilatado.
A darle voy a mi Jacinta hermosa,
y perdonad; que por estar desnuda,
no la mando salir. *(Vase.)*

DON JUAN DE LUNA.—Por cierta cosa
tuve siempre el vencer; que el cielo ayuda
la verdad más oculta, y premiada
dilación pudo haber, pero no duda.

ESCENA XIII

Don García, don Beltrán, Tristán. Don Juan de Luna, don Juan.

DON BELTRÁN.—Ésta no es ocasión acomodada
de hablarle; que hay visita, y una cosa
tan grave a solas ha de ser tratada.

DON GARCÍA.—Antes nos servirá don Juan de Sosa
en lo de Salamanca por testigo.

DON BELTRÁN.—¡Que lo hayáis menester! ¡Qué infame cosa!
En tanto que a don Juan de Luna digo
nuestra intención, podréis entretenello.

DON JUAN DE LUNA.—¡Amigo don Beltrán!...

DON BELTRÁN.— ¡Don Juan amigo!...

DON JUAN DE LUNA.—¿A tales horas tal exceso?

DON BELTRÁN.— En ello
conoceréis que estoy enamorado.

DON JUAN DE LUNA.—Dichosa la que pudo merecello.
DON BELTRÁN.—Perdón me habéis de dar; que haber hallado
la puerta abierta, y la amistad que os tengo,
para entrar sin licencia me la han dado.
DON JUAN DE LUNA.—Cumplimientos dejad cuando prevengo
el pecho a la ocasión desta venida.
DON BELTRÁN.—Quiero deciros, pues, a lo que vengo.
DON GARCÍA. *(A don Juan de Sosa).*—
Pudo, señor don Juan, ser oprimida
de algún pecho de envidia emponzoñado,
verdad tan clara, pero no vencida.
Podéis, por Dios, creer que me ha alegrado
vuestra vitoria.
DON JUAN.— De quien sois lo creo.
DON GARCÍA.—Del hábito gocéis encomendado
como vos merecéis y yo deseo.
DON JUAN DE LUNA.—Es en eso Lucrecia tan dichosa,
que pienso que es soñado el bien que veo.
Con perdón del señor don Juan de Sosa,
oíd una palabra, don García.
Que a Lucrecia queréis por vuestra esposa
me ha dicho don Beltrán.
DON GARCÍA.— El alma mía,
mi dicha, honor y vida está en su mano.
DON JUAN DE LUNA.—Yo desde aquí por ella os doy la mía;
que como yo sé en eso lo que gano,
lo sabe ella también, según la he oído
hablar de vos. *(Se dan las manos.)*
DON GARCÍA.— Por bien tan soberano
los pies, señor don Juan de Luna, os pido.

ESCENA XIV

Don Sancho, Jacinta, Lucrecia. Dichos.

LUCRECIA.—Al fin, tras tantos contrastes,
tu dulce esperanza logras.
JACINTA.—Con que tú logres la tuya
seré del todo dichosa.
DON JUAN DE LUNA.—Ella sale con Jacinta,

ajena de tanta gloria,
más de calor descompuesta
que aderezada de boda.
Dejad que albricias le pida
de una nueva tan dichosa.

DON BELTRÁN. *(Aparte a don García).*—
Acá está don Sancho. ¡Mira
en qué vengo a verme agora!

DON GARCÍA.—Yerros causados de amor,
quien es cuerdo los perdona.

LUCRECIA.—¿No es casado en Salamanca?

DON JUAN DE LUNA.—Fue invención suya engañosa,
procurando que su padre
no le casase con otra.

LUCRECIA.—Siendo así, mi voluntad
es la suya, y soy dichosa.

DON SANCHO.—Llegad, ilustres mancebos,
a vuestras alegres novias,
que dichosas se confiesan,
y os aguardan amorosas.

DON GARCÍA.—Agora de mis verdades
darán probanza las obras.

(Vanse don García y don Juan a Jacinta.)

DON JUAN.—¿Adónde vais, don García?
Veis allí a Lucrecia hermosa.

DON GARCÍA.—¿Cómo Lucrecia?

DON BELTRÁN.— ¿Qué es esto?

DON GARCÍA. *(A Jacinta).*—
Vos sois mi dueño, señora.

DON BELTRÁN.—¿Otra tenemos?

DON GARCÍA.— Si el nombre
erré, no erré la persona.
Vos sois a quien yo he pedido,
y vos la que el alma adora.

LUCRECIA.—Y este papel, engañoso,

(Saca un papel.)

que es de vuestra mano propia,
¿lo que decís no desdice?

DON BELTRÁN.—¡Que en tal afrenta me pongas!

DON JUAN.—Dadme, Jacinta, la mano,
y daréis fin a estas cosas.

DON SANCHO.—Dale la mano a don Juan.
JACINTA. *(A don Juan).*—Vuestra soy.
DON GARCÍA. *(Aparte).*—Perdí mi gloria.
DON BELTRÁN.—¡Vive Dios, si no recibes
a Lucrecia por esposa,
que te he de quitar la vida!
DON JUAN DE LUNA.—La mano os he dado agora
por Lucrecia, y me la distes;
si vuestra inconstancia loca
os ha mudado tan presto,
yo lavaré mi deshonra
con sangre de vuestras venas.
TRISTÁN.—Tú tienes la culpa toda;
que si al principio dijeras
la verdad, ésta es la hora
que de Jacinta gozabas.
Ya no hay remedio; perdona,
y da la mano a Lucrecia,
que también es buena moza.
DON GARCÍA.—La mano doy, pues es fuerza.
TRISTÁN.—Y aquí verás cuán dañosa
es la mentira; y verá
el Senado que en la boca
del que mentir acostumbra,
es la *verdad sospechosa.*

SOR JUANA INÉS DE LA CRUZ
[*México, 1648-1695*]

Varios críticos señalan la fecha de la muerte de Sor Juana como el final del glorioso Siglo de Oro en las letras españolas. La "Décima Musa" nace en el Estado de México, en un pequeño pueblo al pie del volcán Ixtaccíhuatl. A través de su *Carta a Sor Filotea* (1691) "uno de los más admirables ensayos autobiográficos en lengua española" (Enrique Anderson Imbert), tenemos muchos datos sobre los primeros años de su vida y los iniciales brotes de su genio. Aprendió a leer a los tres años de edad; escribía poesía que era galardonada cuando todavía era muy joven, y con sólo veinte lecciones supo dominar la lengua latina. Su fama crece y, a pesar de sus orígenes humildes, la llaman a servir en la Corte de Nueva España como dama de honor de la virreina. En 1667 ingresa en la orden de las Carmelitas Descalzas y luego, por razones de salud, cambia al convento de San Jerónimo. Dedica gran parte de su tiempo al estudio, la pasión de su vida, y logra reunir una biblioteca magnífica para aquella época, de más de 4 000 volúmenes. Poco antes de morir, vende sus libros y contribuye con los fondos a la caridad. Muere en una epidemia que invadió la ciudad de México en 1695, mientras cumplía sus deberes cuidando a los enfermos.

Su producción poética incluye sonetos, romances, redondillas, liras y silvas; casi todos versos de ocasión para amigos en la corte o en la iglesia. *Primero sueño*, a imitación de las *Soledades* de Góngora, es una larga silva que muestra la vasta erudición de la monja y su dominio absoluto del lenguaje. Los escritos dramáticos de Sor Juana constan de dos comedias, dos sainetes, tres autos y dieciocho loas. La comedia en tres jornadas *Los empeños de una casa*, sigue la tradición de capa y espada a la manera de Calderón. Leonor, la heroína de la comedia, tiene rasgos autobiográficos de la autora. La otra comedia con un decorado clásico, *Amor es más laberinto*, pertenece a la monja sólo en el primero y tercer actos. El segundo fue compuesto en colaboración con su primo, el licenciado Juan de Guevara. Según José Juan Arrom, *El Divino Narciso* ocupa el primer lugar en todos los autos sacramentales escritos en las Américas. Los otros autos, *El cetro de José* y *El mártir del Sacramento, San Hermenegildo*, tratan temas bíblicos e históricos. Comparando la "Décima Musa" con Calderón de la Barca, el crítico mexicano Julio Jiménez Rueda comenta: "Con don Pedro Calderón, tiene Sor Juana puntos de contacto con lo barroco. Como él, escribía para que se representaran sus obras en la Corte. Como a él, se le censura que escriba sobre temas mundanos. Su *Carta a Sor Filotea* es, en resumen, la ampliación de lo que don Pedro le escribiera al Patriarca... Como Calderón, Sor Juana matizó de irónicas reflexiones su teatro."

BIBLIOGRAFÍA SUMARIA

Aguirre, Mirta, *Del encausto a la sangre, Sor Juana Inés de la Cruz*, La Habana, Casa de las Américas, 1975.

Arrom, José Juan, *Historia del teatro hispanoamericano. Época colonial*, México, Editorial de Andrea, 1967, pp. 78-88.

Arroyo, Anita, *Razón y pasión de Sor Juana*, México, Porrúa, 1971.

Benassy-Berling, Marie Cécile, *Humanismo y religión en Sor Juana Inés de la Cruz*, México, Universidad Nacional Autónoma de México, 1982.

———, "Algunos documentos relacionados con el fin de la vida de Sor Juana Inés de la Cruz", *Anuario de Estudios Americanos*, vol. XLIV, núm. supl., 1987, pp. 23-33.

Calhoun, Gloria D., "Un triángulo mitológico, idolatría y cristianismo en *El Divino Narciso*", *Ábside*, vol. XXXIV, núm. 4, octubre-diciembre de 1970, pp. 373-401.

Campoamor, Clara, *Sor Juana Inés de la Cruz*, Madrid, Júcar, 1984.

Caudet, Francisco, "Sor Juana Inés de la Cruz: la crisis de 1690", *Cuadernos Americanos*, vol. CCXXII, núm. 1, enero-febrero de 1979, pp. 135-140.

Chang-Rodríguez, Raquel, "Relectura de *Los empeños de una casa*", *Revista Iberoamericana*, vol. XLIV, núms. 104-105, julio-diciembre de 1978, páginas 409-419.

———, "A propósito de Sor Juana y sus admiradores novocastellanos", *Revista Iberoamericana*, vol. LI, núm. 133, julio-diciembre de 1985, pp. 605-619.

Daniel, Lee A., "The 'Loa': One Aspect of the Sorjuanian Mask", *Latin American Teatre Review*, vol. XVI, núm. 2, primavera de 1983, pp. 97-102.

Dauster, Frank, "De los recursos cómicos en el teatro de Sor Juana", *Caribe*, vol. II, núm. 2, otoño de 1982, pp. 43-54.

Ferré, Rosario, "El misterio de los retratos de Sor Juana", *Escritura*, vol. X, núms. 19-20, enero-diciembre de 1985, pp. 13-32.

Feustler, Joseph Ambrose Jr., "Hacia una interpretación de *Los empeños de una casa*", *Explicación de Textos Literarios*, vol. I, núm. 2, 1973, pp. 144-149.

García Marruz, Fina, "Mexicanía de Sor Juana", *Sin Nombre*, vol. VII, núm. 3, octubre-diciembre de 1976, pp. 6-33.

Godoy, Ema, "Juana Cósmica", *Ábside*, vol. XXXVII, núm. 2, abril-junio de 1973, pp. 225-228.

González, María R., "El nacionalismo embrionario visto a través de la obra de Sor Juana Inés de la Cruz", *Aztlán*, vol. XII, núm. 1, primavera de 1981, pp. 23-37.

Heckel, Ilse, "Los sainetes de Sor Juana", *Revista Iberoamericana*, vol. XIII, octubre de 1947, pp. 135-140.

Jiménez Rueda, Julio (comp.), *Los empeños de una casa*, México, Universidad Nacional de México, 1940.

Junco, Alfonso, "El amor humano y el amor divino en Sor Juana Inés", *Ábside*, vol. XXXVII, núm. 2, abril-junio de 1973, pp. 166-189.

Lafaye, Jacques, *Sor Juana Inés de la Cruz, nuevo fénix de México: 1648-1695*, Serie Cuadernos, México, Instituto de Estudios y Documentos Históricos, Claustro de Sor Juana, 1981.

Laguerre, Enrique Arturo, "Las comedias de Sor Juana", *Anales de Literatura Hispanoamericana*, vol. VI, núm. 7, 1978, pp. 183-189.

Maza, Francisco de la, y Elías Trabulse (comps.), *Sor Juana Inés de la Cruz ante la historia; biografías antiguas; la fama de 1700; noticias de 1667 a 1892*, México, Universidad Nacional Autónoma de México, 1980.

Méndez Plancarte, Alfonso (comp.), *Obras completas de Sor Juana Inés de la Cruz III: Autos y loas*, México, Fondo de Cultura Económica, 1955.

Merrim, Stephanie (comp.), *Feminist Perspectives on Sor Juana Inés de la Cruz*, Detroit, Wayne State University Press, 1991.

Monterde, Francisco, "Teatro profano de Sor Juana", *Cultura Mexicana*, México, Intercontinental, 1946, pp. 55-90.

Nervo, Amado, *Juana de Asbaje*, Madrid, Biblioteca Nueva, 1910.

Noble, Dorthy, "La influencia ternaria en algunas obras de Sor Juana", *Ábside*, vol. XXXIX, núm. 2, abril-junio de 1975, pp. 145-164.

Paz, Octavio, *Sor Juana Inés de la Cruz, o Las trampas de la fe*, México, Fondo de Cultura Económica, 1982.

Pérez, María Ester, *Lo americano en el teatro de Sor Juana Inés de la Cruz*, Nueva York, E. Torres, 1975.

Pfandl, Ludwig, *Sor Juana Inés de la Cruz, la Décima Musa de México. Su vida, su poesía, su psique*, trad. de Juan Antonio Ortega y Medina, México, Universidad Nacional Autónoma de México, 1963.

Rojas Bez, José, "Sor Juana y *El Divino Narciso:* síntesis americanista del matrimonio divino", *Cuadernos Americanos*, núm. 7, nueva época, enero-febrero de 1988, pp. 4-63.

Rublúo Yslas, Luis, "Sor Juana ante la crítica española", *Cuadernos Americanos*, vol. CCXXXI, núm. 4, julio-agosto de 1982, pp. 183-204.

Sabat de Rivers, Georgina, "Nota bibliográfica sobre Sor Juana Inés de la Cruz: son tres las ediciones de Barcelona, 1693", *Nueva Revista de Filología Hispánica*, vol. XXIII, núm. 2, 1974, pp. 391-401.

Salcedo, Alberto G., "Cronología del teatro de Sor Juana", *Ábside*, vol. XVII, núm. 3, 1953, pp. 333-358.

____ (comp.), *Obras completas de Sor Juana Inés de la Cruz; IV: Comedias, sainetes y prosa*, México, Fondo de Cultura Económica, 1957.

Schons, Dorothy, *Bibliografía de Sor Juana Inés de la Cruz*, México, 1927.

Solalinde, Alfán de, *El barroco en la vida de Sor Juana*, Serie Cuadernos, México, Claustro de Sor Juana, 1981.

Williamsen, Vern G., "Forma simétrica en las comedias barrocas de Sor Juana Inés", *Cuadernos Americanos*, vol. CCXXIV, núm. 3, mayo-junio de 1979, pp. 189-193.

Los empeños de una casa

Comedia famosa

INTERLOCUTORES

Don Carlos	Don Rodrigo	Celia
Don Juan	Doña Leonor	Hernando
Don Pedro	Doña Ana	Castaño
Dos embozados	Dos coros de música	

JORNADA PRIMERA

CUADRO PRIMERO

[En casa de don Pedro.]

ESCENA I

(Salen doña Ana y Celia.)

Doña Ana.—Hasta que venga mi hermano,
Celia, le hemos de esperar.
Celia.—Pues eso será velar,
porque él juzga que es temprano
la una o las dos; y a mi ver,
aunque es grande ociosidad
viene a decir la verdad,
pues viene al amanecer.
Mas, ¿por qué ahora te dio
esa gana de esperar,
si te entras siempre a acostar
tú, y le espero sola yo?
Doña Ana.—Has de saber, Celia mía,
que aquesta noche ha fiado
de mí todo su cuidado:
tanto de mi afecto fía.

Bien sabes tú que él salió
de Madrid dos años ha,
y a Toledo, donde está,
a una cobranza llegó,
pensando luego volver,
y así en Madrid me dejó,
donde estando sola yo,
pudiendo ser vista y ver,
me vio don Juan y le vi,
y me solicitó amante,
a cuyo pecho constante
atenta correspondí;
cuando, o por no ser tan llano
como el pleito se juzgó,
o lo cierto, porque no
quería irse mi hermano
(porque vive aquí una dama
de perfecciones tan sumas
que dicen que faltan plumas
para alabarla a la Fama,
de la cual enamorado
aunque no correspondido,
por conseguirla perdido
en Toledo se ha quedado,
y porque yo no estuviese
sola en la Corte sin él,
o porque a su amor crüel
de algún alivio le fuese),
dispuso el que venga aquí
a vivir yo, que al instante
di cuenta a don Juan, que amante
vino a Toledo tras mí:
fineza a que agradecida
toda el alma estar debiera,
si ya ¡ay de mí! no estuviera
del empeño arrepentida,
porque el amor que es villano
en el trato y la bajeza,
se ofende de la fineza.
Pero, volviendo a mi hermano,
sábete que él ha inquirido

con obstinada porfía
qué motivo haber podía
para no ser admitido;
  y hallando que es otro amor,
aunque yo no sé de quién,
sintiendo más que el desdén
que otro gozase el favor
  (que como este fiero engaño
es envidioso veneno,
se siente el provecho ajeno
mucho más que el propio daño);
  sobornando (¡oh vil costumbre
que así la razón estraga,
que es tan ciego Amor, que paga
porque le den pesadumbre!)
  una crïada que era
de quien ella se fïaba,
en el estado que estaba
su amor, con el fin que espera
  y con lo demás que pasa,
supo de la infiel crïada.
que estaba determinada
a salirse de su casa
  esta noche con su amante;
de que mi hermano furioso,
como a quien está celoso
no hay peligro que le espante,
  con unos hombres trató
que fingiéndose Justicia
(¡mira qué astuta malicia!)
prendan al que la robó,
  y que al pasar por aquí
al galán y dama bella,
como en depósito, a ella
me la entregasen a mí,
  y que luego al apartarse,
como que acaso ellos van
descuidados, al galán
den lugar para escaparse,
  con lo cual claro se arguye
que él se valdrá de los pies

huyendo, pues piensa que es
la Justicia de quien huye;
y mi hermano, con la traza
que su amor ha discurrido,
sin riesgo habrá conseguido
traer su dama a su casa,
y en ella es bien fácil cosa
galantearla abrasado
sin que él parezca culpado
ni ella pueda estar quejosa,
porque si tanto despecho
ella llegase a entender,
visto es que ha de aborrecer
a quien tal daño le ha hecho.
Aquesto que te he contado,
Celia, tengo que esperar;
mira ¿cómo puedo entrar
a acostarme sin cuidado?

CELIA.—Señora, nada me admira;
que en amor no es novedad
que se vista la verdad
del color de la mentira,
¿ni quién habrá que se espante
si lo que es, llega a entender,
temeridad de mujer
ni resolución de amante,
ni de traidoras crïadas,
que eso en todo el mundo pasa,
y quizá dentro de casa
hay algunas calderadas?
Sólo admirado me han,
por las acciones que has hecho,
los indicios que tu pecho
da de olvidar a don Juan;
y no sé por qué el cuidado
das en trocar en olvido,
cuan ni causa has tenido
tú, ni don Juan te la ha dado.

DOÑA ANA.—Que él no me la da, es verdad;
que no la tengo, es mentira.

CELIA.—¿De qué modo?

DOÑA ANA.– ¿Qué te admira?
Es ciega la voluntad.
Tras mí, como sabes, vino
amante y fino don Juan,
quitándose de galán
lo que se añade de fino,
sin dejar a qué aspirar
a la ley del albedrío,
porque si él es ya tan mío
¿qué tengo que desear?
Pero no es aquesa sola
la causa de mi despego,
sino poque ya otro fuego
en mi pecho se acrisola.
Suelo en esta calle ver
pasar a un galán mancebo,
que si no es el mismo Febo,
yo no sé quién pueda ser.
A éste, ¡ay de mí!, Celia mía,
no sé si es gusto o capricho,
y... Pero ya te lo he dicho,
sin saber que lo decía.
CELIA.–¿Lloras?
DOÑA ANA.– ¿Pues no he de llorar
¡ay infeliz de mí!, cuando
conozco que estoy errando
y no me puedo enmendar?
CELIA.–(*Aparte:*
Qué buenas nuevas me dan
con esto que ahora he oído,
para tener yo escondido
en su cuarto al tal don Juan
que habiendo notado el modo
con que le trata enfadada,
quiere hacer la tarquinada
y dar al traste con todo.)
–¿Y quién, señora, ha logrado
tu amor?
DOÑA ANA.– Sólo decir puedo
que es un don Carlos de Olmedo
el galán. Mas han llamado;

mira quién es, que después
te hablaré, Celia.
CELIA.– ¿Quién llama?
EMBOZADO.–*(Dentro.)* ¡La Justicia!
DOÑA ANA.– Ésta es la dama;
abre, Celia.
CELIA.– Entre quien es.

ESCENA II

(Entran Embozado, y doña Leonor.)

EMBOZADO.–Señora, aunque yo no ignoro
el decoro de esta casa,
pienso que el entrar en ella
ha sido más venerarla
que ofenderla; y así, os ruego
que me tengáis esta dama
depositada, hasta tanto
que se averigüe la causa
por que le dio muerte a un hombre
otro que la acompañaba.
Y perdonad, que a hacer vuelvo
diligencias no excusadas
en tal caso. *(Vanse.)*
DOÑA ANA.– ¿Qué es aquesto?
–Celia, a aquesos hombres llama
que lleven esta mujer,
que no estoy acostumbrada
a oír estas liviandades.
CELIA.–*(Aparte.)* Bien la deshecha mi ama
hace de querer tenerla.
DOÑA LEONOR.–Señora (en la boca el alma
tengo ¡ay de mí!), si piedad
mis tiernas lágrimas causan
en tu pecho (hablar no acierto),
te suplico arrodillada
que ya que no de mi vida,
tengas piedad de mi fama,
sin permitir, puesto que

ya una vez entré en tu casa,
que a otra me lleven adonde
corra mayores borrascas
mi opinión: que a ser mujer
como imaginas, liviana,
ni a ti te hiciera este ruego,
ni yo tuviera estas ansias.

DOÑA ANA.—*(Aparte a Celia.)* A lástima me ha movido
su belleza y su desgracia.
Bien dice mi hermano, Celia.

CELIA.—*(Aparte a doña Ana.)* Es belleza sobrehumana;
y si está así en la tormenta
¿cómo estará en la bonanza?

DOÑA ANA.—Alzad del suelo, señora,
y perdonad si turbada
del repentino suceso,
poco atenta y cortesana
me he mostrado, que ignorar
quién sois, pudo dar la causa
a la extrañeza; mas ya
vuestra persona gallarda
informa en vuestro favor,
de suerte que toda el alma
ofrezco para serviros.

DOÑA LEONOR.—¡Déjame besar tus plantas,
bella deidad, cuyo templo,
cuyo culto, cuyas aras,
de mi deshecha fortuna
son el asilo!

DOÑA ANA.— Levanta,
y cuéntame qué sucesos
a tal desdicha te arrastran;
aunque, si eres tan hermosa,
no es mucho ser desdichada.

CELIA.—*(Aparte.)* De la envidia que le tiene
no le arriendo la ganancia.

DOÑA LEONOR.—Señora, aunque la vergüenza
me pudiera ser mordaza
para callar mis sucesos,
la que como yo se halla
en tan infeliz estado,

no tiene por qué callarlas;
antes pienso que me abono
en hacer lo que me mandas,
pues son tales los indicios
que tengo de estar culpada,
que por culpables que sean
son más decentes sus causas;
y así, escúchame,

DOÑA ANA.— El silencio
te responda.

CELIA.— ¡Cosa brava!
¿Relación a media noche
y con vela? ¡Que no valga!

DOÑA LEONOR.—Si de mis sucesos quieres
escuchar los tristes casos
con que ostentan mis desdichas
lo poderoso y lo vario,
escucha, por si consigo
que divirtiendo tu agrado,
lo que fue trabajo propio
sirva de ajeno descanso,
o porque en el desahogo
hallen mis tristes cuidados
a la pena de sentirlos
el alivio de contarlos.

Yo nací noble; éste fue
de mi mal el primer paso,
que no es pequeña desdicha
nacer noble un desdichado:
que aunque la nobleza sea
joya de precio tan alto,
es alhaja que en un triste
sólo sirve de embarazo;
porque estando en un sujeto,
repugnan como contrarios,
entre plebeyas desdichas
haber respetos honrados.

Decirte que nací hermosa
presumo que es excusado,
pues lo atestiguan tus ojos
y lo prueban mis trabajos.

Sólo diré... Aquí quisiera
no ser yo quien lo relato,
pues en callarlo o decirlo
dos inconvenientes hallo:
porque si digo que fui
celebrada por milagro
de discreción, me desmiente
la necedad del contarlo;
y si lo callo, no informo
de mí, y en un mismo caso
me desmiento si lo afirmo,
y lo ignoras si lo callo.
Pero es preciso al informe
que de mis sucesos hago
(aunque pase la modestia
la vergüenza de contarlo),
para que entiendas la historia,
presuponer asentado
que mi discreción la causa
fue principal de mi daño.
   Incliné me a los estudios
desde mis primeros años
con tan ardientes desvelos,
con tan ansiosos cuidados,
que reduje a tiempo breve
fatigas de mucho espacio.
Conmuté el tiempo, industriosa,
a lo intenso del trabajo,
de modo que en breve tiempo
era el admirable blanco
de todas las atenciones,
de tal modo, que llegaron
a venerar como infuso
lo que fue adquirido lauro.
Era de mi patria toda
el objeto venerado
de aquellas adoraciones
que forma el común aplauso;
y como lo que decía,
fuese bueno o fuese malo,
ni el rostro lo deslucía

ni lo desairaba el garbo,
llegó la superstición
popular a empeño tanto,
que ya adoraban deidad
el ídolo que formaron.
  Voló la Fama parlera,
discurrió reinos extraños,
y en la distancia segura
acreditó informes falsos.
La pasión se puso anteojos
de tan engañosos grados,
que a mis moderadas prendas
agrandaban los tamaños.
Víctima en mis aras eran,
devotamente postrados,
los corazones de todos
con tan comprensivo lazo,
que habiendo sido al principio
aquel culto voluntario,
llegó después la costumbre,
favorecida de tantos,
a hacer como obligatorio
el festejo cortesano;
y si alguno disentía
paradojo o avisado,
no se atrevía a proferirlo,
temiendo que, por extraño,
su dictamen no incurriese,
siendo de todos contrario,
en la nota de grosero
o en la censura de vano.
  Entre estos aplausos yo,
con la atención zozobrando
entre tanta muchedumbre,
sin hallar seguro blanco,
no acertaba a amar a alguno,
viéndome amada de tantos.
Sin temor en los concursos
defendía mi recato
con peligros del peligro
y con el daño del daño.

Con una afable modestia
igualando el agasajo,
quitaba lo general,
lo sospechoso al agrado.
Mis padres, en mi mesura
vanamente asegurados,
se descuidaron conmigo:
¡qué dictamen tan errado,
pues fue quitar por de fuera
las guardas y los candados
a una fuerza que en sí propia
encierra tantos contrarios!
Y como tan neciamente
conmigo se descuidaron,
fue preciso hallarme el riesgo
donde me perdió el cuidado.

Sucedió, pues, que entre muchos
que de mi fama incitados
contestar con mi persona
intentaban mis aplausos,
llegó acaso a verme (¡Ay Cielos!
¿Cómo permitís tiranos
que un afecto tan preciso
se forjase de un acaso?)
don Carlos de Olmedo, un joven
forastero, mas tan claro
por su origen, que en cualquiera
lugar que llegue a hospedarlo,
podrá no ser conocido,
pero no ser ignorado.

Aquí, que me des te pido
licencia para pintarlo,
por disculpar mis errores,
o divertir mis cuidados;
o porque al ver de mi amor
los extremos temerarios,
no te admire que el que fue
tanto, mereciera tanto.
Era su rostro un enigma
compuesto de dos contrarios
que eran valor y hermosura,

tan felizmente hermanados,
que faltándole a lo hermoso
la parte de afeminado,
hallaba lo más perfecto
en lo que estaba más falto;
porque ajando las facciones
con un varonil desgarro,
no consistió a la hermosura
tener imperio asentado:
tan remoto a la noticia,
tan ajeno del reparo,
que aun no le debió lo bello
la atención de despreciarlo;
que como en un hombre está
lo hermoso como sobrado,
es bueno para tenerlo
y malo para ostentarlo.
Era el talle como suyo,
que aquel talle y aquel garbo,
aunque la Naturaleza
a otro dispusiera darlo,
sólo le asentara bien
al espíritu de Carlos:
que fue de su providencia
esmero bien acertado,
dar un cuerpo tan gentil
a espíritu tan gallardo.
Gozaba un entendimiento
tan sutil, tan elevado,
que la edad de lo entendido
era un mentís de sus años.
Alma de estas perfecciones
era el gentil desenfado
de un despejo tan airoso,
un gusto tan cortesano,
un recato tan amable,
un tan atractivo agrado,
que en el más bajo descuido
se hallaba el primor más alto;
tan humilde en los afectos,
tan tierno en los agasajos,

tan fino en las persuasiones,
tan apacible en el trato
y en todo, en fin tan perfecto,
que ostentaba cortesano
despojos de lo rendido,
por galas de lo alentado.
En los desdenes sufrido,
en los favores callado,
en los peligros resuelto,
y prudente en los acasos.
Mira si con estas prendas,
con otras más que te callo,
quedaría, en la más cuerda,
defensa para el recato.
En fin, yo le amé; no quiero
cansar tu atención contando
de mi temerario empeño
la historia caso por caso;
pues tu discreción no ignora
de empeños enamorados,
que es su ordinario principio
desasosiego y cuidado,
su medio, lances y riesgos,
su fin, tragedias o agravios.
Creció el amor en los dos
recíproco y deseando
que nuestra feliz unión
lograda en tálamo casto
confirmase de Himeneo
el indisoluble lazo;
y porque acaso mi padre,
que ya para darme estado
andaba entre mis amantes
los méritos regulando,
atento a otras conveniencias
no nos fuese de embarazo,
dispusimos esta noche
la fuga, y atropellando
el cariño de mi padre,
y de mi honor el recato,
salí a la calle, y apenas

daba los primeros pasos
entre cobardes recelos
de mi desdicha, fiando
la una mano a las basquiñas
y a mi manto la otra mano,
cuando a nosotros resueltos
llegaron dos embozados.
"¿Qué gente?" dicen, y yo
con el aliento turbado,
sin reparar lo que hacía
(porque suele en tales casos
hacer publicar secretos
el cuidado de guardarlos),
"¡Ay, Carlos, perdidos somos!"
dije, y apenas tocaron
mis voces a sus oídos
cuando los dos arrancando
los aceros, dijo el uno:
"Matadlo, don Juan, matadlo;
que esa tirana que lleva,
es doña Leonor de Castro,
mi prima". Sacó mi amante
el acero, y alentado,
apenas con una punta
llegó al pecho del contrario,
cuando diciendo: "¡Ay de mí!"
dio en tierra, y viendo el fracaso
dio voces el compañero,
a cuyo estruendo llegaron
algunos; y aunque pudiera
la fuga salvar a Carlos,
por no dejarme en el riesgo
se detuvo temerario,
de modo que la Justicia,
que acaso andaba rondando,
llegó a nosotros, y aunque
segunda vez obstinado
intentaba defenderse,
persuadido de mi llanto
rindió la espada a mi ruego,
mucho más que a sus contrarios.

Prendiéronle, en fin; y a mí,
como a ocasión del estrago,
viendo que el que queda muerto
era don Diego de Castro,
mi primo, en tu noble casa,
señora, depositaron
mi persona y mis desdichas,
donde en un punto me hallo
sin crédito, sin honor,
sin consuelo, sin descanso,
sin aliento, sin alivio,
y finalmente esperando
la ejecución de mi muerte
en la sentencia de Carlos.

DOÑA ANA.—*(Aparte:*
¡Cielos!, ¿qué es esto que escucho?
Al mismo que yo idolatro
es al que quiere Leonor...
¡Oh qué presto que ha vengado
Amor a don Juan! ¡Ay triste!)
—Señora, vuestros cuidados
siento como es justo. —Celia,
lleva esta dama a mi cuarto
mientras yo a mi hermano espero.

CELIA.—Venid, señora.

DOÑA LEONOR.— Tus pasos
sigo, ¡ay de mí!, pues es fuerza
obedecer a los hados.

(Vanse Celia y doña Leonor.)

DOÑA ANA.—Si de Carlos la gala y bizarría
pudo por sí mover a mi cuidado,
¿cómo parecerá, siendo envidiado,
lo que sólo por sí bien parecía?
Si sin triunfo rendirle pretendía,
sabiendo ya que vive enamorado
¿qué victoria será verle apartado
de quien antes por suyo le tenía?
Pues perdone don Juan, que aunque yo quiera
pagar su amor, que a olvido ya condeno,
¿cómo podré si ya en mi pena fiera
introducen los celos su veneno?

Que es Carlos más galán; y aunque no fuera,
tiene de más galán el ser ajeno.

ESCENA III

(Sale don Carlos con la espada desnuda, y Castaño.)

DON CARLOS.–Señora, si en vuestro amparo
hallan piedad las desdichas,
lograd el triunfo mayor
siendo amparo de las mías.
Siguiendo viene mis pasos
no menos que la Justicia,
y como huir de ella es
generosa cobardía,
al asilo de esos pies
mi acosado aliento aspira,
aunque si ya perdí el alma,
poco me importa la vida.
CASTAÑO.–A mí sí me importa mucho;
y así, señora, os suplica
mi miedo, que me escondáis
debajo de las basquiñas.
DON CARLOS.–¡Calla, necio!
CASTAÑO.– ¿Pues será
la primer vez, si lo miras,
ésta, que los sacristanes
a los delincuentes libran?
DOÑA ANA.–*(Aparte:*
Carlos es, ¡válgame el Cielo!
La ocasión a la medida
del deseo se me viene
de obligar con bizarrías
su amor, sin hacer ultraje
a mi presunción altiva;
pues amparándole aquí
con generosas caricias,
cubriré lo enamorada
con visos de compasiva;
y sin ajar la altivez

que en mi decoro es precisa,
podré, sin rendirme yo,
obligarle a que se rinda;
que aunque sé que ama a Leonor,
¿qué voluntad hay tan fina
en los hombres, que si ven
que otra ocasión los convida
la dejen por la que quieren?
Pues alto, Amor, ¿qué vacilas,
si de que puede mudarse
tengo el ejemplo en mí misma?)
—Caballero, las desgracias
suelen del valor ser hijas
y cebo de las piedades;
y así, si las vuestras libran
en mí su alivio, cobrad
la respiración perdida,
y en esta cuadra, que cae
a un jardín, entrad aprisa,
antes que venga un hermano
que tengo, y con la malicia
de veros conmigo solo
otro riesgo os aperciba.

DON CARLOS.—No quisiera yo, señora,
que el amparo de mi vida
a vos os costara un susto.

CASTAÑO.—¿Ahora en aqueso miras?
¡Cuerpo de quien me parió!

DOÑA ANA.—Nada a mí me desanima.
Venid, que aquí hay una pieza
que nunca mi hermano pisa,
por ser en la que se guardan
alhajas que en las visitas
de cumplimiento me sirven,
como son alfombras, sillas
y otras cosas; y además
de aqueso, tiene salida
a un jardín, por si algo hubiere;
y porque nada os aflija,
venid y os la mostraré:
pero antes será precisa

diligencia el que yo cierre
la puerta, porque advertida
salga en llamando mi hermano.

CASTAÑO.–*(Aparte a don Carlos.)* Señor, ¡qué casa tan rica
y qué dama tan bizarra!
¿No hubieras (¡pese a mis tripas,
que claro es que ha de pesarles,
pues se han de quedar vacías!)
enamorado tú a aquésta
y no a aquella pobrecita
de Leonor, cuyo caudal
son cuatro bachillerías?

DON CARLOS.–¡Vive Dios, villano!

DOÑA ANA.– Vamos.
(Aparte.) Amor, pues que tú me brindas
con la dicha, no le niegues
después el logro a la dicha. *(Vanse.)*

CUADRO SEGUNDO

[*En casa de Leonor.*]

ESCENA IV

(Salen don Rodrigo y Hernando.)

DON RODRIGO.–¿Qué me dice, Hernando?

HERNANDO.– Lo que pasa:
que mi señora se salió de casa.

DON RODRIGO.–¿Y con quién, no has sabido?

HERNANDO.– ¿Cómo puedo,
si como sabes tú, todo Toledo
y cuantos a él llegaban
su belleza e ingenio celebraban?
Con lo cual, conocerse no podía
cuál festejo era amor, cuál cortesía;
en que no sé si tú culpado has sido,
pues festejarla tanto has permitido,
sin advertir que, aunque era recatada,
es fuerte la ocasión y el verse amada,

y que es fácil que, amante e importuno,
entre los otros le agradase alguno.

DON RODRIGO.—Hernando, no me apures la paciencia
que aquéste ya no es tiempo de advertencia.
¡Oh fiera! ¿Quién diría
de aquella mesurada hipocresía,
de aquel punto y recato que mostraba,
que liviandad tan grande se encerraba
en su pecho alevoso?
¡Oh mujeres! ¡Oh monstruo venenoso!
¿Quién en vosotras fía,
si con igual locura y osadía,
con la misma medida
se pierde la ignorante y la entendida?
Pensaba yo, hija vil, que tu belleza,
por la incomodidad de mi pobreza,
con tu ingenio sería
lo que más alto dote te daría;
y ahora, en lo que has hecho,
conozco que es más daño que provecho;
pues el ser conocida y celebrada
y por nuevo milagro festejada,
me sirve, hecha la cuenta,
sólo de que se sepa más tu afrenta.
¿Pero cómo a la queja se abalanza
primero mi valor, que a la venganza?
¿Pero cómo, ¡ay de mí!, si en lo que lloro
la afrenta sé y el agresor ignoro?
Y así ofendido, sin saber me quedo
ni cómo, ni de quién vengarme puedo.

HERNANDO.—Señor, aunque no sé con evidencia
quién pudo de Leonor causar la ausencia,
por el rumor que había
de los muchos festejos que le hacía,
tengo por caso llano
que la llevó don Pedro de Arellano.

DON RODRIGO.—Pues si don Pedro fuera,
di ¿qué dificultad hallar pudiera
en que yo por mujer se la entregara
sin que tan grande afrenta me causara?

HERNANDO.—Señor, como eran tantos los que amaban

a Leonor, y su mano deseaban,
y a ti te la han pedido,
temería no ser el elegido:
que todo enamorado es temeroso,
y nunca juzga que será el dichoso;
y aunque usando tal medio
le alabo yo el temor y no el remedio,
sin duda por quitar la contingencia
se quiso asegurar con el ausencia.
Y así, señor, si tomas mi consejo
—tú estás cansado y viejo,
don Pedro es mozo, rico y alentado,
y sobre todo, el mal ya está causado—,
pórtate con él cuerdo, cual conviene,
y ofrécele lo mismo que él se tiene:
dile que vuelva a casa a Leonor bella
y luego al punto cásale con ella,
y él vendrá en ello, pues no habrá quien huya
lo que ha de resultar en honra suya;
y con lo que te ordeno,
vendrás a hacer antídoto el veneno.

DON RODRIGO.—¡Oh Hernando! ¡Qué tesoro es tan preciado
un fiel amigo, o un leal crïado!
Buscar a mi ofensor aprisa elijo
por convertirle de enemigo en hijo.

HERNANDO.—Sí, señor, que el remedio es bien se aplique
antes que el mal que pasa se publique. *(Vanse.)*

CUADRO TERCERO

[*En casa de don Pedro.*]

ESCENA V

(Sale doña Leonor retirándose de don Juan.)

DON JUAN.—Espera, hermosa homicida.
¿De quién huyes? ¿Quién te agravia?
¿Qué harás de quien te aborrece
si así a quien te adora tratas?

Mira que ultrajas huyendo
los mismos triunfos que alcanzas,
pues siendo el vencido yo
tú me vuelves las espaldas,
y que haces que se ejerciten
dos acciones encontradas:
tú, huyendo de quien te quiere;
yo, siguiendo a quien me mata.

DOÑA LEONOR.—Caballero, o lo que sois:
si apenas en esta casa,
que aun su dueño ignoro, acabo
de poner la infeliz planta,
¿cómo queréis que yo pueda
escuchar vuestras palabras,
si de ellas entiendo sólo
el asombro que me causan?
Y así, si como sospecho
me juzgáis otra, os engaña
vuestra pasión. Deteneos
y conoced, más cobrada
la atención, que no soy yo
la que vos buscáis.

DON JUAN.— ¡Ah ingrata!
Sólo eso falta, que finjas,
para no escuchar mis ansias,
como que mi amor tuviera
condición tan poco hidalga
que en escuchar mis lamentos
tu decoro peligrara.
Pues bien para asegurarte,
las experiencias pasadas
bastaban, de nuestro amor,
en que viste veces tantas
que las olas de mi amor
cuando más crespas llegaban
a querer con los deseos
de amor anegar la playa,
era margen tu respeto
al mar de mis esperanzas.

DOÑA LEONOR.—Ya he dicho que no soy yo,
caballero, y esto basta;

idos, o yo llamaré
a quien oyendo esas ansias
las premie por verdaderas
o las castigue por falsas.

DON JUAN.—Escucha.

DOÑA LEONOR.— No tengo qué.

DON JUAN.—¡Pues vive el Cielo, tirana,
que forzada me has de oír
si no quieres voluntaria,
y ha de escucharme grosero
quien de lo atento se cansa!
(Cógela de un brazo.)

DOÑA LEONOR.—¿Qué es esto? ¡Cielos, valedme!

DON JUAN.—En vano a los Cielos llamas,
que mal puede hallar piedad
quien siempre piedad le falta.

DOÑA LEONOR.—¡Ay de mí! ¿No hay quién socorra
mi inocencia?

ESCENA VI

(Salen don Carlos y doña Ana deteniéndolo.)

DOÑA ANA.— Tente, aguarda,
que yo veré lo que ha sido,
sin que tú al peligro salgas
si es que mi hermano ha venido.

DON CARLOS.—Señora, esta voz el alma
me ha atravesado; perdona.

DOÑA ANA.—*(Aparte:*
La puerta tengo cerrada;
y así, de no ser mi hermano
segura estoy; mas me causa
inquietud el que no sea
que Carlos halle a su dama;
pero si ella está en mi cuarto
y Celia fue a acompañarla,
¿qué ruido puede ser éste?
Y a oscuras toda la cuadra
está.)
—¿Quién va?

DON CARLOS.– Yo, señora;
¿que me preguntas?
DON JUAN.– Doña Ana,
mi bien, señora, ¿por qué
con tanto rigor me tratas?
¿Éstas eran las promesas,
éstas eran las palabras
que me distes en Madrid
para alentar mi esperanza?
Si obediente a tus preceptos,
de tus rayos salamandra,
girasol de tu semblante,
Clicie de tus luces claras,
dejé, sólo por servirte,
el regalo de mi casa,
el respeto de mi padre
y el cariño de mi patria;
si tú, si no de amorosa,
de atenta y de cortesana,
diste con tácito agrado
a entender lo que bastaba
para que supiese yo
que era ofrenda mi esperanza
admitida en el sagrado
sacrificio de tus aras,
¿cómo ahora tan esquiva
con tanto rigor me tratas?
DOÑA ANA.–*(Aparte.)* ¿Qué es esto que escucho, Cielos?
¿No es éste don Juan de Vargas,
que mi ingratitud condena
y sus finezas ensalza?
¿Pues quién aquí le ha traído?
DON CARLOS.–Señora, escucha.
(Llega don Carlos a doña Leonor.)
DOÑA LEONOR.– Hombre, aparta;
ya te he dicho que me dejes.
DON CARLOS.–Escucha, hermosa doña Ana,
mira que don Carlos soy,
a quien tu piedad ampara.
DOÑA LEONOR.–*(Aparte.)* Don Carlos ha dicho ¡Cielos!,
y hasta en el habla jurara

que es don Carlos; y es que como
tengo a Carlos en el alma,
todos Carlos me parecen,
cuando él ¡ay, prenda adorada!
en la prisión estará.

DON CARLOS.–¿Señora?

DOÑA LEONOR.– Apartad, que basta
deciros que me dejéis.

DON CARLOS.–Si acaso estáis enojada
porque hasta aquí os he seguido,
perdonad, pues fue la causa
solamente el evitar
si algún daño os amenaza.

DOÑA LEONOR.–*(Aparte.)* ¡Válgame Dios, lo que a Carlos
parece!

DON JUAN.– ¿Qué, en fin, ingrata,
con tal rigor me desprecias?

ESCENA VII

(Sale Celia con luz.)

CELIA.–*(Aparte.)* A ver si está aquí mi ama,
para sacar a don Juan
que oculto dejé en su cuadra,
vengo; mas ¿qué es lo que veo?

DOÑA LEONOR.–*(Aparte.)* ¿Qué es esto? ¡El Cielo me valga!
¿Carlos no es éste que miro?

DON CARLOS.–*(Aparte.)* ¡Ésta es Leonor, o me engaña
la aprensión!

DOÑA ANA.–*(Aparte.)* ¿Don Juan aquí?
Aliento y vida me faltan.

DON JUAN.–*(Aparte.)* ¿Aquí don Carlos de Olmedo?
Sin duda que de doña Ana
es amante, y que por él
aleve, inconstante y falsa
me trata a mí con desdén.

DOÑA LEONOR.–*(Aparte.)* ¡Cielos! ¿En aquesta casa
Carlos, cuando amante yo
en la prisión le lloraba?

¿En una cuadra escondido,
y a mí, pensando que hablaba
con otra, decirme amores?
Sin duda que de esta dama
es amante. Pero ¿cómo?
¿Si es ilusión lo que pasa
por mí? ¡Si a él llevaron preso
y quedé depositada
yo! Toda soy un abismo
de penas.

DON JUAN.– ¡Fácil, liviana!
¿Éstos eran los desdenes:
tener dentro de tu casa
oculto un hombre? ¡Ay de mí!
¿Por esto me desdeñabas?
¡Pues, vive el Cielo, traidora,
que pues no puede mi saña
vengar en ti mi desprecio,
porque aquella ley tirana
del respeto a las mujeres,
de mis rigores te salva,
me he de vengar en tu amante!

DOÑA ANA.–¡Detente, don Juan, aguarda!

DON CARLOS.– *(Aparte.)* Son tantas las confusiones
en que mi pecho batalla,
que en su varia confusión
el discurso se embaraza,
y por discurrirlo todo
acierto a discurrir nada.
¡Aquí Leonor, Cielos! ¿Cómo?

DOÑA ANA.–¡Detente!

DON JUAN.– ¡Aparta, tirana,
que a tu amante he de dar muerte!

CELIA.–Señora, mi señor llama.

DOÑA ANA.–¿Qué dices, Celia? ¡Ay de mí!
–Caballeros, si mi fama
os mueve, débaos ahora
el ver que no soy culpada
aquí en la entrada de alguno,
a esconderos, que palabra
os doy de daros lugar

de que averigüéis mañana
la causa de vuestras dudas;
pues si aquí mi hermano os halla,
mi vida y mi honor peligran.

DON CARLOS.—En mí bien asegurada
está la obediencia, puesto
que debo estar a tus plantas
como a amparo de mi vida.

DON JUAN.—Y en mí, que no quiero, ingrata,
aunque ofendido me tienes,
cuando eres tú quien lo manda,
que a otro, porque te obedece,
le quedes más obligada.

DOÑA ANA.—Yo os estimo la atención.
—Celia, tú en distintas cuadras
oculta a los dos, supuesto
que no es posible que salga
hasta la mañana, alguno.

CELIA.—Ya poco término falta.
—Don Juan, conmigo venid.
—Tú, señora, a esa fantasma
éntrala donde quisieres.

(Vanse Celia y don Juan.)

DOÑA ANA.—Caballero, en esa cuadra
os entrad.

DON CARLOS.— Ya te obedezco.
¡Oh, quiera el Cielo que salga
de tan grande confusión! *(Vase.)*

DOÑA ANA.—Leonor, también retirada
puedes estar.

DOÑA LEONOR.— Yo, señora,
aunque no me lo mandaras
me ocultara mi vergüenza. *(Vase.)*

DOÑA ANA.—¿Quién vio confusiones tantas
como en el breve discurso
de tan pocas horas pasan?
¡Apenas estoy en mí!

(Sale Celia.)

CELIA.—Señora, ya en mi posada
está. ¿Qué quieres ahora?

DOÑA ANA.—A abrir a mi hermano baja,

que es lo que ahora importa, Celia.
CELIA.—*(Aparte.)* Ella está tan asutada
que se olvida de saber
cómo entró don Juan en casa;
mas ya pasado el aprieto,
no faltará una patraña
que decir, y echar la culpa
a alguna de las criadas,
que es cierto que donde hay muchas
se peca de confianza,
pues unas a otras se culpan
y unas por otras se salvan. *(Vase.)*
DOÑA ANA.—¡Cielos, en qué empeño estoy:
de Carlos enamorada,
perseguida de don Juan,
con mi enemiga en mi casa,
con criadas que me venden,
y mi hermano que me guarda!
Pero él llega; disimulo.

ESCENA VIII

(Sale don Pedro.)

DON PEDRO.—Señora, querida hermana,
¡qué bien tu amor se conoce,
y qué bien mi afecto pagas,
pues te halló despierta el Sol,
y te ve vestida el Alba!
¿Dónde tienes a Leonor?
DOÑA ANA.—En mi cuadra, retirada
mandé que estuviese, en tanto,
hermano, que tú llegabas.
Mas ¿cómo tan tarde vienes?
DON PEDRO.—Porque al salir de su casa
la conoció un adeudo suyo,
a quien con una estocada
dejó Carlos casi muerto;
y yo viendo alborotada
la calle, aunque no sabían

quién era y quién la llevaba,
para que aquel alboroto
no declarara la causa,
hice que, de los crïados,
dos al herido cargaran,
como de piedad movido,
hasta llevarle a su casa,
mientras otros a Leonor,
y a Carlos preso, llevaban
para entregártela a ti;
y hasta dejar sosegada
la calle, venir no quise.

DOÑA ANA.—Fue atención muy bien lograda,
pues excusaste mil riesgos
sólo con esa tardanza.

DON PEDRO.—Eres en todo discreta;
y pues Leonor sosegada
está, si a ti te parece,
no será bien inquietarla,
que para que oiga mis penas,
teniéndola yo en mi casa,
sobrado tiempo me queda;
que no es amante el que trata
primero de sus alivios
que no del bien de su dama;
y también para que tú
te recojas, que ya basta
por aliviar mis desvelos,
la mala vida que pasas.

DOÑA ANA.—Hermano, yo por servirte
muchos más riesgos pasara,
pues somos los dos tan uno
y tan como propias trata
tus penas el alma, que
imagino al contemplarlas
que tu desvelo y el mío
nacen de una misma causa.

DON PEDRO.—De tu fineza lo creo.

DOÑA ANA.—*(Aparte.)* Si entendieras mis palabras...

DON PEDRO.—Vámonos a recoger,
si es que quien ama descansa.

DOÑA ANA.—*(Aparte.)* Voy a sosegarme un poco,
si es que sosiega quien ama.
DON PEDRO.—Amor, si industrias alientas,
anima mis esperanzas.
DOÑA ANA.—*(Aparte.)* Amor, si tú eres cautelas,
a mis cautelas ampara. *(Vanse.)*

JORNADA SEGUNDA

CUADRO PRIMERO

ESCENA I

(Salen don Carlos y Castaño.)

DON CARLOS.—CASTAÑO, yo estoy sin mí.
CASTAÑO.—Y yo, que en todo te sigo,
tan sólo he estado conmigo
aquel rato que dormí.
DON CARLOS.—¿Sabes lo que me ha pasado?
Mas juzgo que sueño fue.
CASTAÑO.—Si es sueño muy bien lo sé;
y yo también he soñado
y dormido como dama,
pues los vestidos, señor,
que me dio al salir Leonor,
son quien me sirvió de cama.
DON CARLOS.—¿Galas suyas a llevarlas
anoche Leonor te dio?
CASTAÑO.—Si, señor, si *las lïó,*
¿no era preciso el lïarlas?
DON CARLOS.—¿Dónde las tienes?
CASTAÑO.— Allí,
y en cama quiero rompellas,
que pues yo las cargué a ellas,
ellas me carguen a mí.
DON CARLOS.—Yo he visto (¡pierdo el sentido!)
en esta casa a Leonor.
CASTAÑO.—Aqueso será, señor,
que quien bueyes ha perdido...:

y así tú, que en tus amores
te desvanece el furor,
como has perdido a Leonor,
se te aparecen Leonores.
Mas dime qué te pasó
con aquella dama bella,
que así Dios se duela de ella
como de mí se dolió;
porque viendo que contigo
empezaba a discurrir,
me traté yo de dormir
por excusar un testigo.

DON CARLOS.—Castaño, aquésa es malicia;
pero lo que pasó fue
que, como sabes, entré
huyendo de la Justicia;
que ella atenta y cortesana
ampararme prometió,
y en esta cuadra me entró
y me dijo que era hermana
de don Pedro de Arellano,
y que aquí oculto estaría,
porque si acaso venía
no me encontraba su hermano;
y con tanta bizarría
me hizo una y otra promesa,
que con ser tal su belleza
es mayor su cortesía,
y discreta y lisonjera,
alabándome, añadió
cosas que, a ser vano yo,
a otro afecto atribuyera.
Pero son quimeras vanas
de jóvenes altiveces:
que en mirándolas corteses
luego las juzgan livianas;
y sus malicias erradas
en su mismo mal contentas,
si no las ven desatentas,
no las tienen por honradas;
y a un pensar tan desigual

y aun no indigno del desdén,
nunca ellas obran más bien
que cuando las tratan mal,
  pues al que se desvanece
con cualquiera presunción,
le hace daño la atención,
y es porque no la merece.
  Pero, volviendo al suceso
de lo que a mí me pasó,
ella me favoreció,
Castaño, con grande exceso.
  Yo mi historia le conté,
y ella con discreto modo
quedó de ajustarlo todo
con tal que yo aquí me esté,
  diciendo que no me diese
cuidado, que ella lo hacía
por el riesgo que tenía
si yo en público saliese:
  condición, para mí, que
imposible hubiera sido,
a no haberme sucedido
lo que ahora te diré.
  Estando de esta manera,
oímos, al parecer,
dar voces una mujer
en otra cuadra de afuera;
  y aunque doña Ana impedir
que yo saliese quería,
venciéndola mi porfía
por fuerza hube de salir.
  Sacó una luz al rumor
una crïada, y con ella
conocer a Leonor bella
pude.

CASTAÑO.— ¿A quién?

DON CARLOS.— A mi Leonor.

CASTAÑO.—¿A Leonor? ¿Haslo soñado?
¿Hay tan grande bobería?
Yo por loco te tenía,
pero no tan declarado.
  De oírlo sólo me espanto.

Señor, vete poco a poco;
mira, muy bueno es ser loco,
mas no es bueno serlo tanto.
La locura es conveniente
por las entradas de mes,
como luna, un si es no es,
cuanto ayude a ser valiente;
mas no, señor, de manera
que oyendo esos desatinos
te me atisben los vecinos
porque saben la tronera.
DON CARLOS.—Pícaro, si no estuviera
donde estoy...
CASTAÑO.— Tente, señor;
que yo también vi a Leonor.
DON CARLOS.—¿Adónde?
CASTAÑO.— En tu faltriquera,
pintada con mil primores.
Y que era viva entendí,
porque luego que la vi
le salieron los colores;
y aunque de razón escasa
no me resolvió la duda,
yo pensé, viéndolas muda,
que estaba puesta la pasa.
DON CARLOS.—¡Qué friolera!
CASTAÑO.— ¿Qué te enfadas
si viva me pareció?
Algunas he visto yo
que están vivas y pintadas.
DON CARLOS.—Si en belleza es Sol Leonor,
¿para qué afeites quería?
CASTAÑO.—Pues si es Sol, ¿cómo podía
estar sin el resplandor?
Mas si a Leonor viste, di,
¿qué determinas hacer?
DON CARLOS.—Quiero esperar hasta ver
qué causa la trajo aquí;
pues si piadosa mi estrella
aquí la dejó venir,
¿adónde tengo de ir
si aquí me la dejo a ella?

Y así, es mejor esperar
de todo resolución,
para ver si hay ocasión
de volvérmela a llevar.

CASTAÑO.—Bien dices; mas hacia acá,
señor, viene enderezada
una, al parecer crïada
de esta casa.

DON CARLOS.— ¿Qué querrá?

ESCENA II

(Sale Celia.)

CELIA.—Caballero, mi señora
os ordena que al jardín
os retiréis luego, a fin
de que ha de salir ahora
a esta cuadra mi señor,
y no será bien que os vea.
(Aparte.)
Aquesto es porque no sea
que él desde aquí vea a Leonor.

DON CARLOS.—Decidle que mi obediencia
le responde. *(Vase.)*

CELIA.—Vuelvo a irme.

CASTAÑO.—¿Oye vusté, y querrá oírme?

CELIA.—¿Qué he de oír?

CASTAÑO.— De penitencia.

CELIA.—Por cierto, lindos cuidados
se tiene el muy socarrón.

CASTAÑO.—Pues digo, ¿no es confesión
el decirle mis pecados?

CELIA.—No a mi afecto se abalance,
que son lances excusados.

CASTAÑO.—Si nos tienes encerrados,
¿no te he de querer de lance?

CELIA.—Ya he dicho que no me quiera.

CASTAÑO.—Pues ¿qué quiere tu rigor,
si de mi encierro y tu amor

no me puedo hacer afuera?
Mas ¿siendo criada, te engríes?
CELIA.—¿Criada a mí, el muy estropajo?
CASTAÑO.—Calla, que aqueste agasajo
es porque no te descríes.
CELIA.—Yo me voy, que es fuerza, y luego
si no es juego volveré.
CASTAÑO.—Juego es; mas bien sabe usté
que tiene vueltas el juego.

CUADRO SEGUNDO

ESCENA III

(Salen doña Leonor y doña Ana.)

DOÑA ANA.—¿Cómo la noche has pasado,
Leonor?
DOÑA LEONOR.— Decirte, señora,
que no me lo preguntaras
quisiera.
DOÑA ANA.— ¿Por qué?
(Aparte.)
¡Ah penosa
atención, que me precisas
a agradar a quien me enoja!
DOÑA LEONOR.—Porque si me lo preguntas,
es fuerza que te responda
que la pasé bien o mal,
y en cualquiera de estas cosas
encuentro un inconveniente;
pues mis penas y tus honras
están tan mal avenidas,
que si te respondo ahora
que mal, será grosería,
y que bien, será lisonja.
DOÑA ANA.—Leonor, tu ingenio y tu cara
el uno a otro se malogra,
que quien es tan entendida
es lástima que sea hermosa.

DOÑA LEONOR.—Como tú estás tan segura
de que aventajas a todas
las hermosuras, te muestras
fácilmente cariñosa
en alabarlas, porqué
quien no compite, no estorba.
DOÑA ANA.—Leonor, y de tus cuidados
¿cómo estás?
DOÑA LEONOR.— Como quien toca,
náufrago entre la borrasca
de las olas procelosas,
ya con la quilla el abismo,
y ya el cielo con la popa.
(Aparte.)
¿Cómo le preguntaré
—pero está el alma medrosa—
a qué vino anoche Carlos?
Mas ¿qué temo, si me ahoga
después de tantos tormentos,
de los celos la ponzoña?
DOÑA ANA.—Leonor, ¿en qué te suspendes?
DOÑA LEONOR.—Quisiera saber, perdona
que pues ya mi amor te dije,
fuera cautela notoria
querer no mostrar cuidado
de aquello que tú no ignoras
que es preciso que le tenga;
y así, pregunto, señora,
pues sabes ya que yo quiero
a Carlos y que su esposa
soy: ¿cómo entró anoche aquí?
DOÑA ANA.—Deja que no te responda
a esa pregunta tan presto.
DOÑA LEONOR.—¿Por qué?
DOÑA ANA.— Porque quiero ahora
que te diviertas oyendo
cantar.
DOÑA LEONOR.— Mejor mis congojas
se divirtieran sabiendo
esto, que es lo que me importa;
y así...

DOÑA ANA.— Con decirte que
fue una contingencia sola,
te respondo; mas mi hermano
viene.

DOÑA LEONOR.— Pues que yo me esconda
será preciso.

DOÑA ANA.— Antes no,
que ya yo de tu persona
le di cuenta, porque pueda
aliviarte en tus congojas;
que al fin los hombres mejor
diligencian estas cosas,
que nosotras.

DOÑA LEONOR.— Dices bien;
mas no sé qué me alborota.

ESCENA IV

(Sale don Pedro.)

Mas ¡Cielos! ¿qué es lo que miro?
¿Éste es tu hermano, señora?

DON PEDRO.—Yo soy, hermosa Leonor;
¿qué os admira?

DOÑA LEONOR.—*(Aparte.)* ¡Ay de mí! Toda
soy de mármol. ¡Ah, Fortuna,
que así mis males dispongas,
que a la casa de don Pedro
me traigas!

DON PEDRO.— Leonor hermosa,
segura estáis en mi casa;
porque aunque sea a la costa
de mil vidas, de mil almas,
sabré librar vuestra honra
del riesgo que os amenaza.

DOÑA LEONOR.—Vuestra atención generosa
estimo, señor don Pedro.

DON PEDRO.—Señora, ya que las olas
de vuestra airada fortuna
en esta playa os arrojan,

no habéis de decir que en ella
os falta quien os socorra.
Yo, señora, he sido vuestro,
y aunque siempre desdeñosa
me habéis tratado, el desdén
más mi fineza acrisola,
que es muy garboso desaire
el ser fino a toda costa.
Ya en mi casa estáis, y así
sólo tratamos ahora
de agradarnos y serviros,
pues sois dueño de ella toda.
—Divierte a Leonor, hermana.

DOÑA ANA.—Celia.

CELIA.— ¿Qué mandas, señora?

DOÑA ANA.—Dí a Clori y Laura que canten.
(Aparte:
Y tú, pues ya será hora
de lo que tengo dispuesto
porque mi industria engañosa
se logre, saca a don Carlos
a aquesta reja, de forma
que nos mire y que no todo
lo que conferimos oiga.
De este modo lograré
el que la pasión celosa
empiece a entrar en su pecho;
que aunque los celos blasonan
de que avivan el amor,
es su operación muy otra
en quien se ve como dama,
o se mira como esposa,
pues en la esposa despecha
lo que en la dama enamora.)
—¿No vas a decir que canten?

CELIA.—Voy a decir ambas cosas.

DON PEDRO.—Mas con todo, Leonor bella,
dadme licencia que rompa
las leyes de mi silencio
con mis quejas amorosas,
que no siente los cordeles

quien el dolor no pregona.
¿Qué defecto en mi amor visteis
que siempre tan desdeñosa
me tratasteis? ¿Era ofensa
mi adoración decorosa?
Y si amaros fue delito,
¿cómo otro la dicha goza,
e igualándonos la culpa
la pena no nos conforma?
¿Cómo, si es ley el desdén
en vuestra beldad, forzosa,
en mí la ley se ejecuta
y en el otro se deroga?
¿Qué tuvo para con vos
su pasión de más airosa,
de más bien vista su pena,
que siendo una misma cosa,
en mí os pareció culpable
y en el otro meritoria?
Si él os pareció más digno,
¿no supliera en mi persona
lo que de galán me falta
lo que de amante me sobra?
Mas sin duda mi fineza
es quien el premio me estorba,
que es quien la merece menos
quien siempre la dicha logra;
mas si yo os he de adorar
eternamente, ¿qué importa
que vos me neguéis el premio,
pues es fuerza que conozca
que me concedéis de fino
lo que os negáis de piadosa?

DOÑA LEONOR.—Permitid, señor don Pedro,
ya que me hacéis tantas honras,
que os suplique, por quien sois,
me hagáis la mayor de todas;
y sea que ya que veis
que la fortuna me postra
no apuréis más mi dolor,
pues me basta a mí por soga

el cordel de mi vergüenza
y el peso de mis congojas.
Y puesto que en el estado
que veis que tienen mis cosas,
tratarme de vuestro amor
es una acción tan impropia,
que ni es bien decirlo vos
ni justo que yo lo oiga,
os suplico que calléis;
y si es venganza que toma
vuestro amor de mi desdén,
elegidla de otra forma,
que para que estéis vengado
hay en mí penas que sobran.
(Hablan aparte, y salen a una reja
Don Carlos, Celia y Castaño.)

ESCENA V

CELIA.—Hasta aquí podéis salir,
que aunque mandó mi señora
que os retirarais, yo quiero
haceros esta lisonja
de que desde aquesta reja
oigáis una primorosa
música, que a cierta dama,
a quien mi señor adora,
ha dispuesto. Aquí os quedad.
CASTAÑO.—Oiga usted.
CELIA.— No puedo ahora.
(Vase y sale por el otro lado.)
CASTAÑO.—Fuese y cerrónos la puerta
y dejónos como monjas
en reja, y sólo nos falta
una escucha que nos oiga.
(Llega y mira.)
Pero, señor, ¡vive Dios!
que es cosa muy pegajosa
tu locura, pues a mí
se me ha pegado.

DON CARLOS.– ¿En qué forma?
CASTAÑO.–En que escucho los cencerros,
y aun los cuernos se me antojan
de los bueyes que perdimos.
(Llega don Carlos.)
DON CARLOS.–¡Qué miro! ¡Amor me socorra!
¡Leonor, doña Ana y don Pedro
son! ¿Ves cómo no fue cosa
de ilusión el que aquí estaba?
CASTAÑO.–¿Y de que esté no te enojas?
DON CARLOS.–No, hasta saber cómo vino;
que si yo en la casa propia
estoy, sin estar culpado,
¿cómo quieres que suponga
culpa en Leonor? Antes juzgo
que la fortuna piadosa
la condujo adonde estoy.
CASTAÑO.–Muy reposado enamoras,
pues no sueles ser tan cuerdo;
mas ¿si hallando golpe en bola
la ocasión, el tal don Pedro
la cogiese por la cola,
estaríamos muy buenos?
DON CARLOS.–Calla, Castaño, la boca,
que es muy bajo quien sin causa,
de la dama a quien adora,
se da a entender que le ofende,
pues en su aprensión celosa
¿qué mucho de ella le agravie
cuando él a sí se deshonra?
Mas escucha, que ya templan.
DOÑA ANA.–Cantad, pues.
CELIA.– Vaya de solfa.
MÚSICA.–¿Cuál es la pena más grave
que en las penas de amor cabe?
VOZ I.–El carecer del favor
será la pena mayor,
puesto que es el mayor mal.
CORO I.–No es tal.
VOZ I.–Sí es tal.
CORO II.–¿Pues cuál es?

Voz II.– Son los desvelos
a que ocasionan los celos,
que es un dolor sin igual.
Coro II.–No es tal.
Voz II.–Sí es tal.
Coro I.–¿Pues cuál es?
Voz III.– Es la impaciencia
a que ocasiona la ausencia,
que es un letargo mortal.
Coro I.–No es tal.
Voz III.–Sí es tal.
Coro II.–¿Pues cuál es?
Voz IV.– Es el cuidado
con que se goza lo amado,
que nunca es dicha cabal.
Coro II.–No es tal.
Voz IV.–Sí es tal.
Coro I.–¿Pues cuál es?
Voz V.– Mayor se infiere
no gozar a quien me quiere
cuando es el amor igual.
Coro I.–No es tal.
Voz V.–Sí es tal.
Coro II.–Tú, que ahora has respondido,
conozco que solo has sido
quien las penas de amor sabe.
Coro I.–¿Cuál es la pena más grave
que en las penas de amor cabe?
Don Pedro.–Leonor, la razón primera
de las que han cantado aquí
es más fuerte para mí;
pues si bien se considera
es la pena más severa
que puede dar el amor
la carencia del favor,
que es su término fatal.
Doña Leonor.–No es tal.
Don Pedro.–Sí es tal.
Doña Ana.–Yo, hermano, de otra opinión
soy, pues si se llega a ver,
el mayor mal viene a ser

una celosa pasión;
pues fuera de la razón
de que del bien se carece,
con la envidia se padece
otra pena más mortal.

DOÑA LEONOR.—No es tal.

DOÑA ANA.—Sí es tal.

DOÑA LEONOR.—Aunque se halla mi sentido
para nada, he imaginado
que el carecer de lo amado
en amor correspondido;
pues con juzgarse querido
cuando del bien se carece,
el ansia de gozar crece
y con ella crece el mal.

DOÑA ANA.—No es tal.

DOÑA LEONOR.—Sí es tal.

DON CARLOS.—¡Ay, Castaño! Yo dijera
que de amor en los desvelos
son el mayor mal los celos,
si a tenerlos me atreviera;
mas pues quiere Amor que muera,
muera de sólo temerlos,
sin llegar a padecerlos,
pues éste es sobrado mal.

CASTAÑO.—No es tal.

DON CARLOS.—Sí es tal.

CASTAÑO.—Señor, el mayor pesar
con que el amor nos baldona,
es querer una fregona
y no tener qué la dar;
pues si llego a enamorar
corrido y confuso quedo,
pues conseguirlo no puedo
por la falta de caudal.

MÚSICA.—No es tal.

CASTAÑO.—Sí es tal.

CELIA.—El dolor más importuno
que da amor en sus ensayos,
es tener doce lacayos
sin regalarme ninguno,

y tener perpetuo ayuno,
cuando estar hasta debiera
esperando costurera
los alivios del dedal.

MÚSICA.—No es tal.

CELIA.—Sí es tal.

DOÑA ANA.—Leonor, si no te divierte
la música, al jardín vamos,
quizá tu fatiga en él
se aliviará.

DOÑA LEONOR.— ¿Qué descanso
puede tener la que sólo
tiene por alivio el llanto?

DON PEDRO.—Vamos, divino imposible.

DOÑA ANA.—*(Aparte a Celia.)* Haz, Celia, lo que he mandado,
que yo te mando un vestido
si se nos logra el engaño.
(Vanse don Pedro, doña Ana y doña Leonor.)

ESCENA VI

CELIA.—*(Aparte:* Eso sí es mandar con modo;
aunque esto de "Yo te mando",
cuando los amos lo dicen,
no viene a hacer mucho al caso,
pues están siempre tan hechos
que si acaso mandan algo,
para dar luego se excusan
y dicen a los crïados
que lo que mandaron no
fue manda, sino mandato.
Pero vaya de tramoya:
yo llego y la puerta abro;
que puesto que ya don Juan,
que era mi mayor cuidado,
con la llave que le di
estuvo tan avisado
que sin que yo le sacase
se salió paso entre paso
por la puerta del jardín,

y mi señora ha tragado
que fue otra de las crïadas
quien le dio entrada en su cuarto,
gracias a mi hipocresía
y a unos juramentos falsos
que sobre el paso me eché
con tanto desembarazo,
que ella quedó tan segura
que ahora me ha encomendado
lo que allá dirá el enredo,
yo llegó.)
—¿Señor don Carlos?

DON CARLOS.—¿Qué quieres, Celia? ¡Ay de mí!

CELIA.—A ver si habéis escuchado
la música, vine.

DON CARLOS.— Sí,
y te estimo el agasajo.
Mas dime, Celia, ¿a qué vino
aquella dama que ha estado
con doña Ana y con don Pedro?

CELIA.—*(Aparte:*
Ya picó el pez; largo el trapo.)
—Aquella dama, señor...
Mas yo no puedo contarlo
si primero no me dais
la palabra de callarlo.

DON CARLOS.—Yo te la doy. ¿A qué vino?

CELIA.—Temo, señor, que es pecado
descubrir vidas ajenas;
mas supuesto que tú has dado
en que lo quieres saber
y yo en que no he de contarlo,
vaya, mas sin que lo sepas:
y sabe que aquel milagro
de belleza, es una dama
a quien adora mi amo,
y anoche, yo no sé cómo
ni cómo no, entró en su cuarto.
Él la enamora y regala;
con qué fin, yo no lo alcanzo,
ni yo en conciencia pudiera

afirmarte que ello es malo,
que puede ser que lo quiera
para ser fraile descalzo.
Y perdona, que no puedo
decir lo que has preguntado,
que estas cosas mejor es
que las sepas de otros labios. *(Vase Celia.)*

ESCENA VII

DON CARLOS.—Castaño, ¿no has oído aquesto?
Cierta es mi muerte y mi agravio.
CASTAÑO.—Pues si ella no nos lo ha dicho,
¿cómo puedo yo afirmarlo?
DON CARLOS.—¡Cielos! ¿qué es esto que escucho?
¿Es ilusión, es encanto
lo que ha pasado por mí?
¿Quién soy yo? ¿Dónde me hallo?
¿No soy yo quien de Leonor
la beldad idolatrando,
la solicité tan fino,
la serví tan recatado,
que en premio de mis finezas
conseguí favores tantos;
y, por último, seguro
de alcanzar su blanca mano
y de ser solo el dichoso
entre tantos desdichados,
no salió anoche conmigo,
su casa y padre dejando,
reduciendo a mí la dicha
que solicitaban tantos?
¿No la llevó la Justicia?
Pues ¿cómo ¡ay de mí! la hallo
tan sosegada en la casa
de don Pedro de Arellano,
que amante la solicita?
Y yo... Mas ¿cómo no abraso
antes mis agravios, que
pronunciar yo mis agravios?

Mas Cielos, ¿Leonor no pudo
venir por algún acaso
a esta casa, sin tener
culpa de lo que ha pasado,
pues prevenirlo no pudo?
Y que don Pedro, llevado
de la ocasión de tener
en su poder el milagro
de la perfección, pretenda
como mozo y alentado,
lograr la ocasión felice
que la fortuna le ha dado,
sin que Leonor corresponda
a sus intentos osados?
Bien puede ser que así sea;
¿mas cumplo yo con lo honrado,
consintiendo que a mi dama
la festeje mi contrario
y que con tanto lugar
como tenerla a su lado,
la enamore y solicite,
y que haya de ser tan bajo
yo que lo mire y lo sepa
y no intente remediarlo?
Eso no, ¡viven los Cielos!
Sígueme, vamos, Castaño,
y saquemos a Leonor
a pesar de todos cuantos
lo quisieren defender.

CASTAÑO.–Señor, ¿estás dado al diablo?
¿No ves que hay en esta casa
una tropa de lacayos,
que sin que nadie lo sepa
nos darán un sepancuantos,
y andarán descomedidos
por andar muy bien crïados?

DON CARLOS.–Cobarde, ¿aqueso me dices?
Aunque vibre el cielo rayos,
aunque iras el cielo esgrima
y el abismo aborte espantos,
me la tengo de llevar.

CASTAÑO.—¡Ahora, sus! Si ha de ser, vamos;
y luego de aquí a la horca,
que será el segundo paso.

CUADRO TERCERO

ESCENA VIII

(Salen don Rodrigo y don Juan.)

DON RODRIGO.—Don Juan, pues vos sois su amigo,
reducidle a la razón,
pues por aquesta ocasión
os quise traer conmigo;
que pues vos sois el testigo
del daño que me causó
cuando a Leonor me llevó,
podréis con desembarazo
hablar en aqueste caso
con más llaneza que yo.
Ya de todo os he informado,
y en un caso tan severo
siempre lo trata el tercero
mejor que no el agraviado.
Que al que es noble y nació honrado,
cuando se le representa
la afrenta, por más que sienta,
le impide, aunque ése es el medio,
la vergüenza del remedio
el remedio de la afrenta.

DON JUAN.—Señor don Rodrigo, yo,
por la ley de caballero,
os prometo reducir
a vuestro gusto a don Pedro,
a que él juzgo que está llano,
porque tampoco no quiero
vender por fineza mía
a lo que es mérito vuestro.
Y pues, porque no se niegue
no le avisamos, entremos

a la sala...
(Aparte.)
Mas ¿qué miro?
¿Aquí don Carlos de Olmedo,
con quien anoche reñí?
¡Ah ingrata doña Ana! ¡Ah fiero
basilisco!

ESCENA IX

(Sale Celia.)

CELIA.— ¡Jesucristo!
Don Juan de Vargas y un viejo,
señor, y te han visto ya.
DON CARLOS.—No importa, que nada temo.
DON RODRIGO.—Aquí don Carlos está,
y para lo que traemos
que tratar, grande embarazo
será.
CASTAÑO.— Señor, reza el credo,
porque éstos pienso que vienen
para darnos pan de perro;
pues sin duda que ya saben
que fuiste quien a don Diego
hirió y se llevó a Leonor.
DON CARLOS.—No importa, ya estoy resuelto
a cuanto me sucediere.
DON RODRIGO.—Mejor es llegar; yo llego
—don Carlos: don Juan y yo
cierto negocio traemos
que precisamente ahora
se ha de tratar a don Pedro;
y así, si no es embarazo
a lo que venís, os ruego
nos deis lugar, perdonando
el estorbo, que los viejos
con los mozos, y más cuando
son tan bizarros y atentos
como vos, esta licencia
nos tomamos.

DON CARLOS.—*(Aparte.)* ¡Vive el Cielo!,
que aún ignora don Rodrigo
que soy de su agravio el dueño.

DON JUAN.—*(Aparte.)* No sé ¡vive el Cielo! cómo
viendo a don Carlos, contengo
la cólera que me incita.

CELIA.—*(Aparte: a don Carlos.)*
Don Carlos, pues el empeño
miráis en que está mi ama
si llega su hermano a veros,
que os escondáis os suplico.

DON CARLOS.—*(Aparte.)* Tiene razón, ¡vive el Cielo!
que si aquí me ve su hermano,
la vida a doña Ana arriesgo,
y habiéndome ella amparado
es infamia; mas ¿qué puedo
hacer yo en aqueste caso?
Ello no hay otro remedio:
ocúltome, que el honor
de doña Ana es lo primero,
y después saldré a vengar
mis agravios y mis celos.

CELIA.—*(Aparte: a don Carlos.)*
¡Señor, por Dios, que te escondas
antes que salga don Pedro!

DON CARLOS.—Señor don Rodrigo, yo
estoy —perdonad si os tengo
vergüenza, que vuestras canas
dignas son de este respeto—,
sin que don Pedro lo sepa,
en su casa; y así, os ruego
que me dejéis ocultar
antes que él salga, que el riesgo
que un honor puede correr
me obliga.

DON JUAN.—*(Aparte.)* ¡Que esto consiento!
¿Qué más claro ha de decir
que aquel basilisco fiero
de doña Ana aquí le trae?
¡Oh, pese a mi sufrimiento
que no le quito la vida!

Pero ajustar el empeño
es antes, de don Rodrigo,
pues le di palabra de ello;
que después yo volveré,
puesto que la llave tengo
del jardín, y tomaré
la venganza que deseo.

DON RODRIGO.–Don Carlos, nada me admira:
mozo he sido, aunque soy viejo;
vos sois mozo, y es preciso
que deis sus frutos al tiempo;
y supuesto que decís
que os es preciso esconderos,
haced vos lo que os convenga,
que yo la causa no inquiero
de cosas que no me tocan.

DON CARLOS.–Pues adiós.

DON RODRIGO.– Guárdeos el Cielo.

CELIA.–¡Vamos aprisa!
(Aparte: A Dios gracias
que se ha excusado este aprieto.)
–Y vos, señor, esperad
mientras aviso a mi dueño.

DON CARLOS.–*(Aparte.)* Un Etna llevo en el alma.

DON JUAN.–*(Aparte.)* Un volcán queda en el pecho.
(Vanse don Carlos, Celia y Castaño.)

ESCENA X

DON RODRIGO.–Veis aquí cómo es el mundo:
a mí me agravia don Pedro,
don Carlos le agravia a él,
y no faltara un tercero
también que agravie a don Carlos.
Y es que lo permite el Cielo
en castigo de las culpas,
y dispone que paguemos
con males que recibimos
los males que habemos hecho.

DON JUAN.–*(Aparte.)* Estoy tan fuera de mí

de haber visto manifiesto
mi agravio, que no sé cómo
he de sosegar el pecho
para hablar en el negocio
de que he de ser medianero,
que quien ignora los suyos
mal hablará en los ajenos.

(Sale don Carlos a la reja.)

DON CARLOS.—Ya que fuerza ocultarme
por el debido respeto
de doña Ana, como a quien
el amparo y vida debo,
desde aquí quiero escuchar,
pues sin ser yo visto puedo,
a qué vino don Rodrigo,
que entre mil dudas el pecho,
astrólogo de mis males,
me pronostica los riesgos.

ESCENA XI

(Sale don Pedro.)

DON PEDRO.—Señor don Rodrigo, ¿vos
en mi casa? Mucho debo
a la ocasión que aquí os trae,
pues que por ella merezco
que vos me hagáis tantas honras.
DON RODRIGO.—Yo las recibo, don Pedro,
de vos; y ved si es verdad,
pues a vuestra casa vengo
por la honra que me falta.
DON PEDRO.—Don Juan amigo, no es nuevo
el que vos honréis mi casa.
—Tomad entrambos asiento
y decid, ¿cómo venís?
DON JUAN.—Yo vengo al servicio vuestro,
y pues a lo que venimos
dilación no admite, empiezo.
Don Pedro, vos no ignoráis,

como tan gran caballero,
las muchas obligaciones
que tenéis de parecerlo;
esto supuesto, el señor
don Rodrigo tiene un duelo
con vos.

DON PEDRO.– ¿Conmigo, don Juan?
Holgárame de saberlo.
(Aparte.) ¡Válgame Dios! ¿Qué será?

DON RODRIGO.–Don Pedro, ved que no es tiempo
éste de haceros de nuevas,
y si acaso decís eso
por la cortés atención
que debéis a mi respeto,
yo estimo la cortesía,
y en la atención os dispenso.

Vos, amante de Leonor,
la solicitasteis ciego,
pudiendo haberos valido
de mí, y con indignos medios
la sacasteis de mi casa,
cosa que... Pero no quiero
reñir ahora el delito
que ya no tiene remedio;
que cuando os busco piadoso
no es bien reñiros severo,
y como los más se enmiende,
yo os perdonaré lo menos.

Supuesto esto, ya sabéis
vos que no hay sangre en Toledo
que pueda exceder la mía;
y siendo esto todo cierto,
¿qué dificultad podéis
hallar para ser mi yerno?
Y si es falta el estar pobre
y vos rico, fuera bueno
responder eso, si yo
os tratara el casamiento
con Leonor; mas pues vos fuisteis
el que la eligió primero,
y os pusisteis en estado

que ha de ser preciso hacerlo,
no he tenido yo la culpa
de lo que fue arrojo vuestro.
Yo sé que está en vuestra casa,
y sabiéndolo, no puedo
sufrir que esté en ella, sin que
le deis de esposo al momento
la mano.

DON PEDRO.–*(Aparte.)* ¡Válgame Dios!
¿Qué puedo en tan grande empeño
responder a don Rodrigo?
Pues si que la tengo niego,
es fácil que él lo averigüe,
y si la verdad confieso
de que la sacó don Carlos,
se la dará a él y yo pierdo,
si pierdo a Leonor, la vida.
Pues si el casarme concedo,
puede ser que me desaire
Leonor. ¡Quién hallara un medio
con que poder dilatarlo!

DON JUAN.–¿De qué, amigo, estáis suspenso,
cuando la proposición
resulta en decoro vuestro;
cuando el señor don Rodrigo,
tan reportado y tan cuerdo,
os convida con la dicha
de haceros felice dueño
de la beldad de Leonor?

DON PEDRO.–Lo primero que protesto,
señor don Rodrigo, es que
tanto la beldad venero
de Leonor, que puesto que
sabéis ya mis galanteos,
quiero que estéis persuadido
que nunca pudo mi pecho
mirarla con otros ojos,
ni hablarla con otro intento
que el de ser feliz con ser
su esposo. Y esto supuesto,
sabed que Leonor anoche

supo (aun a fingir no acierto)
que estaba mala mi hermana,
a quien con cariño tierno
estima, y vino a mi casa
a verla sólo, creyendo
que vos os tardarais más
con la diversión del juego.
Hízose algo tarde, y como
temió el que hubieseis ya vuelto,
como sin licencia vino,
despachamos a saberlo
un crïado de los míos,
y aquéste volvió diciendo
que ya estabais vos en casa,
y que habíais echado menos
a Leonor, por cuya causa
haciendo justos extremos,
la buscabais ofendido.
Ella, temerosa, oyendo
aquesto, volver no quiso.
Éste es en suma el suceso:
que ni yo saqué a Leonor,
ni pudiera, pretendiendo
para esposa su beldad,
proceder tan desatento
que para mirarme en él
manchara antes el espejo.
Y para que no juzguéis
que ésta es excusa que invento
por no venir en casarme,
mi fe y palabra os empeño
de ser su esposo al instante
como Leonor venga en ello;
y en esto conoceréis
que no tengo impedimento
para dejar de ser suyo
más de que no la merezco.

DON CARLOS.—¿No escuchas esto, Castaño?
¡La vida y el juicio pierdo!

CASTAÑO.—La vida es la novedad;
que lo del juicio, no es nuevo.

DON RODRIGO.—Don Pedro, a lo que habéis dicho
hacer réplica no quiero
sobre si pudo o no ser,
como decís, el suceso;
pero siéndole ya a todos
notorios vuestros festejos,
sabiendo que Leonor falta
y yo la busco, y sabiendo
que en vuestra casa la hallé,
nunca queda satisfecho
mi honor, si vos no os casáis;
y en lo que me habéis propuesto
de si Leonor querrá o no,
eso no es impedimento,
pues ella tener no puede
más gusto que mi precepto;
y así llamadla y veréis
cuán presto lo ajusto.

DON PEDRO.— Temo,
señor, que Leonor se asuste,
y así os suplico deis tiempo
de que antes se lo proponga
mi hermana, porque supuesto
que yo estoy llano a casarme,
y que por dicha lo tengo,
¿qué importa que se difiera
de aquí a mañana, que es tiempo
en que les puedo avisar
a mis amgios y deudos
porque asistan a mis bodas,
y también porque llevemos
a Leonor a vuestra casa,
donde se haga el casamiento?

DON RODRIGO.—Bien decís; pero sabed
que ya quedamos en eso,
y que es Leonor vuestra esposa.

DON PEDRO.—Dicha mía es el saberlo.

DON RODRIGO.—Pues, hijo, adiós; que también
hacer de mi parte quiero
las prevenciones.

DON PEDRO.— Señor,
vamos; os iré sirviendo.
DON RODRIGO.—No ha de ser; y así, quedaos,
que habéis menester el tiempo.
DON PEDRO.—Yo tengo de acompañaros.
DON RODRIGO.—No haréis tal.
DON PEDRO.— Pues ya obedezco.
DON JUAN.—Don Pedro, quedad con Dios.
DON PEDRO.—Id con Dios, don Juan.
(Vanse don Rodrigo y don Juan.)
Yo quedo
tan confuso, que no sé
si es pesar o si es contento,
si es fortuna o es desarie
lo que me está sucediendo.
Don Rodrigo con Leonor
me ruega, yo a Leonor tengo;
el caso está en tal estado
que yo excusarme no puedo
de casarme; solamente
es a Leonor a quien temo,
no sea que lo resista;
mas puede ser que ella, viendo
el estado de las cosas
y de su padre el precepto,
venga en ser mía. Yo voy.
¡Amor, ablanda su pecho! *(Vase.)*

ESCENA XII

(Salen don Carlos y Castaño.)

DON CARLOS.—No debo de estar en mí,
Castaño, pues no estoy muerto.
Don Rodrigo ¡ay de mí! juzga
que a Leonor sacó don Pedro
y se la viene a ofrecer;
y él, muy falso y placentero,
viene en casarse con ella,
sin ver el impedimento
de que salió con otro.

CASTAÑO.—¿Qué quieres? El tal sujeto
es marido convenible
y no repara en pucheros:
él vio volando esta garza
y quiso matarla al vuelo;
conque, si él ya la cazó,
ya para ti *volaverunt*.

DON CARLOS.—Yo estoy tan sin mí, Castaño,
que aun a discurrir no acierto
lo que haré en aqueste caso.

CASTAÑO.—Yo te daré un bueno remedio
para que quedes vengado.
Doña Ana es rica, y yo pienso
que revienta por ser novia;
enamórala, y con eso
te vengas de cuatro y ocho:
que dejas a aqueste necio
mucho peor que endiablado,
encuñadado *in aeternum*.

DON CARLOS.—¡Por cierto, gentil venganza!

CASTAÑO.—¿Mal te parece el consejo?
Tú no debes de saber
lo que es un cuñado, un suegro,
una madrastra, una tía,
un escribano, un ventero
una mula de alquiler,
ni un albacea, que pienso
que del Infierno el mejor
y más bien cobrado censo
no llegan a su zapato.

DON CARLOS.—¡Ay de mí, infeliz! ¿Qué puedo
hacer en aqueste caso?
¡Ay, Leonor, si yo te pierdo,
pierda la vida también!

CASTAÑO.—No pierdas ni aun un cabello,
sino vamos a buscarla;
que en el tribunal supremo
de su gusto, quizá se
revocará este decreto.

DON CARLOS.—¿Y si la fuerza su padre?

CASTAÑO.—¿Qué es forzarla? ¿Pues el viejo

está ya para Tarquino?
Vamos a buscarla luego,
que como ella diga nones,
no hará pares con don Pedro.

DON CARLOS.—Bien dices, Castaño, vamos.

CASTAÑO.—Vamos, y deja lamentos,
que se alarga la jornada
si aquí más nos detenemos.

JORNADA TERCERA

CUADRO PRIMERO

ESCENA I

(Salen Celia y doña Leonor.)

DOÑA LEONOR.—CELIA, yo me he de matar
si tú salir no me dejas
de esta casa, o de este encanto.

CELIA.—Repórtate, Leonor bella,
y mira por tu opinión.

DOÑA LEONOR.—¿Qué opinión quieres que tenga,
Celia, quien de oír acaba
unas tan infaustas nuevas,
como que quiere mi padre,
porque con engaño piensa
que don Pedro me sacó,
que yo ¡ay Dios! su esposa sea?
Y esto cae sobre haber
antes díchome tú mesma
que Carlos ¡ah falso amante!
a doña Ana galantea,
y que con ella pretende
casarse, que es quien pudiera,
como mi esposo, librarme
del rigor de esta violencia.
Conque estando en este estado
no les quedan a mis penas

ni asilo que las socorra,
ni amparo que las defienda.

CELIA.—*(Aparte:*
Verdad es que se lo dije,
y a don Carlos con la mesma
tramoya tengo confuso,
porque mi ama me ordena
que yo despeche a Leonor
para que a su hermano quiera
y ella se quede con Carlos;
y yo viéndola resuelta,
por la manda del vestido
ando haciendo estas quimeras.)
—Pues, señora, si conoces
que ingrato Carlos te deja,
y mi señor te idolatra,
y que tu padre desea
hacerte su esposa, y que
está el caso de manera
que, si dejas de casarte,
pierdes honra y conveniencia,
¿no es mejor pensarlo bien
y resolverte discreta
a lograr aquesta boda,
que es lástima que se pierda?
Y hallarás, si lo ejecutas,
más de tres mil congrüencias,
pues sueldas con esto solo
de tu crédito la quiebra,
obedeces a tu padre,
das gusto a tu parentela,
premias a quien te idolatra,
y de don Carlos te vengas.

DOÑA LEONOR.—¿Qué dices, Celia? Primero
que yo de don Pedro sea,
verás de su eterno alcázar
fugitivas las estrellas;
primero romperá el mar
la no violada obediencia
que a sus desbocadas olas
impone freno de arena;

primero aquese fogoso
corazón de las Esferas
perturbará el orden con que
el cuerpo del orbe alienta;
primero, trocado el orden
que guarda Naturaleza,
congelará el fuego copos,
brotará el hielo centellas;
primero que yo de Carlos,
aunque ingrato me desprecia,
deje de ser, de mi vida
seré verdugo yo mesma;
primero que yo de amarle
deje...

CELIA.– Los primeros deja
y vamos a lo segundo:
que pues estás tan resuelta,
no te quiero aconsejar
sino saber lo que intentas.

DOÑA LEONOR.–Intento, amiga, que tú,
pues te he fiado mis penas,
me des lugar para irme
de aquí, porque cuando vuelva
mi padre, aquí no me halle
y me haga casar por fuerza;
que yo me iré desde aquí
a buscar en una celda
un rincón que me sepulte,
donde llorar mis tragedias
y donde sentir mis males
lo que de vida me resta,
que quizás allí escondida
no sabrá de mí, mi estrella.

CELIA.–Sí, pero sabrá de mí
la mía, y por darte puerta,
vendrá a estrellarse conmigo
mi señor cuando lo sepa,
y seré yo la estrellada,
por no ser tú la estrellera.

DOÑA LEONOR.–Amiga, haz esto por mí
y seré tu esclava eterna,

por ser la primera cosa
que te pido.

CELIA.– Aunque lo sea;
que a la primera que haga
pagaré con las setenas.

DOÑA LEONOR.–¡Pues, vive el Cielo, enemiga,
que si salir no me dejas,
he de matarme y matarte!

CELIA.–*(Aparte.)* ¡Chispas, y qué rayos echa!
¿Mas qué fuera, Jesús mío,
que aquí conmigo embistiera?
¿Qué haré? Pues si no la dejo
ir, y a ser señora llega
de casa, ¿quién duda que
le tengo de pagar ésta?;
y si la dejo salir,
con mi amo habrá le mesma
dificultad. Ahora bien,
mejor es entretenerla,
y avisar a mi señor
de lo que su dama intenta;
que sabiéndolo, es preciso
que salga él a detenerla
y yo quedo bien con ambos,
pues con esta estratagema
ella no queda ofendida
y él obligado me queda.)
–Señora, si has dado en eso,
y en hacerlo tan resuelta
estás, vé a ponerte el manto,
que yo guardaré la puerta.

DOÑA LEONOR.–La vida, Celia, me has dado.

CELIA.–Soy de corazón muy tierna,
y no puedo ver llorar
sin hacerme una manteca.

DOÑA LEONOR.–A ponerme el manto voy.

CELIA.–Anda, pues, y ven apriesa,
que te espero.
(Vase doña Leonor.)
No haré tal,
sino cerraré la puerta,

e iré a avisar a Marsilio
que se le va Melisendra. *(Vase.)*

ESCENA II

(Sale don Juan.)

DON JUAN.—Con la llave del jardín,
que dejó en mi poder Celia
para ir a lograr mis dichas,
quiero averiguar mis penas.
¡Qué mal dije averiguar,
pues a la que es evidencia
no se puede llamar duda!
Pluguiera a Dios estuvieran
mis celos y mis agravios
en estado de sospechas.
Mas ¿cómo me atrevo, cuando
es contra mi honor mi ofensa,
sin ser cierta mi venganza
a hacer mi deshonra cierta?
Si sólo basta a ofenderme
la presunción, ¿cómo piensa
mi honor, que puede en mi agravio
la duda ser evidencia,
cuando la evidencia misma
del agravio en la nobleza,
siendo certidumbre falsa
se hace duda verdadera?
Que como al honor le agravia
solamente la sospecha,
hará cierta su deshonra
quien la verdad juzga incierta
Pues si es así, ¿cómo yo
imagino que hay quien pueda
ofenderme, si aun en duda
no consiento que me ofendan?
Aquí oculto esperaré
a que mi contrario venga;

que ¿quién, del estado en que
está su correspondencia,
duda que vendrá de noche
quien de día sale y entra?
Yo quiero entrar a esperarlo.
¡Honor, mi venganza alienta! *(Vase.)*

ESCENA III

(Sale don Carlos, y Castaño con un envoltorio.)

DON CARLOS.—Por más que he andado la casa
no he podido dar con ella
y vengo desesperado.
CASTAÑO.—Pues, señor, ¿de ver no echas
que están las puertas cerradas
que a esotro cuarto atraviesan,
por el temor de doña Ana
de que su hermano te vea,
o porque a Leonor no atisbes;
y para haceros por fuerza
casar, doña Ana y su hermano
nos han cerrado entre puertas?
DON CARLOS.—Castaño, yo estoy resuelto
a que don Rodrigo sepa
que soy quien sacó a su hija
y quien ser su esposo espera;
que pues por pensar que fue
don Pedro, dársela intenta,
también me la dará a mí
cuando la verdad entienda
de que fui quien la robó.
CASTAÑO.—Famosamente lo piensas;
pero ¿cómo has de salir
si doña Ana es centinela
que no se duerme en las pajas?
DON CARLOS.—Fácil, Castaño, me fuera
el salir contra su gusto,
que no estoy yo de manera
que tengan lugar de ser

tan comedidas mis penas.
Sólo lo que me embaraza
y a mi valor desalienta,
es el irme de su casa
dejando a Leonor en ella,
donde a cualquier novedad
puede importar mi presencia;
y así, he pensado que tú
salgas (pues aunque te vean,
hará ninguno el reparo
en ti que en mí hacer pudieran),
y este papel que ya escrito
traigo, con que le doy cuenta
a don Rodrigo de todo,
le lleves.

CASTAÑO.— ¡Ay, Santa Tecla!
¿Pues cómo quieres que vaya,
y ves aquí que me pesca
en la calle la Justicia
por cómplice en la tormenta
de la herida de don Diego,
y aunque tú el agresor seas,
porque te ayudé al rüido
pago *in solidum* la ofensa?

DON CARLOS.—Éste es mi gusto, Castaño.

CASTAÑO.—Sí, mas no es mi conveniencia.

DON CARLOS.—¡Vive el Cielo, que has de ir!

CASTAÑO.—Señor ¿y es muy buena cuenta,
por cumplir el juramento
de que él viva, que yo muera?

DON CARLOS.—¿Ahora burlas, Castaño?

CASTAÑO.—Antes ahora son veras.

DON CARLOS.—¿Qué es esto, infame; tú tratas
de apurarme la paciencia?
¡Vive Dios, que has de ir o aquí
te he de matar!

CASTAÑO.— Señor, suelta;
que eso es muy ejecutivo,
y en estotro hay contingencia;
dame el papel, que yo iré.

DON CARLOS.—Tómalo y mira que vuelvas

aprisa, por el cuidado
en que estoy.

CASTAÑO.– Dame licencia,
señor, de contarte un cuento
que viene aquí como piedra
en el ojo de un vicario
(que deben de ser canteras):
Salió un hombre a torear,
y a otro un caballo pidió,
el cual, aunque lo sintió,
no se lo pudo negar.
Salió, y el dueño al mirallo,
no pudiéndolo sufrir,
le envió un recado a decir
que le cuidase el caballo,
porque valía un tesoro,
y el otro muy sosegado
respondió: "Aquese recado
no viene a mí, sino al toro."
Tú eres así ahora que
me remites a un paseo
donde, aunque yo lo deseo,
no sé yo si volveré.
Y lo que me causa risa,
aun estando tan penoso,
es que, siendo tan dudoso,
me mandes que venga aprisa.
Y así, yo ahora te digo
como el otro toreador,
que ese recado, señor,
lo envíes a don Rodrigo. *(Sale Celia.)*

CELIA.–Señor don Carlos, mi ama
os suplica vais a verla
al jardín luego al instante,
que tiene cierta materia
que tratar con vos, que importa.

DON CARLOS.–Decid que ya a obedecerla
voy.
(A Castaño.)
Has tú lo que he mandado.
(Vanse don Carlos y Celia.)

ESCENA IV

CASTAÑO.—Yo bien no hacerlo quisiera,
si me valiera contigo
el hacer yo la deshecha.
¡Válgame Dios! ¿Con qué traza
yo a don Rodrigo le diera
aqueste papel, sin que él
ni alguno me conociera?
¡Quién fuera aquí Garatuza,
de quien en las Indias cuentan
que hacía muchos prodigios!
Que yo, como nací en ellas,
le he sido siempre devoto
como a santo de mi tierra.
¡Oh tú, cualquiera que has sido;
oh tú, cualquiera que seas,
bien esgrimas abanico,
o bien arrastres contera,
inspírame alguna traza
que de Calderón parezca,
con que salir de este empeño!
Pero tate, en mi conciencia,
que ya he topado el enredo:
Leonor me dio unas polleras
y unas joyas que trajese,
cuando quiso ser Elena
de este Paris boquirrubio,
y las tengo aquí bien cerca,
que me han servido de cama;
pues si yo me visto de ellas,
¿habrá en Toledo tapada
que a mi garbo se parezca?
Pues ahora bien, yo las saco;
vayan estos trapos fuera.
(Quítase capa, espada y sombrero.)
Lo primero, aprisionar
me conviene la melena,
porque quitará mil vidas
si le doy tantica suelta.
Con este paño pretendo

abrigarme la mollera;
si como quiero lo pongo,
será gloria ver mi pena.
Ahora entran las basquiñas.
¡Jesús, y qué rica tela!
No hay duda que me esté bien,
porque como soy morena
me está del cielo lo azul.
¿Y esto qué es? Joyas son éstas;
no me las quiero poner;
que ahora voy de revuelta.
Un serenero he topado
en aquesta faltriquera;
también me lo he de plantar.
¿Cabráme esta pechuguera?
El solimán me hace falta;
pluguiese a Dios y le hubiera,
que una manica de gato
sin duda me la pusiera;
pero no, que es un ingrato,
y luego en cara me diera.
La color no me hace al caso,
que en este empeño, de fuerza
me han de salir mil colores,
por ser dama de vergüenza.
—¿Qué les parece, señoras,
este encaje de ballena?
Ni puesta con sacristanes
pudiera estar más bien puesta.
Es cierto que estoy hermosa.
¡Dios me guarde, que estoy bella!
Cualquier cosa me está bien,
porque el molde es rara pieza.
Quiero acabar de aliñarme,
que aún no estoy dama perfecta.
Los guantes: aquesto sí,
porque las manos no vean,
que han de ser las de Jacob
con que a Esaú me parezca.
El manto lo vale todo,
échomelo en la cabeza.

¡Válgame Dios! cuánto encubre
esta telilla de seda,
que ni hay foso que así guarde,
ni muro que así defienda,
ni ladrón que tanto encubra,
ni paje que tanto mienta,
ni gitano que así engañe,
ni logrero que así venda.
Un trasunto el abanillo
es de mi garbo y belleza,
pero si me da tanto aire,
¿qué mucho a mí se parezca?
  Dama habrá en el auditorio
que diga a su compañera:
"Mariquita, aqueste bobo
al Tapado representa."
Pues atención, mis señoras,
que es paso de la comedia;
no piensen que son embustes
fraguados acá en mi idea,
que yo no quiero engañarlas,
ni menos a Vuexcelencia.
  Ya estoy armado, y ¿quién duda
que en el punto que me vean
me sigan cuatro mil lindos
de aquestos que galantean
a salga lo que saliere,
y que a bulto se amartelan,
no de la belleza que es,
sino de la que ellos piensan?
Vaya, pues, de damería:
menudo el paso, derecha
la estatura, airoso el brío;
inclinada la cabeza,
un si es no es, al un lado;
la mano es el manto envuelta;
con el un ojo recluso
y con el otro de fuera;
y vamos ya, que encerrada
se malogra mi belleza.

Temor llevo de que alguno
me enamore.
(Va a salir y encuentra a don Pedro.)

ESCENA I

DON PEDRO.— Leonor bella,
¿vos con manto y a estas horas?
(Aparte:
¡Oh qué bien me dijo Celia
de que irse a un convento quiere!)
—¿Adónde vais con tal priesa?
CASTAÑO.—*(Aparte.)* ¡Vive Dios! que por Leonor
me tiene; yo la he hecho buena
si él me quiere descubrir.
DON PEDRO.—¿De qué estás, Leonor, suspensa?
¿Adónde vas, Leonor mía?
CASTAÑO.—*(Aparte.)* ¡Oiga lo que Leonorea!
Mas pues por Leonor me marca,
yo quiero fingir ser ella,
que quizá atiplando el habla
no me entenderá la letra.
DON PEDRO.—¿Por qué no me habláis, señora?
¿Aun no os merece respuesta
mi amor? ¿Por qué de mi casa
os queréis ir? ¿Es ofensa
el adoraros tan fino,
el amaros tan de veras
que, sabiendo que a otro amáis,
está mi atención tan cierta
de vuestras obligaciones,
vuestro honor y vuestras prendas,
que a casarme determino
sin que ningún riesgo tema?
Que en vuestra capacidad
bien sé que tendrá más fuerza,
para mirar por vos misma,
la obligación, que la estrella.
¿Es posible que no os mueve
mi afecto ni mi nobleza,

mi hacienda ni mi persona,
a verme menos severa?
¿Tan indigno soy, señora?
Y, doy caso que lo sea,
¿no me darán algún garbo
la gala de mis finezas?
¿No es mejor para marido,
si lo consideráis cuerda,
quien no galán os adora
que quien galán os desprecia?

CASTAÑO.—(*Aparte:*
¡Gran cosa es el ser rogadas!
Ya no me admiro que sean
tan soberbias las mujeres,
porque no hay que ensoberbezca
cosa, como el ser rogadas.
Ahora bien, de vuelta y media
he de poner a este tonto.)
—Don Pedro, negar quisiera
la causa porque me voy,
pero ya decirla es fuerza:
yo me voy porque me mata
de hambre aquí vuestra miseria;
porque vos sois un cuitado,
vuestra hermana es una suegra,
las crïadas unas tías,
los crïados unas bestias;
y yo de aquesto enfadada,
en cas de una pastelera
a merender garapiñas
voy.

DON PEDRO.—(*Aparte:*
¿Qué palabras son éstas,
y qué estilo tan ajeno
del ingenio y la belleza
de doña Leonor?)
—Señora,
mucho extraña mi fineza
oíros dar de mi familia
unas tan indignas quejas,
que si queréis deslucirme,

bien podéis de otra manera,
y no con tales palabras
que mal a vos misma os dejan.

CASTAÑO.—Digo que me matan de hambre;
¿es aquesto lengua griega?

DON PEDRO.—No es griega, señora, pero
no entiendo en vos esa lengua.

CASTAÑO.—Pues si no entendéis así,
entended de esta manera.
(Quiere irse.)

DON PEDRO.—Tened, que no habéis de iros,
ni es bien que yo lo consienta,
porque a vuestro padre he dicho
que estáis aquí; y así es fuerza
en cualquiera tiempo darle
de vuestra persona cuenta.
Que cuando vos no queráis
casaros, haciendo entrega
de vos quedaré bien puesto,
viendo que la resistencia
de casarse, de mi parte
no está, sino de la vuestra.

CASTAÑO.—Don Pedro, vos sois un necio,
y ésta es ya mucha licencia
de querer vos impedir
a una mujer de mis prendas
que salga a matar su hambre.

DON PEDRO.—*(Aparte:*
¿Posible es, Cielos, que aquéstas
son palabras de Leonor?
¡Vive Dios, que pienso que ella
se finge necia por ver
si con esto me despecha
y me dejo de casar!
¡Cielos, que así me aborrezca;
y que conociendo aquesto
esté mi pasión tan ciega
que no pueda reducirse!)
—Bella Leonor, ¿qué aprovecha
el fingiros necia, cuando
sé yo que sois tan discreta?
Pues antes, de enamorarme

sirve más la diligencia,
viendo el primor y cordura
de saber fingiros necia.

CASTAÑO.—*(Aparte:*
¡Notable aprieto, por Dios!
Yo pienso que aquí me fuerza.
Mejor es mudar de estilo
para ver si así me deja.)
—Don Pedro, yo soy mujer
que sé bien dónde me aprieta
el zapato, y pues ya he visto
que dura vuestra fineza
a pesar de mis desaires,
yo quiero dar una vuelta
y mudarme al otro lado,
siendo aquesta noche mesma
vuestra esposa.

DON PEDRO.— ¿Qué decís,
señora?

CASTAÑO.— Que seré vuestra
como dos y dos son cuatro.

DON PEDRO.—No lo digáis tan apriesa,
no me mate la alegría,
ya que no pudo la pena.

CASTAÑO.—Pues no, señor, no os muráis,
por amor de Dios, siquiera
hasta dejarme un muchacho
para que herede la hacienda.

DON PEDRO.—¿Pues eso miráis, señora?
¿No sabéis que es toda vuestra?

CASTAÑO.—¡Válgame Dios, yo me entiendo;
bueno será tener prendas!

DON PEDRO.—Ésa será dicha mía;
mas, señora, ¿habláis de veras
o me entretenéis la vida?

CASTAÑO.—¿Pues soy yo farandulera?
Palabra os doy de casarme,
si ya no es que por vos queda.

DON PEDRO.—¿Por mí? ¿Eso decís, señora?

CASTAÑO.—¿Qué apostamos que si llega
el caso, queda por vos?

DON PEDRO.—No así agraviéis la fineza.
CASTAÑO.—Pues dadme palabra aquí
de que, si os hacéis afuera,
no me habéis de hacer a mí
algún daño.
DON PEDRO.— ¿Que os lo ofrezca
qué importa, supuesto que
es imposible que pueda
desistirse mi cariño?
Mas permitid que merezca,
de que queréis ser mi esposa,
vuestra hermosa mano en prendas.
CASTAÑO.—*(Aparte:*
Llegó el caso de Jacob.)
—Catadla aquí toda entera.
DON PEDRO.—¿Pues con guante me la dais?
CASTAÑO.—Sí, porque la tengo enferma.
DON PEDRO.—¿Pues qué tenéis en las manos?
CASTAÑO.—Hiciéronme mal en ellas
en una visita un día,
y ni han bastado recetas
de hieles, ni jaboncillos
para que a su albura vuelvan.
(Dentro, don Juan.)
DON JUAN.—¡Muere a mis manos, traidor!
DON PEDRO.—Oye, ¿qué voz es aquélla?
(Dentro, don Carlos.)
DON CARLOS.—¡Tú morirás a las mías,
pues buscas tu muerte en ellas!
DON PEDRO.—¡Vive Dios, que es en mi casa!
CASTAÑO.—Ya suena la voz más cerca.

ESCENA VI

(Salen riñendo don Carlos y don Juan, y doña Ana deteniéndolos.)

DOÑA ANA.—¡Caballeros, deteneos!
(Aparte.)
¡Mas, mi hermano! ¡Yo estoy muerta!

CASTAÑO.—¿Mas si por mí se acuchillan
los que mi beldad festejan?

DON PEDRO.—¿En mi casa y a estas horas
con tan grande desvergüenza
acuchillarse dos hombres?
Mas yo vengaré esta ofensa
dándoles muerte, y más cuando
es don Carlos quien pelea.

DOÑA ANA.—*(Aparte.)* ¿Quién pensara ¡ay infelice!
que aquí mi hermano estuviera?

DON CARLOS.—*(Aparte.)* Don Pedro está aquí, y por él
a mí nada se me diera,
pero se arriesga doña Ana
que es sólo por quien me pesa.

CASTAÑO.—¡Aquí ha sido la de Orán!
Mas yo apagaré la vela;
quizá con eso tendré
lugar de tomar la puerta,
que es sólo lo que me importa.
(Apaga Castaño la vela y riñen todos.)

DON PEDRO.—Aunque hayáis muerto la vela
por libraros de mis iras,
poco importa, que aunque sea
a oscuras, sabré mataros.

DON CARLOS.—*(Aparte.)* Famosa ocasión es ésta
de que yo libre a doña Ana,
pues por ampararme atenta
está arriesgada su vida.
(Sale doña Leonor con manto.)

DOÑA LEONOR.—*(Aparte.)* ¡Ay Dios! Aquí dejé a Celia,
y ahora sólo escucho espadas
y voy pisando tinieblas.
¿Qué será? ¡Válgame Dios!
Pero lo que fuere sea,
pues a mí sólo me importa
ver si topo con la puerta.
(Topa a don Carlos.)

DON CARLOS.—*(Aparte:*
Ésta es sin duda doña Ana.)
—Señora, venid apriesa
y os sacaré de este riesgo.

DOÑA LEONOR.—*(Aparte.)* ¿Qué es esto? ¡Un hombre me lleva!
Mas como de aquí me saque,
con cualquiera voy contenta,
que si él me tiene por otra,
cuando en la calle me vea
podrá dejarme ir a mí,
y volver a socorrerla.

DOÑA ANA.—*(Aparte.)* No tengo cuidado yo
de que sepa la pendencia
mi hermano, y más cuando ha visto
que es don Carlos quien pelea,
y diré que es por Leonor.
Solamente me atormenta
el que se arriesgue don Carlos.
¡Oh, quién toparlo pudiera
para volverlo a esconder!

DON PEDRO.—¡Quien mi honor agravia, muera!

CASTAÑO.—¡Que haya yo perdido el tino
y no tope con la puerta!
Mas aquí juzgo que está.
¡Jesús! ¿Qué es esto? Alacena
en que me he hecho los hocicos
y quebrado diez docenas
de vidrios y de redomas,
que envidiando mi belleza
me han pegado redomazo.

DOÑA ANA.—Ruido he sentido en la puerta;
sin duda alguna se va
don Juan, porque no lo vean,
y lo conozca mi hermano;
y ya dos sólo pelean.
¿Cuál de ellos será don Carlos?
(Llega doña Ana a don Juan.)

DON CARLOS.—La puerta, sin duda, es ésta.
Vamos, señora, de aquí.
(Vase don Carlos con doña Leonor.)

DON PEDRO.—¡Morirás a mi violencia!

DOÑA ANA.—*(Aparte:*
Mi hermano es aquél, y aquéste
sin duda es Carlos.)

—¡Apriesa,
señor, yo os ocultaré!

DON JUAN.—Ésta es doña Ana, e intenta
ocultarme de su hermano;
preciso es obederla.
(Vase doña Ana con don Juan.)

DON PEDRO.—¿Dónde os ocultáis, traidores,
que mi espada no os encuentra?
—¡Hola, traed una luz!
(Sale Celia con luz.)

ESCENA VII

CELIA.—Señor, ¿qué voces son éstas?

DON PEDRO.—¡Qué ha de ser!
(Aparte:
¡Pero qué miro!
Hallando abierta la puerta,
se fueron; mas si Leonor
—que sin duda entró por ella
aquí don Carlos— está
en casa ¿qué me da pena?
Mas, bien será averiguar
cómo entró.)
—Tú, Leonor, entra
a recogerte, que voy
a que aquí tu padre venga,
porque quiero que esta noche
queden nuestras bodas hechas.

CASTAÑO.—Tener hechas las narices
es lo que ahora quisiera.
(Vase Castaño y cierra don Pedro la puerta.)

DON PEDRO.—Encerrar quiero a Leonor,
por si acaso fue cautela
haberme favorecido.
Yo la encierro por de fuera,
porque si acaso lo finge
se haga la burla ella mesma.
Yo me voy a averiguar

quién fuese el que por mis puertas
le dio entrada a mi enemigo,
y por qué era la pendencia
con Carlos y el embozado;
y pues antes que los viera
los vio mi hermana y salió
con ellos, saber es fuerza
cuando a reñir empezaron,
dónde o cómo estaba ella.
(Vase don Pedro.)

CUADRO SEGUNDO

[*Frente a la casa de don Pedro.*]

ESCENA VIII

(Salen don Rodrigo y Hernando.)

DON RODRIGO.—Esto, Hernando, he sabido:
que don Diego está herido,
y que lo hirió quien a Leonor llevaba
cuando en la calle estaba,
porque él la conoció y quitarla quiso,
con que le fue preciso
reñir; y la pendencia ya trabada,
el que a Leonor llevaba, una estocada
le dio, de que quedó casi difunto,
y luego al mismo punto
cargado hasta su casa le llevaron,
donde luego que entraron
en sí volvió don Diego;
pero advirtiendo luego
en los que le llevaron apiadados,
conoció de don Pedro ser crïados;
porque sin duda, Hernando, fue el llevalle
por excusar el ruido de la calle.
Mira qué bien viene esto que ha pasado
con lo que esta mañana me ha afirmado

de que Leonor fue sólo a ver su hermana,
y que yo me detenga hasta mañana
para ver si Leonor casarse quiere;
de donde bien se infiere
que de no hacerlo trata,
y que con estas largas lo dilata;
mas yo vengo resuelto
—que a esto a su casa he vuelto—
a apretarle de suerte
que ha de casarse, o le he de dar la muerte.

HERNANDO.—Harás muy bien, señor, que la dolencia
de honor se ha de curar con diligencia,
porque el que lo dilata neciamente
viene a quedarse enfermo eternamente.

ESCENA IX

(Sale don Carlos con doña Leonor tapada.)

DON CARLOS.—No tenéis ya que temer,
doña Ana hermosa, el peligro.

DOÑA LEONOR.—*(Aparte.)* ¡Cielos! ¿que me traiga Carlos
pensando ¡ah fiero enemigo!
que soy doña Ana? ¿Qué más
claros busco los indicios
de que la quiere?

DON CARLOS.—*(Aparte:*
¡En qué empeño
me he puesto, Cielos divinos,
que por librar a doña Ana
dejo a Leonor al peligro!
¿Adónde podré llevarla
para que pueda mi brío
volver luego por Leonor?
Pero hacia aquí un hombre miro.)
—¿Quién va?

DON RODRIGO.— ¿Es don Carlos?

DON CARLOS.— Yo soy.
(Aparte:
¡Válgame Dios! Don Rodrigo

es. ¿A quién podré mejor
encomendar el asilo
y el amparo de doña Ana?
Que con su edad y su juicio
la compondrá con su hermano
con decencia, y yo me quito
de aqueste embarazo y vuelvo
a ver si puedo atrevido
sacar mi dama.)
—Señor
don Rodrigo, en un conflicto
estoy, y vos podéis solo
sacarme de él.

DON RODRIGO.— ¿En qué os sirvo,
don Carlos?

DON CARLOS.— Aquesta dama
que traigo, señor, conmigo,
es la hermana de don Pedro,
y en un lance fue preciso
el salirse de su casa,
por correr su honor peligro.
Yo, ya veis que no es decente
tenerla, y así os suplico
la tengáis en vuestra casa,
mientras yo a otro empeño asisto.

DON RODRIGO.—Don Carlos, yo la tendré;
claro está que no es bien visto
tenerla vos, y a su hermano
hablaré si sois servido.

DON CARLOS.—Haréisme mucho favor;
y así, yo me voy. *(Vase.)*

ESCENA X

DOÑA LEONOR.—*(Aparte.)* ¿Qué miro?
¡A mi padre me ha entregado!

DON RODRIGO.—Hernando, yo he discurrido
(pues voy a ver a don Pedro,
y Carlos hizo lo mismo
que él sacándole a su hermana,

que ya por otros indicios
sabía yo que la amaba)
valerme de este motivo
tratando de que la case,
porque ya como de hijo
debo mirar por su honor;
y él quizá más reducido,
viendo a peligro su honor,
querrá remediar el mío.

HERNANDO.—Bien has dicho, y me parece
buen modo de constreñirlo
el no entregarle a su hermana
hasta que él haya cumplido
con lo que te prometió.

DON RODRIGO.—Pues yo entro. —Venid conmigo,
Señora, y nada temáis
de riesgo, que yo me obligo
a sacaros bien de todo.

CUADRO TERCERO

[*En casa de don Pedro.*]

ESCENA XI

DOÑA LEONOR.—*(Aparte.)* A casa de mi enemigo
me vuelve a meter mi padre;
y ya es preciso seguirlo,
pues descubrirme no puedo.

DON RODRIGO.—Pero allí a don Pedro miro.
—Vos, señora, con Hernando
os quedad en este sitio,
mientras hablo a vuestro hermano.

DOÑA LEONOR.—*(Aparte.)* ¡Cielos, vuestro influjo impío
mudad, o dadme la muerte,
pues me será más benigno
un fin breve, aunque es atroz,
que un prolongado martirio!

DON RODRIGO.—Pues yo me quiero llegar.

ESCENA XII

(Sale don Pedro.)

DON PEDRO.—*(Aparte:*
¡Que saber no haya podido
mi enojo, quién en mi casa
le dio entrada a mi enemigo,
ni haya encontrado a mi hermana!...
Mas buscarla determino
hacia el jardín, que quizá,
temerosa del rüido,
se vino hacia aquesta cuadra.
Yo voy; pero don Rodrigo
está aquí. A buen tiempo viene,
pues que ya Leonor me ha dicho
que gusta de ser mi esposa.)
—Seais, señor, bien venido,
que a no haber venido vos,
en aqueste instante mismo
había yo de buscaros.
DON RODRIGO.—La diligencia os estimo;
sentémonos, que tenemos
mucho que hablar.
DON PEDRO.—*(Aparte.)* Ya colijo
que a lo que podrá venir
resultará en gusto mío.
DON RODRIGO.—Bien habréis conjeturado
que lo que puede, don Pedro,
a vuestra casa traerme
es el honor, pues le tengo
fiado a vuestra palabra;
que, aunque sois tan caballero,
mientras no os casáis está
a peligro siempre expuesto;
y bien veis que no es alhaja
que puede en un noble pecho
permitir la contingencia;
porque es un cristal tan terso,
que, si no le quiebra el golpe,
le empaña sólo el aliento.

Esto habréis pensado vos,
y haréis bien en pensar esto,
pues también esto me trae.
Mas no es esto a lo que vengo
principalmente; porqué
quiero con vos tan atento
proceder, que conozcáis
que teniendo de por medio
el cuidado de mi hija
y de mi honor el empeño,
con tanta cortesanía
procedo con vos, que puedo
hacer mi honor accesorio
por poner primero el vuestro.
Ved si puedo hacer por vos
más; aunque también concedo
que ésta es conveniencia mía:
que habiendo de ser mi yerno,
el quereros ver honrado
resultará en mi provecho.
Ved vos cuán celoso soy
de mi honor, y con qué extremo
sabré celas mi opinión
cuando así la vuestra celo.
   Supuesto esto, ya sabéis
vos que don Carlos de Olmedo,
demás del lustre heredado
de su noble nacimiento...

DON PEDRO.–*(Aparte.)* A don Carlos me ha nombrado.
¿Dónde irá a parar aquesto,
y el no hablar en que me case?
Sin duda, sabe el suceso
de que la sacó don Carlos.
¡Hoy la vida y honra pierdo!

DON RODRIGO.–El color habéis perdido,
y no me admiro: que oyendo
cosas tocantes a honor,
no fuerais noble, ni cuerdo,
ni honrado si no mostrarais
ese noble sentimiento.
Mas pues de lances de amor

tenéis en vos el ejemplo,
y que vuestra propia culpa
honesta el delito ajeno,
no tenéis de qué admiraros
de lo mismo que habéis hecho.

ESCENA XIII

(Sale doña Ana al paño.)

DOÑA ANA.—Don Rodrigo con mi hermano
está. Desde aquí pretendo
escuchar a lo que vino;
que como a don Carlos tengo
oculto, y lo vio mi hermano,
todo lo dudo y lo temo.
DON RODRIGO.—Digo, pues, que aunque ya vos
enterado estaréis de esto,
don Carlos a vuestra hermana
hizo lícitos festejos;
correspondióle doña Ana...
No fue mucho, pues lo mesmo
sucedió a Leonor con vos.
DON PEDRO.—¿Qué es esto? ¡Válgame el Cielo!
¿Don Carlos quiere a mi hermana?
DOÑA ANA.—¿Cómo llegar a saberlo
ha podido don Rodrigo?
DON RODRIGO.—Digo, por no deteneros
con lo mismo que sabéis,
que viéndose en el aprieto
de haberlo ya visto vos
y de estar con él riñendo,
la sacó de vuestra casa.
DON PEDRO.—¿Qué es lo que decís?
DON RODRIGO.— Lo mesmo
que vos sabéis y lo propio
que hicisteis vos. Pues ¿es bueno
que me hicierais vos a mí
la misma ofensa, y que cuerdo
venga a tratarlo, y que vos,

sin ver que permite el Cielo
que veamos por nosotros
la ofensa que a otros hacemos,
os mostréis tan alterado?
Tomad, hijo, mi consejo:
que en las dolencias de honor
no todas veces son buenos,
si bastan sólo süaves,
los medicamentos recios,
que antes suelen hacer daño;
pues cuando está malo un miembro,
el experto cirujano
no luego le aplica el hierro
y corta lo dolorido,
sino que aplica primero
los remedios lenitivos;
que acudir a los cauterios,
es cuando se reconoce
que ya no hay otro remedio.
Hagamos lo mismo acá:
don Carlos me ha hablado en ello,
doña Ana se fue con él
y yo en mi poder la tengo;
ellos lo han de hacer sin vos...
¿Pues no es mejor, si han de hacerlo,
que sea con vuestro gusto,
haciendo cuerdo y atento,
voluntario lo preciso?
Que es industria del ingenio
vestir la necesidad
de los visos del afecto.
Aquéste es mi parecer;
ahora consultad cuerdo
a vuestro honor, y veréis
si os está bien el hacerlo.
　Y en cuanto a lo que a mí toca,
sabed que vengo resuelto
a que os caséis esta noche;
pues no hay por qué deteneros,
cuando vengo de saber

que a mi sobrino don Diego
dejasteis herido anoche,
porque llegó a conoceros
y a Leonor quiso quitaros.
Ved vos cuán mal viene aquesto
con que vos no la sacasteis;
y en suma, éste es largo cuento.
Pues sólo con que os caséis,
queda todo satisfecho.

DOÑA ANA.–Temblando estoy qué responde
mi hermano; mas yo no encuentro
qué razón pueda mover
a fingir estos enredos
a don Rodrigo.

DON PEDRO.– Señor:
digo, cuanto a lo primero,
que el decir que no saqué
a Leonor, fue fingimiento
que me debió decoroso
mi honor y vuestro respeto;
y pues sólo con casarme
decís que quedo bien puesto,
a la beldad de Leonor
oculta aquel aposento
y ahora en vuestra presencia
le daré de esposo y dueño
la mano; pero sabed
que me habéis de dar primero
a doña Ana, para que,
siguiendo vuestro consejo,
la despose con don Carlos
al instante.
(Aparte:
Pues con esto,
seguro de este enemigo
de todas maneras quedo.)

DON RODRIGO.–¡Oh qué bien que se conoce
vuestra nobleza y talento!
Voy a que entre vuestra hermana
y os doy las gracias por ello.

ESCENA XIV

(Sale doña Ana.)

DOÑA ANA.—No hay para qué, don Rodrigo,
pues para dar las que os debo
estoy yo muy prevenida.
—Y a ti, hermano, aunque merezco
tu indignación, te suplico
que examines por tu pecho
las violencias del amor,
y perdonarás con esto
mis yerros, si es que lo son,
siendo tan dorados yerros.
DON PEDRO.—Alza del suelo, doña Ana;
que hacerse tu casamiento
con más decencia pudiera,
y no poniendo unos medios
tan indecentes.
DON RODRIGO.— Dejad
aquesto, que ya no es tiempo
de reprensión; envïad
un crïado de los vuestros
que a buscar vaya a don Carlos.
DOÑA ANA.—No hay que envïarlo, supuesto
que, como a mi esposo, oculto
dentro de mi cuarto le tengo.
DON PEDRO.—Pues sácale, luego al punto.
DOÑA ANA.—¡Con qué gusto te obedezco;
que al fin mi amante porfía
ha logrado sus deseos! *(Vase.)*
DON PEDRO.—¡Celia!
(Sale Celia.)
CELIA.— ¿Qué me mandas?
DON PEDRO.— Toma
la llave de ese aposento
y avisa a Leonor que salga.
¡Oh amor, que al fin de mi anhelo
has dejado que se logren
mis amorosos intentos!
(Recibe Celia la llave y vase.)

DOÑA LEONOR.–*(Aparte.)* Pues me tienen por doña Ana,
entrarme quiero allá dentro
y librarme de mi padre,
que es el más próximo riesgo;
que después, para librarme
de la instancia de don Pedro,
no faltarán otros modos.
Mas subir a un hombre veo
la escalera. ¿Quién será?

ESCENA XV

(Sale don Carlos.)

DON CARLOS.–*(Aparte.)* A todo trance resuelto
vengo a sacar a Leonor
de este indigno cautiverio;
que supuesto que doña Ana
está ya libre de riesgo,
no hay por qué esconder la cara
mi valor; y ¡vive el Cielo,
que la tengo de llevar,
o he de salir de aquí muerto!
(Pasa don Carlos por junto a doña Leonor.)
DOÑA LEONOR.–*(Aparte.)* Carlos es, ¡válgame Dios!
y de cólera tan ciego
va, que no reparó en mí.
Pues ¿a qué vendrá, supuesto
que me lleva a mí, pensando
que era yo doña Ana? ¡Ah, Cielos,
que me hayáis puesto en estado
que estos ultrajes consiento!
Mas ¿si acaso conoció
que dejaba en el empeño
a su dama, y a librarla
viene ahora? Yo me acerco
para escuchar lo que dice.
DON CARLOS.–Don Pedro, cuando yo entro
en casa de mi enemigo,
mal puedo usar de lo atento.

Vos me tenéis... Mas, ¿qué miro?
¿Don Rodrigo, aquí?

DON RODRIGO.– Teneos,
don Carlos, y sosegaos,
porque ya todo el empeño
está ajustado; ya viene
en vuestro gusto don Pedro,
y pues a él se lo debéis,
dadle el agradecimiento;
que yo el parabién os doy
de veros felice dueño
de la beldad que adoráis,
que gocéis siglos eternos.

DON CARLOS.–*(Aparte:*
¿Qué es esto? Sin duda ya
se sabe todo el suceso,
porque Castaño el papel
debió de dar ya, y sabiendo
don Rodrigo que fui yo
quien le sacó, quiere cuerdo
portarse y darme a Leonor;
y sin duda ya don Pedro
viendo tanto desengaño
se desiste del empeño.)
–Señor, palabras me faltan
para poder responderos;
mas válgame lo dichoso
para disculpar lo necio,
que en tan no esperada dicha
como la que yo merezco,
si no me volviera loco
estuviera poco cuerdo.

DON RODRIGO.–Mirad si os lo dije yo:
quiérela con grande extremo.

DOÑA LEONOR.–*(Aparte.)* ¿Qué es esto, Cielos, que escucho?
¿Qué parabienes son éstos
ni qué dichas de don Carlos?

DON PEDRO.–Aunque debierais atento
haberos de mí valido,
supuesto que gusta de ello
don Rodrigo, cuyas canas

como de padre venero,
yo me tengo por dichoso
en que tan gran caballero
se sirva de honrar mi casa.

DOÑA LEONOR.—*(Aparte.)* Ya no tengo sufrimiento.
¡No ha de casarse el traidor!

(Llega doña Leonor con manto.)

DON RODRIGO.—Señora, a muy lindo tiempo
venís; mas ¿por qué os habéis
otra vez el manto puesto?
Aquí está ya vuestro esposo.
—Don Carlos, los cumplimientos
basten ya, dadle la mano
a doña Ana.

DON CARLOS.— ¿A quién? ¿Qué es esto?

DON RODRIGO.—A doña Ana, vuestra esposa.
¿De qué os turbáis?

DON CARLOS.— ¡Vive el Cielo,
que éste es engaño y traición!
¿Yo a doña Ana?

DOÑA LEONOR.—*(Aparte.)* ¡Albricias, Cielos,
que ya desprecia a doña Ana!

DON PEDRO.—Don Rodrigo, ¿qué es aquesto?
¿Vos, de parte de don Carlos,
no vinisteis al concierto
de mi hermana?

DON RODRIGO.— Claro está;
y fue porque Carlos mesmo
me entregó a mí a vuestra hermana
que la llevaba, diciendo
que la sacaba porqué
corría su vida riesgo.
—¿Señora, no fue esto así?

DOÑA LEONOR.—Sí, señor, y yo confieso
que soy esposa de Carlos,
como vos vengáis en ello.

DON CARLOS.—Muy mal, señora doña Ana,
habéis hecho en exponeros
a tan público desaire
como por fuerza he de haceros;
pero, pues vos me obligáis

a que os hable poco atento,
quien me busca exasperado
me quiere sufrir grosero;
si mejor a vos que a alguno
os consta que yo no puedo
dejar de ser de Leonor.

DON RODRIGO.–¿De Leonor? ¿Qué? ¿Cómo es eso?
¿Qué Leonor?

DON CARLOS.– De vuestra hija.

DON RODRIGO.–¿De mi hija? ¡Bien, por cierto,
cuando es de don Pedro esposa!

DON CARLOS.–¡Antes que logre el intento,
le quitaré yo la vida!

DON PEDRO.–¡Ya es mucho mi sufrimiento,
pues en mi presencia os sufro
que atrevido y desatento
a mi hermana desairéis
y pretendáis a quien quiero!

ESCENA XVI

(Empuñan las espadas; y salen doña Ana y don Juan de la mano, y por la otra puerta Celia, y Castaño de dama.)

DOÑA ANA.–A tus pies, mi esposo y yo,
hermano...
(Aparte:
¿Pero qué veo?
A don Juan es a quien traigo,
que en el rostro el ferreruelo
no le había conocido.)

DON PEDRO.–Doña Ana, ¿pues cómo es esto?

CELIA.–Señor, aquí está Leonor.

DON PEDRO.–¡Oh hermoso, divino dueño!

CASTAÑO.–*(Aparte.)* Allá veréis la belleza;
mas yo no puedo de miedo
moverme. Pero mi amo
está aquí; ya nada temo,
pues él me defenderá.

DON RODRIGO.–Yo dudo lo que estoy viendo.

—Don Carlos, ¿pues no es doña Ana
esta dama que vos mesmo
me entregasteis y con quien
os casáis?

DON CARLOS.— Es manifiesto
engaño, que yo a Leonor
solamente es a quien quiero.

DOÑA ANA.—*(Aparte.)* Acabe este desengaño
con mi pertinaz intento;
y pues el ser de don Juan
es ya preciso, yo esfuerzo
cuanto puedo, que lo estimo,
que en efecto es ya mi dueño.)
—Don Rodrigo, ¿qué decís?
¿Que Carlos? Que no lo entiendo;
y sólo sé que don Juan,
desde Madrid, en mi pecho
tuvo el dominio absoluto
de todos mis pensamientos.

DON JUAN.—Don Pedro, yo a vuestros pies
estoy.

DON PEDRO.— Yo soy el que debo
alegrarme, pues con vos
junto la amistad al deudo;
y así, porque nuestras bodas
se hagan en un mismo tiempo,
dadle la mano a doña Ana,
que yo a Leonor se la ofrezco.
(Llégase a Castaño.)

DON CARLOS.—¡Antes os daré mil muertes!

CASTAÑO.—*(Aparte.)* Miren aquí si soy bello,
pues por mí quieren matarse.

DON PEDRO.—Dadme, soberano objeto
de mi rendido albedrío,
la mano.

CASTAÑO.— Sí, que os la tengo
para dárosla más blanda,
un año en guantes de perro.

DON CARLOS.—¡Eso no conseguirás!
(Descúbrese doña Leonor.)

DOÑA LEONOR.—Tente, Carlos, que yo puedo

de más, y seré tu esposa:
que aunque me hiciste desprecios,
soy yo de tal condición
que más te estimo por ellos.

DON CARLOS.—Mi bien, Leonor, ¿qué tú eras?

DON PEDRO.—¿Qué es esto? ¿Por dicha sueño?
¿Leonor está aquí y allí?

CASTAÑO.—No, sino que viene a cuento
lo de: No sois vos, Leonor...

DON PEDRO.—¿Pues quién eres tú, portento,
que por Leonor te he tenido?
(Descúbrese Castaño.)

CASTAÑO.—No soy sino el perro muerto
de que se hicieron los guantes.

CELIA.—La risa tener no puedo
del embuste de Castaño.

DON PEDRO.—¡Mataréte, vive el Cielo!

CASTAÑO.—¿Por qué? Si cuando te di
palabra de casamiento,
que ahora estoy llano a cumplirte,
quedamos en un concierto
de que si por ti quedaba
no me harías mal; y supuesto
que ahora queda por ti
y que yo estoy llano a hacerlo,
no faltes tú, pues que yo
no falto a lo que prometo.

DON CARLOS.—¿Cómo estás así, Castaño,
y en tal traje?

CASTAÑO.— Ése es el cuento:
que por llevar el papel
que aún aquí guardado tengo,
en que a don Rodrigo dabas
cuenta de todo el enredo
y de que a Leonor llevaste,
para llevarlo sin riesgo
de encontrar a la Justicia
me puse estos faldamentos;
y don Pedro enamorado
de mi talle y de mi aseo,

de mi gracia y de mi garbo,
me encerró en este aposento.

DON CARLOS.–Mirad, señor don Rodrigo,
si es verdad que soy el dueño
de la beldad de Leonor,
y si ser su esposo debo.

DON RODRIGO.–Como se case Leonor
y quede mi honor sin riesgo,
lo demás importa nada;
y así, don Carlos, me alegro
de haber ganado tal hijo.

DON PEDRO.–*(Aparte:*
Tan corrido ¡vive el Cielo!
de lo que me ha sucedido
estoy, que ni a hablar acierto;
mas disimular importa,
que ya no tiene remedio
el caso.) –Yo doy por bien
la burla que se me ha hecho,
porque se case mi hermana
con don Juan.

DOÑA ANA.– La mano ofrezco
y también con ella el alma.

DON JUAN.–Y yo, señora, la acepto,
porque vivo muy seguro
de pagaros con lo mesmo.

DON CARLOS.–Tú, Leonor mía, la mano
me da.

DOÑA LEONOR.– En mí, Carlos, no es nuevo,
porque siempre he sido suya.

CASTAÑO.–Dime, Celia, algún requiebro,
y mira si a mano tienes
una mano.

CELIA.– No la tengo,
que la dejé en la cocina;
pero ¿bastaráte un dedo?

CASTAÑO.–Daca, que es el dedo malo,
pues es él con quien encuentro.
–Y aquí, altísimos señores,
y aquí, Senado discreto,
Los Empeños de una Casa
dan fin. Perdonad sus yerros.

Sainete Segundo

INTERLOCUTORES

Muñiz, Arias, Acevedo
y compañeros

(Salen Muñiz y Arias.)

ARIAS.—Mientras descansan nuestros camaradas
de andar las dos Jornadas
(que, vive Dios, que creo
que no fueran más largas de un correo;
pues si aquesta comedia se repite
juzgo que llegaremos a Cavite,
e iremos a un presidio condenados,
cuando han sido los versos los forzados),
aquí, Muñiz amigo, nos sentemos
y toda la comedia murmuremos.

MUÑIZ.—Arias, vos os tenéis buen desenfado;
pues si estáis tan cansado
y yo me hallo molido, de manera
que ya por un tamiz pasar pudiera
(y esto no es embeleco,
pues sobre estar molido, estoy tan seco
de aquestas dos Jornadas, que he pensado
que en mula de alquiler he caminado),
¿no es mejor acostarnos
y de aquestos cuidados apartarnos?
Que yo, más al descanso me abalanzo.

ARIAS.—¿Y el murmurar, amigo? ¿Hay más descanso?
Por lo menos a mí, me hace provecho,
porque las pudriciones, que en el pecho
guardo como veneno,
salen cuando murmuro, y quedo bueno.

MUÑIZ.—Decís bien. ¿Quién sería
el que al pobre de Deza engañaría

con aquesta comedia
tan larga y tan sin traza?

ARIAS.—¿Aquesto, don Andrés, os embaraza?
Diósela un estudiante
que en las comedias es tan principiante,
y en la Poesía tan mozo,
que le apuntan los versos como el bozo.

MUÑIZ.—Pues yo quisiera, amigo, ser barbero
y raparle los versos por entero,
que versos tan barbados
es cierto que estuvieran bien, rapados.
¿No era mejor, amigo, en mi conciencia,
si quería hacer festejo a Su Excelencia,
escoger, sin congojas,
una de Calderón, Moreto o Rojas,
que en oyendo su nombre
no se topa, a fe mía,
silbo que diga: aquesta boca es mía?

ARIAS.—¿No veis que por ser nueva
la echaron?

MUÑIZ.—¡Gentil prueba de su bondad!

ARIAS.—Aquésa es mi mohina:
¿no era mejor hacer a *Celestina*,
en que vos estuvisteis tan gracioso,
que aun estoy temeroso
—y es justo que me asombre—
de que sois hechicera en traje de hombre?

MUÑIZ.—Amigo, mejor era *Celestina*,
en cuanto a ser comedia ultramarina:
que siempre las de España son mejores,
y para digerirles los humores,
son ligeras; que nunca son pesadas
las cosas que por agua están pasadas.
Pero la *Celestina* que esta risa
os causó, era mestiza
y acabada a retazos,
y si le faltó traza, tuvo trazos,
y con diverso genio
se formó de un trapiche y de un ingenio.
Y en fin, en su poesía,
por lo bueno, lo malo se suplía;

pero aquí, ¡vive Cristo, que no puedo
sufrir los disparates de Acevedo!

ARIAS.—¿Pues él es el autor?

MUÑIZ.—Así se ha dicho,
que de su mal capricho
la comedia y sainetes han salido;
aunque es verdad que yo no puedo creello.

ARIAS.—¡Tal le dé Dios la vida, como es ello!

MUÑIZ.—Ahora bien, ¿qué remedio dar podremos
para que esta comedia no acabemos?

ARIAS.—Mirad, ya yo he pensado
uno, que pienso que será acertado.

MUÑIZ.—¿Cuál es?

ARIAS.—Que nos finjamos
mosqueteros, y a silbos destruyamos
esta comedia, o esta patarata,
que con esto la fiesta se remata;
y como ellos están tan descuidados,
en oyendo los silbos, alterados
saldrán, y muy severos
les diremos que son los mosqueteros.

MUÑIZ.—¡Brava traza, por Dios! Pero me ataja
que yo no sé silbar.

ARIAS.—¡Gentil alhaja!
¿Qué dificultad tiene?

MUÑIZ.—El punto es ése,
que yo no acierto a pronunciar la *ese*.

ARIAS.—Pues mirad: yo, que así a silbar me allano,
que puedo en el Arcadia ser Silvano,
silbaré por entrambos; mas ¡atento,
que es este silbo a vuestro pedimento!

MUÑIZ.—Bien habéis dicho. ¡Vaya!

ARIAS.—¡Va con brío!
(Silba Arias.)

MUÑIZ.—Cuenta, señores, que este silbo es mío.
(Silban otros dentro.)
¡Cuerpo de Dios, que aquesto está muy frío!

ARIAS.—Cuenta, señores, que este silbo es mío.
(Silba.)
(Salen Acevedo y los compañeros.)

ACEVEDO.—¿Qué silbos son aquéstos tan atroces?

MUÑIZ.—Aquesto es *¡Cuántos silbos, cuántas voces!*
ACEVEDO.—¡Que se atrevan a tal los mosqueteros!
ARIAS.—Y aun a la misma Nava de Zuheros.
ACEVEDO.—¡Ay, silbado de mí! ¡Ay desdichado!
¡Que la comedia que hice me han silbado!
¿Al primer tapón silbos? Muerto quedo.
ARIAS.—No os muráis, Acevedo.
ACEVEDO.—¡Allá a ahorcarme me meto!
MUÑIZ.—Mirad que es el ahorcarse mucho aprieto.
ACEVEDO.—Un cordel aparejo.
ARIAS.—No os vais, que aquí os daremos cordelejo.
ACEVEDO.—¡Dádmelo acá! Veréis cómo me ensogo,
que con eso saldré de tanto ahogo.
(Cantan sus coplas cada uno.)
MUÑIZ.—Silbadito del alma,
no te me ahorques;
que los silbos se hicieron
para los hombres.
ACEVEDO.—Silbadores del diablo,
morir dispongo;
que los silbos se hicieron
para los toros.
COMPAÑERO 1º.—Pues que ahorcarte quieres,
toma la soga,
que aqueste cordelejo
no es otra cosa.
ACEVEDO.—No me silbéis, demonios,
que mi cabeza
no recibe los silbos
aunque está hueca.
ARIAS.—¡Vaya de silbos, vaya!
Silbad, amigos;
que en lo hueco resuenan
muy bien los silbos.
(Silban todos.)
ACEVEDO.—Gachupines parecen
recién venidos,
porque todo el teatro
se hunde a silbos
MUÑIZ.—¡Vaya de silbos, vaya!
Silbad, amigos

que en lo hueco resuenan
muy bien los silbos.

COMPAÑERO 2º.—Y los malos poetas
tengan sabido,
que si vítores quieren,
éste es el vítor.
(Todos cantan.)
¡Vaya de silbos, vaya!
Silbad, amigos;
que en lo hueco resuenan
muy bien los silbos.

ACEVEDO.—¡Baste ya, por Dios, baste;
no me den soga;
que yo les doy palabra
de no hacer otra!

MUÑIZ.—No es aqueso bastante,
que es el delito
muy criminal, y pide
mayor castigo.
(Todos cantan.)
¡Vaya de silbos, vaya!
Silbad, amigos;
que en lo hueco resuenan
muy bien los silbos.
(Silban.)

ACEVEDO.—Pues si aquesto no basta,
¿qué me disponen?
Que como no sean silbos,
denme garrote.

ARIAS.—Pues de pena te sirva,
pues lo has pedido,
el que otra vez traslades
lo que has escrito.

ACEVEDO.—Eso no, que es aquése
tan gran castigo,
que más quiero atronado
morir a silbos.

MUÑIZ.—Pues lo ha pedido, ¡vaya;
silbad, amigos;
que en lo hueco resuenan
muy bien los silbos!

Loa para el auto sacramental de "El Divino Narciso"

Por alegorías

PERSONAS QUE HABLAN EN ELLA

El Occidente
La América
El Celo
La Religión
Música
Soldados

ESCENA I

(Sale el Occidente, Indio galán con corona, y la América, a su lado, de India bizarra; con mantas y cupiles, al modo que se canta el Tocotín. Siéntanse en dos sillas; y por una parte y otra bailan Indios e Indias, con plumas y sonajas en las manos, como se hace de ordinario esta Danza; y mientras bailan, canta la Música.)

Música.—Nobles mexicanos,
cuya estirpe antigua,
de las claras luces
del Sol se origina:
pues hoy es del año
el dichoso día
en que se consagra
la mayor reliquia,
¡venid adornados
de vuestras divisas,
y a la devoción
se una la alegría;
y en pompa festiva
celebrad al gran Dios de las Semillas!

MÚSICA.—Y pues la abundancia
de nuestras provincias
se Le debe al que es
Quien las fertiliza,
ofreced devotos,
pues Le son debidas,
de los nuevos frutos
todas las primicias.
¡Dad de vuestras venas
la sangre más fina,
para que, mezclada,
a su culto sirva;
y en pompa festiva
celebrad al gran Dios de las Semillas!
(Siéntanse el Occidente y la América, y cesa la Música.)
OCCIDENTE.—Pues entre todos los dioses
que mi culto solemniza,
aunque son tantos, que sólo
en aquesta esclarecida
Ciudad Regia, de dos mil
pasan, a quien sacrifica
en sacrificios cruentos
de humana sangre vertida,
ya las entrañas que pulsan,
ya el corazón que palpita;
aunque son (vuelvo a decir)
tantos, entre todos mira
mi atención como a mayor,
al gran Dios de las Semillas.
AMÉRICA.—Y con razón, pues es sólo
el que nuestra Monarquía
sustenta, pues la abundancia
de los frutos se Le aplica;
y como éste es el mayor
beneficio, en quien se cifran
todos los otros, pues lo es
el de conservar la vida,
como el mayor Lo estimamos:
pues ¿qué importa que rica
el América abundara

en el oro de sus minas,
si esterilizando el campo
sus fumosidades mismas,
no dejaran a los frutos
que en sementeras opimas
brotasen? Demás de que
su protección no limita
sólo a corporal sustento
de la material comida,
sino que después, haciendo
manjar de sus carnes mismas
(estando purificadas
antes, de sus inmundicias
corporales), de las manchas
el Alma nos purifica.
Y así, atentos a su culto,
todos conmigo repitan:

ELLOS, y MÚSICA.—¡En pompa festiva,
celebrad al gran Dios de las Semillas!

ESCENA II

(Éntranse bailando; y salen la Religión Cristiana, de Dama Española, y el Celo, de Capitán General, armado; y detrás, Soldados españoles.)

RELIGIÓN.—¿Cómo, siendo el Celo tú,
sufren tus cristianas iras
ver que, vanamente ciega,
celebre la Idolatría
con supersticiosos cultos
un Ídolo, en ignominia
de la Religión Cristiana?

CELO.—Religión: no tan aprisa
de mi omisión te querelles,
te quejes de mis caricias;
pues ya levantado el brazo,
ya blandida la cuchilla
traigo, para tus venganzas.
Tú a ese lado te retira
mientras vengo tus agravios.

(Salen, bailando, el Occidente y América, y Acompañamiento y Música, por otro lado.)

MÚSICA.—¡Y en pompa festiva,
celebrad al gran Dios de las Semillas!
CELO.—Pues ya ellos salen, yo llego.
RELIGIÓN.—Yo iré también, que me inclina
la piedad a llegar (antes
que tu furor los embista)
a convidarlos, de paz,
a que mi culto reciban.
CELO.—Pues lleguemos, que en sus torpes
ritos está entretenida.
MÚSICA.—¡Y en pompa festiva
celebrad al gran Dios de las Semillas!
(Llegan el Celo y la Religión.)
RELIGIÓN.—Occidente poderoso,
América bella y rica,
que vivís tan miserables
entre las riquezas mismas:
dejad el culto profano
a que el Demonio os incita.
¡Abrid los ojos! Seguid
la verdadera Doctrina
que mi amor os persuade.
OCCIDENTE.—¿Qué gentes no conocidas
son éstas que miro, ¡Cielos!,
que así de mis alegrías
quieren impedir el curso?
AMÉRICA.—¿Qué Naciones nunca vistas
quieren oponerse al fuero
de mi potestad antigua?
OCCIDENTE.—¡Oh tú, extranjera Belleza;
oh tú, Mujer peregrina!
Dime quién eres, que vienes
a perturbar mis delicias.
RELIGIÓN.—Soy la Religión Cristiana,
que intento que tus Provincias
se reduzcan a mi culto.
OCCIDENTE.—¡Buen empeño solicitas!
AMÉRICA.—¡Buena locura pretendes!
OCCIDENTE.—¡Buen imposible maquinas!

AMÉRICA.—Sin duda es loca; ¡dejadla
y nuestros cultos prosigan!
MÚSICA y ELLOS.—¡Y en pompa festiva
celebrad al gran Dios de las Semillas!
CELO.—¿Cómo, bárbaro Occidente;
cómo, ciega Idolatría,
a la Religión desprecias,
mi dulce Esposa querida?
Pues mira que a tus maldades
ya has llenado la medida,
y que no permita Dios
que en tus delitos prosigas,
y me envía a castigarte.
OCCIDENTE.—¿Quién eres, que atemorizas
con sólo ver tu semblante?
CELO.—Celo soy. ¿Qué te admira?
Que, cuando a la Religión
desprecian tus demasías,
entrara el Celo a vengarla
castigando tu osadía.
Ministro de Dios soy, que
viendo que tus tiranías
han llegado ya a lo sumo,
cansado de ver que vivas
tantos años entre errores,
a castigarte me envía.
Y así, estas ramadas huestes
que rayos de acero vibran,
ministros son de Su enojo
e instrumentos de Sus iras.
OCCIDENTE.—¿Qué Dios, qué error, qué torpeza,
o qué castigos me intimas?
Que no entiendo tus razones
ni aun por remotas noticias,
ni quién eres tú, que osado
a tanto empeño te animas
como impedir que mi gente
en debidos cultos diga:
MÚSICA.—¡Y en pompa festiva
celebrad al gran Dios de las Semillas!
AMÉRICA.—Bárbaro, loco, que ciego,

con razones no entendidas,
quieres turbar el sosiego
que en serena paz tranquila
gozamos: ¡cesa en tu intento,
si no quieres que, en cenizas
reducido, ni aun los vientos
tengan de tu ser noticias!
Y tú, Esposo, y tus vasallos,
(Al Occidente)
negad el oído y vista
a sus razones, no haciendo
caso de sus fantasías;
y proseguid vuestros cultos,
sin dejar que advenedizas
Naciones, osadas quieran
intentar interrumpirlas.

MÚSICA.–¡Y en pompa festiva
celebrad al gran Dios de las Semillas!

CELO.–Pues la primera propuesta
de paz desprecias altiva,
la segunda, de la guerra,
será preciso que admitas.
¡Toca al arma! ¡Guerra, guerra!
(Suenan cajas y clarines)

OCCIDENTE.–¿Qué abortos el Cielo envía
contra mí? ¿Qué armas son éstas,
nunca de mis ojos vistas?
¡Ah, de mis Guardas! ¡Soldados:
las flechas que prevenidas
están siempre, disparad!

AMÉRICA.–¿Qué rayos el Cielo vibra
contra mí? ¿Qué fieros globos
de plomo ardiente graniza?
¿Qué Centauros monstruosos
contra mis gentes militan?
(Dentro.) ¡Arma, arma! ¡Guerra, guerra!
(Tocan.) ¡Viva España! ¡Su Rey viva!

(Trabada la batalla, van entrándose por una puerta, y salen por otra huyendo los Indios, y los Españoles en su alcance; y detrás, el Occidente retirándose de la Religión, y América del Celo.)

ESCENA III

RELIGIÓN.—¡Ríndete, altivo Occidente!
OCCIDENTE.—Ya es preciso que me rinda
tu valor, no tu razón.
CELO.—¡Muere, América atrevida!
RELIGIÓN.—¡Espera, no le des muerte,
que la necesito viva!
CELO.—Pues ¿cómo tú la defiendes,
cuando eres tú la ofendida?
RELIGIÓN.—Sí, porque haberla vencido
le tocó a tu valentía,
pero a mi piedad le toca
el conservarle la vida:
porque, vencerla por fuerza
te tocó; mas el rendirla
con razón, me toca a mí,
con suavidad persuasiva.
CELO.—Si has visto ya la protervia
con que tu culto abominan
ciegos, ¿no es mejor que todos
mueran?
RELIGIÓN.— Cese tu justicia,
Celo; no les des muerte:
que no quiere mi benigna
condición, que mueran, sino
que se conviertan y vivan.
AMÉRICA.—Si el pedir que yo no muera,
y el mostrarte compasiva,
es porque esperas de mí
que me vencerás, altiva,
como antes con corporales,
después con intelectivas
armas, estás engañada;
pues aunque lloro cautiva
mi libertad, ¡mi albedrío
con libertad más crecida
adorará mis Deidades!
OCCIDENTE.—Yo ya dije que me obliga
a rendirme a ti la fuerza;
y en esto, claro se explica

que no hay fuerza ni violencia
que a la voluntad impida
mis libres operaciones;
y así, aunque cautivo gima,
¿no me podrás impedir
que acá, en mi corazón, diga
que venero al gran Dios de las Semillas!

ESCENA IV

RELIGIÓN.—Espera, que aquésta no
es fuerza, sino caricia.
¿Qué Dios es ése que adoras?
OCCIDENTE.—Es un Dios que fertiliza
los campos que dan los frutos;
a quien los cielos se inclinan,
a quien la lluvia obedece
y, en fin, es el que nos limpia
los pecados, y después
se hace Manjar, que nos brinda.
¡Mira tú si puede haber,
en la Deidad más benigna,
más beneficios que haga
ni más que yo te repita!
RELIGIÓN.—*(Aparte.)* ¡Válgame Dios! ¿Qué dibujos,
qué remedos o qué cifras
de nuestras sacras Verdades
quieren ser estas mentiras?
¡Oh cautelosa Serpiente!
¡Oh Áspid venenoso! ¡Oh Hidra,
que viertes por siete bocas,
de tu ponzoña nociva
toda la mortal cicuta!
¿Hasta dónde tu malicia
quiere remedar de Dios
las sagradas Maravillas?
Pero con tu mismo engaño,
si Dios mi lengua habilita,
te tengo de convencer.
AMÉRICA.—¿En qué, suspensa, imaginas?

¿Ves cómo no hay otro Dios
que Aquéste, que confirma
en beneficios Sus obras?

RELIGIÓN.—De Pablo con la doctrina
tengo de argüir; pues cuando
a los de Atenas predica
viendo que entre ellos es ley
que muera el que solicita
introducir nuevos dioses,
como él tiene la noticia
de que a un Dios no conocido
ellos un altar dedican,
les dice: "No es Deidad nueva,
sino la no conocida
que adoráis en este altar,
la que mi voz os publica."
Así yo... ¡Occidente, escucha;
oye, ciega Idolatría,
pues en escuchar mis voces
consisten todas tus dichas!
Esos milagros que cuentas,
esos prodigios que intimas,
esos visos, esos rasgos,
que debajo de cortinas
supersticiosas asoman;
esos portentos que vicias
atribuyendo su efecto
a tus Deidades mentidas,
obras del Dios Verdadero,
y de Su sabiduría
son efectos. Pues si el prado
florido se fertiliza,
si los campos se fecundan,
si el fruto se multiplica,
si las sementeras crecen,
si las lluvias se destilan,
todo es obra de Su diestra;
pues ni el brazo que cultiva,
ni la lluvia que fecunda,
ni el calor que vivifica,
diera incremento a las plantas,

a Faltar Su productiva
Providencia, que concurre
a darles vegetativa
alma.

AMÉRICA.– Cuando eso así sea,
dime: ¿será tan propicia
esa Deidad, que se deje
tocar de mis manos mismas,
como el Ídolo que aquí
mis propias manos fabrican
de semilla y de sangre
inocente, que vertida
es sólo para este efecto?

RELIGIÓN.–Aunque su Esencia Divina
es invisible e inmensa,
como Aquésta está ya unida
a nuestra Naturaleza,
tan Humana se avecina
a nosotros, que permite
que Lo toquen las indignas
manos de los Sacerdotes.

AMÉRICA.–Cuando a aqueso, convenidas
estamos, porque a mi Dios
no hay nadie a quien se permita
tocarlo, sino a los que
de Sacerdotes Le sirvan;
y no sólo no tocarlo,
mas ni entrar en Su Capilla
se permite a los seglares.

CELO.–¡Oh reverencia, más digna
de hacerse al Dios verdadero!

OCCIDENTE.–Y dime, aunque más me digas:
¿será ese Dios, de materias
tan raras, tan exquisitas
como de sangre, que fue
en sacrificio ofrecida,
y semilla, que es sustento?

RELIGIÓN.–Ya he dicho que es Su infinita
Majestad, inmaterial;
mas Su Humanidad bendita
puesta incruenta en el Santo

Sacrificio de la Misa,
en candidos accidentes,
se vale de las semillas
del trigo, el cual se convierte
en Su Carne y Sangre misma;
y Su Sangre, que en el Cáliz
está, es Sangre que ofrecida
en el Ara de la Cruz,
inocente, pura y limpia,
fue la Redención del Mundo.

AMÉRICA.—Ya que esas tan inauditas
cosas quiera yo creer,
¿será esa Deidad que pintas,
tan amorosa, que quiera
ofrecérseme en comida,
como Aquésta que yo adoro?

RELIGIÓN.—Sí, pues Su Sabiduría,
para ese fin solamente
entre los hombres habita.

AMÉRICA.—¿Y no veré yo a ese Dios,
para quedar convencida,

OCCIDENTE.—y para que de una vez
de mi tema me desista?

RELIGIÓN.—Sí verás, como te laves
en la fuente cristalina del Bautismo.

OCCIDENTE.— Ya yo sé
que antes que llegue a la rica
masa, tengo que lavarme,
que así es mi costumbre antigua.

CELO.—No es aquése el lavatorio
que tus manchas necesitan.

OCCIDENTE.—¿Pues cuál?

RELIGIÓN.— El de un Sacramento
que con virtud de aguas vivas
te limpie de tus pecados.

AMÉRICA.—Como me das las noticias
tan por mayor, no te acabo
de entender; y así, querría
recibirlas por extenso,
pues ya inspiración divina
me mueve a querer saberlas.

OCCIDENTE.—Y yo; y más, saber la vida

y muerte de ese gran Dios
que estar en el Pan afirmas.
RELIGIÓN.—Pues vamos. Que en una idea
metafórica, vestida
de retóricos colores,
representable a tu vista,
te la mostraré; que ya
conozco que tú te inclinas
a objetos visibles, más
que a lo que la Fe te avisa
por el oído; y así,
es preciso que te sirvas
de los ojos, para que
por ellos la Fe recibas.
OCCIDENTE.—Así es; que más quiero verlo,
que no que tú me lo digas.

ESCENA V

RELIGIÓN.—Vamos, pues.
CELO.— Religión, dime:
¿en qué forma determinas
representar los Misterios?
RELIGIÓN.—De un Auto en la alegoría,
quiero mostrarlos visibles,
para que quede instruida
ella, y todo el Occidente,
de lo que ya solicita saber.
CELO.— ¿Y cómo intitulas
el Auto que alegorizas?
RELIGIÓN.—*Divino Narciso,* porque
si aquesta infeliz tenía
un Ídolo, que adoraba,
de tan extrañas divisas,
en quien pretendió el demonio,
de la Sacra Eucaristía
fingir el alto Misterio,
sepa que también había
entre otros Gentiles, señas
de tan alta Maravilla.

CELO.—¿Y dónde se representa?
RELIGIÓN.—En la coronada Villa
de Madrid, que es de la Fe
el Centro, y la Regia Silla
de sus Católicos Reyes
a quien debieron las Indias
las luces del Evangelio
que en el Occidente brillan.
CELO.—¿Pues no ves la impropiedad
de que en México se escriba
y en Madrid se represente?
RELIGIÓN.—¿Pues es cosa nunca vista
que se haga una cosa en una
parte, porque en otro sirva?
Demás de que el escribirlo
no fue idea antojadiza,
sino debida obediencia
que aun a lo imposible aspira.
Con que su obra, aunque sea
rústica y poco pulida,
de la obediencia es efecto,
no parto de la osadía.
CELO.—Pues, dime, Religión, ya
que a eso le diste salida,
¿cómo salvas la objeción
de que introduces las Indias,
y a Madrid quieres llevarlas?
RELIGIÓN.—Como aquesto sólo mira
a celebrar el Misterio,
y aquestas introducidas
personas no son más que
unos abstractos, que pintan
lo que se intenta decir,
no habrá cosa que desdiga,
aunque las lleve a Madrid:
que a especies intelectivas
ni habrá distancias que estorben
ni mares que les impidan.
CELO.—Siendo así, a los Reales Pies,
en quien Dos Mundos se cifran,
pidamos perdón postrados;

RELIGIÓN.—y a su Reina esclarecida,
AMÉRICA.—cuyas soberanas plantas
besan humildes las Indias;
CELO.—a sus Supremos Consejos;
RELIGIÓN.—a las Damas, que iluminan
su Hemisferio;
AMÉRICA.— a sus Ingenios,
a quien humilde suplica
el mío, que le perdonen
el querer con toscas líneas
describir tanto Misterio.
OCCIDENTE.—¡Vamos, que ya mi agonía
quiere ver cómo es el Dios
que me han de dar en comida
(Cantan la América y el Occidente y el Celo:)
diciendo que ya
conocen las Indias
al que es Verdadero
Dios de las Semillas!
Y en lágrimas tiernas
que el gozo destila,
repitan alegres
con voces festivas:
TODOS.—¡Dichoso el día
que conocí al gran Dios de las Semillas!
(Éntranse bailando y cantando.)

OLLÁNTAY
[*Anónimo, Perú, siglo XVIII*]

Desde principios del siglo XIX, cuando se dio a conocer un manuscrito quechua de este drama, *Ollántay* ha sido vastamente estudiado y traducido a varios idiomas, y ha suscitado numerosas y acaloradas controversias referentes sobre todo a su origen. La base de tales controversias es el hecho de que, al parecer de muchos, el asunto del drama es de origen incásico, de época prehispánica; mas el tiempo de composición, muy posterior, posiblemente de fines del siglo XVIII. Ha habido y aún hay quienes disputan tal suposición y sostienen, en cambio, que aun la composición de la pieza es anterior a la llegada de los españoles. Algunos cronistas nos han dejado noticia de historias amorosas y bélicas semejantes a la de *Ollántay*, y otras versiones que se han conservado en el Perú por tradición oral tienden a confirmarlas. Además, varios personajes del drama son históricos. Por otra parte, la forma y el estilo de la pieza son comparables a los de la comedia española, más bien que a los de las representaciones coreográficas y ceremoniales indígenas. Los críticos opuestos a la tesis "indigenista" se han encargado de destacar lo que ellos consideran, cuando menos, contaminaciones españolas, si no claros indicios de que la composición toda de *Ollántay* obedece a patrones dramáticos vigentes durante la Colonia: división en escenas, con acotaciones relativas al decorado de la representación y aun al movimiento escénico, la caracterización de Pie-Ligero como un gracioso lopesco, un lenguaje mucho más desarrollado que el quechua imperial, la versificación octosilábica, alusión a objetos poscolombinos, anacronismos, imaginería más bien occidental que incásica, etcétera. Quienes sustentan, por el contrario, la posición indigenista, se basan en elementos como el asunto de la pieza, el idioma de los manuscritos, la melancolía de las canciones, etcétera.

Una de las representaciones más importantes de este drama tuvo lugar en la villa de Tinta, cerca de Cuzco, en 1780, ante el cacique indio José Gabriel Condorcanqui, "Túpac Amaru II", y sus secuaces rebeldes, según atestigua Gabino Pacheco Zegarra. Curiosamente, por esos mismos años ejercía el curato cerca de allí, en la aldea de Sicuaní, el padre Antonio Valdez, en cuyos papeles, al morir, se encontró un manuscrito quechua del *Ollántay*. Tal coincidencia, junto con otros argumentos, ha hecho que algunos eruditos (como Elijah Clarence Hills) atribuyeran a Valdez la paternidad del drama, aunque por otro lado, escritores como Vicente Fidel López, y el propio Pacheco Zegarra han señalado que los contemporáneos de Valdez nunca lo conocieron como escritor. Hay quienes opinan que el sacerdote de Sicuaní probablemente fue sólo un copista del drama. Otro factor que es preciso considerar con relación al anonimato de la pieza, es el clima de represión que reinaba a fines del siglo XVIII con motivo de la insurrección de Túpac Amaru II.

Por lo que se refiere a la importancia de *Ollántay*, se expresa de la siguiente manera José Juan Arrom: "Artísticamente no es inferior a ninguna obra escrita en su tiempo en todo el orbe hispánico. Al contrario, a todas aventaja en auténtico valor emotivo y en trascendencia. Su fama no sólo ha corrido en boca de lingüistas y etnólogos, sino que ha inspirado, a través del tiempo, a poetas y dramaturgos que han ido a ella en busca de imperecederas esencias. No es, pues, un mero documento histórico, sino un hito en la trayectoria de nuestras letras y de nuestra cultura."

La versión que se entrega en esta antología es la de Gabino Pacheco Zegarra, a sabiendas de que ha sido criticada; a pesar de todo, es quizá una de las más conocidas y probablemente una de las mejores que se han hecho hasta la fecha.

BIBLIOGRAFÍA SUMARIA

Arguedas, José María, "El *Ollántay*. Lo autóctono y lo occidental en el estilo de los dramas coloniales quechuas", *Letras Peruanas*, vol. II, núm. 8, 1952, pp. 139-140.

——, *et al.*, *Ollántay: cantos y narraciones quechuas*, Biblioteca Peruana, Serie Narrativa, Lima, PEISA, 1986.

Arrom, José Juan, *Historia del teatro hispanoamericano*, México, Editorial de Andrea, 1967, pp. 122-127.

Barranca, José Sebastián (comp.), *Ollanta, drama quechua español en tres actos. Versión de José Sebastián Barranca*, Lima, Biblioteca Universitaria, 1965.

Basadre, Jorge, *Literatura inca*, Biblioteca de Cultura Peruana, París, Declée de Brouwer, 1938, pp. 142-260.

Brotherston, Gordon, "*Ollanta* and the Literature of Tahuantinsuyo", *Bulletin of The Society for Latin American Studies*, núm. 31, octubre de 1979, pp. 95-111.

Cid Pérez, José (comp.), *Teatro indio precolombino*, Madrid, Aguilar, 1964, pp. 38-116, 283-320 y 321-350.

Clarence Hills, Elijah, "Quechua Drama *Ollanta*", *Hispanic Studies*, California, 1929, pp. 47-105.

Cosío, José Gabriel, "El drama quechua *Ollántay*. El manuscrito de Santo Domingo", *Revista Universitaria*, vol. XXX, núm. 81, Universidad del Cuzco, 1941, pp. 3-261.

Elliot, L. E., "*Ollántay*, an Ancient Inca Drama", *Panamerican Magazine*, vol. XXXIII, Nueva York, 1921, pp. 281-290.

Englekirk, John E., "La leyenda ollantina", *Literatura de la emancipación y otros ensayos*, Lima, Universidad Nacional Mayor de San Marcos, 1972, pp. 302-308.

Hughes de Hornberger, Nancy (comp.), *Ollántay: antiguo drama quechua*, Cuzco, Wiraqocha Biblioteca, 1975.

Lara, Jesús, *Ollántay: drama del tiempo de los Inkas*, La Paz, Juventud, 1977, 2a. ed.

Leinhard, Martin, "La épica incaica en tres textos coloniales: *Juan Betanzos, Titu Cusi Yupanqui, el Ollántay*", *Lexis: Revista de Lingüística y Literatura*, vol. IX, núm. 1, 1985, pp. 61-85.

Lewis, Tracy K., "The Mind of the Prisoner: Ancient Sources and Modern Echoes in the Literature of the Andes", *Latin American Indian Journal: A Review of American Indian Texts*, vol. IV, núm. 2, otoño de 1988, pp. 151-166.

Markham, Clement R., *Olláintay. Ollanta, An Ancient Inca Drama* (traducción al inglés), Londres, Trubner, 1871.

____, *The Incas of Perú*, Lima, Sanmartí & Cía., 1920.

Mitre, Bartolomé, "*Olláintay:* estudio sobre el drama quechua", *Nueva Revista de Buenos Aires*, vol. I, 1881, pp. 25-66.

Pacheco Zegarra, Gabino, *Olláintay. Drama en vers quéchua du temps des Incas*, París, Maisonneuve & Cie., 1879.

____, *Olláintay, drama quechua*, Buenos Aires, Biblioteca Clásica Americana, 1942.

Rivet, Paul, y George de Créquit-Monfort, *Bibliographie des langues aymará et kichua*, París, 1951.

Rojas, Ricardo, *Olláintay, tragedia de los Andes*, Buenos Aires, Losada, 1939.

Túpac Yupanqui, Demetrio, y Teresita Túpac Yupanqui (comps.), *Drama Olláintay: el rigor de un padre y la generosidad de un rey; Códice de Santo Domingo comparado con otras versiones*, Lima, Academia de Quechua Yachay Wasi, 1976.

Ugarte Chamorro, Guillermo (comp.), *Olláintay: Versión original quechua y versiones castellanas de José Sebastián Barranca, y de César Miró y Sebastián Salazar Bondy*, Lima, Universo, 1979.

Yepes Miranda, Alfredo, "La incanidad del *Olláintay*", *Revista del Instituto Americano de Arte*, vol. VII, núm. 2, 1954, pp. 157-170.

Zudeima, R. T., "Una interpretación antropológica del drama quechua *Olláintay*", *Folklore Americano*, vol. XI, núm. 12, 1963-1964, pp. 349-356.

Ollántay

PERSONAJES

OLLÁNTAY, *gran jefe de los Andes.*
PACHACUTIC, *rey del Cuzco.*
TÚPAC-YUPANQUI, *hijo de Pachacutic.*
OJO-DE-PIEDRA, *jefe militar del Cuzco.*
JEFE MONTAÑÉS, *uno de los jefes sometidos a Ollántay.*
HANCO-HUAILLO, *príncipe de la nobleza.*
EL ASTRÓLOGO, *al propio tiempo gran sacerdote.*
PIE-LIGERO, *paje de Ollántay.*
UN INDIO, *que sirve de mensajero.*
ESTRELLA, *hija del rey Pachacutic y de la reina.*
ANAHUARQUI.
BELLA, *hija de Estrella.*
LA MADRE ROCA, *superiora de las Vírgenes Escogidas.*
SALLA, *compañera de Bella.*
Séquito del rey, de Ollántay y de Estrella.

ESCENA I

(Gran plaza en el Cuzco con el templo del Sol en el fondo. La escena tiene lugar ante el vestíbulo del templo.)

PRIMER DIÁLOGO

Ollántay, Pie-Ligero

OLLÁNTAY.–¿Has visto en su casa a la encantadora Estrella?

PIE-LIGERO.–¡Líbreme Dios de espiarla! ¿Cómo es que tú no temes a la hija de un rey?

OLLÁNTAY.–Sea lo que fuere, no he de vivir sin adorar a esa tierna paloma. Fuérzame mi corazón a ir tras ella como tierno corderillo.

PIE-LIGERO.–Paréceme que tienes al diablo en el cuerpo y que no está muy segura tu cabeza. Otras doncellas hay a quienes amar. ¿Por qué apresurarte tanto? El día en que descubra el rey tu audaz propósito, te cortará la cabeza y arrojará tu cuerpo a las llamas.

OLLÁNTAY.—¡Hombre! No me desanimes, si no quieres perecer. No hables más, o te hago pedazos entre mis manos.

PIE-LIGERO.—Arrástrame, pues, si quieres, como a perro muerto; pero no me repitas, noche y día, durante años enteros: "Pie-Ligero, ve a buscar a Estrella."

OLLÁNTAY.—Pie-Ligero, ya te lo he dicho: aun cuando la misma muerte con su guadaña, o las montañas conjuradas, se volvieran contra mí, como terribles enemigos, sabría resistirlas y afrontarlas, para caer muerto o vivo a los pies de mi divina Estrella.

PIE-LIGERO.—¿Y si el diablo se te apareciese?

OLLÁNTAY.—¡Hasta a él mismo le haría morder el polvo!

PIE-LIGERO.—Como no has visto ni la punta de su nariz, estás hablando así.

OLLÁNTAY.—Sea: pero dime, Pie-Ligero, francamente y sin rodeos: ¿no es Estrella la más bella de todas las flores? ¡Vamos, confiésalo!

PIE-LIGERO.—¡Todavía te turba Estrella el espíritu! No la he visto; pero quizá fuere la que vi ayer, a la caída de la tarde, en el sitio más solitario del paseo: en aquel paraje me pareció brillante como el sol y bella como la luna.

OLLÁNTAY.—¡Era ella! Ya la conoces. ¡Qué divina belleza! Llévale enseguida un halagüeño mensaje de mi parte.

PIE-LIGERO.—¿Cómo he de penetrar, en medio del día, en su palacio, donde multitud de mujeres emperejiladas la rodean y entre las que no podría reconocerla?

OLLÁNTAY.—¿Pues no acabas de decirme que ya la conoces?

PIE-LIGERO.—En broma lo dije. Estrella es una estrella que sólo brilla de noche, y a esta hora es cuando podría reconocerla.

OLLÁNTAY.—¡Vete de aquí, supersticioso! Mi amada Estrella oscurece al sol y brilla sin rival.

PIE-LIGERO.—Aquí llega ahora un anciano, o una vieja, pues más bien por su aspecto parece una mujer, y ella podrá llevar tu mensaje. Haz que lo lleve, que si yo lo hiciera, pobre diablo, me llamarían todos correveydile.

SEGUNDO DIÁLOGO

Dichos y el Astrólogo

EL ASTRÓLOGO.—Eterno Sol, prosternado ante ti, yo te admiro reverente en tu carrera. Mil llamas serán por ti sacrificadas en este solemne día consagrado a ti. Después del ayuno, en tu honor correrá su sangre y las consumirá la inmensa hoguera.

OLLÁNTAY.—Pie-Ligero, mira que aquí viene el sabio Astrólogo. Este viejo zorro arrastra tras de sí una carga de brujerías. Aborrezco a este hechicero, que no abre la boca más que para pronosticar desgracias. Cuando habla no predice más que fatalidades.

PIE-LIGERO.—¡Chist! Cállate, que estoy seguro de que este brujo sabe ya de memoria lo que dices y lo que piensas, pues lo adivina todo.

OLLÁNTAY.—Ya me ha visto y voy a su encuentro. Ilustre y noble Astrólogo, me inclino ante ti respetuosamente. Que el cielo te ilumine y aparte las sombras de tus ojos.

EL ASTRÓLOGO.—Poderoso Ollántay, ¡ojalá pueda pertenecerte el país entero, y abarcar tu vigoroso brazo el Universo!

OLLÁNTAY.—Al verte, anciano, se estremece uno de terror. En derredor tuyo no se ven más que huesos, flores fúnebres, urnas y piedras preciosas, y te miran con miedo. ¿Qué significa todo esto? ¿Es que el rey te ha llamado como profeta de la desgracia o como el genio del bien? ¿Por qué has venido antes del día consagrado a tu fiesta? ¿Estaría malo el rey? ¿O es que has adivinado que la sangre ha de correr muy pronto? Porque aún está lejos el día del Sol y de las libaciones a la Luna, que apenas se descubre, y todavía no estamos en el solemne día de los sacrificios de la gran fiesta.

EL ASTRÓLOGO.—¿Por qué me preguntas en ese tono de reconvención? ¿Soy tu vasallo acaso? Lo sé todo y pronto te lo probaré.

OLLÁNTAY.—Siento que mi corazón desfallece de temor al verte llegar inesperadamente este día. ¡Quizá me sea funesta tu venida!

EL ASTRÓLOGO.—Ollántay, no tengas miedo, aunque hoy me veas aquí; quizá sea amor lo que me trae a tu lado, como arrastra el viento a la hoja seca. Dime, ¿obedece tu cabeza a tu corazón diabólico? Te concedo este día para que, a tu gusto, elijas tu felicidad o tu perdición, la vida o la muerte.

OLLÁNTAY.—Aclara tus palabras para que las comprenda. Parecen una madeja enredada, y harías bien en desenredármela.

EL ASTRÓLOGO.—Pues bien, escúchame Ollántay. La ciencia me enseña cosas ocultas a los espíritus vulgares. Me considero con poder suficiente para descubrirlo todo y hacer de ti un gran jefe. Desde tu edad más tierna te he educado y te he querido lo bastante para servirte en esta ocasión. El pueblo te venera como jefe del país de los Andes; el rey te estima mucho y desearía compartir contigo su corona. Ha dirigido a todos su mirada; sólo en ti la ha puesto. Tu brazo lo ha encontrado fuerte contra los golpes de sus enemigos, y los has vencido a todos, por numerosos que han sido. Pero ¿esto es una razón para que hieras el corazón del rey? Amas a su hija, y pretendes que por ti se vuelva loca, abusando de esta pasión. No lo hagas; crimen semejante no brota jamás de un corazón noble. Por inmensa que sea tu pasión, ¿es un motivo para pagar su amor con la deshonra? Vacilas, pero te detengo al borde del abismo. Sabes muy bien que el rey no consentirá nunca que su hija haga un casamiento desigual. Desplegar los labios sería levantar en su corazón una espantosa tormenta. Por tus locas ilusiones caerías del primer rango que ocupas, descenderías de príncipe a plebeyo.

OLLÁNTAY.–¿Cómo sabes todo lo que oculto en el fondo de mi corazón? Sólo su madre lo sabía, pero veo que todo me lo revelas.

EL ASTRÓLOGO.–Como en un libro abierto leo en la Luna, y el destino más oscuro aparece claro a mis ojos.

OLLÁNTAY.–Comprendí que tu deseo era beber en mi corazón y apagar la sed que te devora: ¿tirarás la copa después de dejarla vacía?

EL ASTRÓLOGO.–¡Cuántas veces bebemos en copas de oro mortales venenos! Sabe que, con mucha frecuencia, nos hiere la desgracia por nuestra obstinación.

OLLÁNTAY.–Sepulta en mi garganta el cuchillo que tienes en tu mano y arráncame el corazón; a tus pies me arrojo.

EL ASTRÓLOGO *(A Pie-Ligero)*.–Cógeme esa flor. *(A Ollántay)*.–Ya ves que parece estar seca... La estrujo... Mira cómo llora... ¡Llora!... ¡Llora!... *(Estrujando la flor.)*

OLLÁNTAY.–Sería más fácil hacer que el agua brote de la roca y que llore la arena, que obligarme a abandonar la estrella de mi felicidad.

EL ASTRÓLOGO.–Arroja en la tierra la mala semilla, y en pocos días la verás multiplicarse y crecer más allá de los límites del campo. ¡Cuanto más desenfrenado y grande sea tu crimen, más pequeño serás!

OLLÁNTAY.–Venerable padre, voy a abrirte mi corazón, y a confesarte mis faltas; y ya que has sorprendido mi secreto, quiero que sepas que siempre que los lazos que me sujetan son tan fuertes, que acabarán por ahogarme. Y aun cuando estén tejidos con hilos de oro, un crimen de oro como el mío es digno de castigarse con ellos. Estrella ya me pertenece. Estoy a ella unido y ahora soy tan noble como ella, puesto que mi sangre corre por sus venas. Bien lo sabe su madre, que puede atestiguarlo. Voy a decírselo todo al rey, y después que lo sepa cuento con vuestra influencia para que me dé a Estrella. Voy a hablarle con energía y sin temor, arrostrando su cólera y su desprecio porque no tengo sangre real; pero quizá al recordar mi juventud se enternezca viendo grabados mis combates en esta arma victoriosa, que venció a millares de guerreros, arrastrándolos humillados a sus plantas.

El Astrólogo.—¡Joven príncipe, hablas demasiado! Rompiste y enredaste la madeja de tu destino: átala tú y desenrédala. Ve tú solo a hablar al rey, pero poco y con mucho respeto, y sufre el castigo que te has buscado; mas piensa que, ni en la vida ni en la muerte, te olvidaré jamás. *(Vase.)*

TERCER DIÁLOGO

Los mismos menos el Astrólogo

Olláantay.—Olláantay, eres hombre, y no debes temer nada. No exageres el peligro. ¡Estrella, estrella de felicidad, ilumíname! Pie-Ligero, ¿dónde estás?

Pie-Ligero.—Me había dormido, y he soñado cosas siniestras.

Olláantay.—¿Qué has soñado?

Pie-Ligero.—Que ahorcaban a un zorro.

Olláantay.—¡Seguramente, ese zorro eras tú!

Pie-Ligero.—Verdad es que mis narices se afilan y mis orejas crecen.

Olláantay.—Condúceme a casa de Estrella.

Pie-Ligero.—Aún es de día.

ESCENA II

(Gran salón en el palacio de la reina madre, a quien acompaña Estrella.)

PRIMER DIÁLOGO

La reina madre Anahuarqui y Estrella

La Reina Madre.—Estrella, pupila del Sol, ¿desde cuándo estás tan triste? ¿Desde cuándo han huido de ti a un tiempo la felicidad y la alegría? También las lágrimas, que son la lluvia del alma, inundan mi rostro; no puedo mirarte sin dolerme de tu estado que causará mi muerte. ¿No estás unida a Olláantay, a quien amas? ¿No eres ya su esposa? ¿No es ese guerrero el hombre a quien elegiste? Calma, pues, tu dolor.

Estrella.—¡Oh, reina mía! ¡Oh, madre mía! ¿Cómo he de contener mi llanto y mis gemidos, si el hombre a quien adoro, ese esposo tan deseado, no piensa en mí, y me abandona días y noches enteras, sin ocuparse de mi juventud? Aparta de mí sus ojos y ya no me busca.

¡Oh, reina mía! ¡Oh, madre mía! ¡Ah, esposo tan querido como deseado! Hasta que llegue el día de unirme a ti, para mí no brillará la luna, el sol no tendrá aurora; las nubes, teñidas de púrpura poco antes, han tomado el color de seca y fría ceniza; las estrellas palidecen y lloran como yo, y si cayese agua del cielo, mis ojos, enrojecidos por el llanto, creerían ver una lluvia de sangre. ¡Oh, reina mía! ¡Oh, madre mía! ¡Oh, esposo mío tan deseado!

SEGUNDO DIÁLOGO

Dichos y el rey Pachacútic, con su séquito

La Reina Madre.—Compón tu semblante y seca tus lágrimas: el rey, tu padre, llega y se acerca a nosotras.

El Rey *(A Estrella)*.—Estrella de felicidad, esencia de mi alma, la flor más bella entre todos mis hijos, red que aprisiona mi corazón; tus labios son tan rojos como el coral. Ven, paloma mía, descansa en mis brazos; descorre a mis ojos ese velo de oro con que me envuelves; de ti dimana toda mi dicha; tú eres las niñas de mis ojos y el brillo de los tuyos, cuando los elevas, fascinan como un rayo de sol al que te mira. Cuando se entreabren tus labios, tu aliento embalsama el aire. Sin ti no podría tu padre vivir ni gozar, pues su vida entera la consagra a tu felicidad.

Estrella *(Cayendo a sus pies)*.—¡Oh, padre, tan bondadoso para mí! Mil veces beso tus plantas. Bajo tu sombra desaparecen todas las penas de tu hija.

El Rey.—¡Hija mía! ¡Tú prosternada ante mí! ¡Tú a los pies de tu padre, que te considera tanto! Temo alguna desgracia; pero... ¿lloras?

Estrella.—La estrella llora de pena cuando aparece el sol; pero sus lágrimas, claras y puras, mitigan su dolor.

El Rey.—Levántate, amada mía, tu sitio es sobre mis rodillas.

TERCER DIÁLOGO

Dichos, coro de hombres y mujeres

Un Criado.—Señor, tus humildes vasallos vienen a distraerte.

El Rey.—Haz que entre todo el mundo.

(Hombres y mujeres entran bailando y cantando lo siguiente)

Es preciso no comer,
Tortolilla,
en el campo de la princesa;
Tortolilla,
Es menester no consumir,
Tortolilla,
todo el maíz de la cosecha;
Tortolilla,
Los granos están muy blancos,
Tortolilla,
y dulces para comerlos;
Tortolilla,
El fruto está muy tierno,
Tortolilla,
y las hojas están verdes;
Tortolilla,
Pero el cebo está ya puesto,
Tortolilla,
y la liga preparada;
Tortolilla,
Yo me cortaré las uñas,
Tortolilla,
para cogerte con más blandura.
Tortolilla,
Pregunta al ave *piscaca*,
Tortolilla,
¡Mírale ya muerto!
Tortolilla,
¿dónde está su corazón?
Tortolilla,
¿dónde sus plumas?
Tortolilla,
Ha sido descuartizado,
Tortolilla,
por haber picoteado un solo grano;
Tortolilla,
Tal es el triste destino,
Tortolilla,
del pájaro merodeador,
Tortolilla.

EL REY *(Retirándose)*.–Estrella, te dejo en el palacio de tu madre, rodeada de tus jóvenes servidoras, que continúan sus alegres diversiones.

CUARTO DIÁLOGO

Dichos, menos el rey Pachacútic

ESTRELLA.—Preferiría, queridas amigas, que vuestro canto fuese más triste. Auguro mal de lo que acabáis de cantar. Vosotros podéis retiraros.

(Los hombres salen y una de las jóvenes canta.)

Yaravi

Dos enamoradas palomas, desoladas, suspiran, lloran, sollozan, y cubiertas de nieve, se guarecen en el tronco de un árbol carcomido y viejo. Pero he aquí que una de ellas, abandonada por su compañera, se queja amargamente, viéndose por la primera vez en su vida sola en la selva. Creyendo muerta a su compañera, exhala en este canto lastimero su tristeza:

"Tierna compañera ¿dónde estás? ¿Qué ha sido de tus dulces ojos, tu encantadora garganta y tu tierno corazón? ¿Qué de tus labios de fuego?"

Y de esta suerte, buscando errante y loca a su amiga, va de roca en roca, y dando agudos y dolorosos gritos y sin cuidarse de nada, se posa hasta sobre espinas, preguntando por su compañera. Pero no puede resistir más, y ya sin aliento, tropieza, vacila, cae y muere.

ESTRELLA.—Ese *yaravi*, es demasiado triste. Cesa en tu canto y déjame sola. *(Vanse todas.)*

Ahora, lágrimas mías, corred libremente.

ESCENA III

(Interior del palacio del rey.)

PRIMER DIÁLOGO

El rey Pachacútic, Ollántay y Ojo-de-Piedra

EL REY.—Hoy es el día que os necesito, grandes jefes: la primavera llega, y hay que poner el ejército en pie de guerra y marchar sobre la provincia de Colla. Ya avanza contra nosotros la de Chayanta, y está dispuesta a medir sus armas con las nuestras. Dícese que reúne a sus guerreros y que éstos afilan ya sus flechas.

OLLÁNTAY.—Señor, hagan lo que hagan, siempre serán unos cobardes, incapaces de resistirnos frente a frente. Cuzco solamente y sus montañas se alzarán ante ellos como barrera infranqueable. Ochenta mil de los míos, de los más escogidos, armados de sus mazas, aguardan impacientes la señal del clarín para ponerse en marcha al son de las trompas guerreras. Ya las armas están afiladas y los *champis* son selectos.

EL REY.—Probemos antes a atraérnoslos de nuevo, y quizá así logremos someterlos, evitando la efusión de sangre.

OJO-DE-PIEDRA.—En su cólera, han llamado en su auxilio a los yuncas, obstruyendo los caminos, que han hecho impracticables. Se han cubierto de cuero, que así es como esos cobardes de Chayanta disimulan su miedo. Han destruido los caminos por los que no hemos de pasar nunca. Nuestras llamas se han abastecido de provisiones para largo tiempo y estamos preparados para atravesar el desierto.

EL REY *(A Ojo-de-Piedra)*.—¿Quieres ya salir en busca de terribles serpientes? Antes de combatirlos, es preciso llamar amigablemente a los enemigos y hablarles con dulzura. Cuida de no verter sangre estérilmente y de no inmolar inocentes.

OLLÁNTAY.—Yo también estoy pronto a partir; mas antes quisiera deciros el secreto tormento que me oprime el corazón.

EL REY.—Y bien, habla, aun cuando fuera para pedirme la corona.

OLLÁNTAY.—Quisiera decírtelo en secreto.

EL REY.—Noble jefe del país alto, retírate a tu morada a descansar. Si te necesito, te llamaré un día de éstos.

OJO-DE-PIEDRA.—Acato respetuosamente tus órdenes. *(Vase.)*

SEGUNDO DIÁLOGO

El rey Pachacútic, Ollántay

OLLÁNTAY.—¡Rey ilustre! Tú sabes que desde mi juventud estoy ligado a ti y siempre te he considerado como a mi querido amo y señor. Imitándote, mis fuerzas han llegado a ser mil veces más grandes, y mi frente se ha bañado en sudor con frecuencia en tu servicio. Enemigo encarnizado de tus propios enemigos, los he buscado por todas partes, los he combatido, los he aniquilado. Cuando me encuentro entre mis bravos andinos, todos me temen. ¿Hay un sitio en que su sangre no haya corrido a torrentes? Mi nombre sólo los oprime como una cuerda al cuello. He arrastrado a tus pies a todo el País-Alto, multitud de yuncas han llegado a ser los humildes siervos de tu casa. He llevado el incendio a los chancas y les he cortado las alas; mi brazo ha aplastado al poderoso Huanca-Huillca. En todos los combates marchaba a la vanguardia. Y de ese modo, ya por la astucia, ya por la ira, vertiendo sangre e inmolándolo todo, te he hecho dueño absoluto de todos. En cuanto a ti, padre mío, has armado mi brazo del *champi* de oro y colocado sobre mi cabeza el casco, de oro también. ¿Por qué me has sacado de mi condición oscura? Estas armas preciosas y todo mi ser te pertenecen. Mi persona está consagrada a tu servicio. Es cierto que me has colocado a la cabeza de la provincia de los Andes, haciéndome jefe de cincuenta mil guerreros. Pues bien; los Andes, sus guerreros, sus jefes y mi persona, los pongo a tus pies humildemente para implorar de ti un favor supremo. Elévame un grado más aún. Mi puesto está en tu hogar; mi vida entera es tuya. *(Se arrodilla.)* ¡Concédeme a Estrella! ¡Iluminado por esta luz suave, y fuerte con tu protección, más fiel que nunca, mi dicha será morir por ti!

EL REY.—¡Olláantay, recuerda que eres un simple vasallo: cada cual debe permanecer en su puesto; has querido subir demasiado alto!

OLLÁNTAY.—¡Hiéreme en el corazón!

EL REY.—No es a ti a quien toca elegir: yo soy quien debe escoger lo más conveniente. No has reflexionado pretensión semejante. Vete.

ESCENA IV

(Bosque en los alrededores de Cuzco.)

Monólogo de Olláantay

OLLÁNTAY.—¡Olláantay! ¡Desdichado Olláantay! ¿Cómo te dejas abatir por aquel a quien tanto tiempo has servido, tú, el señor de tantos países? ¡Oh, Estrella de mi dicha; acabo de perderte para siempre! ¡Qué vacío siento en mi alma! ¡Oh, princesa mía! ¡Oh, paloma mía! ¡Oh, Cuzco, la bella ciudad! Desde hoy seré tu enemigo implacable. Abriré tu seno para arrancarte el corazón y arrojarlo a los buitres. ¡Ya verá tu cruel rey! Reuniré a miles de mis andinos, y seducidos y armados por mí, los guiaré hacia el Sacsaïhuaman, amenazándole desde allí como una nube de maldición. Cuando el fuego enrojezca el cielo y tú duermas sobre tu lecho ensangrentado, tu rey perecerá contigo, y una vez abatido, verá si mis yuncas son poco numerosos. Y cuando le ahogue entre mis brazos, veremos si su boca inanimada me dice todavía: "¡No eres digno de mi hija! ¡No la poseerás nunca!" Y no me humillaré más ante su altiva presencia para pedírsela de rodillas. ¡Entonces seré yo el rey y ley será mi voluntad! Entretanto, prudencia.

PRIMER DIÁLOGO

y canción de un desconocido.

Olllántay, Pie-Ligero

OLLÁNTAY.—Corre, Pie-Ligero; ve a decir a mi querida Estrella que me espere esta noche.

PIE-LIGERO.—Hace un momento, a la caída de la tarde, estuve en su casa. La casa estaba desierta, y nadie ha sabido decirme por qué. ¡No hay un gato en la casa! Todas las puertas están cerradas, excepto la principal que nadie guarda.

OLLÁNTAY.—¿Y los criados?

PIE-LIGERO.—Los ratones mismos, no encontrando nada que roer, han abandonado la casa, y el búho canta siniestramente en el tejado.

OLLÁNTAY.—Quizá se la haya llevado su padre para ocultarla en el fondo de su palacio.

PIE-LIGERO.—Tal vez la haya hecho ahorcar. Su madre ha desaparecido también.

OLLÁNTAY.—¿No habrá preguntado por mí alguien, antes que viniese aquí?

PIE-LIGERO.—Han venido a buscarte cerca de mil hombres, armados de sus débiles mazas.

OLLÁNTAY.—Si todos se sublevan contra mí, mi brazo los abatirá a todos. No hay nada que pueda resistir a esta mano que todo lo arrasa con este terrible *champi.*

PIE-LIGERO.—Yo mismo le hubiera dado un puntapié, si no hubiese estado armado.

OLLÁNTAY.—¿A quién?

PIE-LIGERO.—Al Jefe Montañés, el único que vino a tu casa.

OLLÁNTAY.—¡Tal vez le haya enviado el rey! He ahí lo que nuevamente enciende mi cólera.

PIE-LIGERO.—No es el rey quien lo envía. El Jefe Montañés viene por sí mismo; es un hombre innoble.

OLLÁNTAY.—El corazón me dice que ha desaparecido del Cuzco, y el canto de ese búho me lo anuncia. Partamos inmediatamente.

PIE-LIGERO.—Pero, ¿abandonaremos a Estrella?

OLLÁNTAY.—¿Y qué puedo hacer, si ha desaparecido? ¡Oh, Estrella! ¡Oh, amor mío!

PIE-LIGERO.—Escucha este *yaravi* que canta cerca de aquí.

Yaravi

En un instante he perdido a mi amada paloma.

Si quieres verla, búscala en las cercanías.

Es infiel, pero su rostro es encantador; se llama Estrella.

Resplandece de tal modo, que es imposible confundirla con ninguna otra.

La luna y el sol, llenos de júbilo, rivalizan para brillar sobre su frente, que centellea de nuevo resplandor.

Su sedosa cabellera, de un negro sombrío, cae en largas trenzas sobre su cuello, haciendo resaltar su blancura.

Sus cejas embellecen su faz como dos arco-iris.

Sus ojos centellean como dos soles al despertar el alba.

Sus pestañas son flechas ardientes y mortíferas.

Más de un corazón se abre tiernamente a sus dardos.

Sus mejillas son rosas entre nieve, y su rostro, blanco y transparente alabastro.

Sus labios entreabiertos dejan ver dos hileras de perlas, y cuando se ríe, su aliento embalsama todo a su alrededor.

Su garganta es tersa como el cristal y como la nieve blanca.

Sus pechos encantadores se asemejan a las flores del algodonero, recién abiertas.

Al solo contacto de su mano tan suave, me estremezco de placer.

Sus dedos son blancos como estalactitas de hielo.

OLLÁNTAY.—¡Ah! ¡Estrella de mi dicha! Ése que canta ahí abajo ¿sabe todo lo hermosa que eres? Necesito huir de aquí y ocultar mi dolor. Me vuelve loco la idea de haber causado tu pérdida, y tu muerte, cuyo autor soy, me matará.

SEGUNDO DIÁLOGO

Olláníay, Pie-Ligero

PIE-LIGERO.—Es posible que haya muerto Estrella, tu Estrella, porque tu cielo está sombrío.

OLLÁNTAY.—Cuando, ya pronto, sepa el monarca que Ollántay le ha abandonado, verá que todos los míos le abandonan también para volverse contra él.

PIE-LIGERO.—Todos te profesan afecto, gracias a tu liberalidad: tu mano está abierta para todos... Sólo para mí está cerrada.

OLLÁNTAY.—¿Qué necesitas?

PIE-LIGERO.—¿Qué? Comprar esto o aquello... Ofrecer un aderezo a la chica... y luego... quisiera hacer sonar mi dinero: eso da cierta consideración.

OLLÁNTAY.—Sé bravo y te temerá todo el mundo.

PIE-LIGERO.—Mi cara no se ha hecho para la bravura. Alegre y dispuesto a reír siempre, harto acostumbrado al ocio, no sabría fruncir el entrecejo. ¡Chitón! Me parece que oigo a lo lejos el plañidero sonido de un flautín.

OLLÁNTAY.—Sin duda andan buscándome. Partamos. Marcha delante.

PIE-LIGERO.—Cuando se trata de huir, ¿quién como yo?

ESCENA V

(La misma decoración que en la escena tercera.)

El rey Pachacútic, Ojo-de-Piedra. Después un mensajero.

EL REY PACHACÚTIC.—He mandado buscar a Ollántay por todas partes y nadie ha podido encontrarle. La cólera que rebosa en mi corazón debe desbordarse sobre él. ¿Has visto tú a ese hombre?

OJO-DE-PIEDRA.—El miedo lo habrá alejado de ti.

EL REY.—Toma mil guerreros y marcha a su persecución.

OJO-DE-PIEDRA.—¿Quién sabe dónde estará ya después de tres días que ha desaparecido? Tal vez alguno le oculte en su casa y le haga invisible.

UN MENSAJERO *(Entrando con un quipo*[1] *en la mano).*—He aquí, señor, un *quipo*, que de Urubamba traigo. Se me ordenó venir rápido como el rayo, y héme aquí.

[1] Los *quipos* eran unos ramales de cuerdas que formaban nudos y tenían colores diversos, y que usaban los indios del Perú para suplir la escritura. Valíanse de ellos para relatar historias y noticias, dando también razón de las cuentas en que es preciso el uso del guarismo. [T.]

El Rey.—¿Qué noticias traes?

El Mensajero.—Te lo dirá este *quipo*.

El Rey *(A Ojo-de-Piedra)*.—Examínalo tú, Ojo-de-Piedra.

Ojo-de-Piedra.—He aquí el *quipo*: la diadema ha ceñido ya su frente, y estos nudos suspendidos de los hilos son todos sus secuaces.

El Rey.—Y tú, ¿has visto algo?

El Mensajero.—Dícese que todos los andinos han hecho a Olláantay una gran recepción. Muchos cuentan haberle ya visto coronado con la diadema real, que lleva altivamente sobre sus sienes.

Ojo-de-Piedra.—Eso es lo que indica el *quipo*.

El Rey.—¡Apenas si puedo contener mi cólera! Valeroso jefe, es preciso marchar contra este rebelde antes que llegue a ser más poderoso. Si no son bastantes tus fuerzas auméntalas hasta cincuenta mil guerreros. Persíguele a marchas forzadas, y no te detengas hasta que sea castigado.

Ojo-de-Piedra.—Mañana me pondré en marcha; voy a prepararlo todo inmediatamente. Si toma el camino de los *Collas*, me creo con fuerzas para traer aquí a los fugitivos y precipitarlos desde lo alto de la roca. Tu enemigo debe perecer, y, muerto o vivo, lo tendrás. Mis fuerzas bastarán para ello; y en esta confianza, señor, descansa en mí.

ESCENA VI

(Interior de la fortaleza de Olláantay en la ciudad de Tambo.)

PRIMER DIÁLOGO

Olláantay, el Jefe Montañés y otros jefes

El Jefe Montañés.—Ya has sido aceptado por los andinos como gran jefe. Las mujeres lloran, como verás, porque los guerreros y sus jefes van a partir a la guerra contra Chayanta, y debes emprender una expedición lejana. ¿Cuándo terminarán estos viajes que hacemos todos los años en busca de lejanos países, y saliendo al encuentro de innumerables enemigos, que nos cuestan torrentes de sangre? Al rey, mientras no le falten sus manjares y su provisión de coca, poco le importan las fatigas de su pueblo. Nuestras llamas perecen al atravesar los desiertos arenosos. Allí nuestros pies se desgarran con punzantes espinas. Y si no queremos morir de sed, tenemos que transportar el agua sobre nuestras espaldas desde muy lejos.

OLLÁNTAY.–Escuchad, bravos guerreros, lo que dice el Jefe Montañés. Es preciso pesar bien las fatigas que os ha pintado. Lleno de lástima por los andinos, he dicho al rey con el corazón dolorido:

"Es menester dejar reposar por un año la provincia de los Andes, que no puede más. Son los bravos que todos los años se sacrifican por ti. Ya sea por el hierro, ya por el fuego o por las enfermedades, perecen en gran número, y ¡cuántos no vuelven jamás de estas lejanas expediciones! En esas empresas, ¡cuántos príncipes han encontrado su muerte!"

Así fue ¡oh andinos! como yo dejé la corte del rey; añadiéndole que por esta vez os dejase en reposo. Corro a deciros que nadie se disponga a abandonar su hogar. Y si el rey persiste, yo me declaro su enemigo implacable.

SEGUNDO DIÁLOGO

Ollántay, el Jefe Montañés, Hanco-Huaillo, otros jefes y pueblo

TODOS *(Gritando)*.–¡Sé nuestro rey para siempre! ¡Enarbola el estandarte rojo y lleva la corona que regocija a todos!

EL PUEBLO *(Gritando desde fuera)*.–¡Tambo tiene ahora su rey! ¡Ya éste se levanta como el astro del día!

HANCO-HUAILLO.–Recibe de mis manos la corona que te da tu pueblo. A la primera señal, la lejana Vilcanota te enviará a sus pueblos para someterse a tu ley.

TODOS.–¡El rey Ollántay se eleva como el astro del día!

OLLÁNTAY.–Jefe Montañés, te nombró jefe supremo de la provincia de los Andes. Toma mi casco y estas flechas, y manda en jefe al ejército.

TODOS.–¡Viva largos años el Jefe Montañés! ¡Vítor! ¡Vítor!

EL PUEBLO *(Gritando desde fuera)*.–¡Viva el Jefe Montañés!

OLLÁNTAY.–Hanco-Huaillo, tú eres el más anciano y el más sabio entre los príncipes. Deseo que hoy des el anillo (pues eres pariente del gran sacerdote) al Jefe Montañés.

HANCO-HUAILLO *(Al Jefe Montañés que se arrodilla)*.–Pongo este anillo en tu mano, para que nunca olvides que debes tener clemencia para todos. ¡Levántate, eres un héroe!

EL JEFE MONTAÑÉS.–Bendito mil veces, ilustre rey, el honor que me haces.

HANCO-HUAILLO.—He aquí al valiente armado de los pies a la cabeza y erizado como un puerco-espín. Así es como debe ser el valiente Valiente. *(Volviéndose hacia Valiente.)* Jamás tus enemigos te han visto por la espalda. ¡Hombre de la *Puna*, no vayas ahora a huir y temblar como un arbolillo!

EL JEFE MONTAÑÉS.—Oíd, guerreros de los Andes. Ya tenemos un rey. Sabed que de hoy en adelante es preciso sostenerlo valerosamente. Dícese que el viejo rey del Cuzco convoca a sus guerreros, atrayéndose hábilmente a los jefes, para hacer partir su ejército contra nosotros. El Cuzco en masa va a invadir el seno de nuestra montaña con el intento de matarnos e incendiar nuestras moradas. No hay que perder ni un día. Convocad a todos los montañeses y tened dispuestos los equipos del ejército sin pérdida de tiempo. Levantad en Tambo murallas, no dejando más que una salida sobre la montaña. Moled en el mortero yerbas venenosas en abundancia para emponzoñar nuestras flechas, y así la muerte los alcanzará con más celeridad que el dardo que los hiera.

OLLÁNTAY.—Jefe Montañés, elige los jefes para ir delante, e indica los lugares donde las diferentes tribus deben permanecer ocultas. Nuestros enemigos no se dormirán mientras no verifiquen la invasión; pero ¡soldados! serán dispersos y puestos en fuga a los golpes de nuestros *Compis* (mazas).

EL JEFE MONTAÑÉS.—Treinta mil de nuestros andinos se hallan ya en la fortaleza de Tambo. Entre nosotros no encontraría ni un cobarde ni un negligente. Dispónese a salir el poderoso Maruti con los de Vilcabamba. En los escarpados huecos de Tinquiquero, ocultará a sus gentes, prontas a salir a la primera señal. El ejército del príncipe Chara lo apostará en las alturas opuestas y aguardará mis órdenes. En las gargantas del Charamuray pasarán la noche diez mil de nuestros andinos, y en el valle de Pachar se apostarán todavía otros diez mil. Ahora pueden venir los cuzqueños; los esperamos con calma. Triunfantes avanzarán hasta ver que les cerramos la retirada. Cercados que sean por todas partes, resonará la trompeta guerrera, y entonces las montañas se estremecerán y lanzarán sus piedras. Enormes peñascos rodarán con rapidez, y aplastarán a los huancas, que quedarán sepultados entre ellos. Si algunos escapan, blandiremos el cuchillo contra ellos, y perecerán a nuestras manos o nuestras flechas los atravesarán en su huida.

TODOS.—¡Bien! ¡Muy bien!

ESCENA VII

(Desfiladero en las montañas, desde donde puede verse la fortaleza de Olláantay.)

Monólogo de Ojo-de-Piedra

OJO-DE-PIEDRA.—¡Desdichado Ojo-de-Piedra! ¡Eres una piedra maldita! ¡Milagrosamente te has escapado de las rocas! ¡Y haber creído en semejantes canciones! ¿No tenías manos para matar en este estrecho valle al fugitivo Olláantay, que se había ocultado en estas gargantas? ¿No sabías que su corazón inconstante como la mariposa, vendía a todo el mundo? ¡Y no has sido capaz de aniquilarlo! Prestándole recursos la astucia ha inmolado a mis guerreros. ¡Era el único medio de hacer palidecer a un héroe como yo! ¿Cuántos miles de hombres he hecho matar hoy? A duras penas he podido yo mismo escaparme de sus manos. Creyendo a ese miserable, hombre de corazón, he querido encontrarle frente a frente. Pensando perseguirle en su huida, he penetrado en sus desfiladeros. Mi ejército se hallaba ya casi a la entrada, cuando de repente las rocas se han desprendido sobre nosotros, apenas sonaron las estruendosas trompetas. Una lluvia de piedras grandes y pequeñas que caían por todas partes, ha aplastado por uno y otro lado a la inmensa multitud de guerreros que perecen bajo los peñascos. Todavía la sangre, corriendo como un arroyo, inunda los desfiladeros. Se me ha visto buscar entre ese lago de sangre a un hombre, para combatir con él. Nadie se me ha presentado; nadie me ha mirado de frente. Los cobardes no emplean contra mí sino sus hondas. ¿Con qué cara me presentaré ante mi amado rey? Mi situación no tiene remedio. Debo huir no importa dónde. Yo mismo debo estrangularme en esta honda. Pero... puede serme útil el día que Olláantay llegue a caer.

ESCENA VIII

(Patio interior del palacio de las Vírgenes Escogidas, con una puerta que da a la calle.)

PRIMER DIÁLOGO

Salla, Bella

SALLA.—Bella, es preciso que no te aproximes tan frecuentemente a esa puerta, ni que permanezcas cerca de ella. Las madres se enojarían. Tu nombre encantador de Bella, que me es tan caro, hermana mía, será por todas partes repetido y pregonado de boca en boca. Una vez traspasado el umbral de esta puerta, hay que honrar a las Vírgenes Escogidas. Diviértete aquí dentro, que nadie tendrá nada que decirte. Piensa que vas a encontrar aquí quien te dé cuanto puedas imaginar; hermosos adornos, oro y manjares exquisitos. Todas las vírgenes de sangre real te miman; te llevan en sus brazos las matronas, y, cubriéndote de besos y caricias, te estrechan contra su corazón. Te prefieren a las demás y se miran en tus bellos ojos. ¿Qué otra cosa mejor puedes desear, ni cuál debe ser el objeto de tu ambición sino ser su hermana y vivir siempre con ellas? Colmada de favores por los príncipes, igual a las vírgenes más nobles, destinada a ser la hermana del Sol, gozarás por siempre contemplándolo.

BELLA.—Compañera Salla, siempre me dices lo mismo y me repites iguales consejos. Voy a abrirte mi corazón y a hablarte sin fingimientos: este encierro, este palacio, son para mí insoportables. Aquí encerrada, la ociosidad me oprime, y cada día maldigo mi destino. La presencia de esas viejas de rostro severo me es odiosa. Y sin embargo, desde el rincón donde me hacen sentar, no veo más que a ellas. Ningún placer en este sitio; no se ven más que ojos lacrimosos. Si de mí dependiese, nadie estaría ya aquí. A todos los que pasan los veo reír de tan buena gana, que no parece sino que llevan la felicidad en sus manos. ¿Y a mí se me encierra acaso porque no tengo madre, y lisonjeándome con la idea de ser una rica novicia, se me quiere obligar a establecer aquí mi nido? Paseábame pensativa por el jardín la noche última. De pronto, en medio del profundo silencio de la noche, oigo a una desgraciada llorar y lamentarse amargamente. "¡Qué no pueda morir!" exclamaba, hablando consigo misma. Miro a todos lados y siento erizarse de espanto mis cabellos. Llamo, temblando: ¡Quien quiera que seas, respóndeme!", digo. La voz desolada murmura estas palabras: "¡Sol, arráncame de aquí!" en medio de suspiros y sollozos espantosos. Busco en uno y otro lado sin descubrir a nadie. Sólo el viento, que gime en las hierbas, sigue mis pasos, y como él, lloro. Mi corazón, rebosando de dolor, quiere romper mi pecho. Sólo el recuerdo de esta noche me hace estremecer de espanto. He ahí por qué, hermana Salla, si el dolor ha establecido su nido en este sitio, es porque está regado con lágrimas. Sábelo, querida compañera, y en adelante no me hables más y no me invites a habitar aquí. Esta elección me sería odiosa.

SALLA.—Entra, porque puede salir la vieja madre.

BELLA.—¡La luz me hacía tanto bien! *(Sale.)*

SEGUNDO DIÁLOGO

La Madre Roca, Salla

La Madre Roca.—Hermana Salla, ¿has dicho a esa niña lo que te encargué?

Salla.—Le he dicho todo.

La Madre Roca.—¿Y te ha respondido con sinceridad?

Salla.—Llora que da lástima y rehusa formalmente vestir el hábito de las Vírgenes Escogidas.

La Madre Roca.—¿A pesar de tus consejos?

Salla.—La he hecho ver las ricas vestiduras, y haciéndola sonrojarse por su pobreza al recordarle que desde su juventud quedó desamparada, le he dicho: "Si rehusas ser Virgen Escogida, te perseguirá la adversidad; serás siempre una desgraciada y para nosotras una hija maldita."

La Madre Roca.—¿Qué piensa hacer esa miserable niña, de padre desconocido, huérfana de madre? ¡Extraña mariposa encarnada! Háblala claramente, muy claramente: dile que estos muros sombríos ofrecen un asilo a la desnudez y que la luz no la descubrirá nunca. *(Vase.)*

Salla.—¡Ah, Bella mía, Bella mía! ¿Serán estos muros bastante crueles para ocultar tu exquisita belleza? ¡Qué serpiente! ¡Qué leona!

ESCENA IX

(Una calle de Cuzco.)

El Astrólogo, Pie-Ligero

El Astrólogo.—¿Cómo? ¿Tú aquí, Pie-Ligero? ¿Buscas la muerte, que debe encontrar Olláantay?

Pie-Ligero.—El Cuzco me vio nacer, y es natural que me apresure a volver. No he podido acostumbrarme a vivir en el fondo de las cavernas.

El Astrólogo.—Y dime, ¿qué hace Olláantay?

Pie-Ligero.—Desenreda una madeja muy enredada.

El Astrólogo.—¿Qué madeja?

Pie-Ligero.—Si quieres que hable, dame algo.

El Astrólogo.—Te daría un palo para sacudirte y tres para colgarte.

PIE-LIGERO.—No me intimides.

EL ASTRÓLOGO.—Habla, pues.

PIE-LIGERO.—Olllántay... Olllántay... No recuerdo más.

EL ASTRÓLOGO.—¡Cuidado, Pie-Ligero!

PIE-LIGERO.—¿Olllántay? Se hace el héroe. Construye muros con piedrecillas, que le llevan unos enanillos tan pequeños, que para llegar a la altura de un hombre, tienen que subirse uno sobre las espaldas del otro. Pero, dime, ¿cómo, tú, pariente del rey, arrastras tu largo ropaje como una gallina enferma? Como es negro, se ensucia mucho.

EL ASTRÓLOGO.—¿Cómo, no has visto que el Cuzco está anegado en lágrimas porque su rey Pachacútic está enterrado? ¡Mira, todo el mundo, sin excepción, viste de luto y cada uno vierte todas sus lágrimas!

PIE-LIGERO.—¿Y quién ocupará el puesto que ha dejado Pachacútic? Si Tupac-Yupanqui le sucediese, serían otros despojados de su derecho, porque este Inca es menor y hay otros mayores que él.

EL ASTRÓLOGO.—Todo el Cuzco le ha elegido, y el rey le ha dejado su corona y su maza de mando. ¿Se podría elegir a otro?

PIE-LIGERO *(Saliendo rápidamente)*.—¡Voy a traer aquí mi cama!

ESCENA X

(Salón del trono en el palacio del rey.)

El rey Túpac-Yupanqui, Ojo-de-Piedra, el Astrólogo, acompañamiento de personajes de la corte, grandes damas, etcétera

EL REY YUPANQUI.—Recibid mis saludos, hoy nobles señores. ¡Hijas consagradas al Sol, yo invoco sobre vosotras sus favores! El reino, todo júbilo, acude a proclamarme en mi palacio, y yo, en lo íntimo de mi corazón, no olvido a nadie y pienso en todos.

EL ASTRÓLOGO.—Ayer el humo de la inmensa hoguera llegaba casi al disco del Sol. Este Dios, lleno de alegría, se levanta, inundando de felicidad a todos. Entre las cenizas de los pájaros quemados, no he encontrado más que un rey, y ese eres tú. De la hoguera encendida de las llamas todos han visto salir un águila. Le hemos abierto el costado y escudriñado el pecho; buscábamos el corazón; pero lo hemos encontrado vacío. ¡Es preciso reducir a la obediencia a nuestro enemigo de los Andes! Lejos del Sol, su corazón se hiela. Tal es el augurio.

EL REY YUPANQUI *(Mirando a Ojo-de-Piedra)*.—He aquí al gran jefe de los Andes que ha dejado escapar al enemigo. Él sólo ha hecho perecer ese sinnúmero de hombres.

OJO-DE-PIEDRA.—Ya el poderoso rey, tu padre, supo que estuve sepultado bajo las rocas. Es verdad, eso fue mi culpa. He mandado como una piedra, y las piedras lo han aplastado todo. He debido arrastrar las piedras; he combatido entre ellas, y a la postre han destrozado mi ejército. Concédeme una sola gracia; déjame obrar libremente, iré a su fortaleza y te lo traeré aquí desolado.

EL REY YUPANQUI.—Tócate a ti hacer grandes esfuerzos para volver por el honor de tu nombre. Si no eres digno de ello, debes dejar el mando de mis guerreros.

EL ASTRÓLOGO.—El país de los Andes lo verás a tus pies dentro de pocos días. Lo he leído así en el libro sagrado. *(Bajo a Ojo-de-Piedra.)* Pronto, Jefe de Piedra, corre veloz.

ESCENA XI

(Alrededores de la fortaleza de Ollántay, en la ciudad de Tambo.)

PRIMER DIÁLOGO

Ojo-de-Piedra mal herido, un indio

OJO-DE-PIEDRA.—¿No hay en estos alrededores nadie que de mí se compadezca?

UN INDIO.—¿Quién eres? ¿Quién te ha puesto en ese estado? ¿De dónde vienes, cubierto de heridas tan terribles?

OJO-DE-PIEDRA.—Corre a casa de tu rey, y dile que acaba de llegar una persona que le ama.

UN INDIO.—¿Cómo te llamas?

OJO-DE-PIEDRA.—No es necesario nombrarme.

UN INDIO.—Espérame aquí. *(Vase.)*

SEGUNDO DIÁLOGO

Ollántay, Ojo-de-Piedra

OJO-DE-PIEDRA.—Beso, mil veces, ¡oh rey poderoso! las huellas de tu planta. Ten piedad de un desgraciado que a tu sombra se ampara.

OLLÁNTAY.—¿Quién eres? Aproxímate. ¿Quién pudo maltratarte así? Semejantes heridas, ¿provienen de alguna caída terrible?

OJO-DE-PIEDRA.—Tú me conoces bien. Yo soy esa piedra que cayó un día y ahora cae a tus pies. ¡Levántame, rey mío!

OLLÁNTAY.—¿Eres tú, Ojo-de-Piedra, gran jefe de la región de los Andes?

OJO-DE-PIEDRA.—Sí, yo soy aquella roca de otras veces que hoy mana sangre.

OLLÁNTAY.—Levántate, y ven a mis brazos. ¿Quién te ha tratado de esa suerte? ¿Y quién te ha conducido a mi fortaleza, hasta mis lares? Que traigan vestidos nuevos para mi amado jefe. Pero, ¿cómo has venido solo sin temor a la muerte?

OJO-DE-PIEDRA.—Tupac-Yupanqui acaba de posesionarse del trono como nuevo rey del Cuzco, elevándose, contra la voluntad de todos, sobre olas espumosas de sangre humana. Su corazón no estará satisfecho hasta hacer que nos corten a todos la cabeza. La roja flor del *Ñuccho* corre por doquier, pues en su delirio todo lo inmola. Sin duda no habrás olvidado que yo era jefe del País-Alto. Yupanqui, sabiendo lo que me ha sucedido, me hizo llamar a su casa, y, como tiene un corazón feroz, ordenó que me trataran así. He ahí, mi amado protector, cómo me han destrozado en casa de Yupanqui.

OLLÁNTAY.—No te aflijas, piedra dura. Ante todo, es preciso curarte. En ti veo ya el cuchillo que blandiré contra él. El gran día del Sol, celebraremos en Tambo la solemne fiesta. Ese día lo dedico a la alegría, y sobre las alturas de mis dominios, todo el mundo se regocijará.

OJO-DE-PIEDRA.—Esos tres días de fiestas serán para mí un alivio. Quizá para entonces estaré curado, y nuestros corazones se entregarán a la alegría.

OLLÁNTAY.—Así será. Tres noches velaremos en honor del Sol, y para entregarnos mejor al regocijo, nos encerraremos en Tambo.

OJO-DE-PIEDRA.—¡Que los jóvenes encuentren, como siempre, en esas noches sus delicias, y cada cual, reposando de sus fatigas, lleve consigo la esposa que haya recibido!

ESCENA XII

(Patio interior del palacio de las Vírgenes Escogidas, con una puerta que da al jardín.)

Bella, Salla

BELLA.—Compañera Salla, amada mía, ¿cuánto tiempo me ocultarás aún tu secreto? Considera, hermana mía, cuán entristecido está mi corazón, y que sin cesar lloraré hasta que me descubras la verdad. En estos lugares, alguien purga mis pecados. No me ocultes nada, dulce paloma mía. ¿Quién sufre, quién llora en el fondo de este jardín? Y ¿cómo está esa persona tan oculta que no puedo descubrirla?

SALLA.—Bella mía, hoy voy a decírtelo todo; pero suceda lo que quiera y veas a quien veas, has de ser muda como una piedra. Mas, te lo prevengo: el triste espectáculo que has de ver, te hará llorar largo tiempo.

BELLA.—Nunca hablaré de lo que vas a descubrirme; no me ocultes, pues, nada, que nada saldrá de mí.

SALLA.—Hay en este jardín una puerta de piedra... Pero estate aquí hasta que las madres estén dormidas. La noche llega; siéntate y espérame. *(Vase.)*

BELLA.—¡Mil extraños presentimientos oprimen mi corazón! ¿Veré por fin a la que aquí agoniza tan afrentosamente? *(Vuelve con un jarro lleno de agua, un plato con comida y una luz que entrega a Bella.)* Levántate y sígueme y oculta un poco la luz.

ESCENA XIII

(Jardín interior del palacio de las Vírgenes Escogidas. A un lado, la gran puerta de entrada. Al otro, la cueva de Estrella, cuyo interior ven los espectadores, separado del jardín por rocas y ramajes, en medio de los cuales se distingue la puerta de la cueva, formada por una gruesa piedra. En el fondo de la cueva, Estrella, tendida en el suelo, ceñida por una culebra.)

Bella, Salla, Estrella

SALLA *(Se dirige a la caverna y abre la puerta).*—He aquí a la princesa que vienes a buscar. ¿Estás satisfecha?

BELLA.—¡Ah, hermana mía! ¿Qué veo? ¿Es una muerta la que vengo a buscar? Me estremezco de horror. Este sitio no encierra sino un cadáver. *(Se desmaya.)*

SALLA.—¡Qué desgracia me sucede en este instante! ¿Bella mía, mi dulce paloma, vuelve en ti pronto; levántate, levántate, florecita mía! *(Bella vuelve en sí.)* No temas, querida hermana; no es un cadáver, es una princesa desdichada que aquí se consume.

BELLA.—Pero, ¿vive aún?

SALLA.—Acércate y ayúdame. Todavía vive. ¿No ves? Mira. Vierte un poco de esta agua, y cierra nuevamente la puerta. *(A Estrella, esfor-*

zándose para incorporarla.) Bella princesa; he aquí agua y algo que comer. Procura sentarte. Acabo de entrar ahora.

BELLA.–¿Quién eres, dulce paloma? ¿Cómo estás encerrada en el fondo de esta caverna?

SALLA.–Toma un poco de alimento. Sin él, hermana, tal vez sucumbirías.

ESTRELLA.–¡Qué dichosa soy viendo, después de tantos años, un rostro nuevo en esta joven que te acompaña!

BELLA.–¡Ah! princesa mía, hermana encantadora, bello pájaro de pecho de oro, ¿de qué crimen eres culpable para sufrir de esa suerte? ¿Por qué crueldad estás en ese suplicio, compañera mía? La muerte te oprime bajo la forma de esta culebra.

ESTRELLA.–Encantadora niña, semilla de amor, flor de mi corazón, soy una pobre mujer sumida en este abismo. ¡Estoy unida a un hombre como la pupila al ojo, pero el ingrato me ha abandonado! Me unían a él lazos indisolubles; pero el rey lo ignoraba, y cuando le pidió mi mano, arrojóle el rey con cólera. Después, cuando mi amante hubo partido, me hizo encerrar aquí. De esto hace ya bastantes años, y, sin embargo, ya lo ves, aún vivo. No veo a nadie en esta mansión, donde se deslizan mis negros años. Ningún consuelo he encontrado en este suplicio, y han pasado por mí diez años entre la vida y la muerte, ligada a esta cadena de hierro y olvidada de todos. ¿Y tú, tan joven y tan compasiva, quién eres, amor mío?

BELLA.–Yo también te he seguido con el pensamiento, acongojada y llorando; y en las soledades de esta casa, mi corazón, siempre anhelando verte, quería saltar del pecho. Tampoco tengo padres, y nadie se interesa por mí en el mundo.

ESTRELLA.–¿Qué edad tienes?

BELLA.–Muchos años debo tener, porque como detesto esta casa y me aburro tanto, el tiempo me parece muy largo.

SALLA.–Según mi cuenta, debes tener diez años, poco más o menos.

ESTRELLA.–¿Y cuál es tu nombre?

BELLA.–Me llaman Bella, pero se han engañado al darme este nombre.

ESTRELLA *(Estrechando a Bella contra el pecho)*.–¡Ah! ¡Hija mía, paloma mía! ¡Descansa sobre mi corazón! Eres toda mi dicha. ¡Hija mía, ven, ven! ¡La alegría inunda mi alma! ¡Ése es el nombre que yo te he dado!

BELLA.–¡Ah, madre mía! ¿Cómo te hallas aquí? ¡No te separes ya de mí! ¿No te he conocido sino para ser más desdichada? ¿Me dejarás en mi abatimiento? ¿A quién acudiré yo para que te vuelvan a mis ojos? ¿A quién me acercaré para tenerte entre mis brazos?

SALLA.—¡No hagas ruido! Podría suceder alguna desgracia. ¡Vámonos pronto! Las madres pueden advertir nuestra ausencia.

BELLA.—¡Sufre todavía por algún tiempo en esta casa de mis tristes años! Y hasta que yo te haga salir, ten paciencia aún algunos días. ¡Ah, madre mía! Para mi corazón, lleno de amor por ti, abandonarte es la muerte!

ESCENA XIV

(Salón en el palacio del rey.)

PRIMER DIÁLOGO

El rey Túpac-Yupanqui y el Astrólogo

EL REY YUPANQUI.—Grande y noble pontífice, ¿has tenido alguna noticia de Ojo-de-Piedra?

EL ASTRÓLOGO.—Anoche estuve en las escarpadas rocas de Vilcanota, desde donde percibí a regular distancia, gentes que estaban atadas. Sin duda debían ser andinos, pues se dice que todos han sido aplastados. Los cardos de la montaña humean; ya está ardiendo la fortaleza.

EL REY YUPANQUI.—¿Y Olláantay? ¿Lo habrán cogido? ¡Quizá se haya fugado!

EL ASTRÓLOGO.—Olláantay debía estar rodeado de las llamas. Dícese que todos se han abrasado.

EL REY YUPANQUI.—El Dios-Sol no puede dejar de protegernos. Yo soy de su raza. Les daremos el castigo que merecen. ¡Para eso he subido yo al trono!

SEGUNDO DIÁLOGO

Dichos, y un indio que viene como mensajero,
con un quipo *en la mano*

EL INDIO.—Al despuntar el alba, Ojo-de-Piedra me ha enviado hoy con este *quipo.*

EL REY YUPANQUI *(Al Astrólogo).*—Mira lo que dice.

EL ASTRÓLOGO.—Este nudo de color de carbón, indica que Olläntay se ha abrasado. A este nudo triple hay atado un quíntuplo nudo, lo cual revela que la provincia de los Andes ha sido tomada y está ya en poder del rey. Por eso se ata este quíntuplo, que en junto hacen tres quíntuplos.

EL REY YUPANQUI *(Al mensajero)*.—Y tú, ¿estabas presente? ¿Te ha tocado algo?

EL INDIO.—Supremo señor, hijo del Sol, me he apresurado a venir el primero para que puedas inmolarlos a todos sin compasión y beber su sangre.

EL REY YUPANQUI.—En muchas ocasiones os he exhortado para que os abstengáis en absoluto de verter sangre humana, y, sobre todo ésa, y os he dicho que tengáis piedad de ellos.

EL INDIO.—No ha sido menester ¡oh señor! derramar la sangre de nuestros enemigos. Los hemos hecho prisioneros durante la noche, sin que hayan podido resistir a nuestras fuerzas.

EL REY YUPANQUI.—Cuenta lo que ha pasado.

EL INDIO.—Yo me encontraba entre nuestros guerreros. He pasado la noche en Tinquiquero, donde me oculté, en compañía de hombres de Yanahuara. Allí hay una caverna rodeada de follaje, que oculta su entrada, haciendo de ella una guarida segura. Esta caverna nos ha ocultado durante tres días y tres noches, y en ella hemos sufrido las angustias del hambre, hasta que llegó Ojo-de-Piedra, quien nos dio la orden de avanzar durante la noche. Al dejarnos nos dijo que el gran día del Sol se embriagarían todos en la fortaleza de Tambo, y que nosotros, guerreros del Cuzco, debíamos sorprenderlos en las sombras de la noche. Después de dicha orden, se alejó. En cuanto a nosotros, llenos de impaciencia hemos aguardado esta noche durante largos días. Llega el día de la fiesta; Olläntay se entrega a la alegría y se embriaga con Ojo-de-Piedra, y lo propio hacen todos sus guerreros. Nosotros, entonces, sin hacer el más leve ruido, penetramos en su fortaleza. Tus guerreros, viendo que habían caído en el lazo, los acosaron a flechazos, y el miedo consumó la derrota. Luego, colocados en la red y con los brazos atados fuertemente... Buscamos a Olläntay. Ya lo había atado también Ojo-de-Piedra y puéstole la camisa de fuerza. Así lo encontramos nosotros. El Jefe Montañés yacía desolado; y, forcejeando con rabia para desasirse de sus ligaduras... En esa forma, gran rey, te traemos a Olläntay con todos sus secuaces, a Hanco-Huaillo y su gente, sin que nadie haya escapado. Los andinos maniatados son unos diez mil. Sus mujeres, desesperadas, les siguen llorando a lágrima viva.

EL REY YUPANQUI.—Todo lo que has visto en las riberas del Vilcanota, era cierto.

TERCER DIÁLOGO

Dichos y Ojo-de-Piedra

OJO-DE-PIEDRA *(Arrodillándose ante el rey)*.—¡Rey poderoso, mil veces beso tus plantas! Dígnate, esta vez, escuchar mi voz. Devuélveme tu favor y el poder que he perdido.

EL REY YUPANQUI.—Levántate, gran jefe, levántate muy alto y ven, lleno de dicha, a que te estreche en mis regocijados brazos. Ellos han tendido sus redes en el agua para cogerte, y en sus mismas redes los has cogido tú.

OJO-DE-PIEDRA.—Nuestros enemigos nos han muerto miles de guerreros con sus jefes, descargándonos piedras, y la piedra los ha destruido, porque yo he rodado sobre ellos como una roca desprendida de la montaña.

EL REY YUPANQUI.—¿Se ha derramado mucha sangre?

OJO-DE-PIEDRA.—No, señor, ni una gota. Tus órdenes han sido cumplidas. Los andinos están atados, pero la fortaleza ha sido destruida y reducida a cenizas.

EL REY YUPANQUI.—¿Dónde están los rebeldes?

OJO-DE-PIEDRA.—En la plaza, esperando, llenos de angustia, morir ahorcados. Todo el pueblo pide a gritos su muerte. En medio de ellos están sus mujeres, y sus hijos se arrastran por el suelo con espantosos lamentos. Es preciso darles el golpe de gracia.

EL REY YUPANQUI.—Así se hará a no dudarlo. Y para que los huérfanos no arrastren una vida miserable, ¡que todos perezcan! De ese modo el Cuzco quedará tranquilo. Conduce aquí a los traidores.

CUARTO DIÁLOGO

El rey Túpac-Yupanqui, el Astrólogo, Ojo-de-Piedra, Ollántay, Hanco-Huaillo y el Jefe Montañés, estos tres últimos conducidos por los verdugos, atados y con los ojos vendados; nobles de la corte, jefes y guerreros de la comitiva de Ojo-de-Piedra; después Pie-Ligero.

EL REY YUPANQUI.—Quitad las vendas a esos hombres. ¡Hola! Ollántay ¿dónde estás? ¿Dónde estás, Jefe Montañés? ¡Pronto rodaréis desde lo alto de las rocas! *(A los soldados, que conducen a Pie-Ligero con los ojos vendados.)* ¿A quién traéis aquí?

PIE-LIGERO.—En los lugares cálidos, innumerables pulgas atormentan al hombre; el agua hirviendo las destruye. Yo, pobre pulgón, debo morir como ellas.

EL REY YUPANQUI.—Dime, Hanco-Huaillo, dime. ¿Por qué te has entregado a Olllántay? ¿No te había colmado de honores el rey, mi padre? ¿Qué has deseado tú que él no te haya concedido? Una palabra de tu boca le decidía a todo. Cuanto más pedías tú, más te otorgaba él. ¿Tuvo para ti nunca secretos? Hablad, pues, vosotros, rebeldes. ¡Olllántay! ¡Y tú, Jefe Montañés!

OLLÁNTAY.—No nos preguntes, padre mío. Nuestros crímenes nos ahogan a todos.

EL REY YUPANQUI.—Elegid vuestro castigo. A ti te toca hablar, gran sacerdote.

EL ASTRÓLOGO.—El corazón que recibí del Sol está lleno de clemencia.

EL REY YUPANQUI.—Tienes la palabra, Ojo-de-Piedra.

OJO-DE-PIEDRA.—Un crimen tan enorme se ha castigado siempre con la muerte. Es el único medio, ¡oh rey! de prevenir mayores atentados. Que todos sean inmediatamente atados a cuatro *tacarpus*, y así sean arrastrados por sus mismos vasallos. Disparen luego sus flechas los guerreros de todo el país sobre sus tenaces secuaces, y venguen así la muerte del rey tu padre en la sangre de aquéllos.

PIE-LIGERO.—¡Así sea, y para siempre perezcan todos los andinos! ¡Sean arrojados esos hombres en una gran hoguera de ramas encendidas!

OJO-DE-PIEDRA *(A Pie-Ligero)*.—¡Calle el hombre! Rodando como una piedra, se ha convertido en piedra mi corazón.

EL REY YUPANQUI.—¿Habéis oído que los *tacarpus* han sido preparados ya para vosotros? ¡Llevaos a esos traidores, y que todos perezcan!

OJO-DE-PIEDRA.—¡Arrastrad al punto a esos tres hombres al lugar de la ejecución! ¡Precipitadlos a todos desde lo alto de las rocas, uno tras otro!

EL REY YUPANQUI *(A los verdugos)*.—¡Quitadles esas ligaduras! *(A Olllántay.)* Tú, que ya te has visto muerto, levántate y ven a mí. Corre ahora, ingrato desertor. Tú, que acabas de arrojarte a mis pies, mira: la clemencia se apodera de mi corazón. Caerás un millón de veces, y otras tantas, sábelo, yo te levantaré. Ya has sido en otro tiempo jefe supremo de los Andes. Pues bien (mira hasta dónde llega mi amor), gobierna la provincia de los Andes y vuelve a ser gran jefe para siempre. Toma este penacho para mandar mi ejército y esta flecha que te he destinado. *(Al Astrólogo.)* Tú, gran sacerdote, ponle de nuevo el signo de honor, absuelve a los que han faltado y vuelve a los muertos a la vida.

EL ASTRÓLOGO.—Ollántay, aprende a conocer la omnipotencia de Tupac-Yupanqui. Desde hoy, obedécele a él y bendice su clemencia. Este anillo es toda mi fuerza, y por eso lo ajusto a tu dedo. Esta maza, sábelo, es la del rey; por eso te la doy.

OLLÁNTAY *(Al rey)*.—Esa maza que me das, la baño con mis ardientes lágrimas. Cien veces soy tu esclavo. ¿Quién puede llamarse tu igual? Las fibras de mi corazón serán siempre los lazos de tus sandalias. Desde ahora, todo mi poder está consagrado a tu servicio.

EL REY YUPANQUI.—Jefe Montañés, acércate. Ollántay te había nombrado gran jefe, dándote el casco de honor, ¡y a mí no me había dado más que la ira! Pues bien, a pesar de eso, continúa siendo el señor de los andinos, y, sin detenerte un punto, ve a reducir a todos esos rebeldes por la dulzura. Yo también te doy el casco: sé mi gran jefe para siempre, y no olvides nunca que te he salvado de la muerte.

EL JEFE MONTAÑÉS.—Rey poderoso, beso mil veces con entusiasmo la huella de tus pasos. Miserable fugitivo, hoy vuelvo a ti.

EL ASTRÓLOGO *(Dándole el casco)*.—El poderoso Yupanqui, te nombra a ti también su gran jefe, dándote, con la suprema dicha, su casco y su flecha.

OJO-DE-PIEDRA.—Rey ilustre, ¿va a haber dos jefes en la provincia de los Andes?

EL REY YUPANQUI.—No habrá dos, Ojo-de-Piedra. En cuanto el Jefe Montañés tome el mando de la provincia de los Andes, Ollántay se establecerá en Cuzco, en calidad de representante del rey. Sentándose en mi cámara y gobernando el Cuzco, dominará sobre todo el país.

OLLÁNTAY.—¡Oh, rey mío! Tú elevas demasiado a un hombre desnudo y desvalido. Ojalá pudieras vivir mil años para encontrar en mí siempre un esclavo.

EL REY YUPANQUI.—Que traigan la gran diadema, y le pongan la borla amarilla. Gran sacerdote, apresúrate a entregarle esta insignia con la gran clava. Anuncia a todo el mundo que ocupa el puesto del rey. Sí, Ollántay, quédate para ser rey en mi lugar y elevarte como el astro del día. Cuento partir en esta luna para la provincia de los Collas, y he de prepararlo todo. Marcho satisfecho, sabiendo que dejo a Ollántay velar por mi morada.

OLLÁNTAY.—Prefiriría, señor, seguirte a Chayanta, o más lejos aún, si lo permites. Bien sabes cuán activo y valiente he sido siempre. El Cuzco no es para mí. Prefiero ser tu *cañari* y marchar delante de ti. No quiero permanecer aquí a ningún precio.

EL REY YUPANQUI.—Te hace falta buscar una esposa para que seas feliz en tu regencia. Entonces te agradará más el reposo. Elige, pues, aquella que prefieras.

OLLÁNTAY.—Príncipe magnánimo, este desdichado servidor tiene ya mujer.

EL REY YUPANQUI.—¿Cómo es que yo no la conozco? Es preciso hacérmela conocer; la colmaré de beneficios. ¿Por qué la has ocultado a mis ojos?

OLLÁNTAY.—En el mismo Cuzco ha desaparecido esta paloma adorada. Fue un día mi compañera, y la vi volar al siguiente. Loco de dolor, la he buscado por todas partes, preguntando por ella. ¡Creo que la ha tragado la tierra, ocultándola a mis ojos! Tal es mi desgracia.

EL REY YUPANQUI.—¡Olláñtay, no te aflijas! Suceda lo que quiera, haz siempre lo que yo te diga sin volver la vista atrás. Gran sacerdote, cumple lo que te he ordenado.

EL ASTRÓLOGO *(Volviéndose desde la puerta a la muchedumbre que está fuera)*.—¡Vasallos; sabed que Olláñtay queda en lugar del rey! *(La muchedumbre, gritando desde fuera.* ¡Olláñtay queda en lugar del rey!)

EL REY YUPANQUI *(A los otros jefes)*.—¡Y vosotros, rendidle homenaje!

OJO-DE-PIEDRA.—Príncipe Olláñtay, sustituto del rey, mi alegría excede a tu dicha. Regocíjense todos los andinos y vuelvan todos los fugitivos. *(Óyese gritar a la gente que guarda la puerta)*.—¡No se puede pasar! ¡Atrás! ¡Atrás! ¡Hay que arrojar a esta muchacha!

BELLA *(Desde fuera, y desconsolada, solicita entrar)*.—¡En nombre de lo que os sea más caro, dejadme hablar! Por favor, no me detengáis; ¡sería mi muerte!

EL REY YUPANQUI.—¿Qué ruido hay fuera?

EL GUARDIÁN DE LA PUERTA.—Es una niña que llega llorando e insiste en hablar al rey.

EL REY YUPANQUI.—Haced que entre.

QUINTO DIÁLOGO

Dichos, Bella

BELLA.—¿Quién es el señor, mi rey, para arrojarme a sus pies?

EL ASTRÓLOGO.—He aquí al rey. ¿Y quién eres tú, niña encantadora?

BELLA *(Arrojándose a los pies del rey)*.—¡Oh, rey mío, tú eres mi padre! Saca de la desgracia a una pobre niña, extiende sobre mí tu mano, pues eres el hijo clemente del Sol. Mi madre se muere en estos instantes en el fondo de una asfixiante caverna. Un martirio cruel la mata, y está bañada en su propia sangre.

EL REY YUPANQUI.—¿Quién es el inhumano?... Levántate. *(A Olláantay.)* Olláantay, toma por tu cuenta este asunto.

OLLÁNTAY.—Niña, condúceme en seguida y veamos quién es el cruel que la tortura.

BELLA.—¡No, señor, no vayas tú! Es el mismo rey quien debe ir a verla. Quizá él pueda reconocerla, mientras que tú... yo no sé quién eres. ¡Oh, rey mío, ponte en seguida en marcha! Temo que mi madre haya exhalado el último suspiro, o que al menos esté con las angustias de la agonía. ¡Concédeme esta gracia!

EL ASTRÓLOGO.—No podrás resistirte, rey ilustre. Vamos a buscar a esa desdichada. ¿Quién, ante ti, podría ocultarnos la prisión? ¡Vamos, señor!

EL REY YUPANQUI.—¡Vamos todos allá! ¡Vamos todos! En medio de mi alegría, esta joven destroza mi corazón.

ESCENA XV

(La misma decoración que en la escena decimotercera.)

PRIMER DIÁLOGO

Todos los personajes de la anterior escena, que aparecen por la puerta de entrada del jardín. Olláantay a la cabeza, llevando de la mano a Bella. Estrella, tendida en el fondo de la cueva; a un lado la puma, y al otro la culebra enroscada.

OLLÁNTAY.—¿Dónde está tu atormentada madre?

BELLA.—En un apartado rincón de esta casa. *(Señalando la puerta de piedra.)* Aquí es, señor, donde mi madre se consume. Tal vez esté ya muerta.

OLLÁNTAY.—Pero este es el palacio de las Vírgenes Escogidas. ¿No te equivocas, niña?

BELLA.—Sí, sí, en esta casa, sufre hace diez años mi paloma.

OLLÁNTAY.—Abrid esta puerta, que el rey llega.

BELLA *(A Salla que cruza por el interior de la caverna)*.—Compañera Salla, mi querida hermana, ¿respira mi madre todavía? Entremos adentro, rey mío, y haz que abran esta puerta.

EL REY YUPANQUI.—Pero ¿cuál es la entrada?

BELLA.—Señor, ésta es. Compañera Salla, abre esta puerta, ábrela a nuestro rey.

SEGUNDO DIÁLOGO

Dichos, la Madre Roca y Salla, que salen del interior del palacio de las Vírgenes Escogidas

LA MADRE ROCA *(Besando la mano al rey)*.—¿Es realidad o sueño ver aquí a mi amado soberano?

EL REY YUPANQUI.—Abre esta puerta. *(La Madre Roca abre la puerta.)*

BELLA.—¡Ah, madre mía! Mi corazón presentía encontrarte muerta. Creía no volver a ver tu rostro, que tanto he anhelado. *(A Salla.)* Compañera Salla, trae un poco de agua, que tal vez mi madre pueda volver a la vida.

EL REY YUPANQUI.—¡Qué calabozo tan horrible! ¿Quién es esta mujer? ¿Qué significa esta cadena que la oprime? ¿Quién es el cruel que la ha mandado atar? ¿Es posible que un rey haya dado abrigo en su pecho a la víbora del odio? Madre Roca, acércate. ¿Quién es esa mujer? ¿Qué quiere decir todo esto? Ven aquí. ¿Habrá despertado aquí esta mujer por efecto de un maleficio?

LA MADRE ROCA.—Tu padre lo ha ordenado así, para que la enamorada se enmiende.

EL REY YUPANQUI.—¡Sal, Madre Roca! Aparta, aparta esta puma. Que no vuelva yo a ver esta piedra y esta serpiente! *(Todos cumplen las órdenes del rey, y conducen a Estrella al jardín.)*

ESTRELLA.—¿Dónde estoy? ¿Quiénes son estas gentes que me rodean? Bella, adorada hija, ven, ven, paloma mía. ¿Desde cuándo estos hombres...?

BELLA.—¡No temas, madre mía! Es el mismo rey el que viene a verte. ¡El que llega es el ilustre Yupanqui! Sal de tu sueño y háblale.

EL REY YUPANQUI.—En presencia de tal infortunio mi corazón se desgarra. Vuelve en ti, mujer, y dime en fin quién eres. *(A Bella.)* Revélame el nombre de tu madre.

BELLA.—¡Padre, padre, príncipe clemente, haz que desde luego desaten estas ligaduras!

EL ASTRÓLOGO.—A mí me toca desatarlas y consolar a los desgraciados.

OLLÁNTAY *(A Bella)*.—¿Cómo se llama tu madre?

BELLA.—Se llama Estrella-de-alegría. ¡Pero ya ves qué nombre tan engañador! Sí, la estrella de otras veces se ha apagado y ¡quién sabe dónde está su alegría!

OLLÁNTAY.—Ah ¡poderoso rey Yupanqui! Mira en esta mujer a mi esposa.

EL REY YUPANQUI.—Me parece que sueño al encontrar esta dicha inesperada. Estrella, tu mujer, es también mi muy amada hermana. ¡Oh Estrella, hermana querida, adorada paloma, ven, ven a mis brazos! Esta dicha excesiva calma las tormentas de mi corazón. ¡Vive siempre para tu hermano! *(Estrecha contra su corazón a Estrella.)*

ESTRELLA.—¡Ah, hermano mío! Ya estás enterado del suplicio que he sufrido durante años de angustia. Sólo tu compasión podría sacarme de tan largo tormento.

EL REY YUPANQUI.—¿Quién es esta mujer que tanto sufre? ¿Quién la envió aquí? ¿Qué crimen pudo arrastrarla a este sitio donde se consume? ¿Quién tendrá corazón para contemplar con frialdad tanto infortunio? La que le dio la vida moriría de dolor si la viera. Su rostro lo han surcado las lágrimas, sus labios están secos, sólo le queda un soplo de vida.

OLLÁNTAY.—Estrella de mi dicha, ¿cómo he podido perderte tanto tiempo? Mas hoy te encuentro viva para volver a ser mi compañera hasta la muerte. Muramos ambos, si es preciso; no me dejes solo en el mundo, yo no podría vivir sin ti. Mi corazón sucumbía en la soledad. Estrella de alegría ¿qué fue de tu alegría? ¿Qué del astro de tu mirada? ¿Qué de tu dulce aliento? ¿Eres tú la hija maldita de su padre?

ESTRELLA.—Durante diez años, Olláantay mío, nos han hecho compartir el dolor y la amargura, y ahora nos reúnen para una nueva vida. De esa suerte Yupanqui remplaza el dolor con la alegría. ¡Larga vida para nuestro ilustre rey! *(Dirigiéndose a Yupanqui.)* Sí, en la nueva existencia que nos das, justo es que tú cuentes largos años.

EL ASTRÓLOGO.—Que traigan nuevas vestiduras para revestir a nuestra princesa. *(Pónenla las vestiduras reales y la besan la mano.)*

EL REY YUPANQUI.—Mira a tu mujer, Ollántay, y hónrala como a tal desde hoy. Y tú, Bella, ven a mis brazos, encantadora paloma, a encadenarte con estos lazos de amor. *(Estrechándola en sus brazos.)* Tú eres la pura esencia de Estrella.

OLLÁNTAY.—Poderoso príncipe, eres nuestro protector: tu mano ha borrado el camino que conduce a la desgracia, y lo has colmado de beneficios.

EL REY YUPANQUI.—Habéis escapado de la muerte. *(A Ollántay.)* Tu mujer está en tus brazos. En esta nueva era de dicha, la tristeza debe ser desterrada y renacer la alegría.

MANUEL EDUARDO DE GOROSTIZA
[*México, 1789-1851*]

Igual que a Ruiz de Alarcón, España reconoce a Gorostiza como dramaturgo suyo colocándole entre Moratín y Bretón de los Herreros. Nace en el puerto de Veracruz siendo sus padres el general don Pedro Fernández de Gorostiza, gobernador de la región e inspector general de las tropas de Nueva España, y doña María del Rosario Cepeda, de distinguido linaje, que contaba entre sus antepasados a la familia de Santa Teresa de Jesús. Al morir su padre en 1794, se marcha a España con sus hermanos y su madre. El futuro dramaturgo ingresa en el ejército español y lucha contra los franceses de Napoleón. Por el año 1814 se retira del ejército con el grado de coronel y se dedica a la política y las letras. Como liberal participa en los debates en el café "Fontana de Oro" que se hizo famoso después por una novela de Galdós. Pierde sus propiedades y va desterrado a Inglaterra cuando Fernando VII recobra el poder absoluto. Una vez en Inglaterra, vuelve sus ojos al otro lado del Atlántico y ofrece sus servicios a su país natal que acaba de ganar su independencia. Después de desempeñar altas funciones en Europa, vuelve a México en 1833. En los momentos difíciles de la secesión de Texas, viaja a los Estados Unidos en 1836, como Enviado Extraordinario y Ministro Plenipotenciario y regresa después de haber cumplido su misión con honor y éxito. Once años más tarde ingresa de nuevo en las filas del ejército, esta vez para luchar contra la invasión yanqui. Durante su brillante carrera sirvió además como Bibliotecario Nacional y Ministro de Hacienda y Relaciones Exteriores.

Gorostiza escribió seis comedias; de ellas las más conocidas son: *Indulgencia para todos* (1818), *Las costumbres de antaño* (1819), *Don Dieguito* (1820), *Tal para cual o las mujeres y los hombres* (1820) y *Contigo pan y cebolla* (1833). Además cuenta con algunas versiones libres de obras extranjeras y refundiciones de comedias de Calderón y Rojas. A excepción de *Contigo pan y cebolla*, todas fueron escritas antes de 1820 y se estrenaron en España. Carlos González Peña juzga a Gorostiza como "un versificador ágil, para quien la técnica no tenía secretos. Renovó la comedia del tipo moratiniano introduciendo en ella variedad de combinaciones métricas".

Contigo pan y cebolla se publicó en Inglaterra y se representó por primera vez en México en 1833. Créese que se basa en un asunto de la familia del autor. Una de sus hijas era "romántica" y se había enamorado de un pretendiente pobre.

Bibliografía sumaria

Aguilar M., María Esperanza, *Estudio bio-bibliográfico de don Manuel Eduardo de Gorostiza*, México, Imprenta Renacimiento, 1932.

Banner, Worth J., "The Dramatic Works of M. E. de Gorostiza", tesis doctoral, University of North Carolina, 1948.

Dauster, Frank, *Historia del teatro hispanoamericano: siglos XIX y XX*, México, Editorial de Andrea, 1966, pp. 12-13.

____, "The Ritual Fear: A Study in Dramatic Forms", *Latin American Theatre Review*, vol. X, núm. 1, otoño de 1975, pp. 5-9.

Dowling, John, "Gorostiza's *Contigo pan y cebolla*: From Romantic Farce to Nostalgic Musical Comedy", *Theatre Survey: The American Journal of Theatre History*, vol. XXVIII, núm. 1, mayo de 1987, pp. 49-58.

____, "The Perpetuation of Error in Gorostiza's *Contigo pan y cebolla*", *Hispania*, núm. 61, 1978, pp. 157-158.

González Peña, Carlos, *Historia de la literatura mexicana*, México, Porrúa, 1966, 9a. ed., pp. 159-162.

Knapp Jones, Willis, *Behind Spanish American Footlights*, Austin, University of Texas Press, 1966, pp. 476-477.

Larra, Mariano José de, "Representación de la comedia *Contigo pan y cebolla*", *Artículos de crítica literaria y artística*, Clásicos Castellanos, Madrid, Espasa Calpe, 1960, pp. 83-93. También en *Artículos completos*, Madrid, Aguilar, 1961, pp. 500-507.

Magaña Esquivel, Antonio, "Manuel Eduardo de Gorostiza y su obra dramática", *Estaciones* I, primavera de 1959, pp. 85-91.

____, y Ruth S. Lamb, *Breve historia del teatro mexicano*, México, Editorial de Andrea, 1958, pp. 56-62.

María y Campos, Armando de, *Manuel Eduardo de Gorostiza y su tiempo*, México, 1959.

____ (comp.), *Teatro selecto de Manuel Eduardo de Gorostiza*, México, Porrúa, 1957.

Martínez Barrones, María Guadalupe, "En torno al teatro de don M. E. de Gorostiza", *Humanitas*, Monterrey, México, núm. 8, 1967, pp. 203-218.

O'Connell, Richard B., "*Contigo pan y cebolla* and Sheridan's *The Rivals*", *Hispania*, vol. XLIII, núm. 3, septiembre de 1960, pp. 384-387.

Ocampo de Gómez, Aurora, y Ernesto Prado Velázquez, *Diccionario de escritores mexicanos*, México, Universidad Nacional Autónoma de México, 1967, pp. 158-159.

Ortuño Martínez, Manuel, "Manuel Eduardo de Gorostiza: hispanoamericano, romántico y liberal", *Cuadernos Hispanoamericanos*, vol. CDLX, octubre de 1988, pp. 105-120.

Saz, Agustín del, *Teatro hispanoamericano*, vol. I. Barcelona, Vergara, 1964, pp. 185-189.

Contigo pan y cebolla

PERSONAJES

DON PEDRO DE LARA
DOÑA MATILDE, *su hija*
DON EDUARDO DE CONTRERAS
BRUNO, *criado de don Pedro*
LA MARQUESA
EL CASERO
LA VECINA

(La escena pasa en Madrid. Los tres primeros actos en una sala bien amueblada, aunque algo a la antigua, de la casa que habita don Pedro, y el último acto en un cuarto muy miserable, y en donde habrá sólo una mala cama, dos o tres sillas de paja vieja, un brasero de hierro, etcétera.)

PRIMER ACTO

ESCENA I

Doña Matilde y Bruno

DOÑA MATILDE.—¡Bruno!

BRUNO.—Jesús, señorita, ¿ya se levantó usted?

DOÑA MATILDE.—Sí, no he podido cerrar los ojos en toda la noche.

BRUNO.—Ya, se habrá usted estado leyendo hasta las tres o las cuatro, según costumbre...

DOÑA MATILDE.—No es eso...

BRUNO.—Se le habrá arrebatado el calor a la cabeza...

DOÑA MATILDE.—Repito que...

BRUNO.—Y con los cascos calientes ya no se duerme por más vueltas que uno dé en la cama.

DOÑA MATILDE.—Pero hombre, qué estás ahí charlando sin saber...

BRUNO.—¿Conque no sé lo que me digo? Y en topando cualquiera de ustedes con un libraco de historia o sucedido, de ésos que tienen el forro colorado, ya no ha de saber dejarlo de la mano hasta apurar si don Fulano, el de los ojos dormidos y pelo crespo, es hijo o no de su padre, y si se casa o no se casa con la joven boquirrubia que se muere por sus pedazos, y que es cuando menos sobrina del Papamoscas de Burgos: todo mentiras.

DOÑA MATILDE.—¿Acabaste?

BRUNO.—No, señora, porque es muy malo, muy malo leer en la cama...

DOÑA MATILDE.—¡Aprieta!

DOÑA MATILDE.—¿Y no ha venido nadie?

BRUNO.—Nadie... ¡ah, sí!, vino el aguador con su esportilla y su...

DOÑA MATILDE.—¿Qué tengo yo que ver con el aguador ni con la esportilla?

BRUNO.—¿Esperaba usted acaso otra visita a las siete de la mañana?

DOÑA MATILDE.—No... Sí... ¡Válgame Dios, qué desgraciada soy! *(Sentándose.)*

BRUNO.—¡Desgraciada! ¿Qué dice usted?

DOÑA MATILDE.—¡Oh, muy desgraciada, muy desgraciada!

BRUNO.—Pues, señor, ¿qué ha sucedido... acaso su papá de usted...?

DOÑA MATILDE.—No, papá duerme todavía, y estará sin duda bien lejos de soñar o de pensar que el terrible momento se aproxima en que va a decidirse para siempre el porvenir de su hija única y querida ¡para siempre! ¡Ay, Bruno, si tú pudieras comprender toda la fuerza y la extensión de esta palabra *para siempre*!

BRUNO.—Sin contar que el día menos pensado nos va a dar usted un susto con la luz y la cortina.

DOÑA MATILDE.—Mira, Bruno, que estás muy pesado.

BRUNO.—Siempre las verdades pesan, señorita, amargan y se indigestan.

DOÑA MATILDE.—Qué disparate, sino que anoche cabalmente ni siquiera hojeé un libro. Buena estaba yo para lecturas.

BRUNO.—¿Estuvo usted mala, eh? Y cómo no quiere estar usted mala con ese maldito té que ha dado usted en tomar ahora en lugar del guisado y de la ensalada, que todo cristiano toma a semejantes horas. Yo no digo por eso que el té no sea saludable... Cuando duelen las tripas, o cuando... pero al cabo no pasa de ser agua caliente; sólo podía habernos venido de Inglaterra, que como allí son herejes, ni tendrán vino, ni bueyes, cebones, ni... ¿Qué está usted curioseando por esa ventana?

DOÑA MATILDE.—Nada, miraba si... ¿qué hora será?

BRUNO.—Las siete dieron hace rato en San Juan de Dios. ¡Vaya, y qué tonto me hace usted! Conque ¿no comprendo lo que quiere decir *para siempre*? Para siempre es lo mismo que decir a uno "hasta que te mueras".

DOÑA MATILDE.—Decía sólo que si tú pudieras discernir bien y avalorar las sensaciones de diferente naturaleza que semejante palabra excita, fomenta, inflama...

BRUNO.—No, en efecto, todo eso para mí es griego.

DOÑA MATILDE.—...y pone en combustión, entonces es cuando estarías en estado de... ¿Pero quién anda en la antesala?

BRUNO.—Será quizá el gato que habrá olfateado ya su pitanza.

DOÑA MATILDE.—Él es, él es.

BRUNO.—¿Quién había de ser? Minino, minino.

ESCENA II

Don Eduardo, doña Matilde y Bruno

DOÑA MATILDE.—¡Eduardo!

DON EDUARDO.—¡Matilde!

BRUNO.—¡Calle, pues no era el gato!...

DOÑA MATILDE.—Creí que no acababa usted de llegar nunca.

DON EDUARDO.—Amanece todavía tan tarde... y a no haber venido sin afeitarme...

DOÑA MATILDE.—¡Oh, eso no! Hubiera sido imperdonable en un día tan solemne, como lo es éste, el que usted se hubiera presentado con barbas.

DON EDUARDO.—Y, sobre todo, hubiera sido poco limpio.

DOÑA MATILDE.—Si usted hubiera tenido que viajar en posta tres o cuatro días con sus noches... como a otros les ha sucedido... para poder llegar a tiempo de arrancar a sus queridas del altar en que un padre injusto las iba a inmolar... ya era otra cosa... y aun cierto desorden en la *toilette*, hubiera sido entonces de rigor; pero como usted viene sólo de su casa...

DON EDUARDO.—Que está a dos pasos de aquí, en la calle de Cantarranas.

DOÑA MATILDE.—Por lo mismo ha hecho usted bien en afeitarse y en... mas a lo menos trataremos de recuperar el tiempo perdido. ¿Bruno?

BRUNO.—¿Señorita?

DOÑA MATILDE.—Anda y dile a papá que el señor don Eduardo de Contreras desea hablarle de una materia muy importante.

BRUNO.—No creo que el amo se haya despertado todavía.

DOÑA MATILDE.–¿Qué sabes tú?

BRUNO.–Porque nunca se despierta antes de las nueve, y porque...

DON EDUARDO.–Quizá valga más entonces que yo vuelva un poco más tarde.

DOÑA MATILDE.–No, no. ¿A qué prolongar nuestra agonía? Anda, Brunito, anda, si es que mi felicidad te interesa.

BRUNO.–Bueno iré; pero lo mismo me ha dicho usted en otras ocasiones, y luego la tal felicidad se vuelve agua de borrajas.

DOÑA MATILDE.–¡Bruno!

BRUNO.–Iré, iré, no hay que atufarse por eso.

ESCENA III

Doña Matilde y don Eduardo

DOÑA MATILDE.–¡Estos criados antiguos, que nos han visto nacer, se toman siempre unas libertades!...

DON EDUARDO.–En justo pago de las cometas que nos han hecho, o de las muñecas que nos han arrullado. Y éste me parece además muy buen sujeto.

DOÑA MATILDE.–¡Oh, muy bueno!... ¡Si viera usted la ley que nos tiene... y lo que le queremos todos! ¡Pobre Bruno! Cuando estuvo el invierno pasado tan malo, ni un instante me separé yo de la cabecera de su cama.

DON EDUARDO.–¡Con qué gusto oigo a usted eso, Matilde mía!

DOÑA MATILDE.–Nada tiene de particular; sin embargo, una cosa es que sus vejeces me desesperen tal cual vez, y otra cosa es que... ¡Ay Dios, y qué temblor me ha dado!

DON EDUARDO.–¿Está usted sin almorzar?

DOÑA MATILDE.–Por supuesto.

DON EDUARDO.–Entonces es algún frío que ha cogido el estómago y...

DOÑA MATILDE.–Entonces también temblaría usted, porque es bien seguro que tampoco habrá usted tomado nada.

DON EDUARDO.–Sí, por cierto, he tomado, según mi costumbre, una jícara de chocolate, con sus correspondientes bollos y pan de Mallorca.

DOÑA MATILDE.–¡Chocolate y pan de Mallorca en un día como éste!

DON EDUARDO *(Sonriéndose)*.–¿Es requisito acaso el pedir la novia en ayunas?

DOÑA MATILDE.–No, ciertamente que no... con todo, hay ocasiones en que uno debe estar tan absorbido que necesariamente olvida cosas tan vulgares como el almorzar y el comer. A lo menos yo hablo por mí, y puedo asegurar a usted que ni siquiera ha pasado esta mañana por mi cabeza el que había cacao en Caracas.

DON EDUARDO.—Así se ha llenado usted de flato.

DOÑA MATILDE.—¡De flato! Vaya, que viene usted hoy muy poco fino.

DON EDUARDO.—Pero hija ¿no puede usted tener flato?

DOÑA MATILDE.—No, señor, no puedo tener flato. A mi edad, con mi sensibilidad y en las circunstancias tan terribles en que me hallo, no se tiene nunca flato; y si una tiembla es de inquietud, de zozobra, de miedo. ¡Ay Eduardo, está usted demasiado tranquilo!

DON EDUARDO.—No veo el porqué había yo de estar fuera de mí cuando me lisonjeo con la esperanza de que su padre de usted, que es íntimo amigo de mi tío, me concederá esa linda mano, en cuya posesión se cifra toda mi felicidad.

DOÑA MATILDE.—¿Y si se la niega a usted?

DON EDUARDO.—Si usted hubiera permitido alguna vez que la informara de mi posición, de mi familia, como en varias ocasiones lo he intentado en balde, comprendería usted ahora si tengo o no motivo para no temer sobre el éxito de mi negociación; pero nunca me ha dejado usted hablar en esta materia, no sé por qué, y así...

DOÑA MATILDE.—Porque ni entonces quise, ni ahora quiero oír hablar de intereses ni parentescos. Eso queda bueno cuando se trata de esos monstruosos enlaces que se ven por ahí, en donde todo se ajusta como libra de peras, y en donde se quiere averiguar antes si habrá luego qué comer, o si habrá con qué educar los hijos que vendrán o que quizá no vendrán. ¿Y yo había de pensar en eso? No, Eduardo, no; yo le quiero a usted más que a mi vida, pero sólo por usted, créame usted, por usted solo.

DON EDUARDO.—¡Matilde mía!

ESCENA IV

Bruno y dichos

BRUNO.—¡Vaya, que estaba su papá de usted como un tronco de dormido!

DOÑA MATILDE.—¿Y qué ha respondido?

BRUNO.—Ni oste ni moste; oyó mi relación, se sonrió y echó mano a los calzoncillos.

Don Eduardo.—¿Se sonrió?

Bruno.—¡Pues!, como quien dice "ya sé lo que es".

Doña Matilde.—Dios sabe, además, lo que tú le dirías.

Bruno.—Ésta es otra que bien baila: le dije sólo que usted me había mandado le anunciase que el señor don Eduardo...

Doña Matilde.—¿Ves como al fin habías de hacer alguna de las tuyas?

Bruno.—¿Con que usted no me mandó?

Doña Matilde.—Sí, pero no había necesidad de decir que era yo la que te enviaba, ni de añadir, como sin duda habrás añadido, que había hablado antes o me quedaba hablando con este caballero.

Bruno.—Ya se ve, que le dije también entrambas cosas. Y ¿qué mal hubo en ello?

Doña Matilde.—Que ya papá no se sorprenderá, y que la escena pierde por lo mismo una gran parte de su efecto.

Bruno.—Ande usted, señorita, que desde aquí a la hora de la cena, muchos fetos puede haber todavía.

Doña Matilde.—¡Jesús qué hombre!

Don Eduardo.—En cuanto a mí, le protesto a usted, Matilde, que me alegro mucho de que Bruno haya en cierto modo preparado a su papá de usted para lo que voy a decirle; porque ahora tendré menos cortedad y podré desde luego entrar en materia.

Doña Matilde.—Bueno... Si a usted le parece así, mejor...

Bruno.—Ya siento al señor en la escalera.

Doña Matilde.—¡Ay Dios... qué susto!... ¡No sé lo que por mí pasa!... ¿Me he puesto muy pálida? Me voy, me voy a mi cuarto... a suspirar... a llorar... a ponerme un vestido blanco... Ven tú también, Bruno... y el pelo a la Malibrán... ¡Oh, y qué crisis! Allí esperaré a que mi padre me llame... ¡La crisis de mi vida!... porque siempre me llama en tales casos. Ánimo, Eduardo... valor... resignación... Si habrá planchado anoche la Juana mi collereta a la María Estuardo... Sobre todo confianza en mi eterno cariño. *(Vase, llevándose tras sí a Bruno.)*

Bruno.—Señorita, señorita, que me desgarra usted la solapa.

ESCENA V

Don Eduardo y luego don Pedro

Don Eduardo.—¡Muchacha encantadora! Es lástima, por cierto, que haya leído tanta novela, porque su corazón...

DON PEDRO.—Buenos días, señor don Eduardo, muy buenos días, ¡y qué temprano tenemos el gusto de ver a usted en ésta su casa!

DON EDUARDO.—En efecto, señor don Pedro, la hora es bastante inoportuna, y bien sabe Dios que no sé cómo disculparme con usted.

DON PEDRO.—¿De qué, amigo mío?

DON EDUARDO.—Por una visita realmente demasiado matutina e inesperada.

DON PEDRO.—¿Y quién le dice a usted que yo no esperaba esta misma visita?

DON EDUARDO.—¿Que me es?...

DON PEDRO.—Hoy precisamente, no; pero sí en una de estas mañanas, porque ya había yo notado ciertos síntomas... Ya se ve, a ustedes los enamorados se les figura que un padre cuando juega en un rincón al tresillo, o que una madre cuando está más enfrascada en la letanía de las imperfecciones de su cocinera, no piensa en otra cosa sino en el codillo que le dieron o en las almondiguillas que se quemaron, y de consiguiente que no notan las ojeadas de ustedes, ni oyen los suspiros, ni se enteran de las peloteras... Pues no, señor, están ustedes muy equivocados; ni el padre ni la madre pierden ripio de cuanto va pasando...

DON EDUARDO.—Nada más natural, ciertamente.

DON PEDRO.—Y llevan también libro de entradas y salidas, como si hubieran sido toda su vida horteras.

DON EDUARDO.—Así, señor don Pedro, usted habrá ya observado...

DON PEDRO.—Sí, señor, ya sé que usted está muy prendado de mi Matilde.

DON EDUARDO.—Entonces adivinará usted también que el objeto de mi visita es...

DON PEDRO.—El de pedirme su mano. ¿No es ése?

DON EDUARDO.—Ése mismo. Y si fuera yo tan dichoso que reuniera a los ojos de usted aquellas circunstancias...

DON PEDRO.—Muchas reúne usted, por vida mía, señor don Eduardo; nacimiento ilustre, mayorazgo crecido, educación, talento, moralidad.

DON EDUARDO.—¡Usted me confunde, señor don Pedro!

DON PEDRO.—Y el ser sobre todo sobrino y heredero de mi mejor amigo... De ahí, que yerno más a mi gusto sería muy difícil que se me presentase.

DON EDUARDO.—¿Entonces puedo esperar?...

DON PEDRO.—Pero mi hija es la que se casa, yo no; ella es, pues, la que ha de juzgar si usted...

DON EDUARDO.—¡Oh, señor don Pedro, y qué feliz soy! La amable, la hermosa Matilde, me corresponde, no lo dude usted, y está en el secreto, y...

DON PEDRO.—Tanto mejor, amigo mío, y ahora vamos a verlo, porque con el permiso de usted, la haré llamar. En presencia de usted consultaremos su gusto y su voluntad.

DON EDUARDO.—No deseo otra cosa, y cuanto más pronto...

DON PEDRO.—Ahora mismo... ¿Bruno? Que ella venga y se explique, y si dice que sí, entonces... ¿Bruno?

BRUNO *(Desde adentro)*.—Mande usted.

DON PEDRO.—Porque si dice que no... ya ve usted... un buen padre no debe nunca violentar la inclinación de sus hijos.

DON EDUARDO.—Repito a usted que ella misma...

ESCENA VI

Bruno y dichos

BRUNO.—¿Llama usted?

DON PEDRO.—Sí. ¿Dónde está la niña?

BRUNO.—En su cuarto, representando, a lo que parece, algún paso de comedia.

DON PEDRO.—¿Qué entiendes tú de eso?... Dile que venga.

BRUNO.—O de tragedia, ¿qué me sé yo?... Ello es que la oye hablar alto... que está sola... y que a no haber perdido la chaveta... *(Yéndose.)*

ESCENA VII

Don Pedro y don Eduardo

DON PEDRO.—Pues y como le iba a usted diciendo, señor don Eduardo, yo soy demasiado buen padre para pretender... luego, ya voy a viejo, estoy viudo, no tengo más que esta hija... a la que quiero como a las niñas de mis ojos... no soy, además, amigo de lloros ni tristezas dentro de casa y en suma...

DON EDUARDO.—Sí, tiene usted en todo mil razones.

DON PEDRO.—Y en suma, ella hará lo que quiera, como lo hace siempre; aunque eso no quita el que la chica sea muy dócil y muy bien criada y muy temerosa de Dios...

DON EDUARDO.—¡Y es tan bonita!

DON PEDRO.—Y el que es muy buena hija, y será muy buena mujer propia.

DON EDUARDO.—¡Oh, excelente, excelente!

DON PEDRO.—Y si llega a ser madre...

DON EDUARDO.—Por supuesto ¿no quiere usted que llegue?

DON PEDRO.—Tendrá hijos a su vez y será también muy buena madre, no lo dude usted, señor don Eduardo...

DON EDUARDO.—¡Qué he de dudar yo eso, señor don Pedro! ¡Poco enamorado estoy a fe mía para dudar ahora de nada!

DON PEDRO.—Es que no crea usted que es el primero a quien le digo yo todo esto, no señor, y otro tanto, sin quitar ni poner, le dije a mi sobrino Tiburcio hará ahora unos cuatro meses, cuando se quiso casar con su prima.

DON EDUARDO.—Que fue sin duda la que se opuso al enlace, ¿eh?

DON PEDRO.—¡Quién había de ser! Y por más señas, que aunque no estuvo el tal enlace tan adelantado como el que seis meses antes tuvimos entre manos, lo estuvo sin embargo lo bastante para dar después mucho que hablar a la gente ociosa.

DON EDUARDO.—¿Y dice usted que hubo otros seis meses antes que lo estuvo más?

DON PEDRO.—Cien veces más, con el vizconde del Relámpago, un caballero andaluz, maestrante de la de Ronda... con no sé cuantos millares de pinares, pegujares y lagares... hombre muy bien nacido, y que yo...

ESCENA VIII

Doña Matilde y dichos

DON PEDRO.—Ven, hija mía, y nos dirás si...

DOÑA MATILDE.—¡Ah, padre mío, y qué criminal debo de aparecer a los ojos de usted! Ya sé que debía consultarle antes de comprometerme; ya sé que debía después...

DON PEDRO.—Cierto, muy cierto, mas ahora...

DOÑA MATILDE.—Haber seguido humilde los consejos de su experiencia, de su cariño; pero ¡ay!, que no pude, porque arrastrada por una pasión irresistible...

DON PEDRO.—Si no es eso...

DOÑA MATILDE.—Que como una erupción volcánica...

DON EDUARDO.—Pero Matilde, si su papá de usted...

DOÑA MATILDE.—Calle usted, no me distraiga... se apoderó de mi pobre corazón, que estaba indefenso... que no había hasta entonces amado...

DON PEDRO.—Si me dejaras meter baza...

DOÑA MATILDE.—Con todo, padre mío, no crea usted que trato de rebelarme contra su autoridad, y si el hombre de mi elección no mereciese, como me temo, el sufragio de usted...

DON EDUARDO.—Dígole a usted que...

DOÑA MATILDE.—Entonces... no seré nunca de otro... eso no... pero gemiré en silencio sin ser suya o iré a sepultarme en las lobregueces del claustro.

DON PEDRO.—¡Tú quedarte soltera! ¡Jesús qué desatino! Primero te casaría con un bajá de tres colas, cuando más que el señor don Eduardo es muy buen partido por todos títulos...

DOÑA MATILDE.—¿Qué dice usted?

DON PEDRO.—De familia muy noble...

DOÑA MATILDE.—Eso para mí es tan indiferente como el que fuera inclusero.

DON EDUARDO *(Aparte)*.—Para mí no.

DON PEDRO.—Y que será muy rico cuando herede a su tío...

DOÑA MATILDE *(Aparte)*.—¡Será rico! ¡Qué lástima!

DON PEDRO.—De quien supongo que heredará también el título que aquél tiene de alguacil mayor de...

DOÑA MATILDE *(Aparte)*.—¡Alguacil mayor! ¡Elegante título por vida mía!

DON EDUARDO.—¡Sí, señor, si es de mayorazgo!

DOÑA MATILDE *(Aparte)*.—¡También mayorazgo!

DON PEDRO.—Así, hija mía, puedes tranquilizarte, porque elección más juiciosa, más a gusto mío, más a gusto de todos...

DOÑA MATILDE *(Aparte)*.—¡Lo que engañan las apariencias!

DON PEDRO.—Vamos, era imposible hacerla mejor... y ya verás lo que se alegra tu tía Sinforosa, y las primas Velasco y tu padrino el señor Deán y...

DOÑA MATILDE *(Aparte)*.—¡Y todo el género humano, y sólo porque es rico! ¡Gente sórdida!

DON EDUARDO.—¡Ah! ¡Señor don Pedro, tanta bondad! Cómo podré yo pagar nunca...

DON PEDRO.—Haciéndola feliz, señor don Eduardo.

DON EDUARDO.—¡Lo será! ¿Cómo quiere usted que no lo sea? Adorada por su marido, mimada por sus parientes, respetada por sus amigos, pudiendo disfrutar de todo, sobrándole todo...

DOÑA MATILDE *(Aparte)*.—¡Y eso se llama ser feliz!

DON EDUARDO.—¿Pero qué tiene usted, Matilde mía? ¿Por qué se ha quedado usted tan callada?

DON PEDRO.—La misma alegría que la habrá sobrecogido... ¿No es eso, hija?

DOÑA MATILDE.—Pues... en efecto... y también ciertas reflexiones... Ya ve usted, la cosa es muy seria... se trata de un lazo indisoluble, de la dicha o de la desgracia de toda la vida...

DON PEDRO.—Como ya obtuviste mi consentimiento, que era lo que te tenía con cuidado...

DON EDUARDO.—Y queriéndote tanto como nos queremos...

DOÑA MATILDE.—No digo que no... y yo agradezco a usted infinito el que me quiera... ciertamente es una preferencia que me debe lisonjear mucho y que... sin embargo, esto de casarse no es jugar a la gallina ciega, y no es extraño que yo me arredre y titubee, y...

DON EDUARDO.—Bien sabe Dios, Matilde, que no entiendo...

DON PEDRO.—Vaya, vaya, esos escrúpulos se quitan con señalar un día de esta semana para que se tomen los dichos.

DOÑA MATILDE.—Perdone usted, padre mío, yo no puedo en la agitación en que estoy ni decidir ni consentir en nada... Quédese la cosa así... yo lo pensaré... yo me consultaré a mí misma... No digo por esto que este caballero deba perder toda esperanza... no tal... aunque por otra parte... en fin, dentro de tres o cuatro días saldremos de una vez de este estado de incertidumbre... Entre tanto permítanme ustedes que me retire... y... beso a usted la mano... *(Aparte.)* ¡Mujer de alguacil mayor! ¡No faltaba más!

ESCENA IX

Don Pedro y don Eduardo

DON EDUARDO.—¡No sé lo que pasa por mí!

DON PEDRO.—A la verdad que yo no me esperaba tampoco... La niña, como le dije a usted, es muy dócil, eso es otra cosa, y muy bien criada, pero...

DON EDUARDO.—Pero señor, por la Virgen Santísima, si ella apenas hace un cuarto de hora...

DON PEDRO.—Se lo parecería a usted quizá, señor don Eduardo, porque como ella es tan afable... Quién sabe también si usted interpretaría...

DON EDUARDO.—Eso es lo mismo que decirme que soy un fatuo, presuntuoso, que...

DON PEDRO.—No, señor, cómo había yo de decirle a usted eso en sus barbas, sino que a veces los amantes... Vea usted, ni mi sobrino Tiburcio ni el marqués del Relámpago eran fatuos ni presuntuosos, y también se imaginaron que Matilde...

DON EDUARDO.—Ya, pero ellos no oirían, como yo oí de sus propios labios... Vaya... lo mismo me he quedado que si me hubiera caído un rayo.

DON PEDRO.—Así se quedó cabalmente el marqués del Relámpago cuando...

DON EDUARDO.—Y le juro a usted que si no la quisiera tan sinceramente...

DON PEDRO.—Además, no está todo perdido... ella no ha dicho todavía que no, señor don Eduardo.

DON EDUARDO.—Pero tampoco ha dicho que sí, señor don Pedro.

DON PEDRO.—Es verdad, no lo ha dicho, mas quizá lo diga... tenga usted paciencia... Tres o cuatro días se pasan en un abrir y cerrar de ojos... y... Conque, señor don Eduardo, a la disposición de usted... bueno será que yo vaya a ver lo que hace la chica. Y no dude usted que si puedo influir...

DON EDUARDO.—Quede usted con Dios, señor don Pedro, y mil gracias de todos modos.

DON PEDRO.—No hay de qué, amigo mío, no hay de qué... *(Vase.)*

DON EDUARDO.—Ya sé yo que no hay mucho de qué... ¡Caramba y qué chasco! Lo peor es que conozco que estoy enamorado de veras. ¡Ah, Matilde!... y quién pudiera presumir... en fin ¡paciencia!... y esperaré a estar más de sangre fría para determinar lo que me queda que hacer... ¡Ah, Matilde, Matilde!

SEGUNDO ACTO

ESCENA I

Don Pedro y Bruno

BRUNO.—Aquí tiene usted una carta del señor don Eduardo.

DON PEDRO.—Bueno. Déjala aquí.

BRUNO.—¡Qué! ¿No la lee usted?

DON PEDRO.—¿Para qué? Si ya sé, poco más o menos, lo que dirá...

que las... lamentaciones... Como si uno pudiera remediar el que Matilde no le haya querido al cabo.

BRUNO.—Y vea usted, cualquiera hubiera dicho al principio que...

DON PEDRO.—También me lo creí yo... y sólo cuando ella me hizo escribirle ayer aquella carta que tú le llevaste, fue cuando acabé de desengañarme.

BRUNO.—Valiente trabucazo fue la tal carta.

DON PEDRO.—¿Qué había de hacer?... Decirle la verdad... que mi hija no se quería ya casar con él, y que yo lo sentía mucho... Porque, en efecto, me pesa de ello por mil y quinientas razones... Ya ves tú... ¿qué dirá su tío?... y luego... no se encuentra así como quiera un partido tan ventajoso.

BRUNO.—Pero, señor, ¡qué pero le puede poner la señorita a don Eduardo! Él es lindo mozo... muy afable...

DON PEDRO.—Y muy callado.

BRUNO.—Y siempre que entraba o salía me apretaba la mano.

DON PEDRO.—Y nunca me hablaba de dote.

BRUNO.—Como que es un caballero.

DON PEDRO.—¡Oh! Todo un caballero.

BRUNO.—¡Si las muchachas hoy día no saben lo que quieren!

DON PEDRO.—Ni quieren tampoco.

BRUNO.—No, lo que es querer... con perdón de usted... lo mismo que las de antaño... sino que se las figura allá yo no sé qué cosas del otro jueves, y... y con nada se satisfacen.

DON PEDRO.—Quise indicar que no tienen al parecer tanta gana de casarse como tenían las de nuestros tiempos.

BRUNO.—Yo diré a usted, las nuestras pasaban sus días y sus noches haciendo calceta... lo que no pide atención... y podían pensar entre tanto en el novio y en la casa... y... Pero las de ahora, como todas leen la *Gaceta* y saben dónde está Pekín, ¿qué sucede? Que se les va el tiempo en averiguar lo que no les importa... y ni cuidan de casarse, ni saben cómo se espuma el puchero.

DON PEDRO.—Tienes mucha razón, Bruno, mucha... aquellas eran otras mujeres.

BRUNO.—Y éstas no son aquéllas, señor don Pedro.

DON PEDRO.—También es verdad... en fin... ¡Cómo ha de ser! La cosa ya no tiene remedio... así...

BRUNO.—Así, yo me vuelvo a mi antesala... a darle sus garbanzos a la cotorrita... que si me gusta por algo es porque de todas las del barrio es la única que no picotea el gabacho.

ESCENA II

Don Pedro

Don Pedro *(Se sienta junto a la mesa, tomando la carta).*—¡Pobre don Eduardo!... ¿Quizá pida respuesta? ¡Qué disparate! Lo que pedirá será lo que yo no le puedo otorgar... que hable a Matilde... que me empeñe... que la obligue... cosas imposibles... ¿Dónde habré puesto las antiparras? Cosas que no pueden hacerse sin ruidos... ya las encontré... veamos sin embargo. *(Lee.)* "Señor don Pedro de Lara, etcétera, etcétera. Nada de lo que usted me escribe me ha sorprendido y yo ya estaba preparado para semejante fallo." Más vale así, porque unas calabazas ex abrupto son difíciles de digerir... "lo que sí me ha llenado de satisfacción y de gratitud hacia usted son las finas expresiones con que se sirve manifestarme lo que siente este desenlace..." Como que le decía que hubiera dado un ojo de la cara por poder anunciarle un resultado favorable... no podía estar más expresivo... "y siendo aquéllas, en mi concepto, sinceras, me animan por lo mismo a solicitar de usted un favor..." Ya apareció el peine... "un favor de que va a depender la felicidad de toda mi vida..." ¡Si conoceré yo a mi gente! "la felicidad, quizá de su propia hija de usted, y es que cuando me presente otra vez en su casa me reciba usted lo peor..." ¿Qué ha puesto aquí, este hombre?... "lo peor que le sea posible" ¡Peor dice, y bien claro! "lo peor que le sea posible, esto es, que me trate desde hoy con el mayor despego, que murmure de mí en mi ausencia, que se burle sin rebozo de mi familia y circunstancias, que me calumnie, si fuese necesario, y finalmente..." Vaya, está visto, hay que atarlo... "Y finalmente, si Matilde algún día cediere a mis votos y consintiere en recompensar con el don de su mano tanta constancia y cariño, que usted nos niegue entonces y después su licencia, por más que ella lo solicite, y por más que usted mismo lo apetezca, hasta tanto que yo se la pida a usted en papel sellado." ¡Repito que se le fue la chaveta!... "Si usted accede, pues, a mi súplica y me promete, bajo su palabra de honor, hacer bien su papel y no confiar el secreto a nadie, en este caso nada me quedará que desear y estoy seguro que muy pronto se podrá firmar su obediente hijo el que ahora sólo se dice de usted atento y seguro servidor: Eduardo de Contreras." Si comprendo una jota de toda esta jerigonza... "Posdata." ¿Todavía le quedaron más disparates en el buche...? "Ya le explicaré a usted mi proyecto cuando pueda hacerlo a solas y sin dar qué sospechar; entre tanto me urge el saber si usted me concede lo que tanto anhelo, y para ello iré dentro de una hora a su casa y le haré entrar recado por Bruno de que deseo hablarle; usted entonces hágame decir secamente por él mismo que no me quiere recibir, y yo entonces, interpretaré esta repulsa a mi favor. ¡Por Dios, señor don Pedro, que no logre yo el ver a usted!..." ¡Ah, con que es un proyecto!... que luego me explicará... y a fe que buena falta me hace... y yo entre tanto sólo tengo que hacer... pero... muy poco es lo que tengo que hacer; no recibirle, encerrarme en mi cuarto para mayor seguridad... la cosa no es difícil... pero, y si tropiezo con él antes de que pueda ponerme al corriente... entonces... no le miraré a la cara, ahuecaré la voz... y le volveré pronto las espaldas... Tampoco esto es muy difícil... con todo no sé yo si podré... y por otra parte me parece tan extravagante...

ESCENA III

Bruno y don Pedro

BRUNO.—El señor Eduardo desea con mucho ahinco hablar con usted.

DON PEDRO *(Aparte)*.—¡Jesús! Tan pronto...

BRUNO.—Dice que es materia muy grave...

DON PEDRO *(Aparte)*.—¡Que compromiso!

BRUNO.—Y que despachará en un santiamén.

DON PEDRO *(Aparte)*.—¡Pero cómo puedo yo negarle un favor tan barato!

BRUNO.—Yo le he asegurado que usted tendría mucho gusto en recibirle.

DON PEDRO.—Has hecho muy mal.

BRUNO.—¡Como usted le estima tanto!

DON PEDRO.—¿Quién te ha dicho eso?

BRUNO.—Usted mismo no hace un credo, por más señas que...

DON PEDRO.—Qué señas ni qué berenjenas... siempre has de meterte en camisa de once varas.

BRUNO.—Ya las quisiera yo de tres y media.

DON PEDRO *(Aparte)*.—Pero yo, ¿qué arriesgo en darle gusto?

BRUNO.—Conque, por fin, ¿qué le digo?

DON PEDRO.—Dile que... que no le quiero recibir... anda.

BRUNO.—Bueno... le diré que había usted salido por la puerta falsa y que...

DON PEDRO.—No, no; que estoy en casa y que no le quiero recibir.

BRUNO.—Ya estoy, que siente usted mucho no poderle recibir, porque...

DON PEDRO.—¡Habrá mentecato igual con sus malditos cumplidos!... No que no puedo, sino que no quiero recibirle, que no quiero; sin preámbulos ni sentimientos ni... ¿Lo entiendes ahora?

BRUNO.—Pero eso no se le dice a nadie en sus bigotes.

DON PEDRO.—Pues tú se lo vas a decir en los suyos... ¡Y cuidado que no se lo digas!... Que no quiero recibirle, ni más ni menos... *(Aparte.)* No dudará ahora de mi amistad. *(Vase.)*

ESCENA IV

Bruno, y luego don Eduardo

BRUNO.—¡Qué mosca le habrá picado! Jamás le vi tan fosco... La carta traería sin duda alguna pimienta y... pero esto no quita que yo trate de dorar la píldora... no sea también que se enfade y que yo vaya a pagar lo que no debo.

DON EDUARDO.—¡Lo que tarda este Bruno! *(A la puerta.)* Ya me falta la paciencia... aquí está sólo... ¡Dios mío, si no se lo habrá dicho todavía!

BRUNO.—Nadie puede responder de un primer pronto y...

DON EDUARDO.—Bruno, le dijo ya usted a su amo... *(Entrando.)*

BRUNO.—Perdone usted, señor don Eduardo, si no he vuelto tan luego como... me entretuve aquí en...

DON EDUARDO.—No importa, no importa; y ¿qué ha contestado su amo de usted?

BRUNO.—Ya ve usted... el amo puede salir por la puerta trasera sin que nosotros lo sintamos...

DON EDUARDO.—¡Había salido!... Y bien, esperaré a que vuelva ¡cómo ha de ser!... *(Se sienta.)*

BRUNO.—No digo que haya salido, sino que...

DON EDUARDO.—¿No me quiere recibir? Acabe usted. *(Se levanta.)*

BRUNO.—A veces, con la mejor voluntad del mundo, hay momentos tan ocupados en que no se puede...

DON EDUARDO.—En que no se quiere recibir ¿querrá usted decir?

BRUNO.—En que no se puede...

DON EDUARDO.—En que no se quiere... ¿a qué andar con rodeos?

BRUNO *(Aparte)*.—¡También es empeño el de los dos!

DON EDUARDO.—Vaya... ¿no es cierto que don Pedro no quiere recibirme?

BRUNO *(Aparte)*.—Estoy por cantar de plano.

DON EDUARDO.—Ea, no tenga usted empacho... ¿no es cierto?...

BRUNO.—Cierto... ya que usted exige absolutamente...

DON EDUARDO.—¡Oh! ¡Qué fortuna!

BRUNO.—¡Fortuna!

DON EDUARDO.—La de no morirme aquí de repente al oír semejante desengaño.

BRUNO *(Aparte)*.—¡Qué lastima me da!

DON EDUARDO.—¿Y don Pedro, por supuesto, se serviría de palabras agrias y malsonantes?

BRUNO.—¡Oh, no señor! El amo es incapaz de...

DON EDUARDO.—Pero al menos se expresaría... así... con cierta sequedad... ¿eh?

BRUNO.—Oiga usted, no necesita uno humedecerse mucho la boca para decir "no quiero".

DON EDUARDO.—¡Y bien, tanto mejor!

BRUNO.—Si es a gusto de usted...

DON EDUARDO.—Porque es bien claro que lo que más importa a un desgraciado es llegar a serlo tanto, que ya no pueda serlo más.

BRUNO.—¿Eso llama usted claro?

DON EDUARDO.—¿No ve usted que así se pierde toda esperanza y toma uno al cabo su partido?

BRUNO.—Cuando hay partido que tomar, no digo que no.

DON EDUARDO.—Ahora quisiera yo que usted, mi querido Bruno...

BRUNO *(Aparte)*.—¡Su querido Bruno!...

DON EDUARDO.—Me concediera una gracia que le voy a pedir y que será probablemente la última que le pediré en mi vida.

BRUNO.—Si está en mi arbitrio...

DON EDUARDO.—Lo está, y consiste sólo en que usted me proporcione una conferencia de dos minutos con su señorita.

BRUNO.—Pero ¿cómo quiere usted que yo?...

DON EDUARDO.—Aquí mismo, en presencia de usted... dos minutos tan sólo.

BRUNO.—¡Así podré oír!

DON EDUARDO.—Cuanto hablemos... que yo no soy partidario de misterios ni de cosas irregulares... lo único que solicito es ver todavía otra vez a doña Matilde... y probarla con sólo tres palabras que yo no soy enteramente indigno del tesoro que codiciaba.

BRUNO.—¿Quién puede dudarlo?... Y muy digno que era usted. Con todo ¿yo qué puedo hacer? decírselo cuando más a la señorita... pero si ella sale con lo que su padre... entonces...

DON EDUARDO.—Entonces, tendremos los dos paciencia... y no la volveré a importunar más.

BRUNO.—Siendo así, voy, pues, y Dios haga que no la coja de mal talante. *(Vase.)*

ESCENA V

Don Eduardo, y luego Bruno

DON EDUARDO.—Qué miedo tenía que don Pedro no quisiera prestarse a mi proyecto sin saber antes... y también que el buen Bruno... pero hasta aquí todo va viento en popa, ahora sólo falta el que Matilde venga y que me dé ocasión para entablar la comedia... porque si no consigo hablarla, entonces no sé cómo podré...

BRUNO.—Pues... lo mismo que su padre. (Entrando.)

DON EDUARDO.—¡Malo!

BRUNO.—Me echó con cajas destempladas, y...

DON EDUARDO.—¿Tampoco quiere verme?

BRUNO.—Tampoco.

DON EDUARDO *(Aparte)*.—Voto va... ¿qué haré? Si tuviera papel y tintero... quizá cuatro renglones... bien torcidos, como si me temblara mucho el pulso... y cuatro expresiones bien campanudas... bien misteriosas...

BRUNO.—Dijo que nada tenía que añadir ni quitar a lo que la carta rezaba...

DON EDUARDO *(Se dirige a la mesa)*.—Allí creo hay uno y otro.

BRUNO.—Y que de consiguiente era inútil que ustedes se hablasen.

DON EDUARDO.—En efecto, aquí hay papel... *(Sentándose y escribiendo.)* Y también pluma... escribamos. "Matilde..." sin adjetivos; cuando uno está muy agitado deben dejarse los adjetivos en el tintero.

BRUNO.—¿Qué escribirá?

DON EDUARDO.—"¡¡Matilde!!" Dos signos de admiración... "No tema usted que la importune, no..." Este segundo no vale un Perú. "Ya sé que las condenas de amor no admiten apelación, y que no es culpa de usted el que yo no haya sabido agradarla"; punto y coma... "pero al menos que la vea yo a usted hoy, que la vea a usted siquiera otra vez, antes que nos separe para siempre el océano..." ¡No vaya a parecerla todavía poco el océano... "el océano o la eternidad." Ahora sí que hay tierra de por medio... nada de firma... ni de sobre... Bruno, entregue usted este papel a doña Matilde.

BRUNO.—Sí.

DON EDUARDO.—Entréguelo usted por la Virgen.

BRUNO.—Cuando...

DON EDUARDO.—Mire usted que me va la vida.

BRUNO.—¡Santa Margarita! (Entra precipitadamente.)

ESCENA VI

Don Eduardo, y luego doña Matilde y Bruno

DON EDUARDO.—Si esto no la ablanda, digo que es de piedra berroqueña... ¡Pobre de mí, y a lo que me veo obligado para obtener a Matilde!... ¡A engañarla, a fingir un carácter tan opuesto al mío!... ¡Oh, si yo no estuviera tan convencido como lo estoy de que Matilde me prefiere a pesar de pesares... y que me deberá su futuro bienestar... jamás apelaría!... ¡Pero ella es!... Pongámonos en guardia... *(Se sienta como absorto en una profunda meditación.)*

BRUNO *(A doña Matilde)*.—Allí le tiene usted hecho una estatua.

DOÑA MATILDE.—No nos ha sentido... y, en efecto, le encuentro muy desmejorado... retírate un poco... No, no tan lejos.

BRUNO.—¿Si se habrá dormido?

DOÑA MATILDE.—He consentido, caballero... *(Aparte.)* No me oye.

DON EDUARDO.—¡Ay!

DOÑA MATILDE *(A Bruno)*.—¿Suspira?

BRUNO *(A doña Matilde)*.—Ya lo creo... y de mi alma.

DOÑA MATILDE *(Acercándose)*.—He consentido, señor don Eduardo...

DON EDUARDO.—¿Quién?... ¡Ah! Perdone usted, Matilde, si absorto en mis tristes meditaciones... perdone usted... La desgracia hace injusto al mísero a quien agobia... y yo ya me había rendido al desaliento, persuadido a que usted persistiría en su cruel negativa.

DOÑA MATILDE.—Quizá hubiera sido más prudente; porque... ya ve usted, antes de tomar un partido irrevocable he debido pesar todas las circunstancias y... no soy ninguna niña de quince años.

BRUNO.—Como que tiene usted ya sus diecisiete.

DOÑA MATILDE.—Dieciocho son los que tengo, si vamos a eso.

BRUNO.—Diecisiete.

DOÑA MATILDE.—Dieciocho. ¡Habrá pesado igual!

BRUNO.—Pero hija, si nació usted el día de los innumerables mártires de Zaragoza, que cayó en viernes en el mes pasado, y entonces hizo usted los diecisiete.

DOÑA MATILDE.—Bueno, diecisiete, y lo que va desde entonces acá ¿no lo cuentas? Si sabré yo que tengo dieciocho años.

DON EDUARDO.—¡Indudablemente! Dieciocho años tiene usted, y más bien más que menos, edad, por mi desgracia, en que ya se calcula y se tiene la experiencia necesaria para conocer lo que se quiere y lo que conviene. Por eso, Matilde, no tema usted que la importune con mis súplicas ni la entristezca con el relato de mis padecimientos... no por cierto... ¿de qué serviría? Usted ha hecho lo que ha debido... cerciorarse primero de que no me amaba, y quitarme luego de una vez toda esperanza... Nada más natural ni más de agradecer... otro más afortunado que yo habrá quizá obtenido...

DOÑA MATILDE.—¡Oh, no!, por lo que es eso puede estar usted bien satisfecho... ni siquiera me he vuelto a acordar de que hay hombres en este mundo, desde ayer que creí necesario el desengañar a usted.

DON EDUARDO.—Siempre es ése un consuelo... aunque, por otra parte, si usted podía ser dichosa con otro hombre ¿por qué no me había de alegrar? ¡Ah, Matilde!, su felicidad de usted es la única idea que me ha preocupado siempre, y si algún día, en medio de los países remotos en que voy a arrastrar mi mísera existencia, me llegara por acaso la noticia...

DOÑA MATILDE.—¡Qué! ¿Se va usted tan lejos?

DON EDUARDO.—¡Oh, sí, muy lejos!

DOÑA MATILDE.—Arrima unas sillas, Bruno... ¿Y dónde? Esto es, si usted no tiene interés en callarlo.

DON EDUARDO.—Apenas lo sé yo todavía... Cualquier país me es indiferente, con tal que sea bien agreste y selvático.

BRUNO *(Aparte)*.—¿Si se irá a Sacedón?

DON EDUARDO.—He titubeado algún tiempo entre California y la Nueva Holanda; pero al cabo puede ser que me decida por la isla de Francia.

DOÑA MATILDE.—¡Allí nacieron Pablo y Virginia!

DON EDUARDO.—Y el negro Domingo también.

DOÑA MATILDE.—En efecto... siéntese usted, siéntese usted.

DON EDUARDO.—Es que temería...

DOÑA MATILDE.—No, no; siéntese usted... y como iba diciendo allí fue donde pasó toda su trágica historia, que tengo bien presente.

DON EDUARDO *(Aparte)*.—Más la tengo yo, que la leí anoche de cabo a rabo.

DOÑA MATILDE.—¡Y aquella madre, señor, aquella madre tan cruel que se empeñó en que su hija había de ser rica!

BRUNO.—Más cruel me parece a mí que hubiera sido si se hubiera empeñado en lo contrario.

DON EDUARDO.—Luego hallaré en dicha isla todo cuanto puedo apetecer en mi posición actual: cascadas que se despeñan, ríos que salen de madre, precipicios, huracanes...

BRUNO (*Aparte*).—No iré yo a la tal isla.

DON EDUARDO.—Y bosques inmensos de plátanos, cocoteros y tamarindos, con cuyos frutos podré sustentarme, o a cuya sombra podrán reposar tal cual vez mis fatigados miembros.

DOÑA MATILDE.—¡Y qué! ¿No tendrá usted miedo de los negros cimarrones?

BRUNO (*Aparte*).—¿Quiénes serán esos demonios?

DON EDUARDO.—¿Y por qué quiere usted que les tenga yo miedo? ¿Qué me pueden quitar por ventura? ¿La vida, que es lo único que me queda?

BRUNO (*Aparte*).—¿Y es grano de anís?

DON EDUARDO.—¡Ah, Matilde, si viera usted qué poco vale la vida cuando se vive sin deseos, ni porvenir!

DOÑA MATILDE.—¡Pobre Eduardo!

DON EDUARDO.—¿Se enternece usted?

BRUNO.—También a mí me empiezan a escocer los ojos, si vamos a eso.

DOÑA MATILDE.—Ciertamente que no puedo menos de agradecer y admirar el que vaya así a exponerse por mi causa a tantos peligros un joven de tales esperanzas, tan rico...

DON EDUARDO.—¿Yo rico?

DOÑA MATILDE.—Contando con la herencia del tío...

DON EDUARDO.—No hay duda que he podido ser rico, pero...

DOÑA MATILDE.—¿Pero qué?

DON EDUARDO.—Nada, nada.

DOÑA MATILDE.—Explíquese usted.

DON EDUARDO.—Son cosas mías, que ya no pueden interesar a usted.

DOÑA MATILDE.—¡Oh!, sí, sí... hable usted... lo quiero... lo exijo...

DON EDUARDO.—Bueno, sepa usted que cuando el señor don Pedro creía que mi tío aprobaba nuestro proyectado enlace, éste me instaba a que me casase con la hija única del conde de la Langosta...

BRUNO (*Aparte*).—Familia muy noble en tierra de Campos.

DOÑA MATILDE.—¿Y bien?

DON EDUARDO.—Y que mi tío me ha desheredado en seguida, porque no he querido darle gusto.

DOÑA MATILDE.—¿Le ha desheredado a usted?

DON EDUARDO.—Así me lo anuncia en una carta que recibí ayer suya, dos o tres horas antes que Bruno me entregara la de su padre de usted.

DOÑA MATILDE.—¿Le ha desheredado a usted?

DON EDUARDO.—Pues, y por lo mismo nada sacrifico, en punto a bienes de fortuna, al desterrarme para siempre de mi patria.

DOÑA MATILDE.—¿Y había de consentir yo en ese destierro?

BRUNO.—Perrada fuera.

DOÑA MATILDE.—¡Yo, que tengo la culpa de todas las desgracias de usted!

DON EDUARDO.—Pero qué remedio...

DOÑA MATILDE.—No, jamás se realizará tan terrible separación... si es cierto que usted me quiere...

DON EDUARDO.—¿Lo duda usted todavía?

DOÑA MATILDE.—¡Desheredado por mí! ¡Y yo he podido, Dios mío, desconocer un instante tanto mérito!

DON EDUARDO.—¡No llore usted, por mi vida, Matilde mía!

DOÑA MATILDE.—¡Sí, hace usted bien en llamarme suya... que de usted soy y seré... que de usted he sido siempre; porque ahora lo conozco, y no tengo vergüenza en confesarlo!

BRUNO.—¡Pobrecita, qué ha de hacer más que conocerlo y confesarlo!

DON EDUARDO.—¡Puedo creer tamaña dicha!

DOÑA MATILDE.—¡Ojalá estuviera aquí mi padre, para que en su presencia...!

ESCENA VII

Don Pedro y dichos

DON PEDRO *(Aparte)*.—Si se habrá ya ido.

DOÑA MATILDE.—Papá, papá, aquí está don Eduardo.

DON PEDRO *(Risueño)*.—¡Hola! Conque...

DON EDUARDO.—¡Hum! *(Tosiendo.)*

DON PEDRO *(Aparte)*.—¡Canario!, que se me olvidaba el encargo...

DOÑA MATILDE.—Y ya nos hemos explicado cierto *quid pro quo* que había... y... nos hemos mutuamente satisfecho... y...

DON PEDRO *(Risueño)*.—¡Oh, pues si se han satisfecho ustedes! Entonces...

DON EDUARDO.—¡Hum! *(Tose.)*

DON PEDRO *(Aparte)*.—¡Maldita carraspera!

DOÑA MATILDE.—¿No es verdad, papá, que usted se alegra de ello y qué...?

DON EDUARDO.—¡Achís! *(Estornuda fuerte.)*

BRUNO.—*Dominus tecum.*

DON PEDRO.—No, hija mía, no me alegro de semejante cosa ni tampoco puedo aprobar... porque... después de todo, y... en fin... yo me entiendo, yo me entiendo.

DOÑA MATILDE.—Yo soy la que no entiendo a usted, papá mío, porque...

DON EDUARDO.—Su papá de usted, Matilde mía, se habrá irritado al verme aquí en conversación con usted, cuando me había hecho decir que no quería recibirme.

DON PEDRO.—Precisamente.

DON EDUARDO.—Y creerá que en esto le hemos faltado al respeto.

DON PEDRO.—Cabal.

DON EDUARDO.—Y que nuestra conferencia clandestina es contra las leyes del decoro.

DON PEDRO.—Sí, señor, clandestina, y contra las leyes del decoro.

DON EDUARDO.—Y al notar yo el furor de sus miradas y el calor con que se expresa, le protesto a usted empiezo a temer además que ya no quiera atender a otras razones, que nos quiera separar, y aun para separarnos más pronto que la coja ahora mismo del brazo y se la lleve de su gabinete.

DON PEDRO *(A Matilde)*.—Eso es, eso es, ni más ni menos, lo que voy a hacer... Vente conmigo.

DOÑA MATILDE.—¿Pero, papá?...

DON PEDRO *(Llevándola como por fuerza)*.—¡Vente conmigo!

DON EDUARDO.—Pero señor don Pedro...

DON PEDRO *(Volviéndose para oír lo que va a decir)*.—¡Eh!

DON EDUARDO.—Decía que yo también me retiraba para no ofender a usted más con mi presencia.

DON PEDRO.—Bien hecho. Vamos. *(A Matilde.)*

DOÑA MATILDE.—Adiós, Eduardo.

DON EDUARDO.—Adiós, Matilde.

DON PEDRO.—¡Vamos, repito!

DOÑA MATILDE *(Al entrarse)*.—Fíate en mi constancia.

DON EDUARDO *(Yéndose)*.—Ya me fío.

DOÑA MATILDE *(Desde dentro)*.—Adiós.

DON EDUARDO.—Adiós. *(Vase.)*

BRUNO.—¡Cómo se quieren! Como dos tortolillos... y el amo, a pesar de eso y sin saber por qué, los separa y los... Vaya, no hiciera otro tanto Herodes el Ascalonita.

TERCER ACTO

ESCENA I

Don Pedro y doña Matilde

DOÑA MATILDE.—Por Dios, papá, déjese usted ablandar.

DON PEDRO.—No, no; nunca consentiré en semejante bodorrio.

DOÑA MATILDE.—¿Pues no lo aprobaba usted antes?

DON PEDRO.—No sabía entonces lo que sé ahora.

DOÑA MATILDE.—¿Pero qué sabe usted?

DON PEDRO.—Mil cosas... sé en primer lugar que tu don Eduardo no tiene un ochavo.

DOÑA MATILDE.—¿Y ése es acaso gran defecto?

DON PEDRO.—No te lo parece a ti; ahora, que te sientas, por ejemplo, a la mesa, y si hay tortilla comes tortilla, sin informarte siquiera de a cómo va la docena de huevos; pero cuando seas ama de casa y veas volver a Toribio con la esportilla vacía, porque tu marido no dejó una blanca con qué llenarla, ya verás entonces si se te cae la baba por la gracia.

DOÑA MATILDE (*Aparte*).—¡Qué preocupación!...

DON PEDRO.—En fin, te repito que no me acomoda el yerno que me quieres dar... ni yo sé tampoco lo que te prenda en él, porque fisonomía menos expresiva...

DOÑA MATILDE.—¡Calle usted, señor, y tiene dos ojos como dos carbunclos!

DON PEDRO.—Lo dicho, dicho, Matilde; no cuentes jamás con mi licencia... Si te quieres casar con ese hombre y morirte después de hambre... cásate enhorabuena y buen provecho te haga, con tal que yo no te vuelva a ver en mi vida... Esto es lo único y lo último que te digo... adiós... (*Aparte.*) Bueno será que me vaya antes que empiecen los pucheros.

DOÑA MATILDE.—¡Que me case y que no lo vuelva a ver en su vida!... Y él mismo me lo indica... ¡Dios mío, qué entrañas tienen estos padres! ¡Que me case!... ¡Si sospechará alguna cosa de lo que Eduardo y yo tenemos tratado para cuando ya no haya otro recurso! ¿Y queda ya alguno por ventura? ¡Que me case!... Y bien, sí... me casaré... me casaré con el hombre de mi elección, con el único mortal que me es simpático y que puede proporcionarme la mayor felicidad posible en este mundo... la de amar y ser amada; porque o yo no sé en lo que se cifra el ser una mujer dichosa o ha de consistir necesariamente en estar siempre al lado de lo que ella ama; en jurarle a cada instante un eterno cariño; en respirar el aire que él respire... ¿Y cuesta acaso algo de esto dinero? No, no... por fortuna todo esto se hace de balde, por más que digan lo contrario... y todo esto lo haré con mi Eduardo... Con él pasaré mi vida en un continuo éxtasis, y cuando una misma losa cubra al cabo de muchos años nuestras cenizas, todavía inseparables, que vengan entonces a echarme en cara si lo que comí en vida fue potaje de lentejas, o si mi esposo tenía un miserable arriero por tatarabuelo.

ESCENA II

Doña Matilde, Bruno y después don Eduardo

BRUNO.—¿Está usted sola? *(Entreabriendo la puerta.)*

DOÑA MATILDE.—Sí, ¿qué hay?

BRUNO.—¿Qué hay?... lo de siempre... que el señor don Eduardo está ya ahí con ganas de parleta y que yo, como me han hecho ustedes, *velis nolis,* su corre ve y dile, me adelanto a reconocer el campo.

DOÑA MATILDE.—¿Dónde le dejas?

BRUNO.—En el descanso de la escalera.

DOÑA MATILDE.—Que suba... y tú, oye.

BRUNO.—Suba usted caballerito... y yo, oigo.

DOÑA MATILDE.—Es necesario que te pongas en el cancel de esa puerta *(a Bruno)* y que nos avises de cualquier ruido que adviertas en el cuarto de papá, no sea que salga y nos sorprenda.

DON EDUARDO.—¿Qué tenemos, Matilde mía?

DOÑA MATILDE.—Nada bueno, Eduardo; papá me acaba de asegurar que jamás me dará su consentimiento.

DON EDUARDO.—¡Será posible!

DOÑA MATILDE.—Y tanto como lo es... Me ha dicho también mil horrores de usted...

DON EDUARDO.—¡De mí!

DOÑA MATILDE.—En primer lugar, y según costumbre, que era usted pobre...

DON EDUARDO.—Pero usted le habrá respondido, según costumbre...

DOÑA MATILDE.—Lo bastante para indicarle que ésta es la mayor perfección que usted tiene a mis ojos.

DON EDUARDO.—Muchas gracias.

DOÑA MATILDE.—En seguida se ha ensangrentado con la familia de usted... con su persona... vamos, le aborrece a usted con sus cinco sentidos... ¡Ya ve usted si es injusticia!

DON EDUARDO.—¿Y ya ve usted si me lo parecerá a mí?

DOÑA MATILDE.—Así, confieso que ya no me queda esperanza alguna.

DON EDUARDO.—Ni a mí tampoco... verdad es que nunca la tuve... de ahí que no me haya dormido, y que si usted quiere...

DOÑA MATILDE.—Explíquese usted.

DON EDUARDO.—Sepa usted que si bien es cierto que he gastado hasta el último real que poseía, también lo es que ya tengo todo listo para nuestro casamiento... Dispensa, cura, testigos, cuarto en qué vivir, un poco alto sin duda... como que está en un quinto piso... pero en buena calle... en la calle del Desengaño... en fin, nada falta, sino que usted se decida... y dentro de media hora...

DOÑA MATILDE.—¡De media hora!

DON EDUARDO.—Nos sobra aún tiempo, porque ni usted necesita más de diez minutos para prepararse, ni yo más de veinte para dar mis últimas órdenes, volver a esta calle, aprovechar el primer momento en que no pase gente, avisar a usted de ello con tres palmadas, recibirla cuando baje y conducirla en dos brincos a la iglesia, cuya puerta, por fortuna, tenemos casi enfrente de esa reja.

DOÑA MATILDE.—No decía yo eso, sino que tanta precipitación... estas cosas, Eduardo, necesitan siempre pensarse algo.

DON EDUARDO.—¡Al revés, Matilde! Estas cosas, si se piensan algo no se hacen nunca... porque... ya ve usted... a cada paso ocurren nuevas dificultades. Se trasluce entretanto el proyecto... se suscitan persecuciones... hay encierros a pan y agua en calabozos subterráneos, hay vapuleo no pocas veces... y si desgraciadamente hubiera esto para nosotros, no sé yo luego cómo nos habíamos de casar.

DOÑA MATILDE.—¡Oh! Eso es muy cierto... dígalo si no Ofelia... la del castillo negro.

DON EDUARDO.—Y Malvina y Etelvina y Carolina, y otras mil víctimas desventuradas de la injusticia paternal, a quienes han enterrado con palma por andarse en miramientos.

DOÑA MATILDE.—No, lo que es Etelvina murió de parto, si es que no he olvidado su historia.

DON EDUARDO.—Llámelo usted hache... de parto o emparedada... allá se va todo... ello es que Etelvina debió hacer mala sangre con los disgustos que le dieron para que... con que vamos, Matilde mía, ¿qué resuelve usted? Mire usted que cada instante que se pierde...

DOÑA MATILDE.—No sé lo que haga... salirse una así de su casa sin...

DON EDUARDO.—Pues si no ¿qué otro camino tenemos? A menos que usted, arredrada con los peligros que pueden amenazarnos, no se arrepienta de sus juramentos y...

DOÑA MATILDE.—¡Yo arredrada! ¡Yo arrepentida! No creía yo que me calumniara usted de ese modo, Eduardo, después de tantas pruebas como le tengo a usted dadas de mi amor..

DON EDUARDO.—No es que yo dude... ¿ni cómo había de dudar... cuando esta misma mañana... allí... delante de aquel cuadro de Atala moribunda, me prometió usted casarse conmigo y seguirme, aunque fuera al fin del mundo? Sino que... haciendo una hipótesis casi imposible, decía...

DOÑA MATILDE.—Dichoso usted que tiene la cabeza para hipótesis... No me sucede a mí otro tanto... y si al cabo cedo a las instancias de usted...

DON EDUARDO.—¿Cede usted a mis instancias? ¡Oh, qué ventura!

DOÑA MATILDE.—Sí, hombre injusto, y para ceder mejor a ellas cierro los ojos sobre todas las consecuencias... Diga usted ahora que soy tímida o que soy...

DON EDUARDO.—Digo, Matilde, que es usted una hembra extraordinaria... una verdadera heroína de novela... y arrojándome a sus pies protesto...

BRUNO.—Que el amo bosteza. *(Sin dejar su puesto.)*

DON EDUARDO.—¡Caramba! Si se fastidia de estar solo y sale... No, no... *(Levantándose.)* Aprovechemos los momentos... Ahora son las ocho de la noche... conque así, Matilde, a las ocho y media me tiene usted al pie de aquella reja.

DOÑA MATILDE.—Bueno, entonces ya me tendrá usted también pronta.

DON EDUARDO.—No olvide usted la seña, tres palmadas mías.

DOÑA MATILDE.—Me parece mejor que intercale usted entre la segunda y la tercera un gran suspiro para que no sea tan fácil el que yo pueda equivocarme, si acaso hubiera otra intriga amorosa en la calle.

DON EDUARDO.—Observación muy prudente... suspiraré entre la segunda y la tercera.

DOÑA MATILDE.—Pues lo demás déjelo a mi cargo, que Bruno y yo dispondremos el cómo burlar la vigilancia de mi padre.

DON EDUARDO.—No hay más que hablar. Adiós, bien mío.

DOÑA MATILDE.—Adiós.

DON EDUARDO.—Ah, se me pasaba el recomendar a usted que no traiga consigo alhaja alguna, ni dinero ni cosa que lo valga, porque dirían que yo...

DOÑA MATILDE.—Pierda usted cuidado... Una muda o dos cuando más, con las cartas que usted me ha escrito, el retrato de Atala, la sortija de alianza y la rosa que usted me dio en el primer rigodón que bailamos juntos, y que conservo en polvo, envuelta en un papel de seda. Esto es todo lo que pienso llevar.

DON EDUARDO.—Ni necesita usted más. Adiós otra vez.

ESCENA IV

Doña Matilde y Bruno

BRUNO.—¿Señorita?

DOÑA MATILDE.—¿Te enteraste de lo que hemos tratado?

BRUNO.—Ni jota... como tenía que atender a lo que pasaba por allá adentro...

DOÑA MATILDE.—Pues has de saber... pero antes jura que no lo has de decir a nadie.

BRUNO.—Digo que no lo diré a nadie.

DOÑA MATILDE.—Júralo.

BRUNO.—Cuando prometo yo una cosa...

DOÑA MATILDE.—Bueno... escucha ahora.

BRUNO *(Con curiosidad)*.—¿Qué es ello?

DOÑA MATILDE.—¿Me quieres, Bruno?

BRUNO.—Toma ¿y para eso tantos aspavientos?

DOÑA MATILDE.—Es que si tú no me quieres... (y mira, Bruno, que me has de querer mucho) de lo contrario es inútil que te refiera nada, porque ni me ayudarías ni... conque así, responde: ¿me quieres mucho, Bruno?

BRUNO.—¿Que si la quiero a usted? Buena pregunta, cuando la he visto a usted nacer, como quien dice, y la he arrullado y la he dado papilla y la he...

DOÑA MATILDE.—Tienes razón... y por lo mismo me decido ahora a confiarte que me caso esta noche con don Eduardo.

BRUNO.—¡Oiga! Su padre de usted consintió al cabo...

DOÑA MATILDE.—No tal; antes al contrario, se opone a ello.

BRUNO.—¿Y dice usted que se casa?

DOÑA MATILDE.—Dentro de media hora... ahí está el misterio.

BRUNO.—No puede ser eso entonces, niña.

DOÑA MATILDE.—Te digo que sí... Don Eduardo lo ha arreglado ya todo, y me vendrá a buscar dentro de media hora para llevarme a la iglesia.

BRUNO.—No será el hijo de mi madre el que le abrirá la puerta.

DOÑA MATILDE.—No importa, porque precisamente tengo decidido el salir por la ventana.

BRUNO.—¿Por la ventana?

DOÑA MATILDE.—Por esa reja, quise decir, cuya llave tienes tú, y que está tan baja que con la ayuda de una silla cualquiera puede...

BRUNO.—Según eso ¿usted cree que yo le voy a dar la llave?

DOÑA MATILDE.—¿Por qué no?

BRUNO.—¿Y también quizá que yo mismo le pondré la silla para encaramarse?

DOÑA MATILDE.—¿Quién había de ser?

BRUNO.—¿Y quien la sostendrá de los brazos hasta que el señor don Eduardo la recoja en los suyos?

DOÑA MATILDE.—Sí.

BRUNO.—Pues se engañó usted de medio a medio.

DOÑA MATILDE.—¡Cómo!

BRUNO.—Y ahora mismo voy a noticiar al amo todo este fregado. *(Hace que se va.)*

DOÑA MATILDE.—¡Detente!

BRUNO.—No faltaba más... ¡una niña bien nacida pensar en semejante gitanada!

DOÑA MATILDE.—¡Bruno!

BRUNO.—¡Y proponérmela a mí, que he comido treinta y cinco años el pan de su padre!

DOÑA MATILDE.—Pero escucha, por Dios...

BRUNO.—Ni por la virgen... todo lo sabrá el señor don Pedro.

DOÑA MATILDE.—Recuerda que prometiste...

BRUNO.—Si prometí fue en la suposición de que sería cosa inocente...

DOÑA MATILDE.—¿Qué hará luego mi padre?

BRUNO.—¿Qué? Encerrar a usted bajo llave si no desiste...

DOÑA MATILDE.—¡Encerrarme... a mí!.... Bruno, está visto... me quieres precipitar... Pues bien... lo lograrás... ¿ves este papel?...

BRUNO.—¿Y qué hay en ese cucurucho?

DOÑA MATILDE.—Píldoras.

BRUNO.—¿De Jalapa?

DOÑA MATILDE.—De rejalgar.

BRUNO.—¡Jesús mil veces!

DOÑA MATILDE.—Que don Eduardo me trajo esta mañana.

BRUNO.—¡Habrá bribón!

DOÑA MATILDE.—A petición mía... porque una mujer desgraciada no puede estar sin un poco de veneno en su ridículo.

BRUNO.—Maldita la necesidad que veo yo de eso...

DOÑA MATILDE.—A grandes males, grandes remedios... así... tenlo por cierto... si das otro paso hacia la puerta con tan vil propósito, ni una píldora dejo de todo el cuarterón que no me trague.

BRUNO.—¡Condenadas boticas!

DOÑA MATILDE.—Y me verás caer aquí redonda, lo mismo que si me hubieras dado un trabucazo.

BRUNO.—No haga usted tal... tenga usted compasión de su pobre padre y de mí...

DOÑA MATILDE.—Tenla tú de la desventurada Matilde.

BRUNO.—Yo... sí... pero...

DOÑA MATILDE.—¿En fin, qué determinas?

BRUNO.—Vaya... no diré nada, con tal que me dé usted esas píldoras para...

DOÑA MATILDE.—¿Y me ayudarás también?

BRUNO.—Eso no, porque...

DOÑA MATILDE.—Que me las trago.

BRUNO.—Sí, sí, ayudaré... haré todo lo que usted quiera... pero vengan esas píldoras, repito.

DOÑA MATILDE.—¡Qué desatino... no ves que me desarmaría si te las diera!... Lo que haré será guardarlas en donde las guardaba antes, para el caso en que intentes todavía venderme.

BRUNO.—¡Paciencia!

DOÑA MATILDE.—Ahora paso a decírtelo lo que exijo de ti, y es que si papá viene a esta sala, en tanto que yo entro en mi cuarto a recoger algunas frioleras, trates de alejarte de aquí con cualquier pretexto.

BRUNO *(Aparte)*.—Ojalá viniera.

DOÑA MATILDE.—Que cuides de que no haya luz...

BRUNO.—En soplando las que están encendidas...

DOÑA MATILDE.—¡Y que la reja esté abierta para cuando yo vuelva!

BRUNO.—Si sé dónde puse la llave, que me...

DOÑA MATILDE.—Ya la encontrarás... no se te olvide nada... ¿Lo entiendes? Y yo me voy a lo que dije... Cuidado que es menester que una mujer tenga cabeza para atar tantos cabos.

ESCENA V

Bruno

BRUNO.—Mas cabeza se necesita para desatarlos... y a fe que la mía no acierta el cómo... ello sin las malditas píldoras... bastaba con que yo cantara de plano... pero si la chica... que se ha echado el alma atrás... lo sospecha y en un abrir y cerrar de ojos... zas... se engulle media docena de los tales confites... ¡Vea usted entonces qué desgracia!... ¡Qué sentimiento para todos!... Y que es capaz de hacerlo lo mismo que lo dice... sí, señor, lo mismo, porque hay mujeres que por salirse con lo que se les pone entre ceja y ceja comerán... no digo yo rejalgar, sino... Por otra parte, ¿puedo yo callarle a mi pobre amo una cosa que tanto le interesa? Que tanto interesa al honor de la familia... imposible... y mucho más cuando quizá su merced encontraría algún medio término... alguna estratagema... calle ¡una palmada junto a nuestra reja! ¡otra! Si pudiera atisbar... ¡San Bruno y qué suspiro! ¡Suspiro de alma en pena!... ¡Tercera palmada!... si será nuestro perillán... *(Se asoma a la ventana y habla con don Eduardo, que está en la calle...)* Cabalito... él es... ¡eh!, ¡eh!, don Eduardo... soy yo... el mismo que viste y calza... ¿Qué? No, no está todavía aquí... tenga usted un poco de paciencia... en efecto van a dar las ocho y media... ya veo que es una pistola lo que usted me enseña... Ésta es otra que bien baila; que se levantará la tapa de los sesos si al dar la campanada de la media no está ya doña Matilde en la calle. ¡Qué diablura! Diga usted, don Eduardo... diga usted... sí. Se marchó renegando a la esquina opuesta... pues por Dios... que estamos frescos... veneno por aquí... pistoletazo por allá, y a todo esto el amo metido en su aposento...

ESCENA VI

Don Pedro y dicho

DON PEDRO *(Aparte)*.—Necesito no descuidarme si he de llegar a tiempo de ponerme junto a un confesionario sin que me vean...

BRUNO.—¡Ah! ¡Señor don Pedro de mi vida!... ¡Algún ángel le ha traído a usted tan a punto!

DON PEDRO.—No me entretengas, Bruno, que estoy muy de prisa.

BRUNO.—Dos palabras tan sólo.

DON PEDRO.—Ni media.

BRUNO.—Sepa usted...

DON PEDRO.—No quiero saber nada, déjame.

BRUNO.—Que la señorita...

DON PEDRO.—Ya me lo dirás cuando vuelva... suelta.

BRUNO.—Es que cuando usted vuelva ya no quedará mucho que decir, porque doña Matilde...

DON PEDRO.—Suelta, suelta, o vive Dios...

BRUNO.—Ya suelto, pero luego no se queje usted...

DON PEDRO.—Luego me las pagará todas juntas el que haya contribuido a ofenderme.

BRUNO.—¡Oídos que tal oyen!

DON PEDRO.—Y para eso hice afilar el otro día mi espadín de acero.

BRUNO.—Y por eso cabalmente quiero yo hablar ahora, y contar a usted...

DON PEDRO.—Calla.

BRUNO.—Pero si no me deja usted hablar, cómo quiere usted...

DON PEDRO.—Calla, y hasta después que ajustaremos cuentas. *(Aparte.)* Pobre Bruno, no le queda mal susto en el cuerpo.

ESCENA VII

Bruno, y después doña Matilde

BRUNO.—¡No sabía yo lo de la afiladura del espadín! Con esto, y con que después se le antoje el que yo tuve arte o parte en el negocio... y me atraviese como un palomino... Dígole a usted que... vamos, por más que lo miro y lo remiro... no hay escapatoria... tiene que acabar la tragedia... porque a la altura en que estamos... es claro que o se matan ellos o los mata don Pedro, o me mata éste a mí... o se mata él... o nos morimos todos de pesadumbre... lo dicho... tiene que haber muertes... tiene que haberlas necesariamente... a menos que un milagro.

DOÑA MATILDE.—¿Salió mi padre?

BRUNO *(Aparte)*.—Adiós con mi dinero... ya está aquí doña Matilde.

DOÑA MATILDE.—¿No me respondes si salió mi padre?

BRUNO.—Salió, y como un rehilete... no sé yo lo que podía urgirle tanto... pero... ¿qué hace usted?...

DOÑA MATILDE.—Lo que tú has olvidado... apagar las velas...

BRUNO.—Que ¿es de rigor en tales aventuras el andar a tientas?

DOÑA MATILDE.—Es prudencia por lo menos para evitar el que la vecina de enfrente fisgonee lo que va a pasar en este cuarto.

BRUNO.—¡Ah! *(Dase con la cabeza contra la pared.)*

DOÑA MATILDE.—¿Qué es eso?

BRUNO.—No es cosa, un chichón que debo a la vecina de enfrente.

DOÑA MATILDE.—¡Y todavía no has abierto la reja!

BRUNO.—¿Para qué? Si se ha de ir usted al cabo, ¿no vale más el que se salga usted por la puerta?

DOÑA MATILDE.—No lo creas... eso cualquiera lo haría... y es también menos dramático.

BRUNO.—¿Menos qué?

DOÑA MATILDE.—Vaya, despáchate en abrir la reja... mira que creo que ya ha dado la media.

BRUNO.—Qué había de dar, no señora... ni por pienso... Dios nos libre de que hubiera dado.

DOÑA MATILDE.—¿No abres?

BRUNO.—Aquí tengo la llave; pero antes reflexione usted, hija mía, la pesadumbre que va usted a dar a su padre con este escándalo... y lo que...

DOÑA MATILDE.—¿Oyes ahora la media?

BRUNO.—¡Virgen del Tremedal!... *(Corriendo a la ventana.)* ¡Allá va, allá va!... *(Gritando a don Eduardo.)*

DOÑA MATILDE.—¡Cómo! ¿A quién gritas?

BRUNO.—Nada, nada.

DOÑA MATILDE.—¡Ah traidor, ya te entiendo!... pero antes que vengan a sorprendernos apelaré a mi último recurso. *(Hace como que saca las píldoras.)*

BRUNO.—Tenga usted el brazo. *(Corriendo a doña Matilde.)* Tire usted esas píldoras, que es a don Eduardo a quien yo avisaba... *(Vuelve a la ventana.)* ¡Allá va, allá va!... repito que es a don Eduardo a quien yo... *(Vuelve a doña Matilde.)* ¡Ay qué sudor frío me ha entrado!

DOÑA MATILDE.—¿Pues por qué no me decías que don Eduardo estaba ya esperándome?

BRUNO.—Porque... porque... bueno estoy yo ahora para decir el porqué de nada, y sí me sangraran...

DOÑA MATILDE.—En suma ¿quieres o no quieres abrir la reja?

BRUNO.—En este instante... *(Aparte.)* Empecemos al menos por salvar dos vidas... ¡Qué premiosa está!

DOÑA MATILDE.—Pon luego una silla.

BRUNO.—Pongo una silla.

DOÑA MATILDE.—¿Y está ya don Eduardo?

BRUNO.—Le estoy tocando con la mano la copa del sombrero.

DOÑA MATILDE.—Entonces... ¿dónde dejaré la carta para papá?... y muy contenta que estoy con ella... ¡oh!, me ha salido muy tierna y muy respetuosa... mucho más tierna que la de Clari en la ópera... aquí la pondré sobre la mesa... ahora, vamos... No, me falta todavía que implorar al cielo, y rogar también por mi padre. *(Se pone de rodillas.)*

BRUNO.—¡Si la tocara Dios en el corazón!

DOÑA MATILDE.—Ahora quiero besar la poltrona *(Se levanta.)* en que duerme papá la siesta... la mesa... la jaula de la cotorra... adiós, muebles queridos... adiós, paredes que me guarecisteis durante mis primeros... mis más dichosos años... y que quizá no volveré a ver más... dame la mano, Bruno... adiós, Bruno... que seas feliz... que me vengas a ver... ¡ay, que me caigo!

BRUNO.—No tenga usted cuidado... y déjese usted ir... ¡Maldito alfiler!

DOÑA MATILDE.—Que consueles a mi padre.

BRUNO.—A buena hora, mangas verdes. Téngala usted, don Eduardo... así... ya llegó al suelo... Y corren como gamos... y ya llegan a la iglesia... y ya entran... y... Dios los haga buenos casados... Quitémonos ahora de la reja... cerrémosla... y cuidemos antes de todo esconder el espadín de acero.

CUARTO ACTO

ESCENA I

Doña Matilde y don Eduardo

DOÑA MATILDE.—¡Lo que tarda en encenderse esta lumbre!

DON EDUARDO.—Si no soplas derecho.

DOÑA MATILDE.—Será culpa del fuelle.

DON EDUARDO.—Mira cómo se va el aire por los lados.

DOÑA MATILDE.—¡Ay, que no puedo más!

DON EDUARDO.—¡Vaya, se conoce que este es el primer brasero que enciendes en tu vida!... Dame, dame el fuelle.

DOÑA MATILDE.—Tómalo enhorabuena... y despáchate, por Dios, que me siento muy débil.

DON EDUARDO.—Ya lo creo; no cenaste anoche.

DOÑA MATILDE.—¡Qué descuido el tuyo!... No tener siquiera un bocado de pan en casa.

DON EDUARDO.—Como nunca tienes apetito en semejantes días...

DOÑA MATILDE.—Ya, pero... ¿y tú?

DON EDUARDO.—¡Oh!, lo que es por mí no te inquietes, y si no te enfadaras te confesaría...

DOÑA MATILDE.—¿Qué?

DON EDUARDO.—Que por lo que podía tronar, me forré el estómago con un buen par de chuletas antes de ir a buscarte.

DOÑA MATILDE.—¡Pues estuvo bueno el chiste!

DON EDUARDO.—Ya pienso que puedes arrimar la chocolatera al fuego.

DOÑA MATILDE.—¡Y qué enorme armatoste!

DON EDUARDO.—¿Sabrás hacer chocolate?

DOÑA MATILDE.—Creo que se echa primero el chocolate partido a pedazos...

DON EDUARDO.—No me parece que es eso...

DOÑA MATILDE.—Entonces echaré primero el agua...

DON EDUARDO.—Tampoco.

DOÑA MATILDE.—Pues hay más que echar las dos cosas a un tiempo.

DON EDUARDO.—Dices bien... y una onza entera, otra partida... así podemos errarla de mucho... pon más agua.

DOÑA MATILDE.—¡Si le he puesto cerca de un cuartillo!

DON EDUARDO.—Y qué es un cuartillo para dos jícaras... llena la chocolatera, llénala.

DOÑA MATILDE.—¡Hombre!

DON EDUARDO.—Llénala, y no empecemos con economías.

DOÑA MATILDE.—Ya lo está.

DON EDUARDO.—Divinamente. Y volviendo a lo de anoche. ¿Creerás, Matilde, que todavía me río al recordar lo asustada que estabas durante la ceremonia?

DOÑA MATILDE.—Pues mira, mayor fue si cabe mi congoja al subir esta eterna escalera a tientas, al tardar diez minutos en acertar con el agujero de la llave, al encontrarme después sola y sin luz en este aposento desconocido y frío, sin atreverme a dar un paso por no tropezar con algún mueble, hasta que volviste con el candelero que te prestó la vecina...

DON EDUARDO.—¡Bendita vecina!... Por ella nos escapamos anoche sin un chichón cada uno cuando menos, y a fe que hubiera sido de mal agüero.

DOÑA MATILDE.—Ya empieza a hervir el agua.

DON EDUARDO.—Y también deduzco del gesto que hiciste involuntariamente al entrar yo con la luz y recorrer tú con la vista el cuarto en que te hallabas, que te sorprendió en gran manera su pelaje.

DOÑA MATILDE.—¡Qué disparate!

DON EDUARDO.—Vaya, la verdad. ¿No esperabas hallar otra cosa?

DOÑA MATILDE.—¡Oh!, lo que es eso...

DON EDUARDO.—¿No esperabas el que los muebles, aunque pocos y sin embutidos, fueran siquiera de caoba y nuevos? ¿El que hubiera cortinas de muselina blanca, aunque sin guarniciones ni flecos?

DOÑA MATILDE.—No, eso no... Ya sé yo que la caoba y la muselina no se han hecho para casas pobres... pero hay muebles bastante bonitos de cerezo o de nogal... hay cortinas muy baratas de percal o de zaraza... y si juntas a eso unas paredes recién blanqueadas, unos pisos muy fregados, unas ventanas con sus correspondientes tiestos de flores, y otras bagatelas semejantes que cuestan poco o nada, resultará de todo cierta elegancia en la misma pobreza, que...

DON EDUARDO.—Dime, Matilde, ¿has entrado en muchas casas pobres?

DOÑA MATILDE.—En la de la vieja de la Alameda...

DON EDUARDO.—Ya me lo sospechaba yo...

DOÑA MATILDE.—Y además he leído mil descripciones muy verídicas y por ellas...

DON EDUARDO.—¡Que se va el chocolate!

DOÑA MATILDE.—¿Qué dices?

DON EDUARDO.—Quítalo presto de la lumbre.

DOÑA MATILDE.—¡Ay!

DON EDUARDO.—¿Te quemaste?

DOÑA MATILDE.—Todo el dedo meñique.

DON EDUARDO.—¡Qué desgracia!

DOÑA MATILDE.—No es eso lo peor, sino que como me dolía solté la chocolatera, y...

DON EDUARDO.—¿Y se habrá apagado el fuego?

DOÑA MATILDE.—Completamente.

DON EDUARDO.—¡Cómo ha de ser! En encendiéndolo otra vez...

DOÑA MATILDE.—¡Otra vez!

DON EDUARDO.—Aquí tengo las dos onzas restantes...

DOÑA MATILDE.—¡Pero eso de soplar otra hora y media!...

DON EDUARDO.—¿Qué remedio tiene? A menos que no prefieras el que cada cual se coma cruda la onza que le corresponde...

DOÑA MATILDE.—Ello todo es chocolate.

DON EDUARDO.—Y en bebiendo luego un buen vaso de agua...

DOÑA MATILDE.—Así tendremos también más lugar para hablar de nuestras cosas.

DON EDUARDO.—Para establecer desde luego nuestro método de vida.

DOÑA MATILDE.—Y el empleo de las horas del día.

DON EDUARDO.—Y de la noche... hasta que nos vayamos a acostar.

DOÑA MATILDE.—Ea, pues, venga mi onza, y sentémonos.

DON EDUARDO.—Tómala y sentémonos... ¿En qué piensas?

DOÑA MATILDE.—En nada... en que papá estará ahora desayunándose, y...

DON EDUARDO.—También nosotros... más frugalmente... pero...

DOÑA MATILDE.—¡Oh!, lo que es por eso... en estando a tu lado y la ventaja de no tener criados que nos murmuren ni sibaritas que nos importunen con sus visitas...

DON EDUARDO.—¿Qué habíamos de tener?

DOÑA MATILDE.—Disfrutando en cambio de independencia y de tranquilidad.

DON EDUARDO.—Por supuesto.

DOÑA MATILDE.—Y esto de vivir tranquilos, Eduardo, esto de que nadie venga a desencantarnos con su odiosa presencia en uno de aquellos momentos deliciosos.

DON EDUARDO.—¡Calla! ¿Llamaron?

DOÑA MATILDE.—Creo que sí.

DON EDUARDO.—Habla bajo.

DOÑA MATILDE.—Pero que...

DON EDUARDO.—Más bajo.

DOÑA MATILDE.—¿Quieres que abra?

DON EDUARDO.—No, no... pero ve de puntillas y mira si por la rendija puedes atisbar quién es.

DOÑA MATILDE.—Voy... Es un viejecito barrigoncito, con calzones de pana y medias rayadas.

DON EDUARDO.—¡Él es!

DOÑA MATILDE.—¿Quién dices?

DON EDUARDO.—¡El diablo!

DOÑA MATILDE.—¡Jesús mil veces!

DON EDUARDO.—O el casero, que es lo mismo... ¿Dónde me esconderé?

DOÑA MATILDE.—¡Esconderte!

DON EDUARDO.—Allí... debajo de la cama... y tú abre luego y dile que he salido muy temprano y que no volveré hasta la noche.

DOÑA MATILDE.—¡Eduardo!

DON EDUARDO *(Al meterse debajo de la cama)*.—Abre ya... antes que nos rompa la puerta.

DOÑA MATILDE.—Pero, Eduardo, no entiendo...

DON EDUARDO.—Abre, abre. *(Se mete enteramente.)*

DOÑA MATILDE.—¡Dios mío! ¿Qué querrá decir esto?

ESCENA II

El Casero y dichos

CASERO.—¡Vaya, y qué dormida estaba usted!

DOÑA MATILDE.—No señor, sino que...

CASERO.—¿Y el señor don Eduardo?

DOÑA MATILDE.—Acaba de salir...

CASERO.—¡Calle! Y me había prometido que me pagaría por la mañana el mes adelantado!

DOÑA MATILDE.—Es que...

CASERO.—¡Mal principio... muy malo, a fe mía! Y cuándo estará de vuelta?

DOÑA MATILDE.—Me dijo que volvería al anochecer, y que luego...

CASERO.—¡Al anochecer!... Salir en un día de tornaboda a las ocho de la mañana y no volver hasta el anochecer, dígole a usted que no me da buena espina.

DOÑA MATILDE.—Puede que vuelva más pronto, y...

CASERO.—Pues no crea que a mí me ha de traer como a un zarandillo... Y lo que son los trastos no valen ni treinta reales.

DOÑA MATILDE.—Caballero, mi marido es incapaz de...

CASERO.—¡De pagar a su casero, eh!

DOÑA MATILDE.—No digo eso, sino que aunque somos pobres somos personas de honor y que...

CASERO.—Sí, sí personas de honor sin dinero... Eso es lo que yo me temía... y ésos son los peores inquilinos.

DOÑA MATILDE *(Aparte)*.—¡Qué insolencia!

CASERO.—Pero repito que no se juega conmigo... Dígaselo usted así, y que si esta noche no me baja los tres duros, mañana pongo a ustedes en la calle con todos sus cachivaches... *(Vase.)*

ESCENA III

Doña Matilde y don Eduardo

DOÑA MATILDE.—¿Tratar de ese modo a una señora?

DON EDUARDO *(Asomando la cabeza)*.—¡Matilde! ¿Se fue ya?

DOÑA MATILDE.—Ya se fue.

DON EDUARDO.—Pues entonces prosigue aquello que decías *(saliendo de debajo de la cama)* de que era gran cosa el poder vivir tranquilos y sin que nadie...

DOÑA MATILDE.—Sí, buena es la tranquilidad que vamos disfrutando por cierto.

DON EDUARDO.—¡Toma, ya te desanimas!

DOÑA MATILDE.—No, pero sí extraño cómo has tenido paciencia para oír tanta grosería.

DON EDUARDO.—En efecto, merecía el gran vinagre que le hubiera tirado los tres duros a la cabeza.

DOÑA MATILDE.—Y ¿por qué no lo has hecho?

DON EDUARDO.—En primer lugar porque no tenía los tres duros.

DOÑA MATILDE.—Podías haberle castigado de otro modo.

DON EDUARDO.—No, hija, que para castigar con dignidad a un acreedor que se insolenta hay siempre que empezar por pagarle.

DOÑA MATILDE.—¡Siempre!

DON EDUARDO.—¿No ves que si no se puede creer que uno ha querido zafarse a un mismo tiempo del acreedor y de la deuda?

ESCENA IV

La vecina y dichos

VECINA.—Buenos días, vecinita... ¿qué tal se ha dormido?... ¿Oyeron ustedes los truenos a eso de las cuatro?... La encajera que vive en la guardilla dice que ha caído un rayo en Santa Bárbara... pero yo no lo creo... porque basta que la encajera diga una cosa para que yo no lo crea...

DOÑA MATILDE.—Nosotros no hemos oído...

VECINA.—Ya lo supongo... qué habían ustedes de oír... si es una grandísima embustera... muy tonta y muy presumida... sin que yo sepa en qué se funda... porque al cabo ¿qué ha sido antes de casarse? ¿Doncella en casa de un consejero? Y bien, también yo he sido doncella, si vamos a eso... en casa de un covachuelista... y un consejero y un covachuelo allá se van... los dos tienen usía... Conque diga usted, vecina, ¿acabó usted con mi candelero?

DOÑA MATILDE.—Sí, señora, aquí está... y muchas gracias...

VECINA.—Jesús, señora, no hay de qué... entre vecinas y amigas, hoy por ti, mañana por mí... ¡Y nosotras que vamos a ser tan amigas!... como que vivimos en el mismo piso... porque aquí en esta casa, como en todas, con el vecino de al lado es con quien se trata... y nadie quiere bajarse... ni subir escaleras... Muy bien hecho... cada oveja con su pareja... la marquesa con el canónigo en el piso principal... en el segundo, el abogado con el comerciante... en el tercero, el agente de negocios con la viuda del coronel... Así en los demás pisos... por eso también nadie trata con la encajera... verdad es que no hay más guardilla que la suya... y luego ya le dije a usted que es muy necia y muy vana... Pero voyme corriendo, que dejé la sartén a la lumbre, no sea que se me queme la salchicha... porque ha de saber usted que mi marido almuerza todos los días salchicha. *(A don Eduardo.)*

DON EDUARDO.—¡Hola!

VECINA.—Como usted lo oye... y a fe que lo acierta... Para eso es casi un empleado... con siete reales y lo que cae... guarda de a caballo, para servir a usted y a Dios... Ea, quédense ustedes con él.

DON EDUARDO.—¿Con su marido de usted?

VECINA.—No, señor, con Dios... decía que se quedasen ustedes con Dios... Vaya, que según veo me parece usted pieza... Ah, vecina, se me olvidaba, ¿necesita usted de una lavandera?

DOÑA MATILDE.—Precisamente iba yo...

DON EDUARDO *(Bajo a doña Matilde)*.—Di que no.

DOÑA MATILDE.—No, señora, ya tenemos una...

VECINA.—Lo siento, porque mi hermana lava muy bien... como que lava a todas las colegialas de Loreto... y si no fuera por cierta desgracia que tuvo... ya se lo contaré a usted otro día... porque ahora estoy de prisa... agur... ¿Pues no me huele a salchicha quemada?

ESCENA V

Doña Matilde y don Eduardo

DON EDUARDO.—¡Qué taravilla!

DOÑA MATILDE.—¡Y qué mujer tan ordinaria!

DON EDUARDO *(Sonriéndose)*.—¡Así hablas de tu amiga!

DOÑA MATILDE.—¡Pobre de mí si no tuviera otras amigas!

DON EDUARDO *(Sonriéndose)*.—¿Cuáles?

DOÑA MATILDE.—Toma, las mismas que tenía anteayer.

DON EDUARDO *(Sonriéndose)*.—¿Viven todas ellas en quinto piso?

DOÑA MATILDE.—¿Qué sabe esa mujer lo que dice? Amigos tengo yo, con quienes me he criado en las Salesas, que si me vieran pidiendo limosna...

DON EDUARDO *(Sonriéndose)*.—Te la darían quizá.

DOÑA MATILDE.—Se gloriarían entonces de llamarse tales, más que si me vieran habitando en palacios de cristal.

DON EDUARDO *(Sonriéndose)*.—O, lo que es lo mismo, en casa de un vidriero.

DOÑA MATILDE.—Ya, si no crees tampoco en aquellas amistades que se engendran en la edad preciosa...

DON EDUARDO.—En que no se sabe todavía lo que se quiere.

DOÑA MATILDE.—¡Qué terrible estás, Eduardo!

DON EDUARDO.–¿Pero no conoces que te estoy embromando? ¿De otro modo pudiera yo contradecirte en materias tan evidentes?

DOÑA MATILDE.–Eso era lo que me confundía... pero ahora que me acuerdo... ¿por qué me hiciste responder a la vecina que no necesitábamos de su lavandera?

DON EDUARDO.–Porque como no nos había de lavar de balde...

DOÑA MATILDE.–Alguien ha de lavar lo que emporquemos, sin embargo.

DON EDUARDO.–Preciso... pero lo harás tú.

DOÑA MATILDE.–¡Yo!

DON EDUARDO.–¿Quién quieres que lo haga en tanto que no tengamos con qué pagar a otra mujer?

DOÑA MATILDE.–Se me pondrán las manos partidas.

DON EDUARDO.–Es más que probable.

DOÑA MATILDE.–¡Y se me llenarán de grietas!

DON EDUARDO.–Como que no hay cosa peor que el jabón y el agua caliente... Mas puedes estar segura, Matilde mía, que con la misma ilusión con que tu Eduardo te bese ahora esta mano tan suave y blanca, con la misma te la besará cuando la tengas áspera como una lija y colorada como un tomate.

DOÑA MATILDE.–No lo dudo, Eduardo; pero... pero ello de todos modos es muy desagradable... ¡Y mi pobre papá que tenía tanta vanidad con mis manos!... ¿Qué buscas?

DON EDUARDO.–Di, Matilde, ¿has visto por ahí algún cepillo?

DOÑA MATILDE.–¿Para qué?

DON EDUARDO.–Quisiera cepillarme un poco antes de salir, porque el polvillo del carbón...

DOÑA MATILDE.–¿Que vas a salir?

DON EDUARDO.–Ya te dije que el apoderado de mi tío, que es escribano del consejo, me ha ofrecido emplearme en su despacho como copiante... Cuando tengas que copiar, se entiende... y voy a ver si me adelanta cien reales, a cuenta de mis futuros garabatos, para pagar al casero y para ir viviendo.

DOÑA MATILDE.–Y ¿qué me he de hacer yo entretanto, sin libros, sin piano...?

DON EDUARDO.–En efecto, no tienes hoy mucho que trabajar...

DOÑA MATILDE.–¡En qué trabajar!

DON EDUARDO.–Sólo levantar la cama, barrer el cuarto y... pero lo que es desde mañana, ya me dirás si te queda tiempo para fastidiarte.

DOÑA MATILDE.–¿También tendré que barrer mañana?

DON EDUARDO.–Todos los días ¡a ti que te gusta tanto la limpieza! Y tendrás asimismo que guisar, fregar, jabonar, planchar, coser, remendar y hacer, en fin, todo aquello que hace una mujer casada sin criada.

Doña Matilde.—¡Ay, Eduardo! ¿Sabes que es dinero muy bien gastado el de los salarios?

Don Eduardo.—¿Quién dice que el dinero no sirve alguna vez de algo? Pero no muy a menudo... y si uno va a considerar todos sus inconvenientes, crees tú que... ¿no son éstas que dan las nueve? ¡Cáspita y qué tarde!... Con esto y con que haya salido ya mi escribano y nos quedemos también sin comer... ¡Adiós, vida mía, abrázame!

Doña Matilde.—Anda con Dios.

Don Eduardo.—¡Otro abrazo... otro... es tanto lo que te quiero! Adiós.

ESCENA VI

Doña Matilde

Doña Matilde.—¡Ay, no sé lo que tengo... pero no, no me siento muy buena!... ¡Ay! Si se pudiera lavar con guantes de encerado! ¿Qué se ha de poder! ¡Luego cásese usted para estar todo el día sola! ¡Paciencia! ¡Pícaros autores, dejarse precisamente en el tintero lo que las pobres habían tenido que trabajar entre sus cuatro paredes!... Y ello ninguna tenía criada... como yo... y habían tenido todas que empezar cada mañana por levantar sus camas... como yo voy a levantar la mía... Porque si yo no la levanto... vamos allá... ¡Aquella Juana sí que despachaba en casa todas estas cosas en un santiamén! Como que estaba acostumbrada... y yo, desgraciadamente, no lo estoy... ¡Lo que pesa el colchón! *(Lo pone en el suelo.)* ¡Pues el jergón! *(Idem.)* ¡Ay, descansemos un poco! *(Se sienta sobre uno de ellos.)*

ESCENA VII

La Marquesa y dichos

Marquesa.—¿Vive en este cuarto una mujer que lava encajes?... Pero ¿qué ven mis ojos? ¡Matilde!

Doña Matilde.—¡Clementina!

Marquesa.—¡Tú aquí!

Doña Matilde.—¡Oh, qué gusto tengo en verte!

Marquesa.—¡Y yo!... Pero ¿qué haces en este desván?

DOÑA MATILDE.—Ya te diré... es que... Y tú ¿estás todavía en las Salesas?

MARQUESA.—Que, si me casé hace cinco meses y vivo precisamente en el cuarto principal de esta misma casa.

DOÑA MATILDE.—Cuánto me alegro... así estaremos todo el día juntas y... pues me habían dicho que era una marquesa la que...

MARQUESA.—Esa soy yo.

DOÑA MATILDE.—Entonces no te has casado con aquel cadete de Algarbe...

MARQUESA.—¡Qué disparate! Una cosa es hacer telégrafos por entre las ventanas y otra cosa es casarse.

DOÑA MATILDE.—Pero supongo que siempre te habrás casado enamorada de tu marido.

MARQUESA.—No lo creas... ni le vi hasta que todo estaba tratado y firmado.

DOÑA MATILDE.—¿Y eres dichosa?

MARQUESA.—Así, así... Tengo coche... dos mil reales al mes de alfileres... y en cuanto a mi marido... es como todos los maridos, ni feo, ni bonito, ni... Tu suerte, Matilde, es la que no me parece muy envidiable.

DOÑA MATILDE.—Al contrario... Ayer me casé con el hombre que adoraba.

MARQUESA.—¡Calla! ¿Serías tú acaso la novia que estuvo a pique de acostarse anoche a oscuras?

DOÑA MATILDE.—Verdad es que...

MARQUESA.—¡Ja, ja!... y que no tuvo qué cenar... *(Riéndose.)* ¡Ja, ja!... Vaya, quién me hubiera dicho cuando las criadas me contaban al desnudarme tu fracaso, ¡ja, ja!...

DOÑA MATILDE.—¡Clementina!

MARQUESA.—Perdona, Matilde, pero es un lance tan gracioso... ¡Ja, ja! ¡Tan inesperado!

DOÑA MATILDE.—Inesperado no, y acuérdate que siempre te juré que no me casaría sino a gusto mío, y con quien no tuviera nada.

MARQUESA.—Sí, es cierto... También yo lo juré, si mal no me acuerdo, y ya ves cómo lo he cumplido... ¡Pobre Matilde!

DOÑA MATILDE.—¡Me compadeces!

MARQUESA.—Criada con tanto regalo y obligada ahora a tener que ganar tu vida cosiendo o bordando, o... Porque algo tendrás que hacer para ayudar a tu marido... que por su parte también trabajará sin duda...

DOÑA MATILDE.—Un escribano le ha dicho que le dará qué copiar... cuando tenga.

MARQUESA.—Pues... a dos reales el pliego... y tres o cuatro pliegos al día escribiendo corrido. ¡Buena ocupación, por vida mía!... pero dime, y tu padre ¿está furioso, eh?

DOÑA MATILDE.—Ya ves, habiéndome casado sin su consentimiento...

MARQUESA.—Y tiene mucha razón... Ningún padre puede aprobar el que su hija se case con un perdulario.

DOÑA MATILDE.—¡Perdulario mi Eduardo! ¡Y se ha dejado desheredar de diez mil ducados de renta a trueque de casarse conmigo!

MARQUESA.—Entonces tu Eduardo es un loco de atar, porque...

DOÑA MATILDE.—Basta, Clementina... tu marquesado no te autoriza para que me insultes porque me ves ahora pobre... y mucho más cuando nada pienso pedirte.

MARQUESA.—Harás muy mal... que si no se pide a las amigas cuando no se tiene qué llevar a la boca, no sé yo cuándo se ha de pedir... y yo lo he sido tuya, Matilde... no de las íntimas... pero... pero siempre te he querido bien... ya lo sabes... y te lo voy a probar ahora mismo... allí tengo en casa cuatro docenas de camisas de batista sin hacer del agua, y te las enviaré...

DOÑA MATILDE.—No, Clementina, mil gracias, pero...

MARQUESA.—Sí, te las enviaré... para que las bordes... y para que... lo que había de ganar otra... Tú bordabas muy bien.

DOÑA MATILDE *(Aparte)*.—¡Qué humillación!

ESCENA VIII

La vecina y dichos

VECINA.—Vecinita, perdone usted que me entre así de rondón... como la puerta estaba abierta y como somos uña y carne quería enseñar a usted cierta cosa... ¡Mas oiga! Si tendré telarañas... ¡Su señoría la marquesa aquí! ¡Subir una marquesa ocho tramos de escaleras!

MARQUESA *(A doña Matilde)*.—¿Quién es esta buena mujer?

DOÑA MATILDE.—Es una vecina que...

VECINA.—Soy la Nicolasa, señora... la mujer del guarda de a caballo... que vive en ese otro cuarto... Ya se ve... su señoría no se acordará de mí... porque nunca me ha visto... o por mejor decir nunca me ha mirado a la cara, cuando me ha encontrado al subir o bajar del coche... aunque yo saludo siempre... Pero doña Manuela, la doncella, me conoce muy bien... y le habrá hablado de mí a su señoría... Toma si le habrá hablado muchas veces... como que por ella me tomó su señoría el otro día aquella pieza de batista.

MARQUESA.—¡Ah! Ya caigo... usted es la que suele proporcionar ropa y géneros de lance.

VECINA.—Cabalito... como mi marido es guarda...

MARQUESA.—¿Y tiene usted ahora algo de nuevo?

VECINA.—Sí, señora, y de bueno... A eso venía, a enseñar a la vecinita un corte de vestido de punto de Flandes... como es recién casada... y como nada cuesta el ver... pero, con permiso de su señoría, cerraré la puerta... no sea que la encajera lo olfatee y vaya con el chisme... porque la tal encajera es capaz de todo... y si yo fuera a contar...

MARQUESA.—No, no, mejor será que veamos ese corte.

VECINA.—Aquí está... ¡cosa superior! Y por un pedazo de pan... ochocientos reales... ni un ochavo menos.

DOÑA MATILDE.—¡Qué bonito!

MARQUESA.—¡Precioso!

DOÑA MATILDE.—Y qué punto tan igual.

MARQUESA.—¿Y la cenefa?... También es de mucho gusto.

DOÑA MATILDE.—Y de las más anchas... sobresaldrá mucho sobre un viso caña... ¿no te parece?

MARQUESA.—En efecto, y me irá muy bien, como tengo bastante color... y luego como tú... en tus circunstancias, no puedes soñar en comprarlo...

VECINA.—¡Oh, es caro bocado para un estudiante!

MARQUESA.—No te debe importar el que yo lo tome... y que al fin lo tomaré... ¿Qué he de hacer? Son tentaciones que...

VECINA.—¿Y para qué es el dinero, señora, sino para gastar?... Como dijo el otro... y Dios le dé a su señoría mucho... porque lo sabe emplear y porque no regatea... como otras usías de medio pelo que conozco yo, y que...

MARQUESA.—Así, Nicolasa, baje usted y le haré dar los cuarenta duros... Adiós, Matilde, ya nos veremos... Ya te avisaré alguna vez cuando esté sola... y diré que te suban entretanto las camisas.

DOÑA MATILDE.—No, Clementina, no... te lo agradezco... pero no tengo tiempo ahora.

MARQUESA.—Como quieras... por ti lo hacía... mas si lo tienes a menos... ¡Pobrecilla, me da mucha lástima! *(A la vecina.)* Ella siempre fue un poco tiesa... pero ya amansará, ya amansará...

ESCENA IX

Doña Matilde y luego Bruno

DOÑA MATILDE.—¿Sueño por ventura? ¡Es ésta aquella Clementina tan sentimental, de cuya amistad estaba yo tan segura! ¡Cómo me ha tratado con su aire de protección!... ¡Peor que el casero con su grosería! Y compró el vestido sólo por darme en ojos... porque vio que me gustaba y que... ¡Ah, si yo hubiera tenido ochocientos reales! Sí, ¡cuándo volveré yo a tener ochocientos reales! Lo que tendré serán trabajos... y humillaciones... y enjabonaduras... ¡Ah, Eduardo, mucho te quiero, muchísimo, pero si hubiera sabido!...

BRUNO.—¡Señorita!

DOÑA MATILDE *(Corre a abrazarle)*.—¡Bruno!

BRUNO.—¡Pobrecita mía! Metida en esta pocilga.

DOÑA MATILDE.—¿Y papá? ¿Cómo está papá? Pobre papá, cómo le he ofendido.

BRUNO.—Está bueno... No tenga usted cuidado... Y él es quien me ha dicho dónde vivían ustedes.

DOÑA MATILDE.—¡Papá! Pues cómo sabía...

BRUNO.—Qué sé yo... algún duende... lo cierto es que ahora me llamó y me dijo que le siguiera hasta aquí... que subiera solo... y que le avisara si don Eduardo estaba fuera de casa, para que su merced entonces...

DOÑA MATILDE.—¡De veras! ¿Será posible que me quiera ver?

BRUNO.—Si estaba desde anoche como si tuviera hormiguillo... Y aunque no descosía sus labios, se le conocía a la legua que... pero voy a abrirle.

DOÑA MATILDE.—Sí, corre, despáchate. ¿Adónde vas? Por allí está la escalera.

BRUNO.—No hay necesidad de que yo baje... que su merced se quedó de centinela en la puerta principal de los Basilios, y así con una seña que yo le haga desde aquella ventana con el pañuelo...

DOÑA MATILDE.—Con el pañuelo no, quizá no lo advierta... toma esta sábana...

BRUNO.—Venga. *(Vanse los dos a la ventana.)*

ESCENA X

Don Eduardo y dichos

DON EDUARDO.—Apretemos otro poco el tornillo. *(Al salir y aparte.)* ¡Maldito sea el primer escribano que pisó los consejos! Negarme a mí la miseria de cien reales! *(Sale ahora, tira el sombrero y se pasea como muy agitado.)* Es una infamia.

DOÑA MATILDE.—¡Válgame Dios, qué es esto!... ¡Qué te ha sucedido! *(Quitándose de la ventana.)*

DON EDUARDO.—Déjame en paz... bribón... tunante. Estoy por volver y por...

DOÑA MATILDE.—Pero, Eduardo... tranquilízate por la Virgen.

DON EDUARDO.—Te digo que me dejes.

DOÑA MATILDE.—Mira que te va a dar algo.

DON EDUARDO.—No será indigestión a buen seguro; pero, mujer, ¿qué has hecho en todo este tiempo? ¿Cómo tienes todavía así el cuarto? Vaya, que no es mala porquería.

DOÑA MATILDE.—Yo... si... ¡ay, Eduardo, cómo te puedes enfadar tanto conmigo! *(Llora.)*

DON EDUARDO.—No, Matilde mía, yo no me enfado contigo... ¿Cómo había yo de enfadarme contigo? Vamos, no llores... ¿quién no tiene un momento de mal humor? Sobre todo cuando vuelve uno a su casa sin una blanca y...

BRUNO.—Y por eso se dijo que casa donde no hay harina... *(Quitándose de la ventana.)*

DON EDUARDO.—Calle... ¿Aquí estaba Bruno?

ESCENA ÚLTIMA

Don Pedro y dichos

DON PEDRO.—¡Hija de mis entrañas!

DOÑA MATILDE.—¡Papá, papá de mi vida...! *(Se quiere arrodillar.)*

DON PEDRO.—¿Qué haces? Levántate.

DON EDUARDO *(Aparte).*—Qué pronto ha venido este demonio de hombre.

DOÑA MATILDE.—No, señor, déjeme usted que le pida de rodillas que me perdone.

DON PEDRO.—Todo está ya perdonado y olvidado con tal que me jures que no nos volveremos a separar en la vida.

DOÑA MATILDE.—Oh, nunca, nunca.

DON PEDRO.—Y qué ¿no me abraza usted, señor don Eduardo? Ea, déme usted uno bien apretado y salgamos pronto de este camaranchón... que se me va la cabeza sólo de acordarme...

DON EDUARDO.—Pero, señor don Pedro, me parece que usted no ha comprendido bien a Matilde... ella se alegra, como buena hija, de que la vuelva a su gracia... pero..., por lo demás, está muy satisfecha con su suerte, ahí donde usted la ve... y lejos de querer dejar su casa...

DON PEDRO.—No, no; vivirán ustedes conmigo.

DOÑA MATILDE.—Sí, sí, con usted papá, con usted. *(A su padre, en voz baja.)*

DON EDUARDO.—Y si no... con permiso de usted, señor don Pedro. Oye, Matilde. *(Se la lleva a un lado de la escena.)* ¿No es cierto que lo que a ti te acomoda es vivir tranquila en un rincón como éste, y comer conmigo un pedazo de pan y cebolla?

DOÑA MATILDE.—Si la cebolla no me recordara siempre que la como... luego, Eduardo, hazte cargo... ¿podemos acaso desairar a papá cuando se muestra tan bondadoso?

DON EDUARDO.—Según eso te resignarías y...

DOÑA MATILDE.—¿Qué hemos de hacer?

DON EDUARDO.—El caso es que cada cual tiene su amor propio... y para mí... la verdad... no puede ser plato de gusto el entrar en su familia como un pobretón.

DOÑA MATILDE.—¿Qué importa eso?

DON EDUARDO.—A mí mucho... y se me caería la cara de vergüenza.

DOÑA MATILDE.—Pero, hombre, ¿no ves que tu tío te tiene, por fuerza, que perdonar también pronto?

DON EDUARDO.—Y ¿crees tú que me volverá a nombrar su heredero?

DOÑA MATILDE.—Como tres y dos son cinco.

DON EDUARDO.—Es que entonces tendríamos la dificultad del alguacilazo y...

DOÑA MATILDE.—Tanto mejor, es un título muy distinguido... casi tanto como maestrante.

DON PEDRO.—Vaya, hijos, ¿que sale de esta consulta?

DOÑA MATILDE.—Que nos vamos con usted.

DON PEDRO.—¡Alabado sea Dios!

DON EDUARDO.—Y que mi Matilde, sólo por vivir con su padre y por disfrutar a su lado de las ruines comodidades de la vida, sacrifica magnánima todos los placeres de la indigencia, que por más que digan aquellos que los han conocido sin buscarlos... ni merecerlos... tienen con todo mucho mérito a los ojos de... las jóvenes de diecisiete años que leen novelas.

MANUEL ASCENSIO SEGURA
[*Perú, 1805-1871*]

Manuel Ascensio Segura dedica gran parte de su vida a la carrera militar, el periodismo y los deberes de un burócrata. Pelea en la batalla de Ayacucho con el ejército realista y al lado de su padre. Después de la amnistía vuelve a la vida militar, para defender a su país en el conflicto armado con Bolivia. Más tarde criticará a los militares en sus obras teatrales. En 1839 colabora en un nuevo periódico, *El Comercio*, donde publica varias novelas. Durante estos años sostiene una larga polémica con otro dramaturgo peruano, Felipe Pardo y Aliaga. Escribe *La pepa* en 1834; pero la censura de los militares es tan feroz que queda sin estrenar. Cinco años después suaviza un poco su crítica, en un gran éxito teatral, *El Sargento Canuto*, deliciosa comedia en un acto y en verso en que se burla de los soldados fanfarrones y de la manía de los aficionados a los toros. Siguen una docena de comedias más, hasta 1862. Muere en 1871, después de una serie de ataques de asma.

Robert Bazin califica a Segura como el más completo de los costumbristas de su época y el único digno de sobrevivir. *Ña Catita* sigue siendo su comedia más popular, aunque algunos críticos prefieren *Las tres viudas* donde Segura sigue las aventuras frenéticas de tres viudas en busca de marido. En la protagonista Catita, tenemos una entremetida peruana que entronca con la estirpe de Trotaconventos y Celestina. Luis Alberto Sánchez observa que en todas las producciones de Segura la trama vale poco. "Lo interesante es el detalle, los episodios de que se rodea el asunto central." Y sobre todo, un lenguaje popular y muy típico del habla común de los limeños del siglo pasado.

BIBLIOGRAFÍA SUMARIA

Cornejo, Edmundo V., *Poesía, prosa y teatro de Manuel Ascensio Segura*, Lima, Talleres Mimeográficos San Martín, 1961.

____, *Ña Catita de Manuel Ascensio Segura*, Hora del hombre, Lima, Biblioteca del Pensamiento Peruano, 1970.

Cornejo Polar, Jorge, *Sobre Segura*, Arequipa, Universidad Nacional de San Agustín, Dirección de Investigación, 1970.

Hernández, José Alfredo, "Aspectos del teatro peruano", *Universidad Nacional de Colombia*, núm. IX, 1949, pp. 77-91.

Palma, Ricardo (comp.), *Artículos, poesías y comedias de Manuel Ascensio Segura*, Lima, Carlos Prince, Impresor y Librero-Editor, 1885.

Sánchez, Luis Alberto (comp.), *Comedias de Manuel Ascensio Segura*, 2 vols., Lima, Garcilaso, 1924.

Sánches, Luis Alberto, *El señor Segura, hombre de teatro*, Lima, Universidad de San Marcos, 1976, 2a. ed.

Tessen, Howard W., "Manuel Ascensio Segura", tesis doctoral, Yale University, 1947.

Ugarte Chamorro, Guillermo, "Homenaje de la ENAE a Manuel A. Segura en el 150 Aniversario de su nacimiento", *Escena*, vol. III, núm. 5, Lima, 1955, pp. 3-11.

Ña Catita

COMEDIA EN CUATRO ACTOS REPRESENTADA EL 30 DE AGOSTO DE 1856
EN EL TEATRO DE VARIEDADES, LIMA.

PERSONAJES

ÑA CATITA, *vieja*
DOÑA RUFINA, *madre de Juliana*
JULIANA, *joven*
MERCEDES, *criada*
DON JESÚS, *padre de Juliana*
ALEJO, *pedante*
MANUEL, *protegido de don Jesús*
JUAN, *amigo de don Jesús*
CRIADO

La escena es en Lima, en casa de don Jesús; sala decentemente amueblada con puertas al fondo y laterales.

PRIMER ACTO

ESCENA I

Don Jesús y doña Rufina

JESÚS.—¿Se te ha metido el demonio
dentro del cuerpo, mujer?
¿No ves que no puede ser
feliz ese matrimonio?
¿Con don Alejo? ¡Qué he oído!
RUFINA.—Cabal; con él, sí señor.
JESÚS.—¿Un sempiterno hablador
le quieres dar por marido?
Un zanguango con más dengues
que mocita currutaca,
más hueco que una petaca

y lleno de perendengues;
un fatuo que rompe el día
un par o dos de botines,
registrando figurines
de una en otra sastrería:
un baboso, un dominguejo
cuyo trato nadie estima,
y que sirve en todo Lima
de hazmerreír y gracejo.

RUFINA.—¿No encontraron más apodos
para hacértelo deforme?
pues los que han dado el informe
mienten hasta por los codos.
Les sobra pechuga, arrojo,
para hacer malo lo bueno;
ven la paja en ojo ajeno
y no ven la viga en su ojo.
¿Querrán para yerno tuyo,
un mozo zarrapastroso,
torpe, feo y andrajoso,
cara de *zango con yuyo*?
No, señor: el tal Manongo
no se casará con mi hija;
vaya y llene su vasija
con agua de otro porongo.

JESÚS.—Pero escucha mis razones,
mujer de todas mis culpas:
a ver si encuentras disculpas
a estas justas reflexiones.
Sabes que Manongo es hijo
de un hombre a quien aprecié,
y con el cual milité
en el batallón del Fijo.
Cuando fuimos con Pezuela
al Alto Perú los dos,
a él debí, después de Dios,
la vida...

RUFINA.— ¡Dale la muela!
Tan decantado servicio
con usura le pagaste.

JESÚS.—Nunca hay servicio que baste

a pagar tal beneficio.
Muy poco antes de su muerte,
como sabes, me llamó,
y llorando me encargó
de ese muchacho la suerte.
Yo entonces le prometí
tratarlo como a hijo mío,
y ¿he de mostrarle desvío
sin justo motivo?, dí.

RUFINA.—¿Acabó usted, don Jesús?

JESÚS.—Acabé, ¿no te contenta?

RUFINA.—Pues bien, haga usted de cuenta
que no ha dicho chus ni mus.
Mi hija no se ha de casar
con un mozo estrafalario
de cuyo trato ordinario
se tenga que avergonzar;
ni con ningún *homo-bono*,
que a su padre se parezca,
que la empañe y la embrutezca.

JESÚS.—¡Se verá tal desentono!

RUFINA.—¿Qué es esto, pues? ¿Hasta cuándo?
Salgamos de capa rota.
Ese mozo está en pelota,
y es, a más, un burro andando.
Vaya a otra parte a hacer nido,
y no arme más alboroto:
no falta un zapato roto
nunca para un pie podrido.

JESÚS.—¡Qué tarabilla!

RUFINA.— Si quieres
morir, sin saber de qué,
amárrate un tonto al pie.

JESÚS.—¡El diablo son las mujeres!

RUFINA.—¡Pues lindo saine le ofrece
tu ternura paternal!
Ya se ve, no siente el mal
sino aquel que lo padece.
Yo un marido le destino
que no habrá a quien no le guste,
porque es un hombre de fuste,
muy ilustrado y muy fino.

JESÚS.—Y muy trucha entre los truchas.
RUFINA.—Y chíllese el que se chille,
hará que la niña brille
y pinte mejor que muchas.
JESÚS.—¿Te ha dado fiebre, Rufina?
Vamos a ver, trae el pulso.
RUFINA.—Como es usted tan insulso
no sale de la rutina.
JESÚS.—¿Qué es lo que estás diciendo?
¿Has perdido la chaveta?
RUFINA.—Yo no hablo de paporreta;
Dios me entiende y yo me entiendo.
JESÚS.—¿De cuándo acá esa hinchazón?
¡Qué pronto has mudado pasta!
Pues, mira, toda tu casta
ha sido de asta y rejón.
Me acuerdo muy bien, Rufina,
que cuando te cortejaba,
apenas aquí asomaba
corrías a la cocina.
Y si, al partir como cohete,
algo a mi afán respondías,
con un discante salías
o con un domingo siete.
¿De dónde esos papelotes?
¡Mire usted que es cuanto cabe!
Y esto dice quien no sabe
ni siquiera hacer palotes.
Ya se ve; tú sola no eres
quien tanto adefesio apura;
de tu misma catadura
hay en Lima mil mujeres.
Yo conozco cierta dama,
que con este siglo irá,
que dice que a su mamá,
no la llamó nunca mama.
Y otra de aspecto cetrino,
que, por mostrar gusto inglés,
dizque no sabe lo que es
mazamorra de cochino.
RUFINA.—¿Y a qué viene eso ahora?

JESÚS.— A nada...
RUFINA.—¿Pero a qué?
JESÚS.— Yo sé mi cuento.
RUFINA.—Venga o no venga, de intento
larga usté una patochada.
¡Hablador! Para sacar
las faltas a sus paisanas
siempre tienen buenas ganas.
JESÚS.—A nadie pienso agraviar.
Hará mal quien se indisponga.
RUFINA.—¡Cómo es usted papagayo!
JESÚS.—Si a alguna le viene el sayo
¿qué he de hacer? que se lo ponga.
RUFINA.—Sea o no todo eso cierto
en vano es que usted prosiga;
porque todo cuanto diga
es predicar en desierto.
Julieta se casará
con don Alejo.
JESÚS.— ¡Qué escucho!
¡Julieta!
RUFINA.— La quiere mucho.
JESÚS.—Más que nunca, no será.
¡Habrá una vieja más verde!
¡Julieta, a su hija ha nombrado,
cuando nunca se ha llamado
sino Juliana Valverde!
Milagro que no le ha puesto
piche, gorrión o canario;
porque hoy día el calendario
es un potaje indigesto.
Yo pondré remedio, sí.
Silencio, que viene gente.

ESCENA II

Dichos y don Alejo

ALEJO.—Echemos antes el lente
para ver quién anda aquí.

RUFINA.—¡Don Alejo!
JESÚS.— (¡Sinvergüenza!)
RUFINA.—(Hágame usted el favor
de callarse.) *(Bajo a don Jesús.)*
JESÚS.— (¡Pillo!)
RUFINA.— (¡Chito!)
(Tenga usted más discreción.)
ALEJO.—¡Hola! Es *Monsieur* con Madama.
JESÚS.—¡Soy capaz...!
RUFINA.— Baja la voz.
ALEJO.—A la orden... *(Saludando con afectación.)*
RUFINA.— ¡Oh, don Alejo!
¿Tanto bueno? *Sans façon.*
ALEJO.—Por mí no hay que incomodarse.
RUFINA.—¡Disparate! No, señor.
Usted está aquí en su casa.
ALEJO.—*Merci.*
RUFINA.— No hay de qué.
JESÚS.— (Embrollón.)
ALEJO.—*¿Y comment ça va, Madama?*
RUFINA.—Pues no lo he sabido hasta hoy;
¿conque vino usted el sábado?
Yo salí...
ALEJO.— No es eso, no...
Digo que ¿cómo está usted?
RUFINA.—Ahí tirando con la tos.
ALEJO.—Goma arábiga con ella,
o hipecacuana si no.
Ahora hay muchos constipados.
RUFINA.—Irritada es lo que estoy.
ALEJO.—Entonces soy de dictamen
que tome usté el *pansirop.*
¡Y cuidado! mucho abrigo,
que de una muerte precoz
nadie está libre.
RUFINA.— Así lo hago.
ALEJO.—Y hasta que no salga el sol,
en cama.
RUFINA.— Precisamente.
ALEJO.—*Très-bien.*
JESÚS.— (¡Y lo sufro yo!)
ALEJO.—La estación está pluviosa:

y el aire, y ese frescor
de las mañanas...

RUFINA.– Así es.

ALEJO.–¿Y usted, *Monsieur*...? ¿Guapetón?

JESÚS.–Sí, señor.

ALEJO.– Me alegro mucho.

JESÚS.–Gracias.

RUFINA.– (Prudencia, por Dios.) *(Bajo a don Jesús.)*

ALEJO.–Usted va de *promené*,
según lo que viendo estoy.
¡Pero con capa...! ¿Quién usa
ya ese ropaje español?
Parece que usted viviera
en los tiempos de Godoy.

JESÚS.–Yo me visto como quiero.

RUFINA.–¡Qué respuesta! ¡Cuándo no!

ALEJO.–Póngase usted un *Lord Ragland*,
que es el traje *comme il faut*;
donde *Rosack* compré el mío,
y pintado me salió.
Me costó caro, verdad:
pero es el que sirve hoy
de modelo en todo Lima.
¡No es extraño! Tengo yo
un gusto tan exquisito...
y luego me ha dado Dios
un cuerpo tan... ¿no es así?
(A doña Rufina, después de mirarse.)

RUFINA.–¿Quién lo duda? Sí, señor.

JESÚS.–(¡Habrá mayor mentecato!
Por no escucharlo me voy.)
Hasta luego, mi señora.
Caballero...

ALEJO.– Servidor.

JESÚS.–(Ya te compondré yo el bulto.)

ESCENA III

Doña Rufina y don Alejo

ALEJO.–Mala está la guisa hoy.

RUFINA.–Déjeme usted don Alejo;

mientras más viejo está peor.
Se va poniendo intratable.
De nada sirve que yo
le predique a todas horas
para que mude de humor.
Nada, imposible. Los hombres
más duros son que una hoz,
y si se les mete el diablo
¿quién puede con ellos?

ALEJO.— ¡Oh!
me pongo yo algunos días,
que casi insufrible soy.

RUFINA.—¡Qué! ¿Padece usted de esplín?

ALEJO.—¡Ah! Si parezco un bretón;
pero pronto se me pasa.
Tomando un vaso de *ponch*,
o una copa de coñac,
como si tal cosa estoy.
Pero, variando de asunto,
¿Julieta está aquí o salió?

RUFINA.—Por adentro anda esa loca.

ALEJO.—¡Siempre hechicera!

RUFINA.— Favor
que usted le hace.

ALEJO.— Nada de eso.
Lo que es suyo, eso le doy.
Mucho más merece.

RUFINA.— Gracias.

ALEJO.—Ésas le tocan a Dios.
A quien parecerse tiene;
pues su mamá es una flor
aromática y hermosa...

RUFINA.—Usted me avergüenza... *(Con coquetería.)*

ALEJO.— ¡Oh! no.

RUFINA.—A sus ojos...

ALEJO.— Todo el mundo
hace igual observación.

RUFINA.—Los partos me han acabado;
y este tiempo que es atroz.
¿Qué quiere usted? tanta guerra,
tanta peste. Ni sé yo

cómo tengo todavía
cara de gente ni...

ALEJO.— *¡Stop!*
que esa hermosa perspectiva
desmiente tal aserción.

RUFINA.—¡Qué don Alejo!

ALEJO.— Está usted
de olor, color y sabor.

RUFINA.—Yo me casé de trece años.

ALEJO.—Se conoce.

RUFINA.— Y no llegó
el quinceno sin que...

ALEJO.— Ya...

RUFINA.—Pues...

ALEJO.— Eso era de cajón.
¿Y qué hace *Mademoiselle*?

RUFINA.—No sé: estará al bastidor.
Voy a llamarla... ¡Julieta!

ALEJO.—Déjela usted; ya me voy.

RUFINA.—¿Tan pronto?

ALEJO.— Tengo que hacer;
pero volveré.

RUFINA.— ¡Ay señor!
¿Dónde andará esta muchacha?
¡Julieta...!

ALEJO.— No hay precisión.
Déjela usted, no la llame;
más luego tendré el honor
de presentarme.

RUFINA.— ¡Qué hechura!

ESCENA IV

Doña Rufina, doña Juliana y don Alejo

JULIANA.—Mamita, ¿usted me llamó?

RUFINA.—¡A buena hora te apareces!
Te llamé porque el señor
ha preguntado por ti.

JULIANA.—¿Por mí?

RUFINA.— ¡Qué contestación!
por ti: ¿por quién ha de ser?
JULIANA.—Como nadie me avisó.
RUFINA.—¡Jesús! ¡Nunca has de ser gente!
¡No sé cómo no te doy
un pellizco que te aturdo!
¡Qué animal eres!
JULIANA.— Por Dios,
mamá...
RUFINA.— ¡Mamá...! ¡Sinvergüenza!
JULIANA.—(¡Caramba!)
RUFINA.— ¡Qué condición!
ALEJO.—*Madame, ne vous fâchez pas;*
todo eso lo hace el pudor;
yo a su edad era lo mismo.
Mire usted: una ocasión
andaba tras una dama,
como gorgojo en arroz,
con el fin de que me diese
un *rendez-vous* en su *maison,*
y al verla se me dormía
la mandíbula inferior.
RUFINA.—Mire... el señor don Alejo
dice que te ama y...
ALEJO.— ¡Oh!
En cuanto a eso, ni Orosmán,
ni Orlando, ni Agamenón,
ni todos los que han sentido
el aguijón del amor,
sufrieron el voraz fuego
en que arde mi corazón.
JULIANA.—(¡Agua, que este hombre se quema!)
ALEJO.—Todo por ese arrebol.
Sí, Julieta, *mia Julietta;*
más brillante está usted hoy,
que el lucero matutino
antes de que salga el sol;
más seductora que Venus,
más robusta que Nemrod,
y de más precio y valía
que las minas del Tirol.

RUFINA.—Contesta.
ALEJO.— Déjela usted;
harto dice su rubor;
quien calla otorga.
RUFINA.— ¡Ay, amigo!
¡Cómo esta niña no hay dos!
Es huraña como un gato.
¡No sé a quién diablos salió!
Y ya se hace indispensable
desterrarle ese amargor;
usted que ha de ser su esposo
está en esa obligación.
Púlala usted, descortécela.
Repréndala usted, por Dios,
porque su padre...
ALEJO.— Su padre
es del tiempo de Guirior.
¡Usa capa!...
RUFINA.— ¿Ni qué entiende
de gusto ni ilustración?
Es tan... pues...
ALEJO.— Un *bonus vir*.
RUFINA.—Eso es; un alma de Dios.
ALEJO.—¡Eh, bien! queda a mi cuidado.
Yo haré que lea a *Rousseau*,
a *Volney, Pigault Lebrun*,
a *Voltaire, Walter Scott*,
a *Eloísa y Abelardo*,
a *Ovidio*, al *Barón de Humboldt*,
y a otros autores modernos
que hablan sobre educación.
RUFINA.—Muy bien. Y el canto y el baile,
y otras cosas así...
ALEJO.— ¡Oh!
Para eso me pinto solo.
No hay coreógrafo cual yo.
A *Bernadelli* y su esposa,
a *Magin* y a la *Mulot*,
les apuesto a hacer piruetas
diez onzas contra un doblón.
En el canto ¡oh! en el canto

es donde yo hago furor.
No lo digo con jactancia;
pero tengo yo una voz,
que *Mirándola* a mi lado
no es más que un gallo capón,
y *Rossi Corsi* no sabe
ni lo que es un *si* bemol.
El duo del *Belisario*
será la primera lección
que le dé a Julieta. Luego...
Pero acá, para *inter nos,*
atienda usté este trocito
para que juzgue mejor,
¿Vedi tu questo pugnale? (Canta.)
Se ti fugge una parola;
¿Vedi tu questa pistola,
Caricala a doppia palle?
¿Qué tal?

RUFINA.— Bien, perfectamente.

JULIANA.—(¡Jesús! ¡qué hombre tan simplón!)

ALEJO.—En seguida aprenderá
aquella aria del doctor
Dulcamara; ¿la ha oído usted?

RUFINA.—No me acuerdo ahora.

ALEJO.— Pues voy
a darle una idea...

RUFINA.— ¡Qué!...

ALEJO.—*Egli muove* y... *(Queriendo cantar.)*

RUFINA.— ¡Superior!

ALEJO.—*Y paralitice...*

RUFINA.— Basta.

ALEJO.—Siquiera este calderón.

RUFINA.—Es suficiente, no más.

JULIANA.—(Mejor entona un perol.)

ALEJO.—En fin, yo le enseñaré
cuanta aria, cuanta canción,
cuanto duo y cuanto trío,
en el mundo se inventó.

RUFINA.—Muy feliz va a ser Julieta
con tan sabio preceptor.

ALEJO.—Con tal madre y tal esposa

nadie más feliz que yo.
En fin, Madama, me marcho;
tengo que ver a un deudor,
que me han dicho que se embarca
luego para Copiapó;
pero despacho al instante.

RUFINA.—Si hoy no es día de vapor.

ALEJO.—Se va en otro buque... conque...
divina Julieta, adiós.

JULIANA.—Adiós, caballero.

RUFINA.— ¡Niña!

ALEJO.—Madama, tengo el honor...

RUFINA.—¿Hasta luego?

ALEJO.— Sí, hasta luego.

RUFINA.—¿Lo aguardo?

ALEJO.— Antes de las dos.
Io di te memoria viva
Sempre, o cara, conserveró.

ESCENA V

Doña Rufina y doña Juliana

RUFINA.—Una mina hemos hallado.
Este hombre vale un Perú.
¡Qué enorme es la diferencia
que hay de él al otro gandul!
La misma, ni más ni menos,
que la de la leche al betún.
El uno hasta por los poros
derrama gracia y luz
y el otro es más animal
que un borrico o que un atún;
pero con mi buen marido
hace un excelente albur.
Fuera lástima por cierto
que semejante avestruz
cargara con una niña
que apenas sabe la *Q;*
pero que tiene, eso sí,
mucha trastienda y virtud;

y máxime cuando dicen
que anda de continuo a flux
y que no tiene otro oficio
que el de *cerero* o tahur.
No hay miedo. No se saldrán
con su gusto al bultuntún;
porque antes que yo consienta
que mi hija cargue tal cruz,
a ella, a su padre y a mi
nos llevará Belcebú.

JULIANA.—(Ni me he de casar tampoco
con el otro zamplamplús.
A buen seguro; primero
me encerrará un ataúd.)

ESCENA VI

Doña Rufina

Alzaría en todo Lima
el tal casorio un run-run,
que hasta en los papeles públicos
iría de Norte a Sur.
¡Julieta!... Ya se marchó.
¡Qué rehilete! ¡Jesús!
Nadie más que ese muñeco
la trae en esta inquietud.
¡Conmigo está! ¡Cuando venga
lo pondré de oro y azul!
¡Julieta! ¡Si de repente
me va a dar un patatús
de lidiar con este diablo!
¡Quien lo ponga es mi salud!

ESCENA VII

Doña Rufina y ña Catita

CATITA.—*Deo gratias.*
RUFINA.— ¡Oh! ¡Ña Catita!

CATITA.—Déjame que vengo muerta.
¡Ay Jesús!
RUFINA.— ¿Cómo está usted?
CATITA.—¡Con un dolor de cabeza
que no veo!
RUFINA.— Habrá usté estado
metida hasta ahora en la iglesia.
CATITA.—¿Qué quieres, hijita, que haga?
¡El Señor me dé paciencia!
RUFINA.—Pero si está usted así...
CATITA.—Y con la boca muy seca,
y el estómago en un hilo.
RUFINA.—¡Válgame Dios! ¡También llega
usted tan tarde! No importa.
Puede que haya en la alacena
alguna cosa. Yo creo
que guardó la cocinera
un poco de caldo. Sí...
que lo calienten. ¡Manuela!
CATITA.—Dios te lo pague, mamita.
Pero escucha; mejor fuera
un poco de chocolate,
porque hoy creo que son témporas,
y el ayuno...
RUFINA.— Mandaremos
a comprarlo...
CATITA.— No; no, deja;
tomaré cualquiera cosa.
Te molestas.
RUFINA.— ¡Qué molestia!
CATITA.—¿Y cómo va por acá?
RUFINA.—Siempre, ña Catita, en guerra.
CATITA.—¿Conque no hay forma de que entre
tu marido por vereda?
RUFINA.—Cada día está más terco:
no hay que tocar otra tecla
sino matarlo o dejarlo.
Ahora he tenido una gresca
con él; pero para nada.
¡Si es más duro que una peña!
CATITA.—¡Y quién lo ve!

RUFINA.— Sí, señor;
pero es más malo que Gestas.
CATITA.—¡Qué trabajo! ¡Cómo siento
lo que ese hombre te atormenta!
Pero ya se compondrá. *(Con misterio.)*
Hace poco que en la iglesia
ideaba cierto proyecto...
RUFINA.—¿Sobre esta misma materia?
CATITA.—Y con el favor de Dios
nos ha de salir de perlas.
Adentro te lo diré,
que ahora no está mi cabeza
para nada. ¡Ay! ¡Ay!
RUFINA.— ¿Qué es eso?
¿La ha dado a usted la jaqueca?
CATITA.—No es cosa, hijita. Estas beatas,
que son unas sinvergüenzas,
son las que me han de quitar
la vida. ¡Ay, qué gente ésta!
¿Creerás que se están las más
toda la mañana entera
al pie del confesionario,
en consultitas secretas
con el padre, y con risitas
y otras dos mil morisquetas,
sin dejar que una se llegue
a descargar la conciencia?
¡Qué Dios las haga unas santas!
Y mira, hija, si no fuera
pecado hacer malos juicios
y darle gusto a la lengua,
yo diría que estas cosas
no pueden ser nada buenas.
¡Qué tal! Conque, ¿tu marido
te trata como una negra?
¡Qué desgracia!
RUFINA.— Ña Catita,
cada día más me pesa
haberme unido con él.
CATITA.—No hay mal que por bien no venga.
RUFINA.—Yo sola tengo la culpa.

No faltó quien me advirtiera
el geniazo que tenía.
Pero yo, niña inexperta,
cerré el ojo y me casé
con ese perro de presa.
Bien merecido me está.
Bastante caro me cuesta
la ansia de tener marido.

CATITA.—¿Por qué no haces la promesa,
a fin de que se componga,
de ir en el año que entra,
descalza, echando sahumerio,
hasta Santa Ana siquiera,
al Señor de los Milagros?
Puede ser que te conceda
este Señor lo que pides.
Vamos a ver; haz la prueba.

RUFINA.—¡Ojalá que en eso sólo,
ña Catita consintiera!

CATITA.—Pero hablando de otra cosa.
¿No sabes que la Malena
peleó ayer con su marido?
La puso, hija, como nueva.
¡Serrano había de ser!
Daba compasión el verla.
Tenía la cara... ¡así!...
¡Tamaña!

RUFINA.— ¡Qué desvergüenza!

CATITA.—Pero ya se ve; si tiene
también tan poca cautela.
Recibir, niña, visitas
cuando el otro sale fuera,
¡sin poner, por lo que *potest*,
uno que aguaite en la puerta!
Pero ya, gracias a Dios,
están como unas ovejas.
Y agradézcanmelo a mí,
y a la buena moza aquella
que te he contado otras veces
que tiene tan ricas prendas,
sin que nadie sepa hasta ahora

cómo ni de dónde venga,
que fuimos las que mediamos
para que en paz se pusieran...
pero, hija, por vida tuya,
no sea que esto se sepa.

RUFINA.—¡Cómo, ña Catita!

CATITA.— ¡Ay, hija!
Yo no quiero que me metan
en cuentos. ¡Pobre de mí!

RUFINA.—No soy, ña Catita, de ésas.

CATITA.—Mas, volviendo a tu marido.
¿Conque, es una maula *completa*?

RUFINA.—Le digo a usted, ña Catita,
que estoy pasando las penas
del infierno con ese hombre.
Sabe Dios que si tuviera
un buen empeño, le haría
dar algún destino afuera.

CATITA.—Yo, mamita, nada valgo.
Soy un guanchaco en mi tierra:
si no, con dos mil amores
te haría esa diligencia.
No conozco en Lima más
que a fray Juan Salamanqueja,
a fray Rufo, a una monjita
de allá de las Nazarenas;
y a otras personas así,
que, de la misma manera
que tú, me dan un bocado
y un trapo, porque me aprecian.
¡Soy tan pobre!... Ya lo ves...
Ni sé, ni sé, cuándo tenga
para hacerle unas motitas
a un pañuelito de seda,
que estoy ahora cosiendo
al padre que me confiesa.
Si alguien me hiciera el favor
de prestarme una peseta,
una alma del purgatorio
sacara con su fineza.

RUFINA.—Tome usted.

CATITA.— ¡Dios te haga santa!
¡Dios te dé su gloria eterna!
Quién tuviera la fortuna
de tu comadre Teresa,
que se sacó la de a mil
en vaca con la chilena.

RUFINA.—¿Qué me cuenta usté?

CATITA.— Así dicen.
Y dime, si así no fuera,
¿de dónde hubiera sacado
para comprar ricas medias,
pañuelos de siete onzas,
dormilonas y pulseras...
para ir a los Amancaes,
al Callao, y a la comedia,
cuando no ha tenido nunca
ni montepío ni renta?
Chocolate que no tiñe...

RUFINA.—Claro está.

CATITA.— ¡Y que no nos venga
con que le da la costura
para esas y otras fachendas!
Porque, hija mía, por mucho
que pinten las costureras,
tirando aguja no más
nadie sale de pobreza.
Si no se ha sacado suerte
yo no sé, pues, lo que sea;
al menos que un *cambullón*...
pero no, ya se supiera.

RUFINA.—Pues yo celebro infinito
que tanta fortuna tenga;
con eso me pagará
veinte pesos que me adeuda.

CATITA.—Lo dicho: porque también
es demasiada llaneza
echarse así con la carga,
con lo que nada le cuesta.
Cóbrale, sí. ¿Ya no están
ustedes dos de reyerta?

RUFINA.—Sí; pero eso no se opone
a que cancele sus deudas.
CATITA.—¡Y siendo un pico tan corto!
¡Mucha intemerata es ésa!
Nada, que pague; y si no
a la Intendencia con ella.
Vamos a esto, ¿y Julianita
qué cara a estas cosas muestra?
Por supuesto que se inclina
al sujeto y...
RUFINA.— Ni lo piensa:
es muy caprichuda, mucho.
Y como aquel otro pieza
ha logrado embaucarla
con sus desplantes y quejas,
está, niña, que parece
un gallito, la muy puerca.
Ahora poco estuvo aquí
don Alejo a hablar con ella.
¡Y si la hubiera usted visto!
¡Qué palabrotas tan secas,
le contestó! Casi, casi
me caigo de rabia muerta.
Se me iban y me venían
los colores de vergüenza.
Y él que es, como usted bien sabe,
de tanta delicadeza,
y tan puntilloso...
CATITA.— ¡Oiga!
RUFINA.—Disimulaba.
CATITA.— A la fuerza.
Eso tiene, Rufinita,
dejarle la rienda suelta.
RUFINA.—¿Pero qué haré, ña Catita?
CATITA.—Nada; a una niña doncella
se la mete en cartabón,
que quieras o que no quieras.
Si no, tal vez llegue el día
que te embista y que te muerda.
Dios no permita que a ti,
en la vida, te suceda

lo que a una niña que habita
enfrente de mi vivienda,
que se ponen ella y su hija
lo mismo que dos placeras.
Tampoco estás tan de sobra,
para que así por simplezas,
desprecies el fortunón
que se te entra por las puertas.
Don Alejo es un partido
que así no más no se encuentra.
¡Cuántas, hija, se darían
de santos con una piedra,
porque el cielo les mandase
una mamada como ésta!
Los hombres, hoy en el día,
no se casan tan a secas,
pues como están a tres dobles,
buscan sólo conveniencia.
A menos que un extranjero...
¡Éstos, sí, tienen pesetas!
Pero, hija, nuestros paisanos,
con tanta vuelta y revuelta,
han quedado casi todos
como gallina *culeca.*

RUFINA.–Mírela usted; aquí viene.

CATITA.–¡Qué lástima que se pierda!

ESCENA VIII

Dichos y Juliana

JULIANA.–¿Me llamaba usted, mamita?

RUFINA.–¿Dónde te fuiste, muchacha?
Parece, mujer maldita,
que estuvieras con caracha.
No paras en parte alguna;
y, por Dios, que me alegrara
que fuera de esa perruna,
cosa que nunca sanara.
¡Lo has hecho de mil primores
contestando a don Alejo!

JULIANA.—Si no me dijese amores
no le mostrara entrecejo.

CATITA.—Habla con menos descoco
de un sujeto tan instruido,
que debe dentro de poco,
hijita, ser tu marido.

JULIANA.—¿Mi marido?

RUFINA.— ¡Sí, señor!
¡No empieces a incomodarme!

JULIANA.—A quien yo no tengo amor
no podré nunca ligarme.

RUFINA.—¿No la oye usted? ¡Si me está
provocando esta insolente!

JULIANA.—Dispénseme usted, mamá:
voy a hablarle francamente;
usted pretende casarme
con un hombre que no estimo,
y porque de ello me eximo
me trata con frenesí.
Sin embargo, yo no puedo
manifestarme insensible
a la existencia terrible
que diviso sobre mí.
El lazo del matrimonio
no dura dos o tres días;
deben tener simpatías,
los que se estrechan con él;
si en uno y otro consorte
recíproco amor no mora,
será tener a toda hora
en la garganta un cordel.
Reflexione usted sobre esto;
compadézcame, no sea
que después, cuando me vea
llorar el perdido bien,
aunque tarde, se arrepienta
de sus iras maternales,
y mis angustias mortales
sufra su pecho también.
Aun es tiempo todavía:

con sumisión se lo pido:
con semejante marido
yo no puedo ser feliz.
No lo amo, mamá, no lo amo;
perdone usted que así le hable:
casarme con él no es dable,
sería hacerme infeliz.

RUFINA.—¡Qué, tal, pues! ¡Cuánto sabía!
¡Si me ha dejado pasmada!
¡Qué demonio!

CATITA.— ¡Ave María!

RUFINA.—¡Estás bien aconsejada!

CATITA.—Mira, el amor es un niño
que desagrada y fastidia,
y a quien no se hace cariño
cuando con él no se lidia:
pero que en fuerza del trato
se le toma tal pasión,
que parece lindo y ñato
lo que es feo y narigón.
Así, si ahora a don Alejo
lo ves con indiferencia,
ya mudarás de consejo
tratándolo con frecuencia.

RUFINA.—Sobre todo, ña Catita,
¡qué amor ni qué patarata!

CATITA.—Dice muy bien tu mamita;
es mucho cuento la plata.
Hasta la peña más dura
se ablanda con el *dan dan;*
y como dice el refrán,
amor con hambre no dura.
Tu novio la tiene, pues;
me consta, no son fachendas:
la mitad puesta a interés,
con la otra da sobre prendas.

RUFINA.—Y luego, niña, aquel corte
tan fino, tan caballero...
nadie diría en su porte
sino que es un extranjero.

CATITA.—¡Ay, hija, y tiene una casa
con todo lo necesario!
Parece cuando una pasa
que está viendo un relicario.
¿Y caridad? ¡Mucho es eso!
No le digo por lisonja,
antenoche me dio un peso
para una que entró de monja.
Y también en ocasiones
me da a mi su real o dos...
por eso en mis oraciones
siempre lo encomiendo a Dios.

JULIANA.—Será cuanto hay: yo no trato,
ña Catita, de apocarle.

CATITA.—A la suela del zapato
muchos quisieran llegarle.

JULIANA.—Con todo, ese matrimonio
pararía siempre en mal.

RUFINA.—¡Te casarás, pesiatal,
o te llevará el demonio!
Basta, en fin, de toma y daca,
o aquí va a ver maravillas.
¡Tanta lisura la saca
a una, ya de sus casillas!
Cuenta, pues, como le pones
mala cara a don Alejo,
porque entonces no hay razones
sino que te despellejo.
Y cuidado, te repito,
si admites más cuchicheos
de ese pícaro mocito
que te anda haciendo rodeos.
Dile que nunca, jamás,
me ponga los pies aquí.

JULIANA.—Pero, mamita...

RUFINA.— No más
piense burlarse de mí.
¡Buena es la hija de mi madre!
Que toda esperanza pierda.

JULIANA.—Veré a mi padre...

RUFINA.— Tu padre
es aquí un cero a la izquierda.

JULIANA.–Señora... *(Como suplicante.)*
RUFINA.– ¡Calla te digo!
JULIANA.–¿Pero por qué?...
RUFINA.– Yo lo mando,
Y oye, ¡cuidado conmigo!
JULIANA.–(¡Jesús, qué vida! ¡Hasta cuándo!)
RUFINA.–¡Pues no faltaba otra cosa!
Vamos, ña Catita.
CATITA.– Vamos.
RUFINA.–¡Desvergüenza de mocosa!
CATITA.–¡Jesús! ¡En qué tiempo estamos!

TELÓN

SEGUNDO ACTO

ESCENA I

Doña Juliana y Mercedes

MERCEDES.–¿Y para qué, señorita,
darle de noche una cita
cuando siempre viene aquí?
¿No ve usted que eso sería
excitar la habladuría?
Yo, al menos, lo pienso así.
JULIANA.–Mercedes, si tú pudieras
penetrar aquí, me dieras
sin trepidar la razón.
Verías cuánto padece,
cuánta lástima merece
este pobre corazón.
Aquí arde, amiga, una llama
que penetra, que se inflama
cada día más tenaz,
y extinguir no me es posible
el poder irresistible
de este fuego tan voraz.
En vano a veces lo intento,
porque es mayor mi tormento,

más grande mi frenesí.
¿Mas cómo hacerlo podría
si el mismo afán y agonía
él también sufre por mí?
Mi madre lo sabe todo;
y con rabia, y con mal modo
me ha reprendido mi amor;
porque pretende casarme,
más claro, sacrificarme,
a un hombre a quien tengo horror.
Me ha dicho que en este asunto
no cederá un solo punto,
pues dio su palabra ya:
y que si acaso me niego,
sin atender a mi ruego,
su maldición me echará.
De mi situación, Mercedes,
formarte una idea puedes
por lo que acabas de oír,
y lo peor es que el consuelo,
si no se lo pido al cielo,
¿a quién lo voy a pedir?
Adonde vuelvo los ojos
no encuentro más que sonrojos
porque no falto a mi fe.
Todos, todos me abandonan,
todos contra mí se enconan,
¿qué haré, Mercedes, qué haré?

MERCEDES.—¿Por qué no habla usté a su padre?
JULIANA.—¿Y si apoyase a mi madre?
MERCEDES.—Verdad, imposible no es.
JULIANA.—Por eso te he suplicado
que lleves este recado.
MERCEDES.—Si usted se empeña, iré pues.
JULIANA.—Anda, sí, que me precisa
hablar con él. Date prisa,
no vaya a caer en la red.
Dile que venga sin falta,
que mi madre está que salta...
MERCEDES.—Ya es inútil. Véalo usted.

ESCENA II

Doña Juliana, don Manuel y Mercedes

JULIANA.–¡Dios mío! Si ahora mi madre...
MERCEDES.–Aquí lo tiene usted, pues;
creo que yo estoy demás;
la dejo sola con él.

ESCENA III

Doña Juliana y don Manuel

MANUEL.–¿Qué es esto? ¿Por qué te asustas?
¿Te causo yo ese desdén?
¿Qué tienes?
JULIANA.– No tengo nada.
MANUEL.–¿Habré podido tal vez
ofenderte en algo? dilo:
no acierto en qué pueda ser.
JULIANA.–En nada, amigo. Pensaba
lo que puede el interés.
MANUEL.–¡El interés! yo no tengo
otro que quererte bien.
Tu amor, Juliana, me basta,
y tan feliz soy con él,
que no envidio en este mundo
ni la grandeza de un rey.
¿Y tú no me amas, Juliana?
JULIANA.–Manongo ¿y tú no lo crees?
MANUEL.–Entonces en una choza
en un desierto seré
dichoso, estando a tu lado,
y lo serás tú también.
Mi gloria será adorarte,
mi gozo estar a tus pies,
y mis brazos suficientes
para tu apoyo y sostén.
Pero te siento algo inquieta...
JULIANA.–Escucha... ¿Alguno nos ve?... ***(Viendo por la sala.)***

MANUEL.—No, nadie. ¿Qué pasa? acaba:
explícate de una vez.
JULIANA.—Me quieren casar.
MANUEL.— ¿Casarte?
JULIANA.—Como lo oyes.
MANUEL.— ¿Y con quién?
JULIANA.—Con don Alejo.
MANUEL.— ¡Imposible!
JULIANA.—Cierto.
MANUEL.— No lo puedo creer.
¿Quién te ha de querer tan mal?
Alguna burla tal vez
que quieren hacerte...
JULIANA.— No.
Te equivocas, verdad es.
No ha mucho que me lo ha dicho
aquí mi madre.
MANUEL.— ¿Y por qué
te quieren forzar así?...
Eso es injusto, es cruel.
¿Y tú qué dices, Juliana?
JULIANA.—¿Yo? que antes consentiré
en casarme, si es posible
con el mismo Lucifer.
MANUEL.—¿Pero tu madre?...
JULIANA.— Ella misma.
Oye, y me dijo también
que te intimara que nunca
pusieras aquí los pies.
MANUEL.—¿Pero qué motivo ha habido?
¡Si es cosa de enloquecer!
JULIANA.—Sin duda que ese buen hombre
le ha vuelto el mundo al revés,
y ha logrado deslumbrarla
con un brillo de oropel.
MANUEL.—¿Y tu padre?...
JULIANA.— No, mi padre
no ha hablado ni mal ni bien
de este asunto.
MANUEL.— Ni lo hará;
eso yo muy bien lo sé.

Su palabra es muy sagrada
y mucha su sensatez,
para que violente a su hija
por un mezquino interés
Cuando mi infelice padre,
que en gloria de Dios esté
se encontraba moribundo,
y acongojado a la vez,
no por dejar esta vida
de ilusiones y de hiel,
sino porque yo quedaba
sin su amparo en la niñez,
en el lecho de la muerte
tu padre el único fue
que enjugó su triste llanto
con noble desinterés.
Él cuidó de mi orfandad,
él me dio segundo ser,
y hasta ahora nunca ha faltado
a la prometida fe.
Nuestro amor le es conocido
porque lo ha visto nacer,
y yo creo que podemos
descubrirle...

JULIANA.— Calla, que él
llega.

MANUEL.—Hablémosle, Juliana.

JULIANA.—Ahora no... calla: después.

ESCENA IV

Doña Juliana, don Manuel y don Jesús

JESÚS.—¡Hola, muchachos! ¿Qué se hace?

MANUEL.—Nada, señor.

JESÚS.— ¡Ah! Manuel,
necesito hablar contigo;
no te vayas.

MANUEL.— Está bien.

JESÚS.—Voy un momento a mi cuarto

a buscar cierto papel
que me precisa. Ya vuelvo.
¡Cuidado con irse, eh!

MANUEL.—No, señor.

ESCENA V

Doña Juliana y don Manuel

MANUEL.— Y bien, Juliana,
¿qué dices ahora? ¿Lo ves?
¡Qué bondad! ¿No te lo dije?
¿Tienes aún por temer?
Te sobrecoges en vano.

JULIANA.—Yo nada temo, Manuel.
Si no me caso contigo,
con nadie me casaré.
En balde opondrá mi madre
a mi elección su poder,
porque nunca logrará
darme esposo a su merced.
Yo la venero, la aprecio;
mas no al extremo de hacer
la desgracia de mi vida
por mostrarle timidez.
Si me equivoco, corriente...
yo misma tendí la red,
y a nadie podré quejarme
del mal que yo me busqué.

MANUEL.—No, bien mío: no, jamás
te podré yo ser infiel.
¡Ah! ¡Si esa misma firmeza
tuviera toda mujer,
qué de escándalos se ahorraran,
qué de lágrimas también!
Ven acá... dame un abrazo.
Repíteme eso otra vez.
¡Ojalá oyera tu madre
tales protestas de fe!
¡Oh! ¡qué ventura! Otro abrazo.

RUFINA.—¡Qué tal! Mírelos usted. *(A ña Catita.)*
JULIANA.—¡Mi madre viene!
MANUEL.— ¡Qué importa!

ESCENA VI

Doña Rufina, don Manuel, doña Juliana y ña Catita

RUFINA.—¡Pícaros! ¡Por vida de!...
MANUEL.—¡Señora! *(La contiene.)*
RUFINA.— ¡Faltarme así!
¡Suelte usted!
MANUEL.— No se violente.
RUFINA.—¿Este mozón indecente
qué hace, señorita, aquí?
¿No he dicho ya que no gusto
que me pise estos umbrales?
Lo que quieren estos tales
es matarme de un disgusto.
JULIANA.—Mamita...
RUFINA.— Mira, ¡canalla!
¡Si te agarro!... Verás ahora...
MANUEL.—¡Deténgase usted, señora!
RUFINA.—¡Quite usted!
JULIANA.— Pero si...
RUFINA.— Vaya,
¡Cochina!
CATITA.— Déjate de eso.
MANUEL.—Oiga usted...
RUFINA.— ¡Juan de la Coba!
CATITA.—¡Vaya!...
RUFINA.— Si tomo la escoba
no le dejo sano un hueso.
MANUEL.—Yo a su hija de usted la quiero
no con mal fin.
RUFINA.— ¡Bribonazo!
Le ha tendido usté ese lazo
y la trae al retortero.
Ahora mismo... yo lo mando,
váyase usted de mi casa.

MANUEL.—Señora, usted se propasa.
RUFINA.—Salga usted de aquí volando.
Usted no se ha de casar
con ella, no.
MANUEL.— ¿Yo por qué no?
RUFINA.—Porque ya he dispuesto yo
a quien se la puedo dar.
JULIANA.—Contra mi gusto.
RUFINA.— ¡Chitón!
JULIANA.—Podrá usted matarme, sí;
para disponer de mí,
jamás sin mi aprobación.
MANUEL.—¡Por Dios! ¡Qué si me molesta!...
RUFINA.—¡Qué hará usted? ¿Me pegará?
Eso no más falta ya
para coronar la fiesta.
MANUEL.—Señora; sé demasiado
lo que se debe a una dama;
de otro modo...
RUFINA.— Esto se llama
tras de cornudo, apaleado.
MANUEL.—Basta, señora.
RUFINA.— ¡Atrevido!
Mándese mudar.
MANUEL.— No puedo.
Aquí, señora, me quedo
aguardando a su marido.
RUFINA.—Mi marido está en la calle,
sálgale usted al encuentro.
MANUEL.—No, mi señora, está adentro,
y es forzoso que aquí me halle.
RUFINA.—¡Mire usted cómo se entona!
Por esa desvergonzada...
CATITA.—No le hagas caso.
RUFINA.— La criada
se me ha vuelto respondona.
MANUEL.—Pues no saldré, le prevengo.
RUFINA.—El que de fuera vendrá,
de casa nos echará.
MANUEL.—Yo tal intención no tengo.

ESCENA VII

Dichos y don Alejo

ALEJO.—(Esto anda en son de combate.)
CATITA.—Ve quien viene.
RUFINA.— ¡Hola, mi amigo!
Adelante. Aquí conmigo. *(Le da un tirón a su hija y la pone a su lado.)*
ALEJO.—¿Interrumpo yo el debate?
RUFINA.—¡Qué! no, señor.
ALEJO.—Si incomodo...
RUFINA.—Usted aquí a nadie inquieta.
ALEJO.—Puede ser sesión secreta...
RUFINA.—No, señor, de ningún modo.
Son disturbios de familia
que nunca faltan.
ALEJO.— Ya estoy.
RUFINA.—Vete tú adentro.
JULIANA.— Ya voy.
CATITA (Aquí va a ver *miravillia).*

ESCENA VIII

Doña Rufina, ña Catita, don Manuel y don Alejo

RUFINA.—Tengo que hablar con usted;
si usted gusta que pasemos...
ALEJO.—Como usted disponga.
RUFINA.— Entremos.
ALEJO.—Hágame usted la merced...
Con permiso, *mon ami. (A Manuel al irse.)*
RUFINA.—Bótelo usted... que se vaya.
(Al oído de Ña Catita por don Manuel.)
MANUEL.—(Esto ya pasa de raya.)
CATITA.—El *enemigo* anda aquí.

ESCENA IX

Don Manuel y ña Catita

MANUEL.—Ya no puedo tolerar
tanto desaire en mi cara.
CATITA.—Nada, con la misma vara...
MANUEL.—¡Señora, no molestar!
CATITA.—Si lo tomas tan a pechos
te volverás pronto loco.
MANUEL.—¡Por Dios, que me falta poco!...
CATITA.—No hay que subirse a los techos.
MANUEL.—Déjese usted de sermones,
señora mía. ¡Haya muela!
CATITA.—¡Señora, será su abuela!
¡Masonazos, *flamasones!*
¡No se fueran al infierno!
MANUEL.—Eso, señora, se saca...
CATITA.—¡Y dale con la matraca!
MANUEL.—Pero, señora...
CATITA.— ¡Ande a un cuerno! *(Se entra precipitadamente.)*

ESCENA X

Don Manuel

DON MANUEL.—Está muy claro. Su madre
me quiere dar pasaporte,
para que esa pobre niña
admita por novio a un hombre,
que la ha hecho ver montes de oro
con simplezas y ficciones.
Pero mucho se equivoca,
porque yo no soy tan torpe
para abandonar el puesto
sin decir oste ni moste,
mucho menos cuando su hija
a mi afecto corresponde.
No obstante tengo un recelo
que el corazón me carcome.

¿Si apoyará o no su padre
tan inicuas pretensiones?
¡No puede ser! ¡Imposible!
Don Jesús es de esos hombres
a quienes Dios ha formado,
como se dice, a machote;
esto es, juiciosos y rectos,
aunque de alcances mediocres,
y no entrará en picardías
por cuanto existe en el orbe.
Además, nuestro cariño
hace tiempo que conoce,
y aun me atrevo a asegurar
que lo aprueba desde entonces.
Pero sea como fuese:
si están sus padres conformes
en obligarla a casarse
con ese *zampalimones,*
ella y yo también estamos
en ser constantes, acordes,
y no habrá humano poder
que tuerza nuestros amores.
¿A qué hora saldrá su padre?...

ESCENA XI

Don Manuel y Mercedes

MERCEDES.–¡Don Manuel!
MANUEL.– ¡Oigo mi nombre!
¿Quién es? ¡Ah! Mercedes, ¿qué hay?
MERCEDES.–Hable usted bajo.
MANUEL.– Nadie oye.
Vamos, Mercedes, ¿qué ocurre?
MERCEDES.–Pues, señor... ¡Tengo un *soroche!*
No vaya a salir alguno...
MANUEL.–Acaba, con mil demontres.
MERCEDES.–Oiga usted... dice la niña...
MANUEL.–¿Qué dice? Pronto. No embromes.
MERCEDES.–Dice que de modo alguno

tenga usted provocaciones
con don Alejo, porque eso
le causaría mayores
pesadumbres con su madre
cuyo despecho es enorme,
porque no puede lograr
que ella ceda a sus razones.
Dice, asimismo, la niña,
que vuelva usted a la noche,
y que no hable ahora a su padre
ni un Jesús de sus amores,
porque sería exponerse
a infructuosas desazones
estando aquí don Alejo.
Conque, adiós; hasta la noche.
Váyase pronto... No sea
que otra *palazca* se forme
entre la madre y el padre
y usted, y ese tagarote.
¡Vaya! Tenga usted paciencia.
Adiós, y no se sofoque.

MANUEL.—Está bien; me marcharé.
No quiero mostrarme indócil
a sus deseos.

MERCEDES.— Bien hecho.

MANUEL.—Obedezcámosla...

MERCEDES.— ¡Al trote!

MANUEL.—Pero oye, dile que luego,
estórbelo quien lo estorbe,
me declararé a su padre
en terminantes razones,
y que no lo hago ahora mismo
porque ella así lo dispone.

MERCEDES.—Así lo haré... pero váyase.

MANUEL.—No te olvides...

MERCEDES.— ¡Jesús, qué hombre!

MANUEL.—No vaya a decir mañana
que no obedezco sus órdenes.
Adiós.

MERCEDES.—¡Acabaras!

ESCENA XII

Mercedes y ña Catita

CATITA.—¡Bueno!
MERCEDES.—(¡Ña Catita! ¡Qué demontres!)
CATITA.—(¡Aquí Manongo con ella!
Tiene esto su *agilis mógilis.)*
Merceditas.
MERCEDES.— Mande usted.
CATITA.—¿Qué hablabas con ese joven?
MERCEDES.—Nada... le estaba diciendo
que se fuese...
CATITA.— ¿Y por qué? ¡Pobre!
MERCEDES.—Porque iba a barrer.
CATITA.— *¡Ajá!*
MERCEDES.—Y como se estaba inmóvil...
y como yo no quisiera
que me tengan por su cómplice...
¿no lo cree usted?
CATITA.— ¡Cómo no!
MERCEDES.—Tuve que mandarlo...
CATITA.— ¿A dónde?
MERCEDES.—A noramala.
CATITA.— Mal hecho.
Ése ha sido mucho golpe.
¿Te ha hecho algún daño?
MERCEDES.— Ninguno
(¡Hipócrita!)
CATITA.— Pues entonces
has pecado mortalmente.
MERCEDES.—(Lo que eso a ti te supone.)
CATITA.—Allá, en fin, tu alma y tu palma.
MERCEDES.—(¡Para quien no te conoce!)
CATITA.—Mira, dice Rufinita
que me hagas y no te embromes,
un poco de chocolate.
MERCEDES.—Voy.
CATITA.— Que son más de las doce
y aún estoy sin almorzar.
MERCEDES.—Bueno.

CATITA.— Si no hay, que lo compren.
MERCEDES.—Muy bien.
CATITA.— Y házmelo espesito.
MERCEDES.—Así se hará.
CATITA.— Y mira, ponle
un granito de sal.
MERCEDES.— Bien.
¿Y qué más?
CATITA.— Nada más. Corre.
(¿Creerá que me engaña a mí
su fingido *coram vobis?*
¡Ujú!... ¡Cómo no!... ¡Ya va!)
MERCEDES.—(¡Tan fea! ¡Miren qué molde!)

ESCENA XIII

Ña Catita

ÑA CATITA.—La almíbar, a lo que veo,
se va subiendo de punto;
o mejor dicho, el asunto
se está poniendo muy feo.
Como en ese tiroteo
no saque yo una avería...
¡Ave María!
Pero también es locura
la de su padre, cabal.
¡Querer inferirle un mal
a esa pobre criatura,
con unirla a esa figura!
La cruz le hago. ¡Qué manía!
¡Ave María!
Y si hace, al fin, el demonio
que se salga con la suya,
con caja y con *chirisuya*
nos publica el matrimonio.
¡Qué chasco, por San Antonio,
el de su madre sería!
¡Ave María!
Es verdad que no es *patojo,*

tuerto, ni mudo el tal nene...
Siempre es así quien no tiene
donde se le pare un piojo.
Pues... ¡Y ella que tiene arrojo
de mostrarle simpatía!
¡Ave María!
El otro es un *candelejo*
sin duda; mas tiene *monis,*
y más vale que un Adonis
sin más bienes que el pellejo.
Fuera de esto, don Alejo
no es tampoco de la cría...

ESCENA XIV

Ña Catita y don Alejo

ALEJO.—¡Ave María!
¡Aquí ña Catita! ¡Cáspita!
(Desollando está algún prójimo.)
CATITA.—¡Hola! ¿Cómo va la brújula?
ALEJO.—Si sigue el viento tan próspero,
pronto echaremos el áncora.
CATITA.—¿De veras?
ALEJO.— De un modo sólido
van las cosas a su término.
CATITA.—El ataque ha sido sófero.
Según lo ha expuesto la sílfide...
ALEJO.—Está contra mi hecha un fósforo.
CATITA.—¿Sí?
ALEJO.— Y como álcali volátil.
CATITA.—¡Sopla!
ALEJO.— Y como éter vitriólico.
CATITA.—Lo que es no tener sindéresis.
ALEJO.—O ser tonta, que es sinónimo.
CATITA.—¡Pobre muchacha!
ALEJO.— Da lástima.
CATITA.—¿Y su madre?
ALEJO.— Es un cronómetro,
en cuanto a puntual.

CATITA.— Y rígida.
ALEJO.—Y astringente como un teólogo.
Tomará primero arsénico
que quebrantar sus propósitos.
CATITA.—¿Supongo que el fin es lícito?
ALEJO.—Y romano y apostólico.
CATITA.—Porque si no los escrúpulos...
ALEJO.—Los tengo como un canónigo.
(¡Se verá vieja más cándida!)
CATITA.—No se meta usté a filósofo;
porque en esta vida mísera,
lo dijo San Juan Crisóstomo,
el que es impío y maléfico
es así...
ALEJO.— Como antropófago.
CATITA.—¡Qué dice usted?
ALEJO.— Que mi espíritu
no es al matrimonio indómito.
CATITA.—Dios en premiar es espléndido,
pero en castigar lacónico.
ALEJO.—No necesito de estímulos.
CATITA.—Ya lo sé.
ALEJO.— No soy estólido.
CATITA.—El que no observa el decálogo,
es un hereje, un masónico.
ALEJO.—Vaya, déjese de antífonas:
eso allá para los neófitos.
CATITA.—¡Conque se niega la prójima?
¡Si tiene impulsos diabólicos!
Pero, pobrecita, es víctima
de los manejos más sórdidos.
Ya pondremos luego en práctica
cierto plan, que a ese fenómeno,
y a ese vejete energúmeno,
les ha de servir de tósigo.
ALEJO.—¿Cuál es? Diga usté.
CATITA.— Una cábula,
que los va a dejar atónitos.
ALEJO.—En fin, ahorremos las sílabas
que nos hacemos monótonos;
entrégueme usted la tórtola

y me hará su eterno acólito.
Mas que sea con histérico,
llévela a casa en depósito.

CATITA.—(Eso se quisiera el pícaro.)
Vaya, no sea estrambótico.
Admítala usted por cónyuge,
que el bocado no es de pérfido;
Aunque sea por apéndice...

ALEJO.—(Ni tampoco como prólogo.)

CATITA.—(¡Válgame San Pedro Advíncula!
¡Ay! ¡tengo el vientre como órgano!)

ALEJO.—Conque, quedamos...

CATITA.— ¡Incrédulo!

ALEJO.—Ya usted sabe que soy pródigo.

CATITA.—Y usted me entiende el *intríngulis:*
Déjeme, pues, con mi horóscopo.

ALEJO.—Entonces...

CATITA.— Está usté en vísperas,
o yo soy muy mal pronóstico.

ALEJO.—¡Eh bien! ¡Soberbio! ¡Magnífico!

CATITA.—Bailándome está el estómago.
(¡Qué tardar para una jícara!...)

ALEJO.—Conque ¿el epílogo es próximo?

CATITA.—¿Tiene usté obstruido el tímpano?
¿No he dicho que sí? ¡Qué incómodo!

ESCENA XV

Doña Rufina, don Alejo y ña Catita

RUFINA.—(¿Si se habrá ido ya este mozo?)
¿Cómo, amigo?...

ALEJO.— Ese preludio
me indica que usted extraña
tener al frente mi bulto;
pero...

RUFINA.— Permítame usted,
antes lo celebro.

ALEJO.— Punto.
Dos palabras: voy allá;

en un instante concluyo.
Al pasar por esta pieza...
RUFINA.—Pero yo no le pregunto...
ALEJO.—Quise hacer a esta amiguita
un afectuoso saludo,
y como viniese a cuento
en el transcurso del dúo,
el estado de alza y baja
en que se halla aquel asunto,
me he embromado, departiendo
con ella... trece minutos. *(Viendo el reloj.)*
RUFINA.—Pues yo lo hacía a usted ya
algo distante.
ALEJO.— De juro.
RUFINA.—Y salí a ver si se había
marchado de aquí ese tuno.
CATITA.—Hace rato que se fue.
RUFINA.—Parece que fuera brujo;
porque venía resuelta
a tener con él los *mundos.*

ESCENA XVI

Doña Rufina, ña Catita, don Alejo y Mercedes

MERCEDES.—Ña Catita, el chocolate.
RUFINA.—¡Qué! ¿recién?
CATITA.— Como un canuto
tengo las tripas. ¡Paciencia!
¡Y hoy que me obliga el ayuno!
RUFINA.—Vaya usted, pues.
CATITA.— Allá voy.
MERCEDES.—Que se está enfriando.
CATITA.— ¡Qué apuro!
Vamos, pues. Conque adiosito.
ALEJO.—Felicidades.
CATITA.— (¡Qué yuyos!)
RUFINA.—¡Pobre señora! *(A don Alejo.)*
ALEJO.— ¡Qué alma.
MERCEDES.—(Lo mismo que la de un *chuncho.)*

CATITA.—Vamos, Merceditas.
MERCEDES.— Vamos.
(Se queda en la puerta escuchando.)

ESCENA XVII

Don Alejo, doña Rufina y Mercedes

RUFINA.—Y lo quiere a usted...
ALEJO.— ¡Oh mucho!
RUFINA.—Si usted lo oyera explicarse
sobre el enlace futuro...
ALEJO.—¡Oiga! ¡Qué tal!
RUFINA.— Sí, señor.
Y le mete a ella unos puntos,
y toma tanto interés
como si eso fuera suyo.
MERCEDES.—(¿Qué saldrá de este congreso?
Alguna ley del embudo.)

ESCENA XVIII

Don Alejo y doña Rufina

ALEJO.—¡Qué amistad!
RUFINA.— Dígalo usted.
ALEJO.—No hiciera tanto Mercurio.
RUFINA.—¿Algún amigo?...
ALEJO.— Uña y carne,
como se dice en el vulgo.
¿No he visto un hombre más vivo!
Estudiamos los dos juntos
topografía y mecánica,
y según dicen, con fruto,
en una aula que tenía
por allá... por el Refugio
un tal *Don Félix Utroque**
muy conocido en el público.

* Inscripción que llevaban las onzas españolas.

RUFINA.—¿Don Félix Utroque?
ALEJO.— Esto es.
Un español muy profundo.
RUFINA.—Es probable, no lo dudo.
ALEJO.—No sólo aquí tiene fama,
la tiene hasta entre los turcos;
el que logra ser su amigo
es, en la tierra, hasta brujo.
RUFINA.—¡Jesús!
ALEJO.— No exagero nada.
RUFINA.—Así será, no lo dudo.
ALEJO.—Pero dispénseme usted,
me retiro...
RUFINA.— Es un disgusto
para mí; pero si acaso
a usted le precisa...
ALEJO.— Mucho.
Adiós, pues.
RUFINA.— Adiós... ¡Cuidado!
No me lo sorprenda el *cuco.*
ALEJO.—No hay miedo, ya he dicho a usted
que pondremos un buen buzo.

ESCENA XIX

Doña Rufina

DOÑA RUFINA.—¡Qué hombronazo! ¡Si es un pozo
de elocuencia y de saber!
¡Y ayúdenmelo a querer,
que no es tampoco mal mozo!
Tal vez tendrá algún defecto...
¿En eso quién no conviene?
¿Mas qué mortal no lo tiene?
Dios solamente es perfecto.
Sería mucha desgracia
que esta boda no se hiciese;
pero pese a quien le pese,
se hará porque me hace gracia.
Y habrá en la casa función,

que ha de meter mucho ruido,
si mi dichoso marido
insiste en su oposición.

ESCENA XX

Don Jesús y doña Rufina

JESÚS.—¿Se fue Manongo?
RUFINA.— No sé.
JESÚS.—Le dije que me aguardara.
RUFINA.—Entonces la cosa es clara.
¿Por qué no lo busca usté?
JESÚS.—¡Ah! ¡Ya caigo!
RUFINA.— Eso ha de ser.
Me habré guardado a ese pieza
en el bolsillo.
JESÚS.— Ya empieza
Jesucristo a padecer.
RUFINA.—Ya empieza, sí, por supuesto;
si es usted muy incapaz.
JESÚS.—¿No tendremos nunca paz?
Demonio o mujer ¿qué es esto?
RUFINA.—No grite usted. Mejor fuera,
señor don Jesús Terrones,
que en lugar de esos calzones
se pusiera mi pollera.
JESÚS.—Ya tanto pleito me hostiga,
esto es un infierno diario.
RUFINA.—Merece usté un novenario
con un gato en la barriga.
¿No quiere usted que haya riña?
pues no se haga usted el sueco,
en tanto que ese muñeco
se abraza con esa niña.
JESÚS.—Mujer, yo no he visto nada.
RUFINA.—¿Nada? ¿Y cuando usté entró,
a los dos no los halló
en conversación tirada?

JESÚS.—¿Y hablan, acaso, a mansalva
por la primera ocasión?
RUFINA.—La ocasión hace al ladrón:
la ocasión la pintan calva.
JESÚS.—¡Qué genio!
RUFINA.— Y, cuando se puede,
se evita con tiempo el daño.
Lo que no pasa en un año
en un minuto sucede.
JESÚS.—¡Se habrá visto bachillera!
¡Si todo se lo habla sola!
RUFINA.—Y el diablo mete la cola
cuando uno menos lo espera.
JESÚS.—¡Hasta cuándo!
RUFINA.— Ha hecho usted mal
en consentir tal desvío.
Se ha vuelto usted, señor mío,
un viejo muy inmoral.
JESÚS.—¿También moraliza tú?
¡Habrá adefesio como éste!
¡Cómo ha cundido la peste
en los pueblos del Perú!
RUFINA.—Pero aún hay murmuradores
que han librado de su acecho.
JESÚS.—Del dicho al hecho hay gran trecho.
Obras, obras son amores.
En fin, te digo y repito,
que todo lo que me cuentas,
si acaso tú no lo inventas
no merece tanto grito.
RUFINA.—Para usted, so mentecato,
que está en la decrepitud,
y que no tiene aptitud
ni para alcanzar un plato.
JESÚS.—Basta, Rufina, por Dios,
no me incomodes.
RUFINA.— Matarlos.
JESÚS.—Lo mejor será casarlos
mañana mismo a los dos.
RUFINA.—¡Casarlos! Mientras yo viva
eso no.

JESÚS.— Pues será así.
RUFINA.—Haciéndome cuartos, sí.
JESÚS.—¡Qué condición tan altiva!
RUFINA.—Conque en esa inteligencia
vea usted muy bien lo que hace,
si no es que acaso le place
que suba a más la pendencia.
JESÚS.—Ya se ve; lo que tú anhelas
es unirla a don Alejo.
RUFINA.—Que es un hombre de consejo.
JESÚS.—Y un pillo de siete suelas,
que con embustes y embrollos...
¿pero dónde irá ese pieza?
RUFINA.—Él no ha armado estos escollos.
JESÚS.—Yo limpiaré ¡voto a tantos!
mi casa de toda rata,
y hasta esa hipócrita beata
llevará su *sepancuantos*.
RUFINA.—Ni una santa se ve libre
de tu lengua viperina.
JESÚS.—Para santas de esa espina
la mía es de buen calibre.
RUFINA.—Pues bien, ya que usted se empeña
en semejante consorcio,
hoy mismo pido divorcio.
JESÚS.—O se ha vuelto loca o sueña.
RUFINA.—Hoy mismo, viejo importuno.
Y los cuatro mil y pico
que ha hecho usted, *chichirimico,*
me ha de entregar uno a uno.
JESÚS.—¡Dale con la cantaleta!
¡Cuándo había de faltar!
RUFINA.—O los jueces le harán dar
hasta la última peseta.
Muñeco desoletado.
¿Qué es lo que trajo usté aquí?
Déme usted gracias a mí
si está vestido y calzado.
JESÚS.—¡Mujer!
RUFINA.— ¡No me grite usted!

JESÚS.—No vencerá tu capricho.
RUFINA.—¡Despacio!
JESÚS.— Lo dicho, dicho.
RUFINA.—¿No soy tapia ni pared!

ESCENA XXI

Don Jesús y doña Rufina

DON JESÚS.—¡Anda con dos mil demonios!
¿Cuándo saldrá una sanción
declarando en comisión
a todos los matrimonios?
Pero si son amovibles
ya por la ley los empleados,
¿por qué sólo a los casados
se nos deja inamovibles?
¿Por qué causa los maridos,
aun con pruebas revelantes,
no podemos ser cesantes,
ni siquiera indefinidos?
¡Ni en los tiempos coloniales
tal injusticia hizo el rey!
Sí, señor, ante la ley
hoy todos somos iguales.
RUFINA.—¡Iguales...! ¡Oiga! Sí.
JESÚS.— (¡Loca!
¡Pues no ha estado allí escuchando!)

ESCENA XXII

Doña Rufina y don Jesús

RUFINA.—Siga usted filosofando,
que lo hace a pedir de boca.
¡Iguales! Debía de ser;
mas los congresos y reyes,

no oyen nunca a la mujer.
Por eso a tan poco costo
reparten en zafarrancho,
para ustedes siempre lo ancho,
para nosotras lo angosto.

JESÚS.—¡Qué sabe usted!...

RUFINA.— ¡Igualdad!
¡Sí! ¡Cómo no!

JESÚS.— ¡Poca zumba!

RUFINA.—¿Iguales?... ¡ante la tumba!
de otro modo... ¡Ja, ja, ja!

JESÚS.—Hágame usted la merced
de retirarse a su cuarto.
Mire usted que ya estoy harto
de la conducta de usted.
No pasa día, ni una hora
en que no arme usted quimera:
parece que usté estuviera
hidrofóbica, señora.
¡Qué juicios tan insensatos
no harán los criados, por Dios,
al vernos aquí a los dos
siempre cual perros y gatos!
Entre usté a su cuarto, presto,
que le juro por mi nombre,
que o yo dejo de ser hombre
o muda usted de bisiesto.

RUFINA.—¡Qué tal! ¡Con lo que me viene!
Risa me da.

JESÚS.— ¡Quite ahí!

RUFINA.—Está usted muy sobre sí,
y yo no sé a qué se atiene.
Yo me tomaré el desquite...

JESÚS.—Hágame usted el favor
de irse a su cuarto.

RUFINA.— ¡Ay, señor!
Me dan antojos...

JESÚS.— ¡Eh! ¡quite!

RUFINA.—Me voy... mejor es... No quiero
incomodarme.

ESCENA XXIII

Don Jesús, doña Rufina y Mercedes

MERCEDES.— Cuidado.

(Mercedes, que habrá estado aguaitando, sale cuando entra doña Rufina, quien tropieza con ella.)

RUFINA.—¡Qué! ¿no ves?

ESCENA XXIV

Don Jesús y Mercedes

JESÚS.— ¿Quién te ha llamado?
MERCEDES.—Vine a buscar el plumero.
JESÚS.—¿El plumero?... ¡Hola!...
MERCEDES.—Sí...
JESÚS.— Vete.
¡No es mal plumero al que buscas!
Lo que haces tú son rebuscas
a ver quién más bulla mete,
para ir de aquí allí después
por toda la población,
dando una cuenta y razón
de lo que es y lo que no es.
Vete, digo.
MERCEDES.— Ya me voy.

ESCENA XXV

Don Jesús

DON JESÚS.—Vea usted lo que resulta
cuando los dueños de casa
no observan buena conducta.
Los hijos se hacen altivos,
los sirvientes unos truchas,
y la honra de la familia
anda como Dios la ayuda...
Ya me olvidaba... ¡José!

También estará de escucha...
¡Muchacho!

ESCENA XXVI

Don Jesús y criado

CRIADO.—¿Mande usted?
JESÚS.— Oye:
¿dónde diablos te sepultas?
Tengo que mandarte... Aguarda.

ESCENA XXVII

Criado

CRIADO.—¿Qué será lo que le ocupa?
Tendrá tal vez entre manos
alguna nueva disputa,
en que le habrá su mujer
mostrado cerca las uñas.
Esta casa es un infierno,
no cabe duda ninguna;
ya se ve, como sus amos
no viven conformes nunca...

ESCENA XXVIII

Don Jesús y criado

JESÚS.—Ve al correo y echa esta carta.
CRIADO.—¿Ahora mismo?
JESÚS.— ¡Qué pregunta!
Al instante.
CRIADO.— Voy allá.

ESCENA XXIX

Don Jesús

DON JESÚS.—A ver si contesta esta última.
Cinco o seis le tengo escritas
y ni el recibo me acusa.
Esto me da algún cuidado,
porque él no es ningún farfulla.
¿Si se habrá muerto? ¡Quién sabe!
¡Éstas fueran las diez de últimas!
Sobre que no aguardo más
que me remita esa suma
para mandar a freír monos
a mi dichosa conjunta,
y a todos los pillastrones
que la roban y la adulan.
Por acá no hay que temer:
ya he visto al notario, al cura,
y les he impuesto de todo,
para que no haya disculpas,
en caso que ellos le vayan
con engaños y con súplicas.
Suframos, pues, todavía
los desmanes de esa furia,
que Dios ha puesto a mi lado
para que expíe mis culpas,
así como a otros les da
sarna, tiña y calenturas,
y otras lacras y dolamas
para que expíen las suyas.
Suframos, y mientras tanto
que hago aquí un auto de brujas,
que nos anime el consuelo,
bastante tonto sin duda,
de que en esta buena tierra
como mi mujer hay muchas.

TELÓN

TERCER ACTO

ESCENA I

Don Jesús

DON JESÚS.—¡Qué mujer! ¡Si es una víbora!
Y va a armar algún escándalo.
¡Por vida de!... Me das ímpetus...
¡No es tan violenta la pólvora,
ni hay un diablo más sarcástico!
¡Qué carácter tan satánico!
Así son todas, idénticas,
y nosotros unos cándidos.
Se creen que no tiene mérito
si no nos ven como a zánganos.
Y no hay medio: si benévolo
el hombre las trata y plácido,
dicen que es uno un cernícalo,
un bonachón, un gaznápiro;
o que lo hace porque otra ánima
les muestra el rostro simpático,
o que de *bóbilis bóbilis*
vive en ilícito tráfico.
Sí, a la inversa, un hombre es íntegro,
le llaman déspota y áspero,
y le soplan una pócima
por el método más diáfano;
y si ha traído, aunque en hipótesis,
al matrimonio, metálico,
entonces uno es un trápala,
un cuadrúpedo, un *carángano.*
¡Por cierto que el lance es poético!
Es preciso ser un pánfilo
para no mostrarse antípoda
de un proceder tan maniático.

ESCENA II

Don Jesús y ña Catita

CATITA.—(Ya refocilé el ventrículo;
voy a rezarle a San Lázaro.)
JESÚS.—¡Cuántos, como yo, las vísceras

(Sin ver a ña Catita; pero ésta sí repara en él y se queda oyéndolo.)

las tendrán repletas de ácido,
y sufrirán como un tísico
sólo por tener poco ánimo!
Mas yo no soy tan estúpido,
ni tengo el alma de cántaro,
para que una vieja ideática
me vuelva loco o misántropo.
CATITA.—Eso es, don Jesús, verídico,
porque un marido es el báculo
de su casa...
JESÚS.— (¡Vieja hipócrita!)
CATITA.—Y de su tronco los vástagos,
y los que forman su círculo,
deben oírle como oráculo.
JESÚS.—¡Bueno estoy yo para *algórgoras!*
Déjeme usted con sus cánticos.
CATITA.—De otro modo...
JESÚS.— Allá a los clérigos
CATITA.—Respete usted el santo hábito.
JESÚS.—Respételo usted.
CATITA.— ¡Herético,
Dios trastornará tus cálculos!
Aunque me acometa un cólico
caerás en la trampa, pájaro.

ESCENA III

Don Jesús

DON JESÚS.—Quién pudiera a esta sacrílega
ponerle en la boca un cáustico,

que la dejara de súbito
sin poder echar el hálito,
y hacer que no hubiera empírico
que le entreabriera los párpados.
¡Ah, Rufina, cuán erróneos
te van a salir tus cálculos!
Si a tu hija pretendes, frívola,
casarla con ese vándalo,
no me andaré con retóricas
lo mismo que un escolástico,
sino que haré tal estrépito
que me oirán hasta en el Tártaro.
Dices bien, he sido un títere,
un autómata y un bárbaro,
porque no te he untado enérgico
en los lomos un buen bálsamo.
¡Maldito el instante horrísono
que te conduje a mi tálamo!
¡Ojalá que antes el vómito
me hubiera dejado estático!

ESCENA IV

Don Jesús y don Manuel

MANUEL.–Señor...
JESÚS.– ¿Me pone en ridículo...?
Pues me tendrá terror pánico.
MANUEL.–Permítame usted...
JESÚS.– ¡Imbéciles!
Verán quién soy... ¡voto al chápiro!...

ESCENA V

Don Manuel

DON MANUEL.–Pues estoy fresco, ¿qué es esto?
Don Jesús también me mira
en su casa con mal gesto,

y con desdén manifiesto
al verme entrar se retira.
Entonces ¿por qué ahora poco,
si es que ya no me equivoco,
mostró deseo de hablarme?
¿Sería para tratarme
como no lo hiciera un loco?
No hay remedio; su mujer
lo ha obligado a proceder
de esa manera conmigo.
¿Y contra tanto enemigo
qué defensa puedo hacer?

ESCENA VI

Don Manuel y ña Catita

CATITA.–(Ya se fue, gracias a Dios.)
MANUEL.–(¡Qué situación tan penosa!)
CATITA.–Pongámonos a rezar.
(¡Aquí Manongo!)
MANUEL.– (Ésta es otra.)
CATITA.–¿Qué haces aquí? Manongo, hijo.
MANUEL.–¡Eso a usted nada le importa!
CATITA.–¡Jesús! ¡qué cara! ¿Es posible,
hijito, que nunca me oigas?
¡Qué feo te pones! ¡Uf!
MANUEL.–No me agradan esas bromas.
CATITA.–¡Ay, hijo! Cuando te miro
el alma se me destroza,
porque eres vivo retrato
de mi difunta Ildefonsa,
la primera hija que tuve.
Tu misma edad tendría ahora...
MANUEL.–¡Voto al diablo!
CATITA.– Entre sus ángeles
la tiene Dios en su gloria,
rogando por mí que soy
tan mala y tan pecadora.
Se me murió de diez meses,

de una tercianita boba
complicada con empacho...
Al principio no fue cosa;
pero después...

MANUEL.— (¡Vaya vieja!)

CATITA.—Dio en agravarse de forma
que, al mes cabal, le cantaron
el *laudate* en la parroquia.
¡Si la hubieras conocido!
¡Vida mía! ¡Tan preciosa!
¡Daba mil gustos el verla!
Gordita como una bola.
¡Tan mansita! Y ya tenía
un dientecito en la boca;
y decía *papa, mama...*
y nos conocía a todas,
y hacía las *viejecitas,*
y ya se sentaba sola.

MANUEL.—¡Por Dios no me quiebre usted
más la cabeza, señora!

CATITA.—¡Ay! ¡Qué otra fuera mi suerte
si viviera mi Ildefonsa!

MANUEL.—(¡Esta vieja tiene trazas
de no dejarme en siete horas!)

CATITA.—Por eso no te despego
ni un rato de mi memoria,
y quisiera que me vieses
como una madre amorosa.
Háblame, pues, con confianza...
¿Qué tienes? ¿Qué te acongoja?
¿No respondes?

MANUEL.— (¡Dios eterno!)
¡No tengo nada, señora!

CATITA.—Catita me llamo, hijito.

MANUEL.—¡Maldita sea la hora
que yo vine aquí!

CATITA.— ¿Y por qué?

MANUEL.—Todo el mundo me incomoda.

CATITA.—No hay trabajo en esta vida
que no tenga, hijo, su contra;
tan sólo para la muerte

no hay *vuelve-luegos* ni historias.
¿Cuánto apuestas que adivino
el que al presente te agobia,
y a que te doy un remedio
que al instante te mejoras?
¿No me oyes?

MANUEL.— ¿Qué dice usted?

CATITA.—¿Yo? nada: si te incomodas...

MANUEL.—Dispense, usted si he podido
faltarle en alguna cosa,
porque ni lo que hablo sé
según me agita la cólera.

CATITA.—El amor de Julianita
es lo que a ti te sofoca;
pero mira, te aconsejo
que no te asustes con sombras.
¿Tú no te mueres por ella?
¿Y ella no está como loca
por ti? ¿Qué más quieres? ¡vaya!
Lo demás es *trampantoja.*

MANUEL.—¿Y su madre, ña Catita?
¿Y su madre que me odia,
que me desprecia, me injuria,
y de su casa me arroja?
¿Y su padre, que yo creía
que era la única persona
que me tendía en el mundo
una mano protectora,
que me trata como a un negro
y que huye de hablarme a solas?...

CATITA.—(Me alegro de la noticia.)

MANUEL.—¿No son motivos bastantes
para tomar mis pistolas
y darme un tiro...?

CATITA.— ¡Jesús!

MANUEL.—¡Ya la vida me es odiosa!

CATITA.—¡Ave María Purisíma!
Me dejas, Manongo, absorta.
¡Morirte sin confesión!
¡Qué tentación tan diabólica!
¿Quieres que en el muladar

cual burro muerto te pongan,
para que los gallinazos
te destrocen y te coman?
¡Por Dios, desecha esa idea!
Pues tu madre no fue mora
sino muy buena cristiana,
y muy linda y muy juiciosa.
Era mi hermana de espíritu,
y me quiso como pocas.
¡Matarse uno por su mano!

MANUEL.—Peor es reventar de cólera.

CATITA.—¿Quieres imitar a Judas?

MANUEL.—La muerte a mí no me asombra;
es un sueño, nada más.

CATITA.—¡Catay!, ¡éstas son las modas
que nos traen los extranjeros
de Francia y de California!
Deja, hijo, que ellos se maten
si la vida les atora;
que les haga buen provecho;
allá, en fin, se las compongan,
que el diablo se llevará
lo que en justicia le toca;
pero a nosotros, Dios quiera
que no nos ronque así la olla.
Conque oye: ¿hasta don Jesús
se ha declarado en tu contra?
No lo creo.

MANUEL.— Créalo usted.
No hace medio cuarto de hora
que al irle a hablar me ha dejado
con la palabra en la boca.

CATITA.—¡Miren qué tal! Si aquí todos
te tienen, Manongo, cócora,
porque es, hijo, mucho cuento
que haya de por medio *chórcholas*.
Pero mira, en tu lugar,
yo les haría una tosca.

MANUEL.—¿Pero de qué modo?

CATITA.— *Fúgite...*

Que alce el vuelo la paloma.
¿No me has entendido?

MANUEL.— Sí.

CATITA.—No hay otra línea más corta.

MANUEL.—Me peta. ¡Muy buena idea!

CATITA.—Pues, hijo, manos a la obra;
y no des el golpe en vago,
porque si lo das te embroman.

MANUEL.—Entonces bueno será
que lo más pronto me ponga
de acuerdo con ella.

CATITA.— Eso es.
Andando se hacen las cosas.

MANUEL.—Pues voy...

CATITA.— ¡Ah! no me acordaba.

MANUEL.—¿Qué decía usté?

CATITA.— Qué importa
no dar paso todavía
hasta que yo dé la norma,
porque hay cierto inconveniente
que no puedo decirte ahora.
El plazo no será largo.
Mañana, si te acomoda.

MANUEL.—Muy bien.

CATITA.— ¿Quedamos en eso?

MANUEL.—Sí.

CATITA.— Pues, hijito, un buen ánimo,
y a la calle con la posta.
Si tú quieres le hablaré
esta noche a una señora,
que conozco por Malambo,
para que allí se recoja
hasta que los case a ustedes
el cura de la parroquia.

MANUEL.—Yo la pondré, ña Catita,
donde se conserve su honra.

CATITA.—Por eso no, que en la casa
donde habita esa persona
no hay entradas ni salidas;
y ella es de edad; y virtuosa,
y muy recogida...

MANUEL.— Estimo.

CATITA.—La tendrás como en las monjas.
Yo no te ofrezco mi casa,
porque como una ladrona
estoy huyendo del dueño
que los arriendos me cobra.
¡Mucho trabajo es ser pobre!
Harán tres meses ahora
que no conozco un cuartillo;
y para ayuda de costas,
a un señor que me pagaba
mi cuartito de limosna,
que estaba empleado en las Cajas,
ya sabes, ahí donde cobran,
le han levantado el cuentón
de que fue de la *mazhorca*,
y sin más me lo han dejado
al pobre papando moscas.
No sé, pues, de donde saque
para que el tal no me ponga
ante un juez. ¡Ay, qué vergüenza
fuera para mi tal cosa!
¡Yo que jamás he tenido
en mi conducta una nota,
sufrir que...!

MANUEL.— No llore usted.

CATITA.—Si se me aflojan las corvas
sólo al pensarlo. ¡Dios mío!

MANUEL.—Usted por muy poco se ahoga.

CATITA.—Me pondrán en carceletas,
o me echarán una *ronca*...

MANUEL.—Calle usted.

CATITA.— ¡Ay, Pancho mío,
si resucitaras ahora
y vieras a tu mujer!...

MANUEL.—¡Ea! basta de zozobras,
que todo se compondrá.

CATITA.—¡Sea como Dios disponga!
¡Así me habrá convenido!

MANUEL.—Vamos a esto ¿y cuánto importan
los arriendos, ña Catita?

CATITA.—Nada... una cosa muy corta;
doce reales cada mes.
MANUEL.—Vaya... tome usted...
CATITA.— ¿Qué cosa?
MANUEL.—Nada; tome usted...
CATITA.— No, no.
No vayas a creer ahora
que lo he dicho por *codearte...*
MANUEL.—¡Cómo...! No sea usted boba.
CATITA.—Una cosa es que reciba
si me das una limosna...
porque el pobre...
MANUEL.— ¡Por supuesto!
CATITA.—No ha de ser soberbio; y otra...
MANUEL.—Tome usted.
CATITA.— Ya que te empeñas...
¿Pero qué miro? ¡media onza!
¡Mi alma, tú habías de ser!
¡Dios te lo pague! Te portas
como quien eres.
MANUEL.— ¡Qué! ¡no!...
CATITA.—¡Pobrecita mi Ildefonsa!
¡Si es su retrato!...
MANUEL.— Tratemos,
ña Catita, de otra cosa.
CATITA.--Sí, sí, de tu Julianita.
MANUEL.--O de otros asuntos.
CATITA.— ¡Toma!
¿Y qué tiene eso? Lo dicho:
no sólo te ama, te adora.
Dios te ha de dar buena mano
para que la hagas dichosa
Por cuanto hay en este mundo
te dejes quitar la joya:
carga con ella, y no temas
a la gente murmurona...
cuatro días hablarán,
después, callarán la boca.
MANUEL.—¿Pero qué van a decir?
CATITA.—Dirán cuanto se les ponga.
Sobre todo, las mujeres

que somos muy envidiosas.
¡Tú no sabes cuánto imperio
tiene este vicio en nosotras!
Si la envidia fuera tiña
todas fuéramos tiñosas.
Sin embargo, no des paso
hasta que yo... alguno asoma.
¡Es ella!... (¿Y ahora qué se hace?
Que se hablen, poco me importa;
no faltará de aquí a luego
cómo urdir otra tramoya.)

MANUEL.—¿Qué dice usté?

CATITA.— Encomendándote
estoy, hijo, a Santa Mónica.

ESCENA VII

Don Manuel, ña Catita y doña Juliana

JULIANA.—(¡Qué veo!)

MANUEL.— ¡Juliana!

JULIANA.—(No... Yo me retiro.)

MANUEL.—¿Qué es esto? ¿Te inspiro
a ti odio también?
No ha mucho que ufana
aquí me decías,
que no me verías
jamás con desdén.

JULIANA.—(No atino... ¿qué es esto?
¿Aquí ña Catita?)

CATITA.—Acércate, hijita,
que yo ya me voy.
¡Jesús, qué indigesto
pones el semblante!
Pasa, hija, adelante.

JULIANA.—Ahora... bien estoy.

CATITA.—Conque, adiós, pues, hijo.

JULIANA.—(Temo sus intrigas.)

CATITA.—Cuenta no le digas

que ya formé el plan.
Tu palabra exijo.
MANUEL.–Muy bien.
CATITA.– No haya riña.
¡Ningún daño, niña!
Ya solos están.

ESCENA VIII

Don Manuel y doña Juliana

MANUEL.–Cuanto está pasando aquí
me causa el mayor asombro.
¡Qué rara transformación!
Y esto de un momento a otro.
¡Quién lo había de pensar!
Yo a lo menos.
JULIANA.– Di, Manongo,
¿qué hablabas con ña Catita?
¿No sabes que es un aborto
del infierno esa mujer?
MANUEL.–Te confieso que hace poco
opinaba como tú;
pero ahora, amiga, conozco
que ña Catita es un ángel
que Dios manda en mi socorro.
Sin ella mis desventuras
llegarían a su colmo.
JULIANA.–Te engañas tal vez.
MANUEL.– No; tengo
motivos muy poderosos
para no pensar así.
JULIANA.–No la conoces a fondo...
MANUEL.–Pero hablemos de otro asunto
que juzgo más perentorio.
¡Qué buscas en esta sala?
No es a mí, según supongo.
JULIANA.–Salí a buscar a mi padre,
que creí hallarlo aquí solo,
para hablarle francamente
sobre nuestro matrimonio,

y rogarle que cuanto antes
nos hiciera venturosos.

MANUEL.–Hubieran sido sin fruto
tus súplicas y tus lloros,
porque tu padre también
ve nuestro amor con encono.

JULIANA.–¿Qué me dices?

MANUEL.– No lo dudes:
tengo pruebas.

JULIANA.– ¿Pero cómo?

MANUEL.–No hace mucho que se puso
al verme entrar como un toro,
y sin dignarse escucharme
se marchó luego furioso.

JULIANA.–Mi madre lo ha convencido.

MANUEL.–Así tambén lo supongo.

JULIANA.–Todos aquí se conjuran,
amigo, contra nosotros.

MANUEL.–Menos nuestro amor, Juliana,
que sabrá vencerlo todo.
¿Quién pudo en el Universo
contrariar nunca los votos
de los que se aman de veras?
Mientras que en este propósito
ambos estemos constantes,
¿qué nos importa el enojo
de tus padres?...

JULIANA.– ¡Ay, amigo!

MANUEL.–Basta de ayes infructuosos;
partamos pronto, Juliana,
huyamos de estos contornos,
a donde nos entreguemos
a nuestro amor sin estorbos.

JULIANA.–¡Eso es imposible!

MANUEL.– Al que ama
no le amedrentan escollos.

JULIANA.–¡Huir! no; nunca.

MANUEL.– Está corriente:
pues entonces huiré solo;
me alejaré de mi patria

adonde nunca tus ojos
me vuelvan a ver...

JULIANA.— ¡Dios mío!

MANUEL.—Y vagando como un loco
terminaré mi existencia
en algún clima remoto,
maldiciendo tu inconstancia,
tu ingratitud y abandono.

JULIANA.—Calla, por Dios.

MANUEL.— Está bien.
Sé venturosa a tu modo.
Adiós para siempre.

JULIANA.— Espera.

MANUEL.—Déjame...

JULIANA.— Escucha, Manongo.
¡Pero por la Virgen!...

MANUEL.— Nada.
Hoy mismo me marcho a bordo.
Quédate tú.

JULIANA.— ¡Amigo mío!

MANUEL.—Me has hecho mal... Te perdono.

JULIANA.—¡Aguárdate!... Partiré...
Cálmate...

MANUEL.— ¿No me equivoco?

JULIANA.—No, Manongo, huiremos juntos.
Estoy ya resuelta a todo.

MANUEL.—¡Ah, Juliana! ¡Ídolo mío,
mi delicia, mi tesoro;
tú eres la única en el mundo
que mitigas mis enojos!
Pues bien, esta misma noche
saldrás de este purgatorio.
Si me atrevo a dar un paso,
al parecer deshonroso,
Dios sabe que es porque se ha hecho
necesario, obligatorio,
para poder efectuar
nuestro anhelado consorcio.
Ahora, permíteme, voy
hasta la calle del Pozo
a hablar a una tía mía,

donde estarás en depósito,
hasta mañana o pasado,
que ante el Todopoderoso
te dé de mi adoración
el último testimonio.

JULIANA.—Pero oye...

MANUEL.— Nada, a las siete
que esté, amiga, todo pronto;
porque mañana quizá....

JULIANA.—Parece que pasos oigo...
Alguien viene... Vete, vete,
que no nos encuentren solos.

MANUEL.—¿Conque a las siete?...

JULIANA.— Bien, bien.

MANUEL.—No te olvides...

JULIANA.— Vete, pronto.
No sea mi padre...

MANUEL.— Adiós.

JULIANA.—¡Don Alejo!

ESCENA IX

Don Manuel, doña Juliana y don Alejo

MANUEL.— (¡Qué demonio!
¡No sé cómo me contengo!)
Conque no te olvides.

JULIANA.— ¡Cómo!

ALEJO.—(¡Los dos aquí en parlamento!)
¡Hola, mi amiguita!...

MANUEL.— Adiós, Julieta.

ALEJO.—Julieta.

JULIANA.— Adiós.

ESCENA X

Don Alejo y doña Rufina

ALEJO.—Les conozco el barlovento.
El uno está a no dudarlo,

por la otra loco perdido,
y ella que lo ha conocido
lo que intenta es enredarlo.
Por eso a mí, si la ataco,
se me frunce y reconcentra;
pero conmigo se encuentra
con la horma de su zapato.
Pues, señor, vaya de enredo:
y ya que de esto se trata,
entre él, y ella, y yo y la beata,
veremos quién alza el dedo.
¡Qué importa que se me arguya
que obro como un vagabundo!
¿Y quién no revuelve el mundo
por salirse con la suya?
¿Quién es el que se descuida
en ese teje-maneje?
¿Quién no enreda? ¿Quién no teje
en la farsa de la vida?
La dama enreda al cortejo
con el halago y el lloro,
y aparentando decoro
le va quitando el pellejo.
Con ayes y con lisonjas,
que así vienen como van,
a ella la enreda el galán
como el latín a las monjas.
El cura a su feligrés
lo enreda en nombre de Dios,
y el ayudante a los dos,
y el sacristán a los tres.
El más serio negociante
enreda con sus efectos,
y con hinchados conceptos
el letrado al litigante.
El juez enreda a los presos,
y éstos también, a su vez,
tratan de enredar al juez
aun convictos y confesos.
El mozo enreda al anciano,
el hijo enreda a su padre,

la doncellita a su madre,
y el gobierno al ciudadano.
A su jefe el militar
lo enreda por ascender;
el artista en su taller
no piensa más que enredar.
Los inquilinos más lelos
enredan al propietario,
y al más recto funcionario,
lo enredan los quitapelos.
En fin, todo bicho enreda,
sea grande, sea chico,
sea pobre, sea rico;
y ande y no pare la rueda;
que es cosa ya muy sabida
que, para sacar ventajas,
nadie se duerme en las pajas
en la farsa de esta vida.

RUFINA.–¡José!

ALEJO.– ¡Voto va al demonio!
¡Y se me estaba olvidando
que ya me estará esperando
en la Bola de Oro, Antonio!
La una y media. ¡Y no es posible
que yo falte a esa visita!
Si no me ve la Miquita
se va a poner insufrible.

RUFINA.–¡Muchacho!

ALEJO.– Un solo momento
hablaré con la mamá;
después me largo... Aquí está.
Me adivinó el pensamiento.

ESCENA XI

Don Alejo, doña Rufina y ña Catita

CATITA.–Nada, no lo pienses mucho.

RUFINA.–¡Oh! mi amigo: casualmente
le iba a mandar un recado.

ALEJO.—Pues aquí estoy. ¿Qué se ofrece?
RUFINA.—Ante todo, ¿sabe usted
si ha ido por la curia el duende?
ALEJO.—Creo que no: de allá vengo,
y no hay indicio el más leve
de que vaya. Sin embargo
mi emisario no se duerme,
y de lo menor que ocurra
dará parte incontinente.
RUFINA.—Muy bien. Vamos a otro asunto.
Tenemos un plan en cierne.
¿A que no adivina usted?
ALEJO.—¿Yo?... ¿Cómo?
CATITA.— Es un cubilete.
RUFINA.—Una *ñagaza.*
CATITA.— Una *mácula.*
ALEJO.—Y de *cálamo currente.*
CATITA.—¡Dale!
RUFINA.— ¿Sabe usted cuál es?
ALEJO.—¿Cómo quiere usted que acierte?
RUFINA.—Mudarnos de aquí en el día.
ALEJO.—Bueno, muy bueno. ¡Excelente!
(Me la entrega en mano propia.)
RUFINA.—¿Conque, a usted, qué le parece?
ALEJO.—¡Bravo! ¡bravísimo!
CATITA.— Pues,
si es el mejor expediente.
ALEJO.—(No sabe el diablo por diablo
lo que por viejo.) Hace meses
que tengo idéntica idea;
porque, hablando francamente,
esta casa es muy vetusta,
muy lóbrega y muy endeble.
RUFINA.—Eso es lo de menos.
ALEJO.— ¡Cómo!
CATITA.—Cierto, está muy indecente.
ALEJO.—¡Ah! ¡Si viera usted la mía!
Es una taza de leche.

ESCENA XII

Doña Rufina, don Alejo, ña Catita y José

JOSÉ.—Señora ¿llamaba usted?
RUFINA.—¡Qué resuello! Vaya, si eres
a propósito, de gusto
para enviarte por la muerte.
Espérate ahí. ¡Qué trabajo
es lidiar con esta gente!
ALEJO.—Perdida está la canalla.
RUFINA.—No hay freno que la sujete.
ALEJO.—Mis tres criados, no embargante,
son de viveza y caletre,
y si es necesario...
RUFINA.— Gracias.
ALEJO.—Haré que aquí se presenten.
RUFINA.—No precisa.
ALEJO.— Están instruidos
en infinitos quehaceres.
RUFINA.—¿No serán del país?
ALEJO.— ¡Oh, no!
Son del principado de Hese.
RUFINA.—¿De *ése*? ¡qué nombre tan raro!
ALEJO.—Si usted gusta llámelo *equis.*
RUFINA.—Mas, volviendo a nuestro plan,
¿sabe usted lo que se ofrece?
Que usted tenga la bondad
de ir en el instante a verme
unas piezas que hay vacías
por allá, por Mata-siete,
y que me mande la llave
con este mozo.
ALEJO.— Corriente.
RUFINA.—Oiga usted, nos interesa
que esto se haga lo más breve:
a la noche duermo allá.
ALEJO.—¿A la noche? Exactamente.
No se le dé a usted cuidado:
nada que encargarme tiene.
¡Sobre que me ha dado usted,

cabalmente, por mi fuerte!
Yo ejecuto esa maniobra
al año seis u ocho veces;
y no vaya usted a creer
que lo hago como otras gentes,
por cerrar con el dinero
que importan los alquileres.
Nada de eso, no señor.
Es porque hallo muy alegre
esto de andar revolviendo
y desliñando muebles,
y luego, como es prescripto
por toda regla de higiene
hacer ejercicio...
CATITA.— Así es.
ALEJO.—¿Quiere usted que la empapele
y la pinte?
RUFINA.— Nada de eso.
Pero ya el tiempo se pierde;
vaya usted.
ALEJO.— Voy al instante.
¿Conque cueste lo que cueste?
RUFINA.—En nada se pare usted.
El negocio es que a las siete
estemos todos allá.
CATITA.—Sin que lo huela el vejete
de tu marido.
ALEJO.— Ya entiendo.
(¡Magnífico, sorprendente!)
RUFINA.—Ña Catita, déle usted
las señas, por si se pierde.
CATITA.—Pues, señor...
ALEJO.— ¡Vamos!
CATITA.— Se agarra
derechito por el Puente;
llega usté a la *Capillita,*
y después, como quien tuerce
a mano derecha, toma
un callejón que hay enfrente;
se pasa una tiendecita,
y luego... ¿No me comprende?

ALEJO.–¡Oh! sí ¡cómo no!
CATITA.– En la puerta
hay papel.
ALEJO.– Perfectamente.
RUFINA.–¿Ya sabe usted?
ALEJO.– Como el agua.
Adiós. *Allons,* mozalbete. *(Al criado.)*
(¡Esta vieja es una alhaja!)
RUFINA.–Ve con el señor.
JOSÉ.– Corriente.
ALEJO.–(¿Cómo estará la Miquita?
Si no la veo se muere.)
RUFINA.–¡Ah! Don Alejo, oiga usted;
si usted acaso pudiese
volver para acompañarnos.
ALEJO.–No hay ningún inconveniente.
CATITA.–Es que allá, en Copacabana,
hay distribución los jueves,
y pudiera usted entrar...
ALEJO.–Nada; lo dicho. A las siete
estoy aquí. (Veré si antes
puedo dar por allá un *verde.*)
Conque, abur.
RUFINA.– No falte usted.
ALEJO.–¡Cómo!
RUFINA.– Para que nos lleve
a su Julieta y a mi...
ALEJO.–Por supuesto, de *bracete.*

ESCENA XIII

Doña Rufina y ña Catita

CATITA.–¡Qué señor tan buen cristiano,
tan político y cumplido!
RUFINA.–Pues es para mi marido
el hombre más chabacano.
CATITA.–¡Qué *tutuma!* ¡Es cuanto cabe!
RUFINA.–¡Si es bruto como una roca!

CATITA.—Pues a nosotros nos toca
enseñar al que no sabe.
RUFINA.—Le digo a usted, ña Catita,
que no puede haberme dado
consejo más acertado.
CATITA.—Yo hago cuanto puedo, hijita,
por tu bien.
RUFINA.— No hay otro medio.
CATITA.—Lo creo el más racional.
RUFINA.—A desesperado mal,
desesperado remedio.
CATITA.—Si no quiere molestarse
que no se tenga en sus trece.
RUFINA.—Quien por su gusto padece
vaya al infierno a quejarse.
Yo no sé lo que hubiera hecho,
según me tenía ya.
CATITA.—¿Quién sabe le servirá
esta lección de provecho!
Poco hace que igual diagnóstico
le indiqué a la de aquí junto,
y sin discrepar un punto
se le cumplió mi pronóstico.
Su marido la buscó,
mil purisimitas la hizo
y todo cuanto ella quiso
otro tanto le otorgó.
RUFINA.—¿Y usted juzga que esta red
saldrá igual?
CATITA.— El hombre pone,
y Dios, hijita, dispone.
RUFINA.—¿Pero qué calcula usted?
CATITA.—Yo no quisiera meterme
en asuntos de casados;
me sobra con mis pecados
que hartos son para perderme.
¡Pero, niña, qué rabieta
le va a dar a tu marido
cuando vea que te has ido
dejando la casa escueta!
RUFINA.—Crea usted que ya no miro

que llegue cuanto antes la hora;
no sea que en la demora
esté que erremos el tiro.

CATITA.—Con calma todo se alcanza;
encomiéndate al Señor;
y mira, ve al Provisor
mañana sin más tardanza;
exponle cuanto te pasa,
que aquel varón es tan sabio
que con sólo abrir el labio
lo pondrá como una masa.
Pero, hijita, esto no exige
que me mientes.

RUFINA.— ¿Qué sacara?

CATITA.—¡Jesús, qué aguaje me echara
el padre que me dirige
si le llevan algún cuento!
¡Y él que es tan escrupuloso!
¡Dios haga un santo a tu esposo,
y a ti te dé sufrimiento!

RUFINA.—Así sea, ña Catita;
sufrimiento a mí me sobra.

CATITA.—Voy a encomendarle esta obra
a mi madre Santa Rita.
Casualmente estoy aquí
haciéndole su novena.

RUFINA.—¡Julieta! ¡Dios me haga buena! *(Llamando.)*

CATITA.—Y me dé su gloria a mí.
¡Ay, Dios mío, qué punzada
me ha dado aquí en la barriga!

RUFINA.—¿Qué tiene usted?

CATITA.— La fatiga.
Ya se ve, no almorcé nada.
¡Jesús, qué retorcijones!

RUFINA.—Ya la comida no tarda.
(Tomemos antes que esto arda
unas cuantas precauciones.)
¡Julieta! ¿Qué estará haciendo
esta muchacha?

CATITA.— ¡Ay, si estoy
muerta!

RUFINA.— ¡Julieta!
JULIANA.— Allá voy.
RUFINA.—Mire usted, si estaba oyendo.

ESCENA XIV

Doña Rufina, ña Catita y doña Juliana

JULIANA.—Mamita...
RUFINA.— Te haces que no oyes.
Llégate.
JULIANA.— (¡Qué me querrá!)
RUFINA.—Mira, es preciso que todos
vivamos en paz y en *haz*,
y de tu padre y la mía
es ésta la voluntad.
JULIANA.—(Bien dijo Manongo.)
RUFINA.— ¿No oyes?
JULIANA.—Estoy oyendo, mamá.
RUFINA.—Tú has dado en contradecir,
Julieta, mi autoridad,
suponiendo, según sé,
que te quiero violentar;
pero mucho te equivocas.
Yo no te puedo hacer mal
de ningún modo: tu dicha
es mi ambición, es mi afán,
y sobre ella yo cavilo
día y noche sin cesar.
CATITA.—¡Mucho amor es el de madre...
no hay en el mundo otro igual!
RUFINA.—Las mujeres no distinguen
el bien ni el mal a tu edad,
y una carita bonita
y dos o tres gracias más
las vuelven tan presumidas,
que hinchadas cual pavorreal
se les impresiona que es
todo el mundo Popayán,

y que eso sólo les basta
para su felicidad.
CATITA.—Todo aquí es perecedero,
Dios es eterno no más.
RUFINA.—Sin pensar que un accidente,
el más leve, el más casual,
puede de un momento a otro...
CATITA.—Es decir, en un *tris-tras.*
RUFINA.—Convertir en un *Ecce homo*
la más perfecta deidad.
CATITA.—De tierra somos, y en tierra
nos hemos de transformar.
RUFINA.—Los hombres, hoy en el día,
muy corrompidos están,
principalmente los mozos.
CATITA.—No era así en mi tiempo, ¡ah!
RUFINA.—Mucho más en nuestra tierra,
que hay cierta raza infernal
de mujeres, que parece
que tuvieran piedra imán
para hacerlos a su antojo
ir de aquí para *acullá.*
CATITA.—¡Pobres! ¡Dios las compadezca!
¡Quién sabe por qué lo harán!
Necesitas caret lege;
esto es, la necesidad
tiene la cara de hereje.
JULIANA.—(Ya conozco donde van.)
RUFINA.—En fin, hija, es necesario
que no insistas más en dar
que sentir a tu familia.
Poco esfuerzo bastará
para que se desvanezca
ese amorcillo falaz
que ese muñeco retoso
te ha conseguido inspirar,
y que haría tu desgracia
por toda una eternidad.
JULIANA.—¡Oh! ¡Nunca, señora, nunca!
¿Olvidarlo yo?, jamás.
RUFINA.—¿Qué es lo que dices?

CATITA.— Hijita,
Dios no manda contestar
a sus padres de ese modo.
Claro su precepto está
"si honras a tu padre y madre
largo tiempo vivirás".

JULIANA.—Eso es cierto, ña Catita.
Ni Dios tampoco querrá
que un albedrío que él mismo
deja en plena libertad,
por capricho o qué sé yo
se me pretenda forzar.

RUFINA.—¡Véala usted! Si yo creo
que ha comido solimán.

CATITA.—¡Jesús! Mientras más se vive
más se aprende y se oye más.
¡Qué mozas las de este tiempo
tan alzadas!

RUFINA.— ¡Si me da
gana de hacerla pedazos!

CATITA.—Por Dios, Rufinita, haz
que se confiese esta niña.

RUFINA.—¡Soy la mujer más fatal!

CATITA.—Es un cargo de conciencia
dejarla así... a su nadar.
¡Si la juventud del día
condenada en vida está!
Y nadie tiene la culpa
sino esos libros, no más,
que traen escritos en lengua,
¡qué sé yo!... de por allá,
y que están todos repletos
de herejía y de maldad.
Y el gobierno que permite
que entre en Lima, así no más,
tanto picarón hereje
sin hacerlos bautizar.
¿Qué bueno puede esperarse
de estos réprobos jamás?
Y luego los tales *gringos*
tienen un modito tal

de matar pulgas, y un porte
tan aquél y tan... ¡pues, ya!
que a veces, hija, hasta a mí
ciertos impulsos me dan...
¡Pero quita allá, demonio,
no me vengas a turbar!

RUFINA.–Dice usted bien, ña Catita;
así es, se confesará.
Ya tú puedes ir haciendo
el examen general.

CATITA.–Nuestra alma es antes que todo.
Si no, le sucederá
lo que a Rosa, la sobrina
de don Cosme el capellán,
que hace un mes que se salió
con un señor oficial,
dejando hecha un mar de lágrimas
a toda su casa.

RUFINA.– ¡Oigá!

CATITA.–Eso sí, el sujeto es, hija,
muy buen mozo, muy formal.
¡Si vieras cómo la tiene!
Nada le da que desear.
¡Qué ricos trastes le ha puesto!
¡Qué ropa! Mil gustos da
el verlos cómo se quieren.
Dios los tenga siempre en paz,
que puede que con el tiempo
pasen a más santidad.

RUFINA.–¡Ay, ña Catita, mis culpas
no más me pudieron dar
este demonio por hija!

CATITA.–No te aflijas. Dios querrá
que todo se arregle hoy mismo
poniendo en obra aquel plan.
Si tú gustas le hablaré
a mi padre espiritual,
y mañana tempranito
la llevaré a confesar.

RUFINA.–Sí, ña Catita, mi vida,
haga usté esa caridad.

CATITA.—Aunque yo no sé si tenga
el pobrecito lugar,
porque está tan recargado...
¡Sí, eso es, hija, un *mare mag!*
¡Ya se ve, si es tan virtuoso,
tan prudente, tan sagaz!
Si vieras tú, Julianita,
las preciosuras que van
a confesarse con él...
Eso es, hija, de alabar
a Dios... ¡Así como tú,
tan jovencitas y tan...!
¡Bendito sea el Señor!
Ay, hija, mucho malo hay
en Lima; pero también
hay mucho bueno y cabal!
Si no ¡pobres de nosotros
con tanta perversidad!
JULIANA.—(¡Vieja maldita!)
RUFINA.— ¡Anda, indigna,
que me las has de pagar
todas juntas! Vete adentro,
y no me salgas de allá
hasta que yo te lo mande.
Yo te compondré, ¡animal!
¡Vete a tu cuarto, te digo!
JULIANA.—(Poco falta de aguantar.)

ESCENA XV

Doña Rufina y ña Catita

RUFINA.—¿No le digo a usted? Si es dura
lo mismo que un pedernal.
CATITA.—No, por Dios, no críes cólera
y te dé una enfermedad.
Pues la hija de ña Ritita
malparió por cosa igual.
RUFINA.—¡Si no es casada!

CATITA.– ¡Qué dices!
Pues, hijita, es la verdad.
RUFINA.–¡Cómo!
CATITA.– No te quepa duda:
Lo sé como el *be-a-ene = ban.*
Me lo ha dicho la alquilada,
y una cholita además
que le mató una gallina
y la peló en el corral.
RUFINA.–¡Pobre muchacha! ¡Lo siento!
¡Su honor cómo quedará!
CATITA.–¡Y por un tris clava el pico!
Por un lado el mismo mal,
y por el otro su madre
que la quería matar,
casi casi dan con ella
de Ansieta en el Pepinal.
Pero ya está mejorcita.
Se ha dicho en la vecindad
que tomó encima de arroz
chicha con *guinda* y *agraz*,
y que le dio un *apoplético*
que la puso al expirar.
La infeliz criaturita
yo sé bien dónde fue a dar.
¡Y qué linda era la pobre!
¡Mujer...!
RUFINA.– ¡Qué inhumanidad!
¿La habrán botado a los Huérfanos?
CATITA.–¡Yo no sé!... Oye... Esto va
con mucha reserva... ¡Cuenta!
porque en confianza no más
me lo contaron a mí.
RUFINA.–¿Y usted me juzga capaz
de venderla, ña Catita?
CATITA.–Yo sé que no lo has de hablar,
por eso te lo he contado.
¡Yo, hijita, soy incapaz
de quitarle a nadie el crédito!
¡Dios no lo permita!
RUFINA.– ¡Ya!

CATITA.—Ya ves, todas somos frágiles
y podemos tropezar.
Como estamos revestidas
de esta mala carne... ¡Ay!
RUFINA.—¿Qué le ha dado a usted?
CATITA.— No es nada.
¡Jesús, qué debilidad!
¡Estos ayunos me matan!
RUFINA.—¿Apetece usted tomar
alguna cosa?
CATITA.— Un traguito
de aguardiente.
RUFINA.— Bueno.
CATITA.— ¡Ah! *(Eructa.)*
¡Qué bien me dice mi padre!
¡Yo no debo de ayunar!
RUFINA.—¿Pero por qué ayuna usted?
CATITA.—¡Ay, hija! mientras nos da
fuerzas el cielo es preciso
un poco de austeridad.
RUFINA.—Voy a mandar que le traigan
el aguardiente.
CATITA.— Y un pan.
RUFINA.—¡Mercedes!
CATITA.— Deja...
RUFINA.— ¡Mercedes!
CATITA.—Que no lo traigan acá,
que lo pongan allá adentro.
RUFINA.—¡Válgame Dios, este mal
cómo la atormenta a usted!
CATITA.—No, pues, sino como está
ahora en creciente la luna...
y el tiempo que está fatal...
y como estoy retentada...

ESCENA XVI

Doña Rufina, ña Catita y Mercedes

MERCEDES.—¿Qué manda usted?
RUFINA.— Ven acá.

MERCEDES.—¿Qué cosa?
RUFINA.— Toma las llaves,
y saca al instante un pan
de la alacena, y el frasco
que con aguardiente está,
y ponlo todo ahí encima.
Escucha.
MERCEDES.— (¡Qué vieja tan!...)
RUFINA.—Es necesario que sepas
que nos vamos a mudar.
MERCEDES.—Muy bien, señora, ¿y adónde?
RUFINA.—Eso después lo sabrás.
Por ahora lo que te importa
es que trates de arreglar
lo que haya por ahí tirado;
porque todo lo demás,
lo haré yo con ña Catita.
MERCEDES.—Corriente. (¿Qué tramarán?)
RUFINA.—Oye, Mercedes, cuidado
como le vas a contar
nada de lo que te he dicho
a la niña.
MERCEDES.— Bien está.
RUFINA.—¡Ah!
MERCEDES.— (¡Ésta es otra!)
RUFINA.— Ni al señor;
porque si no, lo verás.

ESCENA XVII

Doña Rufina y ña Catita

CATITA.—Me parece bien que tomes
medidas, para ocultar
a tu hija y a tu marido
que a mudarte de aquí vas;
porque si llegan a olerlo...
RUFINA.—No hay miedo, no lo sabrán.
CATITA.—Una mujer no se debe

dejar nunca gobernar
por su marido o sus hijos
como una negra bozal.
Nada, tenérselas tiesas
y saberlos entablar.
Porque si vislumbran ellos
en nosotros suavidad,
se nos suben a las barbas
y después trabajos hay.
¡Ay, hija! mis tres difuntos
fueron como un cordobán,
y eso que del uno al diablo
no había disparidad.
¡Pero, con buena la habían!
¡Pobres, descansen en paz!
Conmigo se la llevaron
con su pimienta y su sal.
¿Por qué te parece a ti
que no me he vuelto a casar?
Por no lidiar con los hombres.
Porque, hija, ¿quién es capaz
de aguantar sus malos modos
sin mandarlos a pasear?
¡Te digo que no los viera
ni con la luz que da el gas!
No ha sido porque me falte
quien me haga algún ademán,
ni me diga esto y el otro,
y aquello y de más allá...

RUFINA.—¿Pero quién dice tal cosa?

CATITA.—Porque, aunque parezca mal
que lo diga cierto pie,
muy buen mozo, muy formal,
a donde quiera que voy
va como rabo detrás;
pero yo... ¡Jesús me libre
de una tentación casual!
No es tampoco porque sea
yo de los tiempos de Amat,
porque, ¿creerás? no me acuerdo,

quizá tú te acordarás,
cuando *entró la patria.*

RUFINA.— ¿Yo?
Muy poco...

CATITA.— ¡Miren qué tal!

RUFINA.—Tengo una idea remota.

CATITA.—Pues creía...

RUFINA.— Usted tendrá
a la fecha, ña Catita,
sus cincuenta a más tirar.

CATITA.—No tengo sino noventa.

RUFINA.—Pues bien, entonces serán
treinta y tantos, ¿no es así?

CATITA.—No es sino un siglo cabal.

RUFINA.—Pero...

CATITA.— No le importa a nadie
averiguarme la edad.
Tengo la que represento...
la que se me antoja... ¿estás?

RUFINA.—No se pique usted. Mi objeto
no ha sido agraviarla.

CATITA.— ¡Ajá!
Mudemos conversación;
no me quiero incomodar.

RUFINA.—(¡Cómo se hace la chiquita...
y ser mi abuela podrá!)

CATITA.—¡Ay, Jesús, me vuelve el flato!
¡Qué maldita enfermedad!

RUFINA.—¡Válgame Dios!

CATITA.— ¡Qué trabajo!
(¡Se habrá visto tal por cual!
¡Cincuenta años! Vieja es ella
que ya renguea al andar.)

RUFINA.—Ña Catita, mire usted...
mi marido...

CATITA.— Y viene acá.

RUFINA.—Ya llega...

CATITA.— Disimulemos
que así conviene.

ESCENA XVIII

Doña Rufina, ña Catita y don Jesús

JESÚS.— (¡Qué par!)
CATITA.— ¡Silencio!
RUFINA.—¡Qué gesto pone!
JESÚS.—(¡Hablando de mí estarán!)
(Atravesando el proscenio para su cuarto.)
(¡Tan buena es una como otra:
Son Pilatos y Caifás!)
RUFINA.—Repárelo usted, va ardiendo.

ESCENA XIX

Doña Rufina y ña Catita

RUFINA.—Se le conoce en la cara.
¡Qué tal si él adivinara
la que le estamos urdiendo!
CATITA.—¿No nos saque, hija, ventaja?
Para mí no se descuida.
Tanta ida y tanta venida,
no es por cierto, a humo de paja.
RUFINA.—Deseche usté ese presagio
que es de miedo.
CATITA.— Ahi lo verás:
juzga mal y acertarás,
dice, hija mía, un adagio.
RUFINA.—Hay otro más convincente,
que dice, guerra avisada...
CATITA.—No obstante...
RUFINA.— No mata gente.

ESCENA XX

Doña Rufina, ña Catita y Mercedes

MERCEDES.—Ya está eso.
RUFINA.— Vamos adentro.

CATITA.—Vamos, pues.
MERCEDES.— (¡Qué *traga-aldabas!*)
RUFINA.—Mientras no rompa esas trabas
no puedo estar en mi centro.
¿Qué es eso?

(A ña Catita que se agacha al suelo, como para agarrar alguna cosa, y separa dos pajitas.)

MERCEDES.—(¿Qué va a agarrar?)
RUFINA.—¿Algo ha perdido?
MERCEDES.— (¡Avestruz!)
CATITA.—Nada... que aquí hay una cruz.
No la vayan a pisar.

TELÓN

CUARTO ACTO

ESCENA I

Doña Juliana y Mercedes

JULIANA.—Mucho me dan que pensar,
Mercedes, estas medidas,
y tomarlas a escondidas
mucho más que sospechar.
¿Mudanza tan repentina
ahora, Mercedes, a qué?
MERCEDES.—Señorita, yo no sé;
cosas de doña Rufina.
Pero, acá para *inter nos,*
¿sabe usted lo que barrunto?
que lo esencial del asunto
se dirige a ustedes dos.
Sobre todo a don Manuel;
porque, señorita, de hecho
diera ella su ojo derecho
por apartarla a usted de él.
Me voy, dice, de esta casa

sin darle a ninguno el santo:
me buscan y mientras tanto
el tiempo malo se pasa.
Y el tiempo todo lo muda,
como lo dice el refrán;
y se aferra en este plan,
porque es así... testaruda.

JULIANA.—Conque, ¿tanto te encargó
que no me dijeras nada?

MERCEDES.—Sí, niña, y muy enfrascada;
mas de eso me río yo.
Porque, a decir lo que siento,
ya me tiene, hasta los ojos,
y sus *canseras* y antojos
no sufro más un momento.

JULIANA.—¿Cómo? ¿Qué dices, Mercedes?

MERCEDES.—Como usted lo oye; me fuera,
aunque del hambre supiera
que iba a arañar las paredes.

JULIANA.—Escucha. ¿Salió mi padre?

MERCEDES.—Sí, señorita, hará una hora.

JULIANA.—Y di, ¿sabes lo que ahora
estará haciendo mi madre?

MERCEDES.—Anda en continuo trajín
con esa endiablada vieja,
que la adula y la aconseja
por sacarle el *alpechín*.
Y no será muy ajeno
que, entre tanto, la maldita,
se meta alguna cosita,
como por descuido, al seno.

JULIANA.—No te puedes figurar
lo intenso de mis dolores.

MERCEDES.—¡Ay, niña! con mil amores
lo quisiera remediar.

JULIANA.—Mil gracias, Mercedes, vete.

MERCEDES.—¿Se queda usted sola aquí?

JULIANA.—Sí, Mercedes.

MERCEDES.— ¿Cómo así?

JULIANA.—¿Habrán dado ya las siete?

MERCEDES.—Ya no pueden tardar mucho.

JULIANA.—Vete, pues.
MERCEDES.— No, señorita...
JULIANA.—Aguardo aquí una visita.
MERCEDES.—¿Una visita? ¡Qué escucho!
Vea usted que ya no tarda
doña Rufina en salir,
y la puede a usted reñir
porque su orden no se guarda.
JULIANA.—Que salga, poco me importa.
Dentro de un rato quizá,
a otra, no a mí reñirá.
MERCEDES.—¡Me deja usted, niña, absorta!
JULIANA.—Quiero ser franca contigo.
Hoy de esta casa me salgo.
MERCEDES.—Bien hecho. Si sirvo de algo
puede usted contar conmigo.
Cosa mejor no la he visto;
porque, si una no se sale,
que se le entregue más vale
de una vez el alma a Cristo.
¡Pero... calle! Aquí se cuela
ña Catita.
JULIANA.— ¡Qué diablura!

ESCENA II

Doña Juliana, ña Catita y Mercedes

CATITA.—¡Ay! ¡Qué sala tan oscura!
¿Por qué no encienden la vela?
¡Casi doy un tropezón!
MERCEDES.—(¡Qué vieja tan fastidiosa!)
CATITA.—¡Habrá gente más ociosa!
Y ya ha dado la oración.
¡Mercedes!... ¡Mercedes!
MERCEDES.— ¿Qué hay?
CATITA.—Te llama ña Rufinita.
MERCEDES.—Ya voy. Adiós, señorita.
(¡Diablo! ¡Cara de *balay!*)

ESCENA III

Doña Juliana y ña Catita

CATITA.—¡Jesús! ¡Aquí no hay gobierno!
¡Qué gentes, qué gentes éstas!
¡Todas las cosas mal puestas!
¡La comida por un cuerno!
Y luego por medio pan,
y un plato de arroz mal hecho,
me harán padecer del pecho
con la faena que me dan.
¡Cuán sucias, que ni *aperciben*
el olor de la inmundicia!
A mí me diera ictericia
de vivir como ellas viven.
¡Qué despilfarro de casa!
Y si añade usté a esto más...
¡Oh, Julianita! ¿Aquí estás?
JULIANA.—(¡Dios mío la hora se pasa!)
CATITA.—Qué haces, niña, por aquí?
JULIANA.—¿Yo? Nada...
CATITA.— ¿Nada?
JULIANA.— (¡Ay, Señor!)
CATITA.—Siempre estás de mal humor.
¿Por qué eres conmigo así?
Yo otra cosa no deseo
más que tu felicidad.
JULIANA.—Gracias... (¡Qué fatalidad!)
CATITA.—Mis afectos...
JULIANA.— Ya... Lo creo...
CATITA.—Nunca para ti se entibian.
Vaya, dime tus cuidados;
los males comunicados
si no se quitan, se alivian.
JULIANA.—Yo no sufro ningún mal.
CATITA.—A mí no me digas eso.
Dale a otro perro ese hueso:
soy testigo presencial.
Y a la verdad, me da pena

ver lo que se hace contigo.
Por eso, lo que yo digo,
tanta madre se condena.

JULIANA.—(¿Hasta cuándo no se irá?)

CATITA.—¡Tanta opresión quién la aguanta!
No digo tú, ni una santa.

JULIANA.—(¡Qué suerte la mía!)

CATITA.— ¡Guá!
¿Qué ese cuerpo no tiene alma?
Ya se ve, como ella es vieja
nadie le canta a la oreja.
¡Lo dicho!

JULIANA.— (¡Jesús, qué calma!)

CATITA.—Pues yo no uso de aspavientos;
la verdad, no soy de cobre,
y no me falta aunque pobre,
quien beba por mí los vientos.

JULIANA.—(¡Qué impertinencia, Dios mío!)

CATITA.—Y si yo no recelara
que me saliese a la cara...
Por eso se clava el tío.
(Veamos qué desembucha.)
¿No digo bien, Julianita?

JULIANA.—Así será, ña Catita.

CATITA.—(Parece que no me escucha.)
Oye, tú no me hagas caso
cuando hablo mis candideces,
porque lo hago muchas veces
sólo por salir del paso.
Y mucho más en presencia
de tu madre, ¿qué he de hacer?
me empezaría a moler
de otro modo la paciencia.
¿No oyes, mi vida, lo que hablo?
¡Qué buen gusto habías tenido!
El joven es...

JULIANA.— (¡Siento ruido!)

CATITA.—Hace poco quise hablarlo,
pero estaba de amarrarlo...
yo creo que hay luna nueva.

En fin... me voy, Julianita,
no te quiero molestar.

JULIANA.—(Ya te podrías marchar
de una vez, vieja maldita.)

CATITA.—Mira, pon a San Antonio
metido en una botija,
para que así no te aflija
demorando el matrimonio.
¡Ah! Si acaso se te ofrece
alguna cosa.

JULIANA.— (¡Qué aprieto!)

CATITA.—Lo mismo digo al sujeto.

JULIANA.—Bien... (Ya está aquí, me parece.)

CATITA.—Hablando del rey de Roma...

ESCENA IV

Doña Juliana, ña Catita y don Manuel

MANUEL.—Juliana...

JULIANA.— Manongo...

MANUEL.— Vamos.

CATITA.—¿Cómo es eso?

MANUEL.— ¿Qué aguardamos?

CATITA.—Pero oye...

MANUEL.— ¡No estoy de broma!

CATITA.—¡Cáspita! ¡Qué botafuego!
¿Qué siempre has de estar en riña?
Mira que te expones, niña...
tu mamita saldrá luego.

MANUEL.—Vamos, pues, ¿qué nos detiene?
¿Vacilas?

CATITA.— (¡Qué basilisco!)
¡Por mi padre San Francisco,
miren ustedes que viene!
No te he dicho que mañana.

MANUEL.—Mañana... ¡No puede ser!

CATITA.—Ve que te vas a perder.
Reflexiona...

MANUEL.— Anda, Juliana.

Mira que ya está en la puerta
aguardándote mi tía.
JULIANA.—Aguarda...
MANUEL.— ¡Por vida mía!
JULIANA.—Tengo un miedo que estoy muerta.
MANUEL.—No temas nada... ven, ven...
JULIANA.—¡No sé qué recelo tengo!
CATITA.—(A ver si los entretengo.)
Si, Julianita, haces bien.

ESCENA V

Don Manuel, doña Juliana, ña Catita y Mercedes

MERCEDES.—¡Por la virgen, señorita!
Aquí viene la señora.
CATITA.—(Alcemos la voz.)
MERCEDES.— ¿Ya es hora?
CATITA.—¡Vaya, adentro, Julianita!
JULIANA.—Por Dios, calle usted la boca.
MERCEDES.—Carguemos con ella.
(Agarra a ña Catita por los brazos y la tira.)
CATITA.— ¿Qué haces? *(Se resiste.)*
MANUEL.—Bien dicho...
CATITA.— Hagamos las paces...
MERCEDES.—Ande usted... *(Tirándola.)*
CATITA.— ¿Te has vuelto loca?
¡Rufinita...! Ru...
MERCEDES.— ¡Chitón! *(Tapándole la boca.)*
CATITA.—¿Dónde me llevan ustedes?
MERCEDES.—Al infierno.
MANUEL.— Anda, Mercedes.
CATITA.—Tengan de mí compasión.
RUFINA.—¡Julieta!
MANUEL.— ¿Lo oyes?
JULIANA.— ¡Mi madre!
Vamos.
MANUEL.— Tápate.
JULIANA.— ¡Manongo,
mi honra en tu mano la pongo!

ESCENA VI

Don Manuel, doña Juliana, Mercedes, ña Catita y don Jesús

JESÚS.—¡Eh!... ¿Dónde bueno?
JULIANA.— ¡Mi padre!
CATITA.—(¡Ay, qué tentación!)
JESÚS.— ¿Qué es esto?
¿Qué significa este escándalo?
MANUEL.—Señor...
JESÚS.— ¿Dónde iban ustedes?
JULIANA.—Yo... señor...
JESÚS.— ¡Voto a los diablos!
¡Qué atrevimiento!
MANUEL.— Señor...
JESÚS.—¿Y usted qué hace aquí?
CATITA.— Rezando.
JESÚS.—¿Dónde está tu madre?
JULIANA.— Adentro.
JESÚS.—¡Qué tal!
CATITA.— (De ésta no escapamos.)
JESÚS.—¡Doña Rufina!... ¡Señora!
¡Rufina!
CATITA.— (Dios mío, sácanos
con bien.)
JESÚS.— ¡Rufina!... ¡Demonio!

ESCENA VII

Don Jesús, doña Juliana, ña Catita, don Manuel, Mercedes y doña Rufina

RUFINA.—¿A qué son esos gritazos?
¿Qué hay ahora...? ¡Pero qué veo!
¡Indigna! ¿Dónde hay un palo?
MANUEL.—¡Señora!
RUFINA.— ¿Qué haces aquí?
JESÚS.—(Lo que yo debo es plantarlos
de patitas en la calle.)

RUFINA.—¿Por qué no contestas, diablo?
¿Qué haces aquí?
JULIANA.— Nada.
RUFINA.— ¿Cómo?
¿Y ese bribón?
JESÚS.— Buen cuidado
tiene usted de su hija.
RUFINA.— Mira.
¿No te dije, no hace un rato,
que para nada salieras,
sinvergüenza, de tu cuarto?
JESÚS.—Mejor le estaría a usted
no moverse de su lado;
así no hubiera, hace poco,
impedido yo su rapto.
RUFINA.—¿Cómo?... ¿Quién?... ¿Este canalla?
¿Y usted que hacía?
CATITA.— Rezando.
JESÚS.—O ayudándolos.
RUFINA.— Lo dije...
Era de cajón, de claustro.
¡Si no podía por menos!
¡Sólo un simple, un mentecato!
En fin, ¿qué más quiere usted?
¿Qué más quiere usted? Le han dado
en la yema del deseo.
JESÚS.—Dejémonos de sarcasmos.
RUFINA.—Usted solo es el que tiene
la culpa de estos escándalos.
Usted que le ha dado alas
para que vuele a este pájaro,
usted que no tiene meollo,
ni vergüenza.
JESÚS.— ¡Vamos, vamos!
Cierre usté el pico, señora.
RUFINA.—Usted, sí señor.
JESÚS.— ¡Canario!
Calle usted la boca digo,
no se me atufen los cascos,
y arree a palos aquí
con cuantos tenga a mi lado.

MERCEDES.—(¡Caramba!)
JESÚS.— Nadie me chiste,
o como lo digo lo hago.
CATITA.—(¡Padre mío San José,
protector de los casados!)
JESÚS.—Yo sé lo que he hecho, señora,
y lo que haré ¡voto a tantos!
La paciencia también tiene
su término, al fin y al cabo.
Oiga usted, caballerito;
usted es un hombre ingrato
que corresponde a mi efecto
como un vil, como un malvado,
y que no es merecedor
de mi amistad por lo tanto.
No cuente usted, pues, con ella
ni para bueno ni malo.
Y usted. .
RUFINA.— A las Recogidas
hoy mismo a pelar *zapallo*...
JESÚS.—Y a usted le privo desde ahora...
(Salen tres mozos con muebles.)
¡Eh...! ¿dónde van esos trastos?

ESCENA VIII

Don Jesús, doña Rufina, doña Juliana, ña Catita, don Manuel, Mercedes y criados

CRIADO.—Anda, hombre.
(A otro criado que se va por delante y se detiene.)
JESÚS.— Pararse ahí.
RUFINA.—Sigan ustedes.
JESÚS.— ¿Zamarros!
¡Alto he dicho!
CRIADO.— Deja, pues.
JESÚS.—¡Señora, con dos mil santos!
¿Se ha metido en esta casa
alguna legión de diablos?
¿Qué es esto? responda usted.
RUFINA.—¿Qué ha de ser? que me he cansado

de sufrir majaderías
y que de usted me separo.
Así cada uno podrá
hacer de su capa un sayo.

JESÚS.—¡Dios eterno!

RUFINA.— Aguante usted.

JESÚS.—¡Me dan unas ganas...!

MERCEDES.— (¡Malo!)

JESÚS.—¡Ah, mujeres! La mejor
es el mismo pie del diablo.

RUFINA.—¡Y ustedes son unos ángeles!

MERCEDES.—(¡Sí, con espuelas y cachos!)

JESÚS.—Vamos, ¿qué aguardan ustedes?
¡Fuera de aquí!

RUFINA.— Carguen...

JESÚS.— ¡Largo!
Mandarse mudar, tunantes,
o los boto a garrotazos.

ESCENA IX

Don Jesús, doña Rufina, don Manuel, doña Juliana, ña Catita y Mercedes

JESÚS.—¡Qué barullo!

RUFINA.— ¡Picarón!

JESÚS.—¡Qué dirán en todo el barrio!

RUFINA.—Usted me estropea así
porque me ve sin amparo;
como no tengo un pariente
que le pare a usted los machos,
hace usted cera y pabilo
de mí...

JESÚS.— ¡Eso es!

RUFINA.— *¡Cuartuáazo!*

CATITA.—(Hagámonos invisibles,
porque esto huele a quemado.)

RUFINA.—Ya lo ve usted, ña Catita...

CATITA.—Yo, hija...

RUFINA.— Ya ve usté el trato
que me da.

CATITA.— Yo no me meto
en asuntos de casados.
RUFINA.—En mala hora me casé
con semejante *abocastro.*
¡Dios sabe lo que me pesa!
JESÚS.—Y a mí también.
CATITA.— ¡Malo, malo!
RUFINA.—Y mire usted...
CATITA.— ¡Yo qué sé...!
RUFINA.—Muy bien me lo aconsejaron.
CATITA.—(Voy a traer mi pañuelo
para largarme a mi cuarto.)

ESCENA X

Dichos menos ña Catita

RUFINA.—¡Tan bruto!
JESÚS.— Y usted tan sabia.
JULIANA.—Pero, mamita...
RUFINA.— No, en vano
no lo puedo a usted ver.
JESÚS.— Bueno.
MANUEL.—(Qué ganas de agriar los ánimos.)
RUFINA.—Me tiene usté hasta los *topes.*
Lo odio a usted más que a los diablos.
MANUEL.—Señora, por Dios...
RUFINA.— ¡Muñeco!
Le ha de costar a usted caro.
JESÚS.—Ya lo veremos.

ESCENA XI

Don Jesús, doña Rufina, don Manuel, doña Juliana, Mercedes y don Alejo

ALEJO.— Señores...
RUFINA.—A buen tiempo, don Alejo.
Venga usted.
ALEJO.— ¿De qué se trata?

JULIANA.—(Es verdad, llega a buen tiempo.)
ALEJO.—¿Se necesita mi voto
sobre algún vestido nuevo?
No, pues ese que usted lleva
le viene pintado al cuerpo.
Sólo que el color es bajo,
y el monillo un poco estrecho.
¿Y sabe usté en qué consiste?
RUFINA.—Escúcheme usted...
JESÚS.— (¡Muñeco!)
ALEJO.—En que lo han cortado al hilo
en vez de cortarlo al sesgo.
RUFINA.—Pero oiga usted...
MERCEDES.— (¡Palangana!)
ALEJO.—Si ese traje lo hubiera hecho
una modista francesa,
nadie le pondría un pero.
Desengáñese usté... en Lima
no harán nunca nada bueno.
Por eso es que a mí, madama,
me visten sólo extranjeros.
Hubi me hace las levitas...
RUFINA.—Pero oiga usted, don Alejo...
ALEJO.—Los chalecos *Monsieur Prugue...*
JESÚS.—Escuche usted, caballero...
ALEJO.—Las botas el *Alemán;*
las camisas...
JESÚS.— Vamos a esto.
Aquí no se trata ahora
de camisas ni chalecos,
se trata...
ALEJO.— ¿Sobre el peinado?
RUFINA.—Pero, señor, si no es eso.
ALEJO.—¡Eh, bien! pues el de Julieta
está tocante en extremo.
Si no fuera porque tiene...
¡ah! consiste en el cabello.
JESÚS.—Déjese usted de retratos
y atiéndame, caballero.
ALEJO.—¿Retratos? ¡Oh! aquí no faltan
fisonomistas muy diestros...

Y para mí los fotógrafos
son el *non plus* del ingenio.
Usted no sabrá, sin duda,
no lo sabrá, por supuesto,
el arreglo, el mecanismo
de este prodigioso invento.
Pues escuche usted, se toma...

JESÚS.—¡Don Títere, o don Muñeco!
Digo a usted que no se trata
de retratos ni embelecos,
sino de que usté es un pillo,
un bribón, un embustero,
que ha logrado alucinar
con mil mentiras y enredos
a esta mujer ignorante.

RUFINA.—No me insulte usted.

JESÚS.— ¡Silencio!

RUFINA.—¡Cuidado!

JESÚS.— ¡Silencio, digo!
Y perturbado el sosiego
de mi casa...

ALEJO.— ¡Don Jesús!

JESÚS.—Mas no será por más tiempo.
¡Vaya! tome usté el portante,
y lárguese luego luego.

RUFINA.—No se irá.

JESÚS.— ¿No?

RUFINA.— No, señor.

JESÚS.—¡Fuera antes que!...

RUFINA.— Lo veremos.

JESÚS.—Y usted cállese, señora,
no me violente.

RUFINA.—No quiero.

JESÚS.—Aún soy marido de usted
y usaré de mis derechos.

RUFINA.—¿Y qué hará usted?

JESÚS.— ¡Basta, basta!
Váyase usted, caballero.

ALEJO.—Sin duda usted se chancea.

JESÚS.—No, señor; hablo muy serio.

ALEJO.—Entonces me insulta usted
como a un zafio, como a un negro.
JESÚS.—Como usted guste.
ALEJO.— ¡Cuidado!
Porque, amigo, yo por menos
le planto cuatro estocadas
al de bigote más crespo.
JESÚS.—Pues bien...
MANUEL.— Señor don Jesús...
JESÚS.—Yo no tengo a nadie miedo.
ALEJO.—¡Eh, bien! Entonces, las armas...
la hora... el puñal, el veneno,
el florete, la pistola,
todo es para mí lo *mesmo*.
Pero le prevengo a usted
que en esta última poseo
una destreza admirable.
Capaz soy de darle a un pelo
a cien varas de distancia,
y partirlo medio a medio:
ni *Morán* tira conmigo,
y eso que ha sido mi maestro.
Conque, vamos.
RUFINA.— ¡Por la Virgen!
Cálmese usted, don Alejo.
ALEJO.—No tengo nada, madama...
¡Oh! no, nada... Estoy sereno.
Un par de pinchazos basta...
después... nos abrazaremos...
el honor...
JESÚS.— Escuche usted:
si no calla y se va luego,
lo agarro a usted del fundillo
y lo estrello contra el techo.
ALEJO.—¡A ver!
JESÚS.— ¡Aguárdese usted!
MANUEL.—Señor, deje usted...
JESÚS.— ¡Cangrejo!
MANUEL.—Y usted váyase...

ESCENA XII

Don Alejo, don Jesús, doña Rufina, doña Juliana, don Manuel, Mercedes y Criado

CRIADO.— Señor,
afuera hay un caballero
que hablar con usted desea.
JESÚS.—Díle que estoy ocupado.
CRIADO.—Pero, señor, me ha encargado
que diga a usted que lo vea
ahora mismo, que precisa.
MERCEDES.—(A buena hora.)
JESÚS.— Que entre.
CRIADO.— Bien.

ESCENA XIII

Don Jesús, don Alejo, don Manuel, doña Rufina, doña Juliana y Mercedes

MERCEDES.—(¡Estoy con un comején...!)
ALEJO.—(¿Quién será con tanta prisa?)
JESÚS.—(¡Voto al diablo!)
JULIANA.— (¿Quién será?)
JESÚS.—(¿Qué querrán ahora conmigo?)

ESCENA XIV

Don Jesús, don Alejo, don Manuel, doña Rufina, doña Juliana, don Juan y Mercedes

JUAN.—Señor don Jesús...
JESÚS.— ¡Oh, amigo!
¿Tanto bueno por acá?
¿Cuándo ha sido la llegada?
JUAN.—En este mismo momento.
ALEJO.—(¿No es éste don Juan Sarmiento?)
JUAN.—Y he querido antes de nada

entregar a usted esta carta
que, al pasar por Ayacucho,
me la encargó, pero mucho,
nuestro amigo don Luis Marta.

JESÚS.—¡Don Luis! Traiga usted.

RUFINA.— (¿Qué harán?)

JESÚS.—¡Qué veo! ¡Gracias a Dios!

ALEJO.—¿Qué tratarán ahí los dos?

RUFINA.—No sé.

JESÚS.— Pase usted, don Juan.

JUAN.—Mis señoras...

RUFINA y JULIANA.—Caballero.

JESÚS.—(Al fin y al cabo don Luis
se acordó que era mortal.)

JUAN.—Señores... ¡Oh, qué feliz
casualidad...! ¡Don Alejo!
Mi amigo...

ALEJO.— (¿Qué irá a decir?)

JUAN.—Me ha ahorrado usted el trabajo
de buscarlo. Tengo aquí
una carta de su esposa...

TODOS.—¡De su esposa!

JUAN.— Que con mil
encargos me la entregó,
cuando del Cuzco salí.
¿Sabe usted que se ha casado
la Petuca con don Gil?

RUFINA.—¡Cómo! ¿El señor no es soltero?

JUAN.—No, señora.

ALEJO.—*(¡C'est fini!)*

JESÚS.—Pues no podía usted traernos
una nueva más feliz.

RUFINA.—¿Es posible, don Alejo?
¡Habrá usted sido tan ruin
para tratar de engañarnos...?

ALEJO.—¿Y usted lo cree?... Fue un desliz
ése que tuve en el Cuzco...
una contracción... en fin,
un trato ilícito, un...

JUAN.—¡Don Alejo!

ALEJO.— Sí, un ardid...

RUFINA.—Pero el señor...
ALEJO.— Cubiletes...
¿Qué hombre en la edad juvenil
se ve libre?
JUAN.— ¡Don Alejo!...
MERCEDES.—(¡Bribonazo!)
JUAN.— ¿Cómo así?
¿Puede usted en mi presencia
con tal descaro mentir?
JESÚS.—¿Y por qué no? El señor
es de conciencia matriz.
JUAN.—¿Don Jesús, pero qué ocurre?
JESÚS.—¡No es cosa! ¿Qué ha de ocurrir?
¡Nada! sino que el señor
tenía ya dado el sí
para contraer nuevas nupcias,
y la presunta del *quid*
es nada menos que mi hija,
que es ésa que ve usted allí,
y mi mujer la madrina.
JUAN.—¿Qué dice usted?
JESÚS.— Pero el fin
era muy santo, don Juan,
muy piadoso...
JUAN.— ¡Eso es muy vil!
JESÚS.—¡Disparate!, ¿quién dijo eso?
RUFINA.—(¡Qué mujer tan infeliz!)
JESÚS.—Quien frecuenta sacramentos
se va al cielo sin sentir.
¡Cómo está en gracia de Dios!
RUFINA.—(¡Tan zonza que lo creí!)
JESÚS.—Ya usted ve: ¡no tiene una alma
más cándida un serafín!
ALEJO.—¡Basta de pullas!
JUAN.— (¡Canalla!)
JESÚS.—¡Y basta de hablarme a mí!
Si no sale usted al punto
le hago ñiscas un cuadril.
ALEJO.—Espero que usté en el campo
se sepa también batir...
no digo más: hasta luego.

JESÚS.—Vamos, lárguese de aquí.
ALEJO.—Madamas...
JESÚS.— ¡Largo!
JUAN.— (¡Tunante!)
ALEJO.—Nos veremos *vis à vis.*

ESCENA XV

Don Jesús, don Manuel, don Juan, doña Rufina, doña Juliana y Mercedes

JUAN.—Tanta maldad no creyera
si yo no lo hubiera visto.
JESÚS.—Mucho peor, amigo, fuera
si con tiempo no ando listo.
JUAN.—Ese hombre es un calavera.
JESÚS.—No tiene él la culpa, no,
sino esta imbécil mujer
que lo atrajo y lo aduló,
porque creyó que iba a ser...
¡qué sé yo lo que creyó!...
y una vieja endemoniada,
que, con capa de virtud,
nos ha hecho aquí una ensalada
de la casa y la salud.
MERCEDES.—(Se le acabó la mamada.)
JESÚS.—De ésas, don Juan, que hay en Lima,
no a cientos, sino a millares,
que fingiendo honra y estima
se tragaran los pilares
de la casa de más cima;
y que, haciendo una oración
o rezando una novena,
le quitan sin son ni ton
a la familia más buena
el reposo y la opinión.
Hirientes como un venablo,
que haciendo el mal van y vienen;
y para abreviar lo que hablo,

de éstas, mi amigo, que tienen
los siete pelos del diablo.
RUFINA.—(¡Ella no más me ha perdido!
¡No sé cómo la creí!)
JESÚS.—¡Infortunado el marido
a quien pasa lo que a mí!
RUFINA.—No sé qué me ha sucedido.

ESCENA XVI

Don Jesús, don Juan, don Manuel, doña Rufina, doña Juliana, Mercedes y ña Catita

CATITA.—¡Pues...! Ya perdí el Jubileo,
por estarme aquí metida.
JESÚS.—Ahi la tiene usted, don Juan.
Ésa es la santita, la hidra.
CATITA.—Adiós, pues, hija... Ya es tarde.
Hasta mañana.
JULIANA.— ¡Maldita!
JESÚS.—Escuche usted, mi señora...
CATITA.—¡Mi señora! ¡Habrá manía!
¿Del Carmen o del Rosario?
JESÚS.—¡Cuidado como en su vida
vuelva usted, ni por candela,
por aquestas cercanías;
pues si por su mala estrella
así no lo verifica
se expone usté a que le mande
dar una buena paliza!
¡Vaya usté a enredar al diablo!
CATITA.—Usted será el enredista.
JESÚS.—¡Salga usted de aquí!
CATITA.— *¡Guá! ¡Guá!*
¡Habráse visto estantigua!
¡Esto es lo que me faltaba!
JESÚS.—¡Silencio! ¡Ande usted de prisa!
CATITA.—¡Váyase el muy indecente
a donde no cause grima!
¿Yo para qué necesito

ni de usted ni su familia?
¡Hereje! ¡Descomulgado!

JUAN.—Váyase usted, mi querida.

CATITA.—¿Y a usted quién le ha dado vela
en este entierro...? ¡Cochinas!
Por eso está Lima así...
¡Ya se ve, Dios la castiga!
¡Por cuenta de ellas no más
de repente hay una ruina,
o con más violencia que antes
vuelve la fiebre amarilla!
¡Escandalosas...!

JUAN.— Señora,
basta de majaderías.

CATITA.—¡Quite que me da calor!

JUAN.—No se exponga usted.

MERCEDES.— (¡Qué lisa!)

CATITA.—Mejores habían de ser,
no tan sucias, tan mezquinas.

JESÚS.—¡Vamos...!

CATITA.— ¡Vaya usté a la porra!
¡Espantajo! ¡Sin camisa!
¡Muñecón! ¡Matusalén!

ESCENA XVII

Don Jesús, don Juan, don Manuel, doña Rufina, doña Juliana y Mercedes

JUAN.—¡Qué mujer! ¡Si es una arpía!

JESÚS.—Cuánto fuera mi rubor
si otro que usted, buen amigo,
presenciara mi dolor.

JUAN.—No haya etiquetas conmigo.

MANUEL.—Permítame usted, señor...

JESÚS.—¡A un lado! Señora mía,
tome usted esa libranza
que don Luis Marta me envía;
cóbrese usted lo que alcanza,
y largo de aquí en el día.

Si usted pretende vivir
por su cuenta, yo también.

RUFINA.—(¡Dios mío, qué he de decir!)

JUAN.—Reflexiónelo usted bien,
no tenga más que sentir.

JESÚS.—Mucho he sufrido, don Juan;
pero desde hoy ¡voto a aquél!
he de adoptar otro plan.
Si un hombre se hace de miel...
ya usted conoce el refrán.

JUAN.—Como el dolor es creciente
y la herida no está sana,
que usted padezca es corriente;
mas diga usted, ¿qué se gana
con no mostrarse prudente?

JESÚS.—Que haya prudencia y reposo
en un marido es muy santo,
y además muy provechoso;
pero tampoco no tanto,
que todo extremo es vicioso.

JUAN.—Es probable que jamás
vuelva por aquí ese vándalo
a molestarlo a usted más;
así es peor cualquier escándalo,
e inoficioso además.

JULIANA.—Padre mío...

JESÚS.— Que se aleje,
puesto que así lo desea.
Que se vaya, que me deje,
que no hay miedo que la vea
por más que después se queje.

JUAN.—Nada, mi amigo, a otra cosa;.
todo esto es inútil ya...
mire usté a su pobre esposa
cuán acongojada está.

RUFINA.—¡Virgen de Chiquinquirá,
a esta infeliz compadece!

JUAN.—Don Jesús, yo me intereso.
Si algo mi amistad merece
no pensemos más en eso.

JESÚS.—(Como soy que me enternece.)

RUFINA.—(¡Ay, Señor! ¿A dónde iré
que no ande de arriba abajo?)
JUAN.—Mi amigo, ¿en qué piensa usté?
No hay atajo sin trabajo.
JESÚS.—Es cierto, don Juan, lo sé.
JUAN.—Vaya: lléguese, señora:

(A doña Rufina, que llora)

restablézcase la paz.
¿A qué esos llantos ahora?
RUFINA.—Si no lloro soy capaz
de reventar.
JESÚS.— En buena hora
llegó usted, don Juan, aquí
a desbaratar patrañas.
JULIANA.—Mamita, yo sola fui...
RUFINA.—¡Ay, hija de mis entrañas! *(Abrazándola.)*
¿Qué hubiera sido de ti?
JUAN.—Se acabó... Todo es concluido.
Acercarse...
MANUEL.— ¡Señor...!
JULIANA.— ¡Padre!
JESÚS.—Bien: todo lo echo al olvido.
Den un abrazo a su madre.

(A don Manuel y Juliana, que abrazan a doña Rufina.)

Y tú abraza a tu marido.

(A doña Rufina, con los brazos abiertos después de que ella abraza a sus hijos.)

La mayor satisfacción
es ésta, amada Rufina,
pues nace del corazón:
toda otra cosa es pamplina,
un absurdo, una ilusión.
Desconfía, en adelante,
del que ostenta beatitud,
y de todo hombre pedante,

que nunca fue la virtud
ficciosa ni petulante.

RUFINA.–Siempre sumisa a tu lado
haré que todos me vean.

JUAN.–No hablar más de lo pasado.

MERCEDES.–(Dios quiera que éstas no sean
promesas de enamorado.)

TELÓN

DANIEL BARROS GREZ
[*Chile, 1834-1904*]

Daniel Barros Grez nació en 1834 en Colchagua. Cuando tenía apenas tres años, su padre fue fusilado por un supuesto complot contra la dictadura de Prieto. En este hecho se inspiraron sus novelas *Pipiolos y Pelucones* (1867) y *El huérfano* (1881). A los veinte años de edad se recibió de agrimensor en el Instituto Nacional. Hombre de muchas aficiones, entendía también de folclore y de música, y llegó a inventar un curioso instrumento de cuerda, llamado "violi-arpa". Murió en Quillota, Chile, a la edad de setenta años, después de una vida literaria fecunda.

Su obra tanto narrativa como dramática se ubica, en general, dentro de la corriente costumbrista, tan pródiga en Chile. Aparte de las novelas arriba mencionadas, escribió *La academia político-literaria* (1889) y *Aventuras de cuatro remos* (1898), voluminosas narraciones matizadas de acento picaresco y folclórico. En 1868 publicó la colección *Cuentos para niños grandes*.

Barros Grez fue autor de unas veinte piezas teatrales. Escritas en prosa, con un lenguaje popular y salpicado de regionalismos y a veces con un tono suavemente satírico, moratiniano, tienen como asunto predominante el chileno de la clase media y baja. Ricardo A. Latcham dice que en sus dramas "surge una vena auténtica de criolla malicia, de socarronería campesina, de observación aguda, de sabroso lenguaje, de movido diálogo en que brotan las situaciones ridículas y se prodigan los recursos inverosímiles, pero también ingenuos". Su primera obra dramática fue *La beata* (1859), "cuento drami-tragi-cómico", en que satirizaba ese tipo de mujer seudo-religiosa. Uno de sus dramas más interesantes es *El ensayo de la comedia*, obra costumbrista premiada en un concurso del Ateneo de Lima en 1886, en que el autor hace uso del recurso del teatro dentro del teatro. Dos de sus dramas hacen burla del busca-dotes: *Los dos matrimonios* (1869) y *El jefe de la familia*. El político es el objeto de su sátira, en otro grupo de obras: *El tejedor o La batalla de Maipú* (1873), *Los ganadores de elecciones* (1862), *El vividor* (1885) y *El logrero* (1890). Finalmente, varios de sus dramas están estructurados en torno a un refrán o concepto popular: *Cada oveja con su pareja* (1879), *Ir por lana...* (1880). *El casi casamiento o Mientras más vieja más verde* (1881) y *Mundo, demonio y carne* (1866). En estas últimas comedias aparece el personaje tipo del "viejo verde". En 1883 escribió Barros Grez una especie de auto sacramental, titulado *La Iglesia y el Estado*, en que da fe de su posición liberal. Con respecto a su comedia más famosa, *Como en Santiago* (1875), dice Julio Durán-Cerda: "El núcleo central es la punzante sátira del arribismo provinciano de quienes miran los usos sociales, morales y políticos de la capital como un modelo de modernidad y progreso que debe ser imitado ciegamente."

BIBLIOGRAFÍA SUMARIA

Amunátegui Solar, Domingo, *Letras chilenas*, Santiago, Nascimento, 1934.

Durán-Cerda, Julio, *Panorama del teatro chileno*, Santiago, Editorial del Pacífico, 1959, pp. 25-30.

——, *Repertorio del teatro chileno*, Santiago, Instituto de Literatura Chilena, 1962, pp. 29-32.

Knapp Jones, Willis, *Behind Spanish American Footlights*, Austin, University of Texas Press, 1966, pp. 213-214.

Morgado, Benjamín, *Histórica relación del teatro chileno*, La Serena, Chile, Universidad de La Serena, 1985, pp. 77-112.

Ossa Galdames, Ignacio (comp.), *Teatro: Daniel Barros Grez*, Biblioteca Popular, Santiago, Nascimento, 1975.

Rela, Walter, *Contribución a la bibliografía del teatro chileno*, Montevideo, Universidad de la República, 1960, p. 28.

Silva Castro, Raúl, *Panorama de la novela chilena, 1834-1954*, México, Fondo de Cultura Económica, 1955.

Como en Santiago

COMEDIA DE COSTUMBRES EN TRES ACTOS

PERSONAJES

DON MANUEL, *hermano de*
DOÑA RUPERTA, *mujer de*
DON VICTORIANO, *padre de*
DOROTEA, *prometida de*
SILVERIO, *hijo de don Manuel*
INÉS, *sobrina de don Victoriano*
FAUSTINO, *amante de Dorotea*
UN ESCRIBANO
UN RECEPTOR

La escena pasa en la capital del Departamento Z, en casa de don Victoriano. El lugar de la acción es una sala modestamente amoblada, con dos puertas laterales y una puerta y una ventana en el fondo, que dan a un patio exterior.

PRIMER ACTO

ESCENA I

Inés (entretenida en su costura canta una canción de la época)

ESCENA II

Inés, doña Ruperta

RUPERTA.—¡Inés! ¿Qué bulla es ésa?

INÉS.—Cantaba, tía, para entretenerme y hacer menos pesado mi trabajo.

RUPERTA.—¡Sí! Pero debieras tener presente que tu prima está durmiendo.

INÉS.—Como ya es tarde, creía que Dorotea se hubiera levantado.

RUPERTA.—¿Y cómo piensas, inconsiderada muchacha, que una niña tan delicada y tan nerviosa como mi hija, haya de levantarse antes de las once del día? ¿Has olvidado que estuvimos anoche en el baile con que este pueblo festejó a nuestro simpático diputado?

INÉS.—¡Pues, por eso mismo, tía mía, por lo mismo que Dorotea es débil y enfermiza, no debería recogerse tarde!

RUPERTA.—¿Qué dices?

INÉS.—Que acostándose temprano, podría Dorotea también levantarse temprano.

RUPERTA.—¿Y quién te mete a ti venir con reglas sobre lo que no entiendes? ¿Qué sabes tú de bailes y de recogidas temprano o tarde?

INÉS.—Nada sé de eso, tía; pero...

RUPERTA.—¡Sabes que mi hija se levanta a la hora que le da la gana, porque es rica, y tiene con qué darse gusto!

INÉS.—Pero tía, cálmese usted; yo no he dicho eso sino porque...

RUPERTA.—¡No faltaba más sino que tú vinieras a enseñarme a mí las reglas del buen tono; a mí que he nacido, que he crecido en Santiago, y que crío y educo a mi hija como conviene a una persona de su clase! ¿Te parece que en Santiago se va a un baile a prima noche para recogerse a horas de cenar? ¡Pobre muchacha provinciana! Venir a enseñarme estas cosas a mí, que acabo de hablar con él... si tú lo hubieras oído hablar anoche, habrías comprendido...

INÉS.—¿A quién, tía?

RUPERTA.—¿A quién ha de ser sino a nuestro simpático diputado don Faustino Quintalegre, que anoche estuvo divino?

INÉS.—¡Ah!

RUPERTA.—¡Qué talento de hombre! ¡Qué maneras tan distinguidas, qué aire tan cortesano, qué movimientos tan elegantes, y sobre todo, qué galán con las niñas! No se separó en toda la noche de Dorotea, y bailó ocho veces con ella.

INÉS.—¡Ocho veces!

RUPERTA.—Sí, sí; ocho veces. Las llevé en cuenta, con las cuentas de mi rosario.

INÉS.—Todo eso podrá ser, tía; pero, ¿quiere que le diga una cosa?

RUPERTA.—¡Habla!

INÉS.—Es que usted le está metiendo a mi prima mucho más bulla que yo.

RUPERTA.—Es verdad que como tengo una voz tan vibrante, según me lo dijo anoche Faustino... ¿Sabes tú lo que significa esta palabra vibrante? Él también me lo explicó... ¡Ah! Voy a ver si esa pobrecita duerme. Es tan nerviosa como yo cuando tenía su edad. *(Vase.)*

ESCENA III

Inés (llorando).

INÉS.—¡Ah! ¡Pobreza! ¿Quién no te debe su desdicha? ¡Madre mía! Cuando al morir me entregaste a mi buen tío don Victoriano, creíste haberme dado un padre, y moriste tranquila... No me quejo de mi tío; pero su mujer... ¿Por qué se te parece tan poco, madre mía? ¡Ah! Si tú vivieras; si yo pudiera abrazarte como en tiempos más felices, yo te diría: ¡madre mía, amo a un hombre, y ese hombre se casará bien pronto con mi prima! Y tú llorarías conmigo; y tus caricias consolarían mi pobre corazón, mientras que ahora... *(Se pone la cabeza entre las manos con muestras del más profundo dolor.)*

ESCENA IV

Inés, Dorotea (vestida fantásticamente)

DOROTEA.—¡Inés, Inés! ¡Qué desgracia la mía! Yo quisiera llorar, pero no puedo...

INÉS.—¿Qué tienes, Dorotea?

DOROTEA.—Mis lágrimas se resisten...

INÉS.—Pero dime, ¿qué es lo que te pasa?

DOROTEA.—¡Y la frialdad con que me lo preguntas! *(Aparte:* Estas almas vulgares no saben sentir.) ¿No echas de ver por mi semblante, el profundo dolor que me abruma?

INÉS.—Pero yo quisiera saber...

DOROTEA.—¡Ah! Si el cielo te hubiera dotado de mi exquisita sensibilidad, habrías adivinado en mis ojos, y hasta en la inflexión de mi voz, este cruel dolor que me atormenta. Pero te lo diré, ya que es necesario. ¿Te acuerdas del peinador de cuerpo entero, que mi papá me encargó en Santiago?

INÉS.—Sí, me acuerdo.

DOROTEA.—Pues bien, cuando esperábamos que había de llegar en estos días, recibió anoche mi papá una carta, en la cual le dicen que la carreta que lo traía se ha quebrado en el camino.

INÉS.—¿Y no es más que eso, Dorotea?

DOROTEA.—¿Y te parece poco, Inés, el encontrarme sin peinador, ahora que tanto lo necesito? ¡Ah, si tuvieras mi sensibilidad, me comprenderías! ¡Mi peinador de cuerpo entero! *(Llora.)*

INÉS.—Cálmate, prima mía. Si ese espejo se ha quebrado, mi tío te encargará otro.

DOROTEA *(Con un imperioso movimiento de niña antojadiza)*.—Es que yo lo necesito ahora, porque es preciso que le parezca bien... Y ¿cómo puedo parecerle bien, si no puedo vestirme, ni adornarme con exquisita elegancia? ¡Compadécete, Inés, de mi desgracia!

INÉS.—No te aflijas, Dorotea...

DOROTEA.—Véome obligada a vestirme delante de un espejito de estos que no parece sino que se están riendo de una, pues en vez del retrato, se ve allí la caricatura. ¡Oh, es un martirio horrible!... ¿Cómo he de poder presentarme ante mi pretendiente?

INÉS.—¡Pero, Dorotea, oye, por Dios! Tu amante es un joven que te ama, no por los adornos postizos de tu cuerpo, sino por las cualidades de tu alma.

DOROTEA.—¡Es que tú no lo conoces, Inés? No hay un hombre más apasionado de la belleza que él; y tiene un alma tan sensible, que hasta un lazo de cinta mal colocado le da mal de nervios. Él mismo me lo dijo anoche. Figúrate que, estando para casarse en Santiago...

INÉS.—¿Él?

DOROTEA.—Oye. Al tiempo de ponerle las bendiciones, notó que la novia llevaba guantes de color patito, por lo cual dijo redondamente no, y dejó a la tal novia plantada, delante de todos sus parientes.

INÉS.—¡Dios mío! ¿Estoy soñando?

DOROTEA.—Para que aprenda a manejarse como debe... Así sería ella de ignorante...

INÉS.—¡Pero eso es increíble, Dorotea!

DOROTEA.—Y, sin embargo, nada es más natural. Si tú estuvieses dotada de mi delicadeza de sentimientos, comprenderías la enormidad de aquella falta. ¿Cómo crees que un hombre de corazón se case con una mujer que, en el acto más serio e importante de su vida, se atreve a presentarse con guantes color patito? ¡Esa mujer no sabe amar!

INÉS.—Si eso fuera cierto, creería que Silverio estaba loco, cuando...

DOROTEA.—¡Silverio! ¡Ja, ja, jaa! ¿Tú crees que te hablo de Silverio?

INÉS.—Así lo pensaba, Dorotea. ¿No es Silverio el amante preferido de tu corazón, y al cual tus padres te tienen prometida por esposa?

DOROTEA.—Es verdad que existe ese compromiso; pero he comprendido al fin que mi corazón no podrá nunca amar a un hombre tan vulgar como Silverio...

INÉS.—¡Ah! *(Aparte: ¿Será verdad?)*

DOROTEA.—Bien claro se lo demostré anoche.

INÉS.—Y entonces, ¿quién es?

DOROTEA.—¿El rival favorecido? Es Faustino Quintalegre, el héroe del baile de anoche.

INÉS.—¿Ese caballero recién llegado de Santiago?

DOROTEA.—Él mismo, Inés, él mismo. No me dejó en toda la noche. ¡Qué joven de tanto talento! ¡Por eso el Gobierno lo mandó elegir diputado por este pueblo! ¡Qué amabilidad! Bailó conmigo ocho veces, por lo cual todas me miraban con envidia. Yo creo, Inés, que será un marido modelo, porque viste como un figurín; habla y baila como un figurín... Mira tú si una mujer de mis sentimientos no gozará al lado de un hombre tan fino, tan delicado...

INÉS.—Y tan figurín.

DOROTEA.—¡Así es! ¿No es verdad, mamá?

ESCENA V

Dichos y doña Ruperta

RUPERTA.—Dices bien, hijita. ¿Qué era lo que decías?

DOROTEA.—Le estaba contando a Inés mi conquista de anoche.

INÉS.—Pero, ¿cómo has podido adelantar tanto, Dorotea, en una sola noche?

DOROTEA.—Es que un joven como Faustino, hace en una sola noche, lo que otros en un año; porque no creas tú que él me hablaba así como suelen hacerlo los mozos de provincia, que se andan por las ramas, y que es necesario que una los ayude. ¡No, no! Me hablaba como en Santiago, clarito como el agua, pues es joven educado que sabe decir las cosas con una claridad encantadora; y aunque una se defienda, él porfía sin descanso, hasta que la hace decir a una todo lo que él quiere. En el segundo baile, ya yo le había correspondido, sin quererlo, a sus apretoncitos de mano, dados, eso sí, con la más exquisita delicadeza. En el tercero, me hizo suspirar más de dos veces; en el cuarto tuve que mirarlo fijamente, para reprocharle su atrevimiento; pero no acabó el quinto, sin que yo hubiese vuelto a mirarlo, para manifestarle mi desenojo. ¿Para qué he de decir más sino que en el sexto, me arrancó más de cinco síes, y que antes de llegar al octavo, nos habíamos jurado un amor eterno?

INÉS.—No se puede negar que el negocio marchó algo de prisa.

DOROTEA.—Al vapor, niña, al vapor, como sucede en Santiago. Allá se marcha al vapor en asuntos amorosos. ¡Con decirte que si un matrimonio no se realiza en un mes, contado desde la primera conversación de los amantes, ya se supone aquello fiambre y de mal gusto!

RUPERTA.–Así mismo es; y hay matrimonios que en una sola noche de baile, se arman, se desarman; pelean los novios; vuelven a reconciliarse, y se casan al otro día...

DOROTEA.–No importa. Así es como una mujer ha gozado en una semana, una vida entera de ilusiones.

INÉS.–No comprendo, Dorotea, cómo es que...

RUPERTA.–No te admires, Inés; ésas son maneras de la alta sociedad, que tú no sabes, porque no has estado en Santiago.

DOROTEA.–No se canse en balde, mamá. No todas las almas tienen las mismas tendencias. Inés piensa de un modo y yo de otro; y no puede ser de otra manera, porque las dos tenemos diversa manera de pensar. Esto es claro. Yo he nacido para la alta sociedad; un marido de provincia me mataría, y desde anoche sueño con los paseos, bailes y tertulias de Santiago. Mi alma estaba aletargada, cuando creía amar a Silverio, quien jamás me ha expresado su pasión con aquel fuego, aquella gracia, aquel sentimiento, en fin, de Faustino Quintalegre.

RUPERTA.–Es que Faustino te dice eso como se dice en la capital.

DOROTEA.–Así es que estoy resuelta a no acordarme más de Silverio.

INÉS.–¿Y tu palabra empeñada? ¿Y el amor que le has jurado a ese mozo?

DOROTEA.–¿Y crees tú, pobre Inés, que una mujer que empeña hoy su palabra, ha perdido la libertad de desempeñarla mañana?...

RUPERTA.–¡Eso sí que no! La mujer tiene derechos inalienables, y el más santo de todos esos derechos es el de anular mil síes con un solo no.

DOROTEA.–Sobre todo, cuando a ello nos obliga este tirano que llevamos dentro del pecho.

RUPERTA.–Tales son las leyes que rigen al gran mundo.

DOROTEA.–Así me lo explicó Faustino anoche. Hablando con él, me parecía estar en Santiago. Ya se ve. Él también me dijo que yo era una verdadera santiaguina.

INÉS.–¿Y si mi tío quisiera obligarte a que le cumplieses la palabra dada a Silverio?

RUPERTA.–¡No la obligará, porque aquí estoy yo!

DOROTEA.–¡Ah! Si mi papá fuera tan cruel que me obligara a casarme con un hombre que no sabe ponerse la corbata, me moriría...

RUPERTA.–No te aflijas, hija mía. ¡No te casarás con él!

DOROTEA.–¡Figúrate, Inés, que anoche se atrevió Silverio a ir al baile con corbata de color! Pero ahora que me acuerdo, ¿qué te parece mi peinado? Mírame bien el vestido por detrás. ¿Hace bulto elegante y de gusto? ¡Es una verdadera desgracia que no haya llegado mi espejo de cuerpo entero!

INÉS *(Examinando el vestido)*.–Si he de decirte la verdad, Dorotea, a mí me parece un poco exagerado este bulto.

DOROTEA.–¿Qué llamas tú exagerado, cuando este vestido ha sido hecho en Santiago por la modista recién llegada de París? Pero alguien viene...

RUPERTA.–Ésa es la voz de Victoriano, que ha ido por mi orden, a visitar a nuestro diputado.

DOROTEA.–Bien hecho, mamá. Voy a preguntarle a mi papá qué le ha parecido. *(Va hacia la puerta del fondo y vuelve corriendo.)* ¡Mamá, mamá! ¡Mi papá viene con él!

RUPERTA.–¿Con Quintalegre?

DOROTEA *(Hace señas de que sí, como embargada por la emoción.)*

RUPERTA.–¿Quién sabe si en Santiago se usa ahora venirse con el visitante para pagarle, a renglón seguido, la visita?

DOROTEA.–¡Preciosa moda! Pero salgamos... La emoción debe haberme puesto colorada, y no debo presentarme a él con este color tan provinciano... ¡Se muere por las mujeres pálidas, mamá!

RUPERTA.–Pues entonces, ven acá a ponerte los polvos de arroz.

DOROTEA.–Ven, Inés, a ayudarme a inflar un poco más el vestido...

INÉS.–Pero, ¿no estás ya bastante inflada?

DOROTEA.–¡Todavía no, Inés! ¡Ven pronto! *(Vase con doña Ruperta.)*

ESCENA VI

Inés

INÉS.–¡Qué par de locas! Me han dado ganas de conocer al galán, y este plumero me servirá de pretexto. *(Coge un plumero, y se pone a sacudir las mesas, manifestando distracción.)*

ESCENA VII

Inés, don Victoriano, Faustino

VICTORIANO *(En la puerta)*.–Porque como yo soy municipal... ¡Señor don Faustino, entre usted!

FAUSTINO.–Sírvase usted pasar, señor don Victoriano.

VICTORIANO.–¡No lo permitiré de ningún modo! ¡Pase usted! *(Entra Faustino.)* Porque como yo soy municipal... Inés, ve a decir a la Ruperta, que una visita la espera aquí.

INÉS *(Hace una cortesía a Faustino)*.–Voy allá al momento. *(Aparte:* Parece un títere el señor diputado del gobierno.) *(Vase.)*

ESCENA VIII

Dichos, menos Inés

VICTORIANO.–Porque como yo soy municipal... Siéntese usted, señor.

FAUSTINO *(Sentándose)*.–Gracias. ¿Decía usted?

VICTORIANO.–Decía que, como yo soy municipal estuve toda la noche ocupado en el Cabildo, y me fue imposible asistir al baile. Pero la Ruperta me encargó encarecidamente esta mañana que fuese a hacerle a usted la visita de cumplimiento...

FAUSTINO.–Y por eso no he querido tardar en venir a dar las gracias a tan cumplida y amable señora.

VICTORIANO.–En cuanto a eso, es la mujer más cumplida del mundo; vive pendiente de la moda, y no se le escapa un ápice de las reglas de la etiqueta. ¡Ya se ve! Criada y nacida en Santiago.

FAUSTINO.–Eso se conoce a la distancia.

VICTORIANO.–¡Usted la tratará de cerca y verá qué cabeza aquélla! ¡Le aseguro que a mí me tiene como a un reloj! No me deja pasar una, porque ella está siempre al cabo de todo lo que sucede en Santiago: así es que ha educado a nuestra hija, que da gusto. Ya se ve, la muchacha tiene un memorión, que es para dejar pasmado, cuando uno la oye recitar una novela de Alejandro Dumas.

FAUSTINO.–¡Ah, señor! Anoche fue Doroteita la reina del baile.

VICTORIANO.–¿No es verdad, señor, que parece una verdadera santiaguina? Perdónele a un padre esta franqueza. ¡Quiero tanto a mi hija!

FAUSTINO.–Esos sentimientos honran a usted y a toda su familia, señor. *(Aparte:* Es un viejo original.)

VICTORIANO.–Sí, amigo mío, todos mis esfuerzos se cifran en mantener a la debida altura la honra y el tono de mi familia; y desde que soy municipal, he tratado de poner mi casa bajo el pie que corresponde a la dignidad que invisto, como dice mi mujer.

FAUSTINO.–Hace usted muy bien.

VICTORIANO.–Verdad es que me cuesta algunos pesitos al año; pero la Ruperta no es mujer que se mida en gastos cuando se trata de seguir la moda; y desde que hago parte del municipio de este pueblo, puedo decir a usted... pero aquí vienen ellas.

ESCENA IX

Doña Ruperta, don Victoriano, Dorotea, Faustino

RUPERTA.–Señor don Faustino, ¡cuán dichosa soy de ver a usted en esta casa!

FAUSTINO.–Mayor es mi dicha, señora, en poder presentar a usted mis respetos...

DOROTEA.–Mil gracias, señor. (*Aparte:* ¡Qué elegancia!)

FAUSTINO.–Me he apresurado a venir, porque, como, por desgracia mía, sólo puedo permanecer hasta mañana en esta encantadora ciudad...

DOROTEA.–¡Ah!

RUPERTA.–¿Tan pronto se vuelve usted a Santiago? ¡Ya se ve! Este pueblo no presenta aliciente...

FAUSTINO.–¡Qué dice usted, señora! Aquí no echa nada de menos un viajero de la capital. (*Aparte:* Casi me han muerto de hambre en eso que llaman hotel). Belleza, gracias femeniles, sociedad escogida, todo, se encuentra en este pueblo, que con mucha justicia merece el nombre de Santiaguito. (*Aparte:* No hay más que alabarle su pueblo a los provincianos.)

VICTORIANO.–Eso mismo digo yo; pero hay aquí gentes enemigas del señor gobernador, que por el gusto de hacer oposición al gobierno –que es un gusto que yo no entiendo– no cesan de vociferar por esas calles que el pueblo no adelanta; y cierran los ojos para no ver cuánto hacemos los municipales. Mire usted: desde que soy cabildante, que hará como trece años, se ha gastado, sólo en componer las veredas, más de 200 pesos largos.

RUPERTA.–Son gentes rojas ésas que hablan, y sólo por envidia lo hacen.

VICTORIANO.–Así es. No hay vereda de las de los municipales que no esté arreglada; y sólo cuando llueve mucho no más suele cortarse el tráfico en alguna.

RUPERTA.—De aquí nace la envidia; y como ven que en todas las elecciones gana siempre la lista en que se halla Victoriano...

VICTORIANO.—Es decir, la del gobierno; porque ha de saber usted que el Ministerio ha tenido siempre a bien el que represente los intereses de esta localidad.

FAUSTINO.—Esto no prueba sino la honorabilidad de usted.

RUPERTA.—Y también que esta Municipalidad es como la de Santiago, es decir, formada de las personas más respetables...

VICTORIANO.—No todas por desgracia, pues los rojos consiguieron meter uno de los suyos este año; y allí tenemos que sufrir aquel hombre, que se lleva dale que le darás, oponiéndose a todo. ¡Y luego quieren que un pueblo adelante! Mire usted: anoche tuvimos una sesión muy acalorada; y desde que soy municipal, no he visto nada parecido.

FAUSTINO.—¿Y sobre qué asunto se trató?

VICTORIANO.—Sobre la reja que había de rodear el jardín que pensamos poner en la plaza.

DOROTEA.—¡Ah! ¿Vamos a tener jardín como en Santiago?

VICTORIANO.—Sí, hija. Comenzamos a discutir sobre si se pondría o no, la tal reja. El rojo se opuso, diciendo que la Municipalidad estaba pobre.

RUPERTA.—Pero ¿no les dijiste que en Santiago...?

VICTORIANO.—¡Vaya si se los dije! Les ganamos la votación. Luego volvieron a dividirse los pareceres. El rojo opinaba porque la reja fuese de madera, fundándose siempre en la pobreza del municipio...

RUPERTA.—¡Siempre la misma razón para todo!

VICTORIANO.—Así son ellos. También les ganamos esta votación, así como la siguiente sobre el color de la reja...

FAUSTINO.—¿Y qué se decidió?

VICTORIANO.—Que fuese verde como la de Santiago.

FAUSTINO.—De manera que ustedes no perdieron ninguna votación.

VICTORIANO.—¡Si no las perdemos nunca, señor mío! ¿No ve usted, que formamos el partido de más peso? Desde que el supremo gobierno me tiene aquí de cabildante, no he perdido jamás una votación.

RUPERTA.—¿Y de qué le serviría al gobierno tener el mando si no eligiera de lo mejor?

FAUSTINO (*Aparte:* Son los dos cortados a una tijera).

VICTORIANO.—Pues, señor, como el maldito rojo es incansable, se opuso a que plantásemos en el jardín flores extranjeras, porque costaban caro...

RUPERTA.–¡Qué hombres tan empecinados! ¡No conocen otra razón que la de la pobreza!

FAUSTINO *(Aparte:* No deja de ser una buena razón).– Por supuesto que ustedes salieron vencedores.

VICTORIANO.–Sí, señor; y también en la última, sobre si plantaríamos en la plaza árboles traídos de Santiago o de nuestras montañas.

RUPERTA.–Apuesto que ellos eran por plantar árboles brutos del cerro, en lugar de los extranjeros de la Quinta Normal.

VICTORIANO.–¡Adivinaste, mujer! *(Aparte a Faustino.)* Ya ve cómo esta mujer no tiene un pelo de tonta. El partido de los rojos decía que plantásemos aquí peumos, maitenes, litres, como si no los tuviésemos de sobra en esos cerros.

RUPERTA.–¿Dando siempre por razón la pobreza?

VICTORIANO.–No, sino que debíamos hacerlo así para cultivar nuestros árboles y estudiarlos de cerca, por patriotismo y qué sé yo qué más. Pero yo me les encaré y les dije: ¡Bárbaros! ¿Hasta cuándo serían ustedes porfiados y rojos? ¿No ven que les hemos ganado todas las votaciones; y que ésta, que es la moza, tampoco la hemos de perder? Vengan acá y díganme ¿qué árboles son los que hay en la plaza de Armas de Santiago? ¿Han visto allí algún maitén, quillay o boldo? ¿Y piensan ustedes ser más patriotas que el gobierno, cuando por puro patriotismo, está allá en la casa de moneda cumpliendo con la comisión que le dio el gobierno pasado de regir el país, y de elegir patrióticamente el gobierno que viene? En fin, fue tanto lo que les hablé, que...

FAUSTINO.–¿Se dieron por vencidos?

VICTORIANO.–No, señor, pero salieron vencidos, que es lo que importa. ¡Nunca había trabajado tanto, desde que soy cabildante!

DOROTEA.–De todos modos tendremos jardín con flores extranjeras, y árboles de la Quinta Normal, como en Santiago, ¡qué gusto, mamá!

VICTORIANO.–Sí, hija mía, tendremos todo eso, una vez que la Ilustre Municipalidad encuentre un prestamista que facilite el dinero...

DOROTEA.–¡Pero, papá! ¿A qué esperar eso del prestamista para hacer el jardín?

VICTORIANO.–¡Qué dices, niña!

DOROTEA.–Que hagan primeramente el jardín y después arreglarán el asunto del prestamista, o qué sé yo.

RUPERTA *(Aparte y dando con la rodilla a Dorotea).*–Calla.

ESCENA X

Dichos, Inés

INÉS *(A don Victoriano)*.–Un caballero que lo aguarda en su cuarto, necesita hablar urgentemente con usted.

VICTORIANO.–Debe ser de la Municipalidad. Estas cuestiones del jardín nos tienen a todos revueltos en este pueblo. No me dejan descansar. ¡Y luego dicen los rojos que no hacemos nada! Dile, Inés, que me espere.

FAUSTINO *(A doña Ruperta)*.–Yo creía que usted no tenía sino una sola hija.

RUPERTA *(A media voz)*.–Así es, señor; esta muchacha...

FAUSTINO.–Es una preciosa niña.

RUPERTA *(En el mismo tono)*.–Es una sobrina de mi marido a quien he recogido por caridad.

VICTORIANO.–Dispénseme, señor don Faustino; un asunto importante me obliga a separarme de usted.

FAUSTINO.–¡Oh, mi señor don Victoriano! Cumpla usted con los sagrados deberes de su dignidad concejil; yo estoy muy lejos de querer privar a la Patria de sus importantes servicios.

RUPERTA *(Aparte a Inés)*.–¿Quién es el caballero que espera?

INÉS *(Aparte a doña Ruperta)*.–Silverio.

RUPERTA.–Está bien. Vete de aquí.

VICTORIANO.–Queda usted en su casa, señor don Faustino.

FAUSTINO.–Mil gracias.

VICTORIANO.–Y en cuanto a lo del arriendo, haremos negocio. *(Bajando la voz.)* Basta que usted sea como yo de los elegidos por el Supremo Gobierno. ¿Está usted?

FAUSTINO.–Sí, señor mío. Comprendo y le agradezco a usted porque el pueblo me ha gustado, y veo que adelanta con pasos de gigante...

VICTORIANO.–¡Oh! Sí, señor, de gigante...

FAUSTINO.–En razón a que sus intereses locales están a cargo de una municipalidad tan escogida...

VICTORIANO.–¿Qué quiere usted? Escogida por el supremo gobierno, que tiene el don de elegir a su gusto.

FAUSTINO.–Un pueblo que sigue en todo las huellas de la capital.

VICTORIANO.–¡Por supuesto! Y seguiremos con paso de gigante esas huellas, mientras el gobierno siga las gigantescas huellas de... del gobierno, ¿me explico?

FAUSTINO.–Perfectamente y confío en usted.

VICTORIANO.–Yo seré siempre un amigo dispuesto a servirle con todos mis posibles, no sólo en esta casa sino en la Municipalidad. Cuente con mi fundo.

RUPERTA *(Hace imperiosamente una seña a Inés para que se retire). (Vanse Inés y don Victoriano.)*

ESCENA XI

Faustino, doña Ruperta y Dorotea

FAUSTINO.–¡Qué caballero tan cumplido! Parece criado en Santiago.

RUPERTA.–Y, sin embargo, no ha estado jamás en la capital.

DOROTEA *(Aparte:* ¡Qué visita tan inoportuna la de Silverio! Ahora lo aborrezco).

FAUSTINO.–Pero yo sé el secreto.

DOROTEA.–No lo crea, señor. Ese mozo que ha venido a ver a mi papá es un...

RUPERTA *(Aparte).*–¡Calla, niña!

FAUSTINO.–Digo que yo sé por qué don Victoriano, sin haber estado jamás en la capital, posee esas maneras tan elegantes.

RUPERTA.–¿Por qué?

FAUSTINO.–Porque ha vivido a su lado, señora.

RUPERTA.–Favor que usted me hace, señor. Verdad es que conozco la alta sociedad, y trato que mi familia se imponga de los usos y maneras sociales.

DOROTEA.–En cuanto a eso, yo puedo estar orgullosa de mi mamá. No deja nunca de enseñarme los usos sociales; y ya sé cómo se va a los bailes, cómo se hacen los paseos, cómo debe una niña conducirse en la Filarmónica, y en fin, todas las maneras de la alta sociedad.

FAUSTINO.–Por eso decía yo que don Victoriano ha vivido aquí, como en la capital.

DOROTEA.–El nombre de las calles, las plazas, todo me lo ha enseñado mi mamá; así es que puedo pasearme con la imaginación por todo Santiago. Pero como ella no ha visto después de transformado, el cerro de Santa Lucía, nada ha podido decirme... Dicen que Vicuña Mackenna lo ha puesto muy lindo.

FAUSTINO.–¡Ah, señorita! El intendente de Santiago es un verdadero mago, que con su varita de virtud ha escrito sobre aquellas rocas la palabra *buen gusto*, convirtiendo aquel montón informe en un grupo de cristales, obeliscos, pirámides, agujas, rampas, explanadas y escaleras. Hoy ruedan vehículos por donde ayer sólo volaban los pájaros. Las cumbres del histórico cerro se han alegrado al sentirse oprimidas por el diminuto pie de las hermosas. El arte ha ido allí a auxiliar a la naturaleza; y auxiliado también por ella misma, ha convertido las rocas en estatuas; las ha hecho hablar con el murmullo de las aguas, que aparecen por entre sus grietas corriendo, ondulando o despeñándose en espumosas y chispeantes cascadas, y las ha engalanado con árboles, flores y arbustos de mil colores y formas.

DOROTEA.—¡Ah, mamá! ¡Qué cosa tan encantadora! Yo daría cuanto tengo por ver tanta belleza. ¿Por qué la Municipalidad no hará también aquí un cerro de Santa Lucía?

RUPERTA.—Yo se lo diré a tu padre, y él hablará en el cabildo sobre el particular.

FAUSTINO.—Este pueblo, siguiendo como hasta ahora los pasos de la capital, una vez que tenga un cerrito, por pequeño que sea, se convertirá en un verdadero paraíso.

DOROTEA.—¿Lo cree usted así, señor?

FAUSTINO.—Sí, señorita; y aun creo que, sin necesidad del cerrito, merece, desde luego, el nombre de paraíso una ciudad como ésta, en donde hay tantos ángeles.

DOROTEA.—¡Ah!

FAUSTINO.—Pido a ustedes permiso para retirarme.

RUPERTA.—¡Tan pronto!

DOROTEA.—¿Cuando apenas ha comenzado usted la visita?

RUPERTA.—Ruégole que no sea ésta la última vez.

FAUSTINO.—No tiene para qué rogarme una cosa que yo tan ardientemente deseo. Señora, beso a usted la mano. Señorita, a los pies de usted. *(Vase.)*

ESCENA XII

Dichos, menos Faustino

DOROTEA *(Abrazando a doña Ruperta).*—¡Mamá, mamá! ¡Este hombre... este... hombre!

RUPERTA.—Cálmate, niña, porque no es bueno que una muchacha sea así tan impresionable, tan sentimental, tan...

DOROTEA.—¡Pero, mamá, por Dios! Este hombre es el único con quien puedo ser feliz. Anoche soñé con él... Mamá, ¿quiere que le diga una cosa? Como usted me ha dicho que una hija no debe ocultarle nada a su madre...

RUPERTA.—Dime ¿qué cosa es?

DOROTEA.—Que me casaría con él ahora mismo, para que me llevase a Santiago.

RUPERTA.—¡Qué niña de tanta sensibilidad! ¡Cálmate, Dorotea!... pero ¿de qué me admiro, si yo era lo mismo que ella, cuando tenía su edad?

DOROTEA.—Y cuando estuviéramos en Santiago, nos pasearíamos en vehículo por "donde ayer volaban los pájaros". ¿Se fijó usted en eso que dijo?

RUPERTA.—Sí, me acuerdo; pero no te impresiones tanto.

DOROTEA.—Es que temo...

RUPERTA.—Ten confianza, porque te miraba con unos ojos que... yo tengo experiencia y sé muy bien lo que aquellas miradas querían decir.

DOROTEA.—¡Pero se va! ¡Se va!

RUPERTA.—Si él es fino, ha de volver, querida mía.

ESCENA XIII

Doña Ruperta, Dorotea, Victoriano

VICTORIANO.—¿Sabes lo que ha pasado, Ruperta?

RUPERTA.—¡Habla, hombre!

VICTORIANO.—Es el caso que después de haber hablado con Silverio sobre su matrimonio con Dorotea...

DOROTEA.—¡Ah, papá!

VICTORIANO.—Que el muchacho desea realizar pronto...

DOROTEA.—¡Papá! ¡Papá mío! ¡Usted no querrá ver muerta a su hija!

VICTORIANO.—¿Qué significa esto, Dorotea?

DOROTEA.—Es que...

RUPERTA.—Calla, niña; y tú Victoriano, prosigue.

VICTORIANO.—Prosigo. Pues, señor, cuando yo salía de mi cuarto me encontré con don Faustino, quien, sin más acá ni más allá, me pidió la mano de Dorotea.

RUPERTA.—¡Lo estaba adivinando!

DOROTEA.—¿Y usted qué le contestó, papá?

VICTORIANO.—¿Qué había de responderle, sino que tenía mi palabra empeñada y que acababa de hablar con tu novio?

DOROTEA.—¡Ah, yo me muero! *(Se desmaya.)*

RUPERTA.—¡Padre desnaturalizado! ¡Has muerto a tu hija!

VICTORIANO.—¿Yo desnaturalizado? No entiendo. Dorotea, ¿qué tienes?

DOROTEA.—¡Papá desnaturalizado, usted ha muerto a su hija!

VICTORIANO.—Explícame, Ruperta, qué significa esto.

RUPERTA.—Esto significa que Dorotea no quiere casarse con Silverio.

VICTORIANO.—¿Por qué razón?

RUPERTA.—Porque ama a Faustino.

VICTORIANO.—¡Ah! Yo no sabía...

RUPERTA.—Por eso te he dicho que jamás tomes una determinación seria, sin consultarme.

VICTORIANO.—Pero mujer, ¿qué necesidad tenía de consultarte ahora, cuando sé que hemos de cumplir la palabra que le hemos dado a Manuel, de casar a Dorotea con su hijo Silverio, y sobrino tuyo?

RUPERTA.—Pues entre mi sobrino y el diputado, prefiero el diputado.

DOROTEA.—Y yo también.

VICTORIANO.—¿Y la palabra que tenemos empeñada?

RUPERTA.—¿Qué sabes tú de palabras, hombre sin educación? ¿No ves lo que sufre tu hija?

VICTORIANO.—Pero, Ruperta, yo no sé...

RUPERTA.—¿Quieres enseñarme a mí cómo se conduce la gente ilustrada en casos semejantes? ¿Te parece que en Santiago respetan estúpidamente una palabra dada, cuando se trata del establecimiento de una hija, hombre sin corazón?

VICTORIANO.—Pero, Ruperta, si yo no tengo corazón, tengo honradez y mis padres me han enseñado...

RUPERTA.—¿Y qué sabían tus padres, pobres provincianos que jamás divisaron la Plaza de Armas? Corre al momento a deshacer lo que has hecho, no te detengas. Ve y dile que has reflexionado mejor, y que prefieres que él sea el esposo de nuestra hija.

VICTORIANO *(Empujado por doña Ruperta va a salir y vuelve)*.—Lo peor es que, por esta negativa mía, se ha deshecho un negocio que teníamos palabreado.

RUPERTA.—¿Qué negocio es ése?

VICTORIANO.—Has de saber que don Faustino me quería arrendar mi fundo de la Rinconada; y esta mañana hablamos largamente sobre el particular. Sólo nos faltaba convenir en el canon, cuando este incidente ha venido a entorpecer el negocio.

RUPERTA.—Razón de más para ir a desdecirte de tu negativa.

VICTORIANO.—Yo creo que él la ha recibido muy mal.

RUPERTA.—¡Razón de más, Victoriano!

VICTORIANO.–Y que desea casarse con Dorotea tanto como arrendar el fundo.

RUPERTA.–¡Razón de más, razón de más, hombre de Dios! Toma tu sombrero antes que la cosa se enfríe y no pierdas tiempo.

VICTORIANO.–Pues siendo así, voy al momento.

RUPERTA.–Y no le pidas muy caro por el arriendo, porque al fin y al cabo todo quedará en casa. *(Vase don Victoriano.)*

ESCENA XIV

Dichos, menos don Victoriano, después Inés

RUPERTA.–¿No te lo decía, Dorotea? ¡Aquellas miraditas indicaban algo!

DOROTEA.–¡Ah, mamá! No me cabe el corazón en el pecho. ¿Qué pasos son esos?

INÉS *(Mirando por la ventana hacia el patio exterior)*.–Es Silverio que viene...

DOROTEA.–¡Jesús! ¡Qué hombre tan mal criado! No sabe llegar nunca a tiempo. ¡Lo aborrezco! ¡Vámonos, mamá!

RUPERTA.–Vámonos, hija mía. Pero ten calma.

DOROTEA.–No, no, mamá, lo aborrezco, lo aborrezco.

ESCENA XV

Inés, Silverio

SILVERIO.–Inés, creí haber oído hablar aquí a mi tía.

INÉS.–Acaba de retirarse; voy a llamarla.

SILVERIO.–Gracias, querida prima, por haber adivinado mis deseos.

INÉS *(Aparte:* ¡Pobre Silverio! ¡Qué golpe tan cruel va a sufrir! ¡Y tan digno de ser amado!)

ESCENA XVI

Silverio

SILVERIO *(Dejándose caer en un sillón)*.–Aguardaré aquí... yo quiero que ella me explique su conducta de anoche.

TELÓN

SEGUNDO ACTO

ESCENA I

Silevio

SILVERIO *(Paseándose agitadamente a lo largo de la sala)*.–No sé qué pensar de la conducta de mi tía, pues no parece sino que tratase de huir de mí, según ha sido su prisa en retirarse de aquí. Porque si ella no me vio, Inés debió decirle que era yo quien venía a visitarla. ¿Y Dorotea? ¿Qué motivo he podido darle para que se condujera como lo hizo conmigo anoche en el baile? Sólo tenía miradas para el héroe de la fiesta y no pude conseguir que bailase una sola vez conmigo. Cuando llegué, ya estaba comprometida para todos los bailes con el tal don Faustino.

ESCENA II

Silverio, Inés

SILVERIO.–Dime, Inés, ¿por qué me hace esperar tanto mi tía? ¿Qué ha sucedido? ¿Se ha enfermado ella? O bien Dorotea...

INÉS.–No, Silverio; ambas gozan de perfecta salud; pero tu tía me ha encargado decirte... *(Aparte:* No sé cómo darle este recado.)

SILVERIO.–¿Qué te ha dicho mi tía?

INÉS.–Que no saldrá a recibirte.

SILVERIO.–¿Por qué razón?

INÉS.–No me ha dicho la causa sino solamente que tú, como persona que has estudiado en Santiago, debes sacar las consecuencias de esta negativa.

SILVERIO.–¿Qué significa esta conducta? ¿Acaso he cometido alguna falta que me haga merecedor de tal desprecio? ¿Y Dorotea?

INÉS.–Dorotea me encargó que te dijese lo mismo.

SILVERIO.–¡Gran Dios! Aquí hay algo que yo no comprendo; algún chiste, sin duda... porque no puedo persuadirme de que Dorotea haya olvidado, sin motivo alguno, sus protestas de amor... Dime, Inés, ¿me aprecias?

INÉS *(Conmovida)*.–¿Yo? ¿Y cómo pudiera no apreciarte, Silverio?

SILVERIO.–Gracias, Inés. Tú eres buena, prima mía, y no dudo de que tu corazón de ángel sabrá comprender mi dolor.

INÉS *(Aparte:* ¡Mi corazón! Si supiera él lo que mi pobre corazón sufre).

SILVERIO.—Querida Inés, dime: ¿qué le has oído decir a mi tía o a Dorotea de mí?

INÉS.—¿Yo? Nada... (*Aparte:* Cómo he de tener fuerzas para decirle.)

SILVERIO.—Pero es preciso, Inés, que esta acción de mi tía tenga alguna causa. Es preciso que Dorotea tenga algún motivo serio para romper conmigo. Los vínculos formados por el amor de seis años no se cortan en un día. Sin embargo, Dorotea se ha conducido conmigo, en el baile de anoche, como si yo fuera indigno de su cariño. ¿Por qué esta mudanza tan repentina? No puedo creer que sea causada por un nuevo amor, porque esto sería insultar a Dorotea. ¡Dime Inés, por Dios, si sabes que alguien haya venido a calumniarme ante ella!

INÉS.—No es eso, Silverio.

SILVERIO.—¡Ah, Inés! Dices que no es eso: luego tú sabes el motivo de tan repentino desvío. ¡Ah! Dímelo, Inés, por lo que más quieras. ¡Hazme saber la causa de mi desdicha, tú que hasta ahora has sido la más querida de mis amigas!

INÉS (*Aparte:* ¡Corazón mío, no me vendas!).—Antes de contestarte, dime, Silverio, si podrás dejar de amar a Dorotea.

SILVERIO.—¿Y por qué me preguntas eso? Aun cuando pretendiera olvidar este amor que ha constituido la dicha de mi corazón y la única aspiración de mi alma.

INÉS (*Aparte:* ¡Cuánto la ama!)

SILVERIO.—Aun cuando lo pretendiera, Inés, yo no podría dejar de pensar en Dorotea.

INÉS (*Aparte:* ¡Dios mío! ¡Dame fuerzas pra cumplir con mi deber!).—¡Ni aun cuando vieras que ella ama a otro?

SILVERIO.—¿A otro? ¿Eso es? Y tú, Inés, que pretendes ser mi verdadera amiga, ¿me das una noticia que me causaría la muerte? ¡Ella ama a otro!

INÉS.—Oye, Silverio; cálmate. Esto no es más que una suposición...

SILVERIO.—¿Amar ella a otro? ¿Y desde cuándo? Ayer me juraba un amor eterno... pero ese hombre la ha seducido con engañosas palabras. Yo debí haberlo comprendido anoche...; Inés, querida amiga mía, ¡dime a quién ama Dorotea!

INÉS.—No lo sé, Silverio. (*Aparte:* Y sin embargo me sería tan fácil dividirlos.)

SILVERIO.—Tienes razón, Inés, para estar enfadada conmigo. Perdóname: he sido injusto contigo, Inés, pero ya sabes el lugar que ocupas en mi corazón. Es imposible hablar contigo sin quererte.

INÉS (*Aparte:* ¡Ah si yo no viera en sus palabras otra cosa que el reflejo de su amor por otra mujer!)

SILVERIO.–¿Qué tienes, Inés? ¿Por qué no me contestas? ¡Tú estás enferma!

INÉS *(Apoyándose en una de las sillas)*.–¿Yo? No es nada... El calor de esta pieza.

SILVERIO.–¡Feliz tú, amiga mía, que no conoces este dolor de verse despreciado por quien uno ama!

INÉS *(Aparte:* ¡Ojalá no lo conociera!)

SILVERIO.–Lo que he oído me basta para comprender mi desdicha; pero quiero oír pronunciar mi sentencia por la boca misma de Dorotea. Voy a hablar con mi tía. *(Se encamina hacia la puerta de la derecha, a tiempo que don Victoriano aparece por la puerta del fondo.)*

ESCENA III

Dichos, don Victoriano

VICTORIANO *(En la puerta)*.–¡Ruperta! ¡Negocio hecho! El hombre se avino a todo... ¡Ah, Silverio! Se me había olvidado...

SILVERIO.–Aquí me tiene usted, señor, para recordarle lo que acabamos de hablar ahora poco rato...

VICTORIANO *(Aparte:* ¡En buena me he metido!)–¿Qué es lo que quieres, Silverio?

SILVERIO.–Que me diga el porqué he merecido el desprecio de ustedes.

VICTORIANO.–¡Hombre! ¡Si yo no te he despreciado jamás! Eres el hijo de mi buen cuñado Manuel, ¿cómo he de despreciar yo a tan buen muchacho como tú?

SILVERIO.–No obstante, mi tía acaba de enviarme un recado que importa una verdadera despedida de su casa.

VICTORIANO.–Cosas de tu tía, hombre; pero yo no...

SILVERIO.–Como usted es el jefe de la familia...

VICTORIANO.–¿Quién puede dudarlo?

SILVERIO.–Por eso quiero que usted me explique esta acción de mi tía.

VICTORIANO.–¿Explicarte yo las acciones de la Ruperta, hombre? Te confieso verdaderamente que, aun cuando yo soy el jefe de la familia, casi siempre me quedo en ayunas de lo que tu tía hace. Ella tiene sus reglas para todo. Y tú que has vivido en Santiago, debes entenderlas mejor que yo. Pero si no las entiendes, ella te las explicará de pe a pa. *(Se encamina hacia la puerta de la derecha.)* ¡Ruperta!

¡Ruperta! (*Aparte:* Esta mujer me suele meter en unos pantanos)... ¡Ruperta!

ESCENA IV

Don Victoriano, doña Ruperta, Inés, Silverio

RUPERTA.—¿Qué gritos son ésos, Victoriano? ¿Es ésa la manera como debe conducirse una persona educada, que ocupa un rango en la edilidad de este pueblo?

VICTORIANO.—Perdóname, Ruperta. Hay veces que grito como si estuviera en el campo, porque se me olvida que soy cabildante. Pero aquí está Silverio, que quiere pedirte explicaciones...

RUPERTA.—¿Y qué desea que yo le explique al señor don Silverio?

SILVERIO.—Aunque ahora no merezca el título de sobrino, con que siempre me ha honrado usted, quisiera saber por qué me ha enviado con Inés ese descortés recado.

RUPERTA.—¿Y de qué te sirve, Silverio, haber estado ocho años en Santiago, si no comprendes lo que te hemos querido significar?

VICTORIANO.—Eso mismo le he dicho yo. Debiera haberlo comprendido al momento, y no venir a que yo le explicase las acciones de mi mujer.

SILVERIO.—Si esto es una burla, tía, le aseguro que es de mal gusto; y si es de veras...

RUPERTA.—Pero mira, niño, ¿no echas de ver que cuando la madre de una novia no quiere recibir al novio, es como si le dijera que se da por terminado aquel noviazgo?

VICTORIANO.—Esto es evidente.

SILVERIO.—¿Con qué esto es lo que usted me ha querido decir?

VICTORIANO.—Eso mismo, hombre. ¿No te decía que ella te lo había de explicar en un santiamén?

SILVERIO.—Sin embargo, como éste es un asunto que sólo Dorotea debe decidir, espero oír de su propia boca el *no* que usted me ha querido significar.

RUPERTA.—Ya que así lo quieres, yo misma iré a buscar a mi hija; sin embargo creo que debieras ahorrarnos este modo grosero de darte calabazas.

VICTORIANO *(Aparte, a doña Ruperta, mientras ésta va a salir por la puerta de la derecha).*—Dile a la niña que el hombre ha pasado por todo, y que se ha llevado el arriendo baratito. *(Vase doña Ruperta.)*

ESCENA V

Dichos, menos doña Ruperta

SILVERIO.—Señor tío, si yo no hubiera sido testigo de esta vergonzosa escena, no la creería; y no entiendo cómo es que...

VICTORIANO.—Pues, hombre, a mí me pasa lo mismo; casi nunca entiendo estas cosas sino después que la Ruperta me las ha explicado.

SILVERIO.—¿Qué le contestará usted a mi padre, cuando le venga a exigir el cumplimiento de su palabra empeñada?

VICTORIANO.—¿Entonces crees tú que yo tengo obligación de cumplir...?

SILVERIO.—¡Pues no ha de tenerla! Todo hombre debe...

VICTORIANO.—Ya sé que el hombre lo es por su palabra y el buey por el asta; pero, advierte que yo soy un hombre de dignidad concejil, un cabildante de los elegidos por el gobierno y por consiguiente puedo faltar sin menoscabo de mi honor...

SILVERIO.—¿Qué dice usted?

VICTORIANO.—Es tu tía quien lo dice; y cuando ella lo dice, bien sabido se lo tendrá.

SILVERIO.—Al contrario, señor; por lo mismo que es usted un hombre de dignidad, está más obligado a cumplir lo que promete.

VICTORIANO.—¡Así me salen volviendo loco! Pero aquí viene la Ruperta...

ESCENA VI

Don Victoriano, doña Ruperta, Inés, Dorotea, Silverio

VICTORIANO.—Éste es un embolismo que no entiendo, Ruperta. Por un lado, me dices tú que no puedo faltar honorablemente a mis compromisos con Manuel, porque soy cabildante del gobierno; y por otro me dice Silverio que no puedo, por la misma razón. Ustedes dos han vivido en Santiago: ¿A quién debo creerle? ¿O bien se usa en la capital dar una misma razón para probar el pro y el contra?

RUPERTA.—Calla la boca, Victoriano, y tú, Silverio, oye a Dorotea.

SILVERIO.—Dorotea, para creer lo que mi tía me ha dicho, necesito oírlo de tu propia boca.

DOROTEA.—Ya que tú lo exiges, Silverio, te diré que no puedo ser tu esposa.

SILVERIO.—Pues bien, Dorotea, ya que así lo quiere mi fatal destino, tendré que renunciar a la dicha de vivir contigo. Adiós. Me voy de este pueblo... me voy a morir lejos de aquí.

INÉS.—¡Ah! *(Vase Silverio.)*

ESCENA VII

Dichos, menos Silverio

VICTORIANO.—¡Ruperta! ¡Eres un prodigio para salir bien de los trances apurados! Ven acá y te contaré cómo arreglamos el negocio. Ya la escritura de arriendo se está redactando. *(Vase con doña Ruperta.)*

ESCENA VIII

Inés Dorotea

INÉS.—No te vayas, Dorotea; ven. Permítele a tu prima y amiga que te pregunte, ¿has pensado maduramente lo que has hecho?

DOROTEA.—¿Qué llamas tú pensar maduramente?

INÉS.—Digo si has reflexionado con detención sobre lo que acabas de hacer. Considera que desechas un amante, cuyas buenas cualidades te son conocidas, por otro a quien sólo conoces de nombre. Nada te diré de tus compromisos, ni de tus juramentos de amor que te tenían atada a tu futuro esposo. Sólo te ruego, Dorotea, que reflexiones un momento. Silverio te ama; y tú lo sabes muy bien. ¿Crees que ese otro pretendiente pueda amarte como él, después de saber que tú has faltado a tus compromisos?

DOROTEA.—¿Y a qué viene ese sermón?

INÉS.—Esto no es un sermón, sino advertencias de amiga. Todavía puedes deshacer el mal que has hecho.

DOROTEA.—¿Cómo?

INÉS.—Llamando a Silverio. ¡Él te... ama!

DOROTEA.—¿Y qué me importa que Silverio me ame, cuando yo amo a otro?

INÉS.—Pero si ese otro, Dorotea, es un... ¡Vaya! ¡Te digo que no puede amarte, prima mía!

DOROTEA.—¿Cómo te atreves a decir eso?, sabe que me ama más que a su propia vida... ¡pero ya caigo!

INÉS.—¿Qué dices?

DOROTEA.—Quiero decir que tu verdadero interés es que quede libre Faustino Quintalegre.

INÉS.—¿Yo?, ¿estás loca?

DOROTEA.—Lo he conocido desde las primeras miradas que le lanzaste; pero no seas insensata, Inés; no mires tan alto, que eso se queda para los que tenemos mejor posición social. Guarda tus consejos para otra más necia que tú. *(Vase.)*

ESCENA IX

Inés

INÉS.—¡Más necia que yo! Tiene razón, Dorotea. Ha sido una necedad de mi parte el pretender que marches por el camino de la razón. Si estuviera para reír me reiría, ¡pero mi pobre corazón late de dolor en estos momentos! La dicha de Silverio es mi propia dicha; y aun cuando su unión con Dorotea abra un abismo entre nosotros, quiero verlo feliz al lado de la mujer que ama... y, sin embargo, esta idea me punza el corazón sin poderlo remediar... ¡Gracias, Dios mío, por haberme dado fuerzas para cumplir con el deber que me he impuesto, de ocultar este amor que forma mi mayor delicia y mi más cruel martirio!

ESCENA X

Inés, Silverio

SILVERIO *(Saliendo precipitadamente por la puerta de la izquierda)*.—¡Inés! ¡Inés querida! ¡Eres un ángel!

INÉS.—¡Silverio! ¿Qué haces? ¡Dios mío! Yo...

SILVERIO.—¡Deja, Inés, que te abrace de rodillas; deja que bese tus plantas; déjame pedirte perdón por no haber sabido adivinar que me amabas!

INÉS.—¿Qué dices?

SILVERIO.—Cálmate, Inés. Cuando salí de aquí, hace poco, entré en esa pieza por el corredor. *(Mostrando hacia la izquierda.)* Lo he oído todo desde ahí.

INÉS.—¡Gran Dios! ¡Me he vendido!

SILVERIO.—No, Inés, tú te has dado a conocer. ¡Bendita sea la hora en que te he conocido, ángel de la bondad! Tú abogabas por mí, contra tus más ardientes deseos; y ahogando tus lágrimas que caían como una lluvia de espinas sobre tu corazón, no te acordabas sino de mi felicidad. ¿Cómo he podido verte sin amarte? He sido un loco, Inés; un loco que corría fascinado tras una luz fosfórica, sin reparar en la amorosa luz de tus ojos. ¡No te diré ahora que te amo, Inés querida! Tú no me lo creerías, porque aún resuenan en este lugar palabras de amor dirigidas a otra mujer. Adiós. *(Vase.)*

ESCENA XI

Inés

INÉS.—¡Ah, vuelve, vuelve! ¡Sí, te creo, Silverio! Pero, ¿qué es lo que digo? ¡Insensata de mí! ¿No pueden sus palabras ser hijas de la gratitud, antes que del amor? Yo sé que él no ha de querer engañarme, al decir que me ama: Pero, ¿cómo he de creer que me ama cuando acabo de ser testigo de sus palabras de amor dirigidas a Dorotea? Y yo, que siento en mí la conciencia de poder hacer su felicidad, ¿he de dejarlo hundirse en la desgracia, sin tenderle una mano, que sabrá mejor que ninguna otra enjugar sus lágrimas? Sí, ¡seré al fin feliz amándolo, ante todo el mundo, yo que he tenido que ocultar este amor durante tantos años de martirio! Mas ¡oh, Dios mío! estoy delirando. *(Llora.)*

ESCENA XII

Doña Ruperta, Inés

RUPERTA.—Inés, ¿por qué lloras?

INÉS.—¿Yo, tía? No...

RUPERTA.—En balde tratas de ocultármelo: Dorotea me lo ha dicho todo.

INÉS.—¿Y qué le ha dicho mi prima?

RUPERTA.—¿Tu prima? ¡Siempre luciendo el parentesco! pero mejor sería que trataras de merecerlo, imitando a Dorotea. ¡Crees tú que con ser pariente de una persona encumbrada se gana algo, si una no hace nada para elevarse a esa altura! Aun cuando tú seas prima de tu prima, ella será siempre la prima y tú la segunda: no lo olvides.

INÉS.—¡Ojalá pudiera olvidar, tía, los malos tratamientos que no merezco!

RUPERTA.—¿Y todavía te crees más merecedora? Después de que te tenemos en casa y te damos un abrigo, a la sombra de nuestra familia y te elevamos a nuestra altura, y te ponemos en contacto con nuestra escogida sociedad, después de hacer tanto por ti, ¿vienes a decirme en mi cara que te crees más merecedora? Eres una ingrata y presuntuosa, pues sólo a tu atrevimiento le es dado pensar en el amor de Faustino.

INÉS.—¿Yo, tía! ¿Yo?

RUPERTA.—¡Sí, sobrina, tú, tú! No debieras ver sino los favores que has recibido en esta casa, para no arrebatarle su amante a Dorotea.

INÉS.—¡Si no pienso en tal cosa, tía de mi alma!

RUPERTA.—Y aunque lo pensaras, convéncete de que eso es una locura. ¿Crees poder competir con mi hija, porque tienes esa carita de muñeca inglesa? No, Inés; tú estás muy lejos de poseer las distinguidas maneras de tu prima; y esto es lo que más estiman los mozos de Santiago, como Faustino. También estás tú muy distante de poseer la rica dote de mi hija, y no creas que esto es lo que los mozos de Santiago estiman menos.

INÉS.—Tía, una vez por todas le diré a usted que yo no me estimo en tan poco para que desee casarme con ese caballero.

RUPERTA.—¿No digo yo, pues? ¿Acaso piensas casarte con un príncipe?

ESCENA XIII

Dichos, don Victoriano

VICTORIANO.—Así es, Inés; con un príncipe, no. Créele a tu tía, porque ella dice siempre lo justo.

INÉS.—¡Ah, tío mío! usted es bueno, y no puedo dejar de hallar un apoyo en su corazón. *(Lo abraza.)* ¿En dónde los buscaré sino en el hermano de mi madre? *(Llora.)*

VICTORIANO.—¡No llorés, Inés, hija mía! Dime, Ruperta, ¿qué le estabas diciendo a esta pobrecita?...

RUPERTA.—Le estaba enseñando los usos sociales...

VICTORIANO.—Consuélate, Inés: esto no es sino que tu tía te estaba enseñando los usos sociales.

INÉS.—Yo no quiero un maestro que sea mi verdugo. Acuérdese, tío, de que mi madre, al morir, me dejó encargada a su cariño de usted...

VICTORIANO.—Dices bien. ¡Pobre hermana mía! Mira, Ruperta, enséñale a Inés los usos sociales; pero no a modo de verdugo.

RUPERTA.—¿Yo verdugo? ¡Y te atreves a decirlo, Victoriano!

VICTORIANO.—Yo no me atrevo, mujer; lo que yo digo es...

RUPERTA.—Debieras ver que esta muchacha criada en los campos, tiene todos los resabios de una provinciana; y si ha de vivir con nosotros, es preciso que bote el pelo de la dehesa.

VICTORIANO.—Eso es lo mismo que yo digo. Mira, Inés, es preciso que se te quiten esos resabios, y que botes el pelo de la... ¿cómo dijiste, Ruperta?

RUPERTA.—Oigo pasos... Él es, sin duda. *(A Inés.)* Vete para adentro y dile a tu prima que salga al salón.

VICTORIANO.—Tal vez será el escribano, que viene con la escritura para que yo la firme. *(Asomándose a la puerta del fondo.)* ¡Ah, no! Es Manuel.

ESCENA XIV

Doña Ruperta, don Victoriano, don Manuel

MANUEL.—Sí, Victoriano, yo soy, que vengo a preguntarte desde cuándo...

VICTORIANO.—Pregúntalo a la Ruperta, Manuel. Yo no sé desde cuándo...

MANUEL.—Digo, ¿desde cuándo has dejado de ser hombre?

VICTORIANO.—¿Yo he dejado de ser hombre? Pregúntaselo a la Ruperta...

RUPERTA.—Déjalo hablar, Victoriano.

MANUEL.—No eres hombre desde que olvidas tus compromisos, Victoriano.

VICTORIANO.—¡Ah!

MANUEL.—¿Qué delito ha cometido mi hijo Silverio para que ustedes le nieguen la mano de Dorotea? Tú has olvidado tu palabra empeñada; mi hermana Ruperta ha llegado a desconocer los vínculos de la sangre, y el amor de Dorotea se ha convertido en odio. Ahí me encontré en la calle con el pobre muchacho, que iba huyendo de esta casa, como un loco. ¿Por qué han alimentado ustedes las esperanzas de mi hijo, si al fin habían de cometer con él tan negra felonía? ¿Es así como se conduce una familia honorable? ¿Piensa de este modo alcanzar Dorotea fama de mujer honesta y prudente? Y tú, Victoriano, dime si tus padres te enseñaron a ser honrado faltando a tu palabra.

VICTORIANO *(Aparte:* ¡Esto es lo que sucede por creer siempre a mi mujer!).—Mira, Ruperta: bastantes veces te repetí que no nos era dado faltar a nuestros antiguos compromisos.

RUPERTA.–Calla, Victoriano; y tú, Manuel, óyeme. En primer lugar, no debes admirarte de que Victoriano te falte a su palabra, pues, según los usos admitidos en toda sociedad culta, el padre no puede obligar a su hija a que dé su mano a quien no ama, sin ser un tirano.

VICTORIANO.–Ya ves, Manuel, que yo no puedo tiranizar a Dorotea.

MANUEL.–Yo no pretendo que la tiranices, sino que ejerzan ustedes sobre ella la influencia de padres, para que la muchacha no haga disparates. Y si no, díganme, ¿qué han hecho ustedes para disuadirla de su locura?

VICTORIANO (*Aparte:* Aquí sí que tiene razón Manuel).–Es verdad, Ruperta, que hemos andado un poco ligeros en...

RUPERTA.–¿Te callarás al fin? Cuando se trata de la felicidad de los hijos, toda prontitud es tardanza. ¿Querrías tú que por andar mirando en detalles, dejáramos escapar la oportunidad de establecer ventajosamente a nuestra hija?

VICTORIANO.–Es evidente, Manuel. ¿Cómo habíamos de dejar escapar esta oportunidad?

MANUEL.–No comprendo.

VICTORIANO.–Aun cuando no entiendas, hombre, créele a la Rupoerta, pues nadie sabe más que ella en esto de las oportunidades.

RUPERTA.–Ahora, por lo que toca al repentino cambio de Dorotea, bien echarás de ver, Manuel, que una niña de tan exquisita sensibilidad y criada en tanto regalo, está expuesta a sufrir repentinos trastornos en su corazón.

VICTORIANO (*Aparte:* ¡Esta mujer es el diablo, Dios me perdone! Tiene razones para todo).–Sí, Manuel, convéncete de que éstas son cosas que pasan en Santiago todos los días.

MANUEL.–¡Bonita razón! ¿Y qué me importa a mí que en Santiago obren así? ¿No es sino que nosotros los provincianos hemos de ser lo mismo que los monos, para andar a la santiaguina, comer, hablar y casar a nuestros hijos a la santiaguina? ¿No somos acá cristianos de 25 arriba para que necesitemos ver cómo saludan, cómo bostezan y cómo estornudan allá en la capital? ¿Qué te parece, Victoriano? ¿Somos acaso niños de teta para no conocer los pies que nos cargan? ¿Por qué hemos de convertirnos en títeres para que los santiaguinos jueguen con nosotros?

VICTORIANO.–¡Eso sí que no! Todo podemos ser, pero no títeres. ¿No te parece, Ruperta?

RUPERTA.–Lo que me parece es que tú debes oír y callar.

VICTORIANO (*Aparte:* Esta mujer quiere que yo viva oyendo y callando).

RUPERTA.—Dime, Manuel, ¿qué cosa más puesta en razón que imitar en todo y por todo a nuestra capital, que es nuestro centro de civilización, de riqueza y de buen gusto?

VICTORIANO *(Aparte:* Está de Dios que esta mujer tenga razón siempre).—Ya ves, Manuel, que Santiago es nuestro centro...

MANUEL.—De todo lo bueno y de todo lo malo. Por eso digo que debemos imitarlo en aquello que Dios manda, así como ellos nos deben imitar a nosotros, en lo poco o mucho que tengamos de razonable.

VICTORIANO.—En cuanto a eso, es claro que Santiago nos debe imitar...

RUPERTA.—¿Estás loco, Victoriano? ¿Cómo puedes dejarte convencer por tales razones?

VICTORIANO.—No se te dé nada, Ruperta; aun cuando Manuel me convenza 20 veces... ¡Mi voto será siempre tuyo!

MANUEL.—Pero después de todo yo quisiera saber cuál es el novio por quien Dorotea desprecia a mi hijo.

RUPERTA.—El novio es nada menos que...

VICTORIANO.—Déjame, Ruperta, que esto me toca responderlo a mí, y tú, Manuel, nos hallarás razón cuando sepas que el novio que pretende a Dorotea es nada menos que nuestro diputado...

RUPERTA.—Y vas a conocerlo porque aquí viene.

ESCENA XV

Dichos, Faustino y el escribano

(La escena se divide en dos grupos; hacia la izquierda, don Victoriano y don Manuel, hablan en voz baja; y hacia la derecha se ponen doña Ruperta, Faustino y el escribano a conferenciar sobre el arreglo de la escritura indicada en el diálogo.)

FAUSTINO.—Señora, a los pies de usted... señor don Victoriano, aquí trae el señor escribano la escritura hecha, para que usted la lea y firme.

RUPERTA.—Pase usted para acá, señor Quintalegre. Aquí leeremos la escritura en comité.

VICTORIANO.—Dices bien, Ruperta; yo la leeré después. *(Se vuelve a donde está don Manuel.)*

MANUEL.—¿Conque este pájaro es nuestro diputado?

VICTORIANO.—Sí, hombre; pero no creas que es un diputadillo de ésos que bota la ola; sino todo un diputado de los de buena ley, de los elegidos por el supremo gobierno.

MANUEL.—¡Así será él!

VICTORIANO.—Un diputado, hombre, de ésos que no pierden votación jamás, porque nunca dejan de tener razón: ahí tienes al que va a ser mi yerno.

MANUEL.—Buena pro te haga, Victoriano. Ya tenía yo noticias de tal pajarraco.

RUPERTA.—Aquí falta una coma, señor escribano... mire usted: ¡esta palabra debe escribirse con letra mayúscula!

VICTORIANO.—Mira, Manuel, ¡qué mujer tan sabia es tu hermana, no se le escapan ni las comas, y es capaz de enseñar a escribir al mismo escribano!

MANUEL.—¿Qué escritura es ésa?

VICTORIANO.—Voy a contarte. *(Hablan en voz baja.)*

RUPERTA.—Estos dos puntos, deben ser punto y coma.

ESCRIBANO.—Lo pondremos así, señora. *(Toma la pluma y escribe.)*

RUPERTA.—Sí, señor escribano, es preciso cuidar mucho la puntuación, mire que yo he visto en Santiago pleitos ruidosísimos ocasionados por un punto y coma, ¿no es verdad, señor Quintalegre?

FAUSTINO.—¿Y cómo podría dejar de serlo diciéndolo usted señora mía?

VICTORIANO.—¡Pero, hombre de Dios! ¿Por qué te parece tan mal este caballero? Cuando yo te digo que es de los elegidos por el gobierno y siendo así, claro es que no será una rana.

RUPERTA.—Vea, señor escribano; agregue usted esta clausulita que acabo de redactar.

ESCRIBANO.—Muy bien, señora. *(Escribe, mirando el papel que le ha pasado doña Ruperta.)*

FAUSTINO *(Aparte:* ¿Y es permitido agregar cláusulas a la escritura, sin consultarme? ¿Qué sería, si ya fuese mi suegra? Pero no lo será, gracias a Dios.)

VICTORIANO.—¿Te parece que el gobierno es tonto, para que no sepa elegir de lo mejor? Ya ves tú que yo también soy Municipal de los elegidos por la gubernatura.

MANUEL *(Aparte:* Quiero conocer de cerca a esta buena alhaja).—Mira, Victoriano, será bueno que me presentes a él, porque al fin y al fallo, ha de ser mi sobrino político.

VICTORIANO.—¡Ah, ya sabía yo que al cabo te habías de dar a la razón. *(Se acerca al otro grupo.)* ¿Está ya en punto de firmar, señor escribano?

ESCRIBANO.—En dos minutos más, señor.

VICTORIANO *(Aparte a doña Ruperta)*.–Oye, mujer, he convencido a Manuel. Quiere amistarse con nuestro yerno, es preciso que se lo presentes con todas las formalidades de estilo.

RUPERTA *(Aparte a don Victoriano)*.–Muy bien, dile a Manuel que se acerque.

VICTORIANO *(Aparte a don Manuel)*.–Ven acá, Manuel, Ruperta te presentará: yo no he podido acertar jamás, en esto de las presentaciones.

RUPERTA.–Señor Quintalegre, tengo el honor de presentarle a mi hermano Manuel, tío de Dorotea.

FAUSTINO.–Tanto la cualidad de hermano de usted, señora, como la de tío de Dorotea, son más que suficientes motivos para que el señor don Manuel encuentre siempre en mí un amigo de corazón y un servidor decidido.

MANUEL.–Mil gracias, señor. Ojalá alcance a merecer con mi sincera amistad el honor de la suya. Porque siendo usted el diputado elegido, por este departamento...

VICTORIANO.–¡No, Manuel! Mucho más que eso todavía. ¡Ya te he dicho que el señor es elegido por el ministerio!

MANUEL.–¡Bah! ¿Por acaso el ministerio es el cargado de elegir por nosotros?

VICTORIANO.–¡Qué hombre éste tan sin experiencia del mundo! No es el Ministro, sino el señor gobernador el encargado de elegir nuestros diputados.

MANUEL.–¡Ah, dices bien!

VICTORIANO *(Aparte a Faustino)*.–Dispénsele, señor, estas inocentadas al pobre Manuel. Es un hombre de provincia, que no está al corriente de los usos de Santiago.

MANUEL.–Sin duda que ha merecido usted representarnos en el Congreso, por el mucho conocimiento que tendrá de nuestro Departamento.

FAUSTINO.–Es la primera vez que vengo aquí, señor.

VICTORIANO.–¿Y qué necesidad tiene el señor Quintalegre de trajinar por todo el Departamento, para conocerlo de punta a cabo? ¿No ves que este caballero es de la capital, que es donde está el centro, como dice la Ruperta, el centro de... el centro, en una palabra?

MANUEL.–Sin embargo, como es preciso conocer prácticamente nuestras localidades, para...

RUPERTA.–Sabe, Manuel, que una persona educada en Santiago, conoce por la geografía, las provincias, mucho mejor que todos los provincianos juntos.

MANUEL.–Pero yo quisiera saber cómo una persona que no ha pisado nuestro Departamento, puede conocer nuestras necesidades locales...

VICTORIANO.–¡Qué cabeza! Las conoce por la geografía, pues, hombre! No parece sino que fueras rojo, por las inocentadas que dices.

FAUSTINO.–Pero ya es tiempo de firmar, don Victoriano.

ESCRIBANO.–La escritura sólo espera la firma.

VICTORIANO.–¡Pues entonces, mano a la obra! ¡Tome usted la pluma, señor don Faustino!

FAUSTINO.–Sírvase usted firmar primero, señor mío.

MANUEL.–¿Y Dorotea? ¿En dónde está mi sobrina? ¿No sería bueno, Ruperta, que viniera a presenciar el acto?

RUPERTA.–Dices bien, hermano mío. *(Se acerca a la puerta de la derecha.)* ¡Dorotea! ¡Dorotea!

ESCENA XVI

Don Victoriano, don Manuel, doña Ruperta, Faustino, Dorotea y escribano

FAUSTINO *(A Dorotea)*.–Soy muy feliz, señorita, con haber tenido el placer de verla a usted dos veces en este día. *(Habla en voz baja con Dorotea.)*

RUPERTA *(Sujetando de un brazo a don Victoriano, para que no se acerque a Faustino)*.–¡Déjalos que hablen un rato a solas, hombre de Dios!

VICTORIANO *(Aparte a doña Ruperta)*.–Y será bien visto, Ruperta, que sin estar casados todavía...

RUPERTA *(Aparte)*.–¡No seas tonto! Déjate de esas antiguallas.

VICTORIANO.–¡Bueno! ¡Bueno! Traiga la pluma, señor escribano para estampar mi firma. *(Toma la pluma y se prepara a firmar.)* Yo necesito de tiempo para esto de firmar.

MANUEL *(Aparte a doña Ruperta)*.–Mira, Ruperta, yo creo que el diputadito no desea tanto casarse con Dorotea como obtener el arriendo barato.

RUPERTA *(Aparte a don Manuel)*.–¿Qué no desea casarse, cuando está que se le hace agua la boca por la muchacha?

MANUEL *(Idem)*.–Pues observa cómo se va a poner pálido con lo que voy a decir. *(A don Victoriano.)* No firmes todavía, Victoriano.

VICTORIANO.–¿Que no firme cuando llevo más de la mitad del nombre puesto?

MANUEL.–Es que quiero hacerte presente una cosa, como también al señor Quintalegre.

FAUSTINO.–¿Qué cosa, señor don Manuel?

MANUEL.–Es el caso, que como Victoriano le compró esa hacienda a don Pedro Camus, el cual acaba de quebrar en Concepción...

VICTORIANO.—¿Y qué tiene que ver la quiebra de don Pedro Camus con esta firma, que ya tengo medio trabajada? Es cierto que le compré la hacienda a don Pedro, y por más señas, se la pagué en onzas de oro. Si él ha quebrado, peor para sus acreedores.

MANUEL.—Pero sabe que Camus te vendió una estancia que no le pertenecía...

FAUSTINO.—¿Cómo es eso?

VICTORIANO.—No te entiendo, Manuel.

MANUEL.—Pues, voy a explicártelo: la hacienda de la Rinconada fue legada, ahora setenta años, por su dueño, al convento de San Francisco; pero, habiéndose extraviado el testamento, pasó el fundo de mano en mano, hasta llegar a poder de don Pedro. Ahora ha aparecido el dicho testamento, que yo he visto por mis propios ojos; y el síndico del convento piensa ponerle pleito. Yo les hago esta advertencia, para que después no haya entre ustedes tropiezo alguno. La buena fe antes de todo.

VICTORIANO.—¿Pero será verdad?

MANUEL.—Para que veas que es cierto el caso, voy a pedirle al síndico ciertos papeles que lo ponen de manifiesto.

RUPERTA.—¡Vé, Manuel; corre, hermano mío! ¿Cómo es que no sabíamos esto?

MANUEL.—Voy corriendo: en un cuarto de hora estoy de vuelta. *(Vase.)*

ESCENA XVII

Dichos, menos Manuel

ESCRIBANO.—Si ello es verdad, como debemos creerlo, desde que el señor Manuel lo ha dicho, paréceme, señores, que ustedes no deben firmar, hasta no examinar bien esos documentos.

RUPERTA.—Así es, señor escribano. Puede usted retirarse; y en cuanto veamos esos papeles...

ESCRIBANO.—Con el permiso de ustedes, mis señores. *(Vase.)*

ESCENA XVIII

Don Victoriano, doña Ruperta, Faustino, Dorotea

RUPERTA *(Aparte:* Creo que Manuel tiene razón: Faustino se ha impresionado más de lo que debiera).—Ya que hemos quedado solos y como en familia, voy a decirle a usted una cosa señor Quintalegre.

FAUSTINO.–Hable usted, señora, que nuestro deber es oír...

VICTORIANO.–Sí; ése es nuestro deber. *(Aparte:* Y callar, además, como dice la Ruperta.)

RUPERTA.–Ya mi marido me ha hablado del honor que usted nos hace en pretender la mano de nuestra hija...

FAUSTINO.–Señora, cuente usted con mi eterna gratitud, por haber consentido en mi felicidad...

DOROTEA *(Aparte a Faustino).*–Y, sin embargo, usted me ha dejado con la palabra en la boca, cuando habló mi tío.

FAUSTINO.–¡Ah! Perdone usted, Doroteita...

RUPERTA.–Calla, niña. Usted señor don Faustino, sepa que hemos convenido con Victoriano, desde algunos años atrás, en dar nuestra estancia de la Rinconada al esposo de Dorotea, para que trabaje en ella.

VICTORIANO *(Aparte:* No me acuerdo de ese convenio, pero...)

RUPERTA.–Ahora, ya sea verdad o no la noticia que nos ha dado Manuel, debemos comenzar por...

FAUSTINO.–¿Por firmar la escritura?

RUPERTA.–¡No, no!

FAUSTINO.–Es que, si no hubiera nada que temer de ese testamento, podríamos arreglar primero el negocio del arriendo, y después...

DOROTEA.–¿Ésa es la fuerza de su amor, señor mío?

FAUSTINO.–Adorada Dorotea, si pienso antes en el arriendo que en nuestra unión es por darte una mayor prueba de mi cariño. ¿No ves, hermosa mía, que si comenzara por casarme, podría alguien decir que había casado contigo para obtener la estancia? Prefiero el que digan que arriendo el fundo, con el fin de acercarme a tu hermosura.

RUPERTA.–A pesar de eso, señor Quintalegre, no hemos de faltar a lo que hemos convenido con mi esposo, que está presente.

VICTORIANO.–¡Sí, señor! Así lo hemos convenido. Y como usted no debe ignorarlo, cuando marido y mujer convienen en una cosa, es preciso...

RUPERTA.–Primeramente se casará usted y después recibirá la hacienda, pues yo creo que la noticia de Manuel es falsa.

VICTORIANO *(Aparte:* ¡Ahora sí que entiendo! La Ruperta teme... ¡Esta mujer vale un Perú!)

RUPERTA *(A Faustino).*–Usted tiene un cuarto de hora para resolverse. Luego llegará Manuel, y veremos qué crédito merecen sus noticias. Sírvase usted aguardarnos, aquí, mientras tanto.

VICTORIANO.–Hasta luego, señor don Faustino. *(Aparte a doña Ruperta, al salir por la puerta de la derecha.)* ¡Ah, Ruperta! Tú sabes más que Salomón. *(Vase.)*

ESCENA XIX

Faustino

FAUSTINO.—¡Y se van! ¡Pues, señor, estoy en capilla!

TELÓN

TERCER ACTO

ESCENA I

Faustino

FAUSTINO.—Pero, ¿quién había de imaginarse que estos provincianos fuesen capaces de adivinar mis intenciones? Pero, ¿cómo dejar escapar este negocio? Si no estuviera de por medio la señora suegra, nada me costaría llevar del cabestro a don Victoriano... Y luego este otro viejo de don Manuel, que ha venido a echar bolas a la raya. De todos modos, seguiremos la farsa, y lo que suene, sonará. Puede ser que don Victoriano caiga en el garlito, a pesar de su maliciosa mujer... Lo importante es seguir enamorando a Dorotea, y su amor me servirá de anzuelo para coger este suspirado arriendo... ¡Oh, farsa, farsa! Tú eres la reina del mundo y dictas la ley al vulgo de las gentes. Si la farsa de mi popularidad me ha dado un asiento en el Congreso, ¿por qué la farsa de mi amor no me ha de proporcionar un arriendo productivo? *(Saca el reloj.)* Pero ya se ha pasado casi el doble del tiempo, y doña Ruperta no viene... Estos provincianos andan siempre con el reloj atrasado.

ESCENA II

Faustino, don Victoriano, doña Ruperta

RUPERTA.—Señor Quintalegre, ¿ha reflexionado usted sobre lo que le conviene hacer?

VICTORIANO.—¿Ha reflexionado usted?

FAUSTINO.—Sí, señor; ya he tomado mi partido. No firmaré la escritura de arriendo.

VICTORIANO.—¿Por qué?

RUPERTA.—¿Renuncia usted a la mano de nuestra hija?

FAUSTINO.—¡Ah, señora! No diga usted eso. ¿Cómo ha de renunciar el hambriento al sabroso manjar que se le presenta? ¿Cómo no ha de querer el ciego la luz para sus ojos? ¿Cómo?...

RUPERTA.–¿Y entonces, por qué renuncia usted?...

VICTORIANO.–Sí, señor, ¿por qué renuncia?

FAUSTINO.–Doroteita es la luz de mis ojos, el delicioso manjar de mis apetitos, el abrigo de mi corazón, el delicioso néctar de mi sed...

VICTORIANO.–Pues, entonces, arriende usted la Rinconada, y tendrá néctar y abrigo, y...

FAUSTINO.–No, señor; he pensado seriamente en este asunto. Si ustedes no están arrepentidos, si Doroteita sigue correspondiendo a mi amor, seré su esposo; pero no puedo obligarme a tomar la estancia en arriendo, ni cosa parecida.

VICTORIANO.–Lo siento, señor, porque, como yo estoy ya viejo, quería separarme de los trabajos del campo, y darle la estancia al marido de mi hija, por un canon bajo.

FAUSTINO.–Pero es el caso, señor, que yo no soy hecho para vivir en el campo; y si Dorotea quiere seguirme a Santiago...

RUPERTA.–Lo seguirá, amigo mío, lo seguirá a usted hasta el mismo París y Londres, si quiere, porque no hay niña más dócil y condescendiente que mi hija.

FAUSTINO.–Pues, entonces, ponga en conocimiento de su preciosa hija mi última resolución.

RUPERTA.–Así lo haré; pero como esta muchacha es tan sentimental, no extraño que desee la realización...

FAUSTINO.–¿Del dulce vínculo? Hoy mismo, si ustedes quieren.

VICTORIANO.–¿Hoy? Pero si no se ha arreglado nada todavía.

FAUSTINO.–Entonces mañana u otro día...

RUPERTA.–Mientras más pronto se hagan estas cosas, tanto menos sufre el honor de las niñas.

VICTORIANO.–Y será bien visto, mujer, que así de tan de repente...

RUPERTA.–Si tú supieras lo al vapor que se arreglan en Santiago los asuntos amorosos. Allá en los antiguos todo era traba para el sagrado nudo; pero hoy se ata con todas las facilidades que el siglo diecinueve presenta. ¿No le parece a usted amigo Quintalegre?

FAUSTINO.–Sí, señora; estoy dispuesto para que hoy mismo el señor cura me dé el derecho de llamarme hijo de usted. Ahora permítame ir a disponerme como conviene.

RUPERTA.–Muy bien. Vaya usted hijo mío, y Dorotea cumplirá con su deber como niña sumisa.

FAUSTINO (*Aparte:* Pero, ¿cómo me llevo al viejo a la escribanía?)

RUPERTA.–Tú, Victoriano, debes ir al momento a decirle al cura que deseo hablar con él.

FAUSTINO *(A don Victoriano).*–¿Sale usted? Pues tendré el gusto de andar algún trecho con mi señor suegro.

VICTORIANO.–¡Qué me place! Vamos, amigo mío. *(Vanse.)*

ESCENA III

Doña Ruperta

RUPERTA.–¡Se hará hoy mismo! A mí me gusta la actividad de estos asuntos.

ESCENA IV

Doña Ruperta, Dorotea

DOROTEA *(Llorando).*–¡Mamá; mamá! Estoy muerta.

RUPERTA.–¡Ah, niña! ¿Qué tienes?

DOROTEA.–¡Mamá de mi vida! No sé cómo decirle lo que he visto. ¡Soy muy desgraciada!

RUPERTA.–Pero, ¿me dirás al fin qué significa ese llanto?

DOROTEA.–Este llanto significa que yo soy muy infeliz... lo he visto con mis propios ojos.

RUPERTA.–¿Qué has visto, por Dios?

DOROTEA.–Voy a decirle: ha de saber que por la ventana del cuarto de mi papá, estaba ahora hablando Inés con el traidor de Silverio.

RUPERTA.–¿Inés?

DOROTEA.–Ella era. ¡La vi con estos dos ojos! En la calle estaba Silverio... Es un desleal, un traidor... ¡y después de haberme jurado que no amaría nunca sino a su Dorotea! Estoy segura que le juraba a Inés un amor eterno. Lo aborrezco, mamá, lo aborrezco... ¡Y crea usted en el amor de los hombres? *(Llora.)* ¡Ah, soy muy... des... gra... cia... a... daaaa!

RUPERTA.–¡Qué muchacha tan sentimental! Cálmate, niña, y acuérdate sólo de tu nuevo y único amor.

DOROTEA.–¿Faustino?

RUPERTA.–Sí, porque está dispuesto a ser tu esposo, cuando tú lo determines.

DOROTEA.–¡Ah, no, mamá, no, por Dios!... Si he de decirle la verdad, Faustino ha comenzado ya a disgustarme.

RUPERTA.–¿Tan pronto, y cuando aún no te has casado con él?

DOROTEA.—Yo no sé lo que me pasa, mamá. ¡Soy muy desgraciada! Desde que he sido testigo de la falsía de Silverio, ya no me acuerdo de Faustino... Y luego que éste es un descortés...

RUPERTA.—¿Por qué dices eso, niña, cuando Quintalegre es la cortesía personificada?

DOROTEA.—Mire usted: cuando él salió de aquí con mi papá, yo estaba en la esquina del corredor. Él me vio, sin duda; pero pasó de largo sin saludarme.

RUPERTA.—No te vería.

DOROTEA.—Pues mal hecho que no me haya visto, cuando yo me puse allí para que me viera, al pasar. ¡Jamás me había sucedido esto con un hombre!

RUPERTA.—Perdónale, Dorotea, esa pequeña distracción, que cuando sea tu marido...

DOROTEA.—Las hará mayores usted misma me ha dicho que los hombres comienzan por pequeñas distracciones y concluyen con distracciones mayores... usted puede perdonarlo; pero no yo, que voy a casarme con él. Una y otra vez tosí para llamarle la atención; pero él pasó, como si tal cosa; y sólo tenía palabras para mi papá...

RUPERTA.—¿Qué le decía a Victoriano?

DOROTEA.—Le hablaba del arriendo de la Rinconada.

RUPERTA.—¡Ah! Quién sabe si ha llevado a Victoriano a la escribanía...

DOROTEA.—Le aseguro, mamá, que ahora siento haber despedido a Silverio.

RUPERTA.—Y como mi pobre Victoriano es un bendito, habrá firmado la escritura.

DOROTEA.—¡Ah, mamá! Usted no me comprende.

RUPERTA.—Sí, te comprendo, hija; pero...

DOROTEA.—¡Yo quiero hablar con Silverio!

RUPERTA.—¿Para qué?

DOROTEA.—Para echarle en cara su falsía. Es menester que usted reprenda a Inés. Ambos se han estado burlando de las dos, durante todo este tiempo. *(Se asoma a la puerta de la derecha.)* ¡Inés! ¡Inés!

ESCENA V

Dichos, Inés

INÉS.—Aquí estoy, Dorotea.

DOROTEA.—Mi mamá quiere preguntarte sobre qué hablabas con Silverio por la ventana.

INÉS.—No sé con qué derecho puede hacérseme una pregunta, que envuelve una verdadera reconvención.

RUPERTA.—¿Te has olvidado, Inés, de que yo, como la señora de la casa, tengo el derecho y aun el deber de velar sobre tus acciones? ¿Crees que he de consentir nada contra el decoro?...

INÉS.—Yo no he cometido, tía, ninguna acción indecorosa.

RUPERTA.—¿Y te parece honesta la conducta de una muchacha soltera, que se pone a platicar por las ventanas con los mozos que pasan por la calle.

INÉS.—Yo no sé por qué en mí es malo, lo mismo que he visto muchas veces hacer a mi prima, sin que nadie le dijera una palabra.

RUPERTA.—Es que Dorotea lo hacía con mi permiso.

DOROTEA.—Porque Silverio era mi novio.

INÉS.—Pues, entonces, yo no he hecho mal en hablar con Silverio por la ventana.

RUPERTA.—¿Qué dices?

INÉS.—Porque Silverio es mi novio.

DOROTEA.—¡Ah, y te atreves a decirlo!

RUPERTA.—¡Desvergonzada!

INÉS.—Como no es ningún delito...

DOROTEA.—¡Embustero, infiel! Me engañaba...

INÉS.—Eres injusta, Dorotea. Silverio te amaba...

DOROTEA.—Y me ama todavía... ¿Entiendes? ¡Me ama!

INÉS.—Creo que no, Dorotea.

RUPERTA.—¡Qué atrevimiento!

DOROTEA.—¿Tan segura estás del amor con tu Silverio? Pues yo te juro que no te casarás con él. ¡Mamá! Yo quiero ver a Silverio. Envíelo a buscar al momento... Yo quiero echarle en cara su deslealtad... Quiero que me diga si es a mí a quien ha amado... Quiero ver qué cara pone el fementido...

INÉS.—Cálmate, Dorotea; yo misma enviaré a llamar a Silverio.

DOROTEA.—¡Retírate de mí, alma de Caín! Me arrepiento de haberte llamado prima hasta el presente... ¡Mamá, mamá de mi corazón, yo me muero! *(Cae desmayada.)*

RUPERTA *(Sosteniendo a Dorotea)*.—¡Mira tu obra, malvada!

INÉS *(Rociando con agua a Dorotea)*.—Yo no tengo nada que reprocharme, tía.

RUPERTA.—¡Nada! ¿Así fue la educación que recibiste? ¡Ah, si tú hubieras sido criada y educada, como mi hija, por una madre severa y cristiana!

INÉS *(Con viveza)*.—¡Señora! Hasta aquí he sufrido sus insultos, porque yo sola era el objeto de ellos; pero desde que usted se atreve a insultar la memoria de mi madre...

RUPERTA.—¿Qué dices?

INÉS.—¡Si hay algún nombre que no se puede pronunciar sin veneración, es el de mi santa madre! Adiós, señora, y tú, Dorotea, adiós. *(Se encamina hacia la puerta del fondo.)*

DOROTEA.—¡Deténgala, mamá! ¡Mire que se va a la casa de mi tío Manuel!

RUPERTA.—¡Te prohibo que salgas de aquí!

INÉS.—Te engañas, Dorotea. Yo voy a ver a mi tío Victoriano, para rogarle que me busque una casa en donde vivir, porque en ésta no puedo estar ni una hora más. Prefiero servir de criada en cualquier casa del pueblo. *(Al tiempo de salir Inés, aparecen en la puerta don Manuel y don Victoriano.)*

ESCENA VI

Don Victoriano, don Manuel, doña Ruperta, Dorotea, Inés

VICTORIANO.—¡Ruperta! ¡Sabes lo que me ha pasado, mujer! ¿Ja, ja, ja! ¿Por qué lloras, Dorotea? Manuel les contará el caso. Y tú, Inés, ¿qué tienes? Si es para reír. ¡Ja, ja, ja!

RUPERTA.—Tanto hablar para no decir nada. ¿Qué ha sido eso, Manuel?

MANUEL.—Voy a decirte. Cuando yo me volvía, después de haber hablado con el síndico...

VICTORIANO.—Figúrate, Ruperta, que como posee este don Faustino, el don de la palabra, me llevaba sumamente entretenido, por esa calle abajo, cuando al enfrentar a la oficina del escribano, me propuso entrar a descansar. Entramos y, sin saber cómo, me vi con la escritura enfrente.

RUPERTA.—¡Lo decía yo! ¿Y firmaste?

VICTORIANO.—Alcancé a concluir y reteñir bien el nombre y a comenzar el apellido, pero a ese tiempo entró Manuel y... ¡ja, ja, ja! Cuéntales tú, hombre, la cosa.

MANUEL.—Afortunadamente entré yo, y al ver a Victoriano escribiendo le pregunté: ¿estás firmando esa escritura, hombre de Dios? ¿No echas de ver a lo que te expones, realizando tan de repente este contrato?

VICTORIANO.—Estas palabras me recordaron el compromiso que tenemos con la Ruperta, y volví atrás al momento. Quiero decir que no pasé adelante, que es lo que yo llamo volver atrás; y la firma quedó hasta poco más allá de la mayúscula del apellido.

RUPERTA.–¡Pero, hombre de Dios! ¡Cuando te encargué expresamente que no firmases!

VICTORIANO.–Así fue: confieso mi pecado; pero como el diputadito es de los que entran por el ojo de una aguja, no extrañes que casi me haya hecho caer en el garlito.

RUPERTA.–Mala espina me da el tal diputado.

DOROTEA.–¿Por qué, mamá?

RUPERTA.–Porque me juró que no se interesaba por el arriendo, y ahora veo que me ha engañado.

DOROTEA.–Sí, cumplirá lo mismo todos sus juramentos..

VICTORIANO.–¡Eso sí que no! ¡Es un hombre de pro, como de los escogidos por el gobierno para representarnos!

MANUEL.–Hombre de pro, dices, ¿y olvida su palabra por hacer el negocio?

RUPERTA.–¡Vaya, Manuel, que eres inocente! ¿Te parece que porque el gobierno nos ha elegido, hemos de dejar de hacer nuestros negocios?

RUPERTA.–Calla, Victoriano. Y tú, Manuel, ¿traes ese testamento?

MANUEL.–No pude ver al síndico, pero luego hablaré con él. Voy a buscarlo a casa de una amiga, en donde yo sé que se halla.

DOROTEA.–Tío, no se vaya usted todavía.

VICTORIANO.–Yo voy a verme con el señor cura.

RUPERTA.–Tú no saldrás en todo el día de aquí, Victoriano.

VICTORIANO.–¿Y por qué razón?

RUPERTA.–...por el bien de tu hija.

VICTORIANO.–No comprendo...

RUPERTA.–Después lo entenderás.

VICTORIANO.–¡Vaya que sea! *(Aparte:* Siempre vengo a entender después estas cosas.)

DOROTEA.–Tío Manuel, yo quiero hablar con Silverio, al momento.

VICTORIANO *(Aparte:* En la Municipalidad me pasa lo mismo: después de las votaciones es cuando vengo a comprender bien la materia.)

MANUEL.–¿Y para qué quieres hablar con mi hijo, Dorotea, después de lo que has hecho con él?

VICTORIANO.–Lo mismo digo yo.

DOROTEA.–He sido dura con mi prima, y yo quisiera desenojarlo.

MANUEL.–Pero Silverio no vendrá, mientras no vea letra de Dorotea.

DOROTEA.–Entonces voy a escribirle. *(Se sienta a escribir.)*

VICTORIANO.–¡Mira, niña lo que haces! ¿Y si Quintalegre sabe que andas escribiendo cartitas a tus antiguos pretendientes?

RUPERTA.–Aun cuando lo sepa, ¿qué tiene eso de malo? ¿Te parece que Faustino es un hombre sin mundo, para que se aflija por billete más o menos? ¡Un joven de Santiago! ¡De Santiago!

VICTORIANO.–¡Ah! ¿Conque así se usa por aquellos mundos?

RUPERTA.–Escribe, Dorotea.

VICTORIANO *(Aparte:* ¡Estos usos sociales! Hay algunos que no me entran.)

DOROTEA *(Entregando un papel plegado a don Manuel).*–Tío, entregue este papelito a Silverio.

MANUEL.–Voy, sobrina mía. *(Vase.)*

ESCENA VII

Dichos, menos don Manuel

INÉS.–Ahora, tío, yo tengo que hablar con usted.

VICTORIANO.–¿Qué quieres Inés?

RUPERTA *(A Inés).*–¡Sal de aquí, muchacha sin pudor!

VICTORIANO.–Vete a mi cuarto, Inés. Yo iré allá luego, y tú me dirás lo que desees.

INÉS.–Allí lo espero, tío. *(Vase.)*

ESCENA VIII

Don Victoriano, doña Ruperta, Dorotea

RUPERTA.–¡Qué idea! *(Aparte a Dorotea.)* Ve, niña, al cuarto, y cuando entres Inés, cierra la puerta, y tráeme la llave.

DOROTEA.–Voy mamá. *(Vase.)*

ESCENA IX

Dichos, menos Dorotea

VICTORIANO.–Mira, Ruperta: ¿sabes que me está haciendo cosquillas una cosa aquí adentro?

RUPERTA.—¿Qué cosa es ésa?

VICTORIANO.—Yo también he sido joven, Ruperta, y me acuerdo muy bien de aquellos tiempos, cuando te pretendía.

RUPERTA.—¿Qué quieres decir con eso?

VICTORIANO.—Que si yo hubiese sabido que tú andabas con esquelitas a otro...

RUPERTA.—¿Todavía no te convences, hombre, de que éstos son usos admitidos en la alta sociedad?

VICTORIANO.—Sí, estoy convencido, Ruperta.

RUPERTA.—Es que una mujer no sabe cuál es el verdadero novio, sino después de puestas las bendiciones.

VICTORIANO.—Eso también es cierto. ¡No había caído en ello!

RUPERTA.—Antes de las bendiciones, todos los novios son falsos, y te aseguro que Dorotea ha hecho bien en querer desagraviar a Silverio.

VICTORIANO.—Pero ahora que la muchacha está a pique de casarse con Quintalegre ¿qué le importa estar bien o mal con Silverio?

RUPERTA.—¡Importa mucho, hombre! ¿Te parece que una niña bien educada rompa del todo con sus antiguos pretendientes, sólo porque va a casarse con el más modesto? No, Victoriano: esto no es cordura, y te confieso que hemos andado bien imprudentes en echar con cajas destempladas a Silverio. Una niña que estima en algo su porvenir, no debe hacer eso con sus amantes, sino tenerlos en suspenso, y como si dijéramos a medio amor o a cuarto de amor, según sus méritos.

VICTORIANO.—¡Ya, ya!

RUPERTA.—Porque bien puede fallar el que posee el amor entero, y entonces vienen a suplir la falta, esas otras fracciones de amor que quedan para las resultas.

VICTORIANO.—¿Conque Dorotea quiere ahora desenojar a Silverio para las resultas?

RUPERTA.—Eso es.

ESCENA X

Don Victoriano, doña Ruperta, Dorotea

DOROTEA *(Aparte a doña Ruperta, entregándole la llave)*.—Aquí está la llave, mamá. La he dejado encerrada.

RUPERTA.—Muy bien. *(A don Victoriano.)* Ahora es preciso que sepas que Inés ha tenido el atrevimiento de decirme en mi cara palabras insultantes.

VICTORIANO.—¿Ella? ¡Pero si es una paloma sin hiel la pobrecita!

RUPERTA.—Tú no la conoces, Victoriano. Dorotea se ha desmayado al oír a su prima.

VICTORIANO.—Es que Dorotea ha adquirido la costumbre de desmayarse por quita allá esas pajas.

DOROTEA.—¡Ah, papá, usted no me ama!

VICTORIANO.—¿Por qué razón dices eso, Dorotea? ¿Porque no creo en los desmayos de las mujeres?

RUPERTA.—¡Calla, hombre sin nervios!

DOROTEA.—¡Ah, papá, si usted tuviera mis nervios!

RUPERTA.—Ahora es menester que te convenzas...

VICTORIANO.—¿De qué no tengo nervios?

RUPERTA.—De que no debes hablar con Inés.

VICTORIANO.—¡Y se me había olvidado! Voy al cuarto.

RUPERTA.—Es inútil, tengo aquí la llave.

VICTORIANO.—¿Qué quiere decir eso, Ruperta?

RUPERTA.—Que la tengo allí encerrada, porque es preciso castigar de algún modo su atrevimiento.

VICTORIANO.—Ruperta, ¿por qué has hecho eso con esa pobre niña?

DOROTEA.—¡Pobre niña! Papá, usted no ama a su hija. Me voy.

VICTORIANO.—¡Qué muchacha! Ven acá, Dorotea: ¡Si te quiero mucho!

DOROTEA *(Al salir por la puerta de la derecha)*.—¡No, no! ¡Me voy de aquí! *(Vase.)*

ESCENA XI

Dichos, menos Dorotea

RUPERTA.—¿No ves, Victoriano, de lo que es capaz un hombre desnaturalizado como tú?

VICTORIANO.—¿Yo, desnaturalizado? ¿Y por qué?

RUPERTA.—Porque manifiestas interesarte por tu sobrina, delante de tu hija, que como te ha dicho es tan nerviosa... Pero doblemos esta hoja y hablemos de otra cosa.

VICTORIANO.—Dices bien, Ruperta. Hablemos de otra cosa.

RUPERTA.—Por supuesto que no has visto al cura.

VICTORIANO.—Así ha sido, porque como me sucedió aquello de la oficina... pero puedo ir al momento.

RUPERTA.—No quisiera dejarte ir solo. Victoriano.

VICTORIANO.—¿Crees que tengo miedo?

RUPERTA.—No, soy yo la que tengo miedo de ti.

VICTORIANO.—¿De cuándo acá has comenzado a tenerme miedo, Ruperta?

RUPERTA.—Quiero decir que temo el que vayas a cometer otro disparate.

VICTORIANO.—¡Acabáramos! Tal vez tienes razón en decir eso, después de lo sucedido. Pero ahora te prometo irme derecho a la parroquia. *(Vase.)*

ESCENA XII

Doña Ruperta, Dorotea

DOROTEA *(Entrando por la puerta de la derecha)*.—¡Mamá, mamá, qué gusto!

RUPERTA.—¿Qué hay, niña?

DOROTEA.—Que Silverio me ha contestado. Lea usted la carta.

RUPERTA *(Toma la carta que Dorotea le pasa y lee)*.—"Mil gracias, querida Dorotea, por haberme devuelto tu amor. Pronto estaré contigo, para manifestarte los sentimientos de mi corazón, tan enamorado como sincero."

DOROTEA.—¿Qué le parece, mamá? ¿Podrá querer a Inés cuando me dice eso a mí?

RUPERTA.—Silverio sigue amándote, y sería peligroso el que se encontrase aquí con Faustino.

DOROTEA.—Pues eso es lo que yo deseo. No ve usted que una vez que Faustino se aperciba del amor que Silverio me tiene, se apresurará a...

RUPERTA.—Ya entiendo.

DOROTEA.—Y además, quiero ver aquí a Silverio, para que Inés se convenza de que no la ama. Déme la llave mamá: voy a dar libertad a mi prima, para que venga a leer esta carta.

RUPERTA.—No, no; yo iré. *(Vase.)*

ESCENA XIII

Dorotea

DOROTEA.—Yo no sé lo que por mí pasa. Yo no quiero casarme con Silverio y sin embargo tengo celos de Inés. ¿Amaré por acaso a mi primo? ¡Si amaré tal vez a los dos! ¡Dios mío! ¿Pueden caber dos amores en un solo corazón? Hay aquí un misterio que yo no comprendo. Gran Dios, ¿por qué no nos es dado comprender lo que pasa en nuestro corazón... aquí, dentro de nosotros mismos? *(Mirando por la puer-*

ta del fondo.) Aquí viene mi mamá con Inés... ¡Jamás creí que pudiera aborrecer tanto a mi prima!

ESCENA XIV

Doña Ruperta, Dorotea, Inés

INÉS.—De todos modos, tía, la acción de Dorotea es indigna.

RUPERTA.—¿No te digo que Dorotea ha hecho esto por orden mía?

INÉS.—Eso no quiere decir otra cosa, tía, sino que hay mujeres que obran a veces como chiquillas.

DOROTEA.—Hablas tan resueltamente, porque tre crees amada. *(Le pasa la carta de Silverio.)* Lee ese papel... y en él verás si es a ti a quien Silverio prefiere.

INÉS *(Leyendo)*.—¡Dios mío! ¿Qué he hecho para merecer este engaño?

RUPERTA.—¿Qué has hecho? Ser menos digna que tu prima para merecer el amor de mi sobrino.

DOROTEA.—¡Convéncete, Inés, de que Silverio no puede amar a otra que a mí!

INÉS.—¡No seas cruel, Dorotea!

DOROTEA.—¡Sí! ¡A mí! ¡A mí! Yo lo he visto suspirar por mi amor, durante años enteros.

INÉS.—¡Dorotea! ¡Por Dios!

DOROTEA.—Tú has sido testigo de su constancia. ¿Cómo puedes creer que su corazón haya cambiado en dos horas?

INÉS.—¡Dios mío! ¡Es verdad! *(Aparte:* ¡Ah, dicha de un momento!)

DOROTEA.—Todo cuanto ha podido decirte, es falso.

INÉS.—¡Por piedad, prima mía! ¡Por piedad!

DOROTEA *(Aparte:* ¡Estoy vengada!) *(Vase, Inés.)*

ESCENA XV

Doña Ruperta, Faustino, Dorotea

FAUSTINO.—A los pies de usted señora... y usted, Doroteita, permítame estrechar su encantadora mano.

RUPERTA.—Tenía deseos de verlo, señor Quintalegre.

DOROTEA.—Y yo también.

FAUSTINO.—¡Oh, eso es para mí una felicidad que casi no me atrevía a esperar!

RUPERTA.—Deseaba preguntarle si usted me dijo que ya no se interesaba por el arriendo.

DOROTEA.—Y que sólo aspiraba a...

FAUSTINO.—¿A la mano de usted? Así lo dije.

DOROTEA.—Sin embargo, usted ha pasado cerca de mí, sin mirarme.

FAUSTINO.—¿Eso he hecho? Tal vez porque he tenido la desgracia de no verla.

DOROTEA.—El amor verdadero adivina cuando no ve.

RUPERTA.—Y además ha tratado usted de sorprender a mi marido.

FAUSTINO.—Las apariencias me condenan; pero óigame usted, señora. Repito ahora lo que dije antes: yo no pretendo entrar en otros negocios que en los de mi corazón, créamelo, Doroteita. Pero al salir de aquí me acordé de que mi hermano Tristán deseaba venirse a trabajar en una hacienda del sur, y se lo dije a don Victoriano. Él entonces aceptó la idea de firmar la escritura, poniendo el nombre de mi hermano, en lugar del mío.

RUPERTA.—¡Ah!

FAUSTINO.—Y cuando estaba el caballero poniendo su firma, entró don Manuel.

RUPERTA.—Ya Manuel me ha contado eso.

FAUSTINO *(Saca un papel del bolsillo)*.—Aquí tienen ustedes la contestación telegráfica de mi hermano, en la cual me dice que por el correo me enviará su poder para que yo firme por él esta escritura.

RUPERTA.—Pero ya sabe usted que no pensamos poner la hacienda en otras manos, que en las del esposo de Dorotea.

FAUSTINO.—Entonces, me resuelvo a tomar el fundo. El amor de Doroteita me da valor para esto y mucho más.

RUPERTA.—Muy bien. Pronto tendré el placer de poderlo llamar hijo mío.

DOROTEA *(Tapándose la cara con las manos)*.—¡Ah, mamá! *(Aparte:* ¿Por qué no llegará Silverio?)

RUPERTA.—He mandado buscar al cura; y él nos dirá si puede quedar arreglado el asunto esta noche.

FAUSTINO *(Aparte:* La señora suegra anda al vapor).—Sin embargo, señora, yo quisiera hacer a usted una observación.

RUPERTA.—Le escucho, amigo mío.

DOROTEA *(Se oye ruido afuera.) (Aparte:* ¡Es Silverio!) *(Se asoma a la puerta del fondo)*.—¡Ah! ¡Es mi papá!

ESCENA XVI

Dichos, don Victoriano y don Manuel

VICTORIANO.—¿Estaba usted aquí, don Faustino?

FAUSTINO.—Sí, señor.

VICTORIANO.—Tanto mejor.

RUPERTA *(A don Manuel)*.—¿Trajiste esos papeles?

MANUEL.—No quiso prestármelos el síndico; y tuvo razón para ello.

VICTORIANO.—Ya te he dicho, Manuel, que todo eso debe ser ilusión de tus sentidos.

RUPERTA.—Pues yo voy creyendo lo mismo.

RUPERTA *(Aparte a don Victoriano)*.—¿Hablaste con el cura?

VICTORIANO *(Aparte a doña Ruperta)*.—Sí, mujer; y me dijo que todo se arreglaría hoy.

FAUSTINO.—¿Qué cosa, señor?

VICTORIANO.—Lo del casorio, pues, amigo. ¡Ese párroco es un sacerdote muy activo!

FAUSTINO.—Pues a pesar de mi justa impaciencia, debo prevenir a ustedes que aún no he tenido tiempo de prepararme de una manera conveniente.

ESCENA XVII

Doña Ruperta, Faustino, don Victoriano, don Manuel, un receptor. (Con unos papeles en la mano.)

VICTORIANO *(Al receptor)*.—¿Qué se le ofrece a usted?

RECEPTOR.—Vengo a darle una notificación al señor don Victoriano Siempreviva.

VICTORIANO.—Yo soy. ¿Sobre qué es la notificación?

RECEPTOR.—Es una demanda del síndico del convento de San Francisco.

VICTORIANO.—¿Sobre mi estancia de la Rinconada?

RECEPTOR.—Creo que sí, señor. Impóngase usted de la demanda. *(Le pasa los papeles.)*

MANUEL *(A Faustino, mientras don Victoriano y doña Ruperta leen los papeles.)*—Pues ahora vengo a caer en la razón por qué el síndico me negaba el testamento.

FAUSTINO *(Aparte:* ¡Se broceó la mina!)

RUPERTA.—Mira, Manuel, lo que nos decías era verdad.

MANUEL.—¿Y lo dudabas tú?

DOROTEA.—¿Qué es eso, mamá?

RUPERTA.—¡Que nos quieren quitar la hacienda, hija mía! Pero sostendremos el pleito.

VICTORIANO *(Pasando los papeles a don Manuel)*.—Yo no entiendo palabra de estas cosas, Manuel.

MANUEL *(Leyendo)*.—La demanda está en regla y se funda en el testamento, cuya copia se acompaña.

RUPERTA.—¡Contestaremos esa demanda!

VICTORIANO.—¡Voy a verme con el abogado!

RUPERTA.—¿Para qué necesitamos buscar abogado, cuando podemos decir ya que tenemos uno en la familia? ¿No es verdad, señor don Faustino?

FAUSTINO.—Es verdad que soy abogado; pero hace ya tanto tiempo que no defiendo. Señora, en cuanto yo vuelva de Santiago...

MANUEL *(A Faustino)*.—Y piensa usted marcharse, ahora que sus ilustrados consejos le son tan necesarios a mi cuñado?

FAUSTINO.—Es un asunto urgente, señor...

MANUEL *(Aparte a doña Ruperta)*.—Mira cómo el novio se ha arrepentido porque se le aguó el negocio.

RUPERTA *(Aparte a don Manuel)*.—Lo he conocido al momento. *(Idem a Dorotea)*. Antes de que él te desprecie, adelántatele, niña.

DOROTEA.—Señor don Faustino, puesto que usted tiene necesidad de ir luego a Santiago, le deseamos tanta felicidad por allá, que no se acuerde usted ya más de este pueblo.

FAUSTINO *(Aparte:* ¡Gracias a Dios que ella misma me saca del apuro!).—Comprendo, señorita... Viniendo de usted, hasta las calabazas son sabrosas.

RUPERTA.—Para que usted vea que también aquí se saben dar como en Santiago.

FAUSTINO.—Ahora sólo falta manifestar mi gratitud a Dorotea.

DOROTEA.—¿Su gratitud? ¿Luego usted deseaba deshacerse de este compromiso? ¿Cree usted que yo estaba tan deseosa de casarme? ¡Pues sepa usted que no es el primero a quien desprecio!

FAUSTINO.—¡Ojalá no sea el último, señorita!

DOROTEA.—Y advierta que si quisiera casarme, podría hacerlo en este mismo instante. Tío Manuel, ¿por qué no ha venido Silverio?

ESCENA XVIII

Dichos, Silverio, después Inés, acercándose a Silverio sin ser notada

SILVERIO.—Aquí estoy, mi querida prima. Estaba ahí en el corredor y dudaba de si debía entrar.

DOROTEA.—¿Y cómo has podido dudar, primo mío, cuando yo misma te he llamado?

RUPERTA *(Aparte a don Victoriano)*.—¡Mira si es conveniente tener su novio para las resultas!

DOROTEA.—Te he llamado, Silverio, para pedirte que me perdones y para decirte que te amo más que nunca.

FAUSTINO *(A media voz)*.—¡Ah! No me acordaba de que teníamos primito de por medio.

SILVERIO.—Nada tengo que perdonarte, Dorotea: Sólo tengo que agradecerte, y en cuanto al cariño de que me hablas, sabré corresponder a él como mereces.

INÉS.—¡Dios mío!

DOROTEA.—Mire usted, señor Quintalegre, si yo decía la verdad.

FAUSTINO.—¡Ah, señorita! Hasta en esto se parece este pueblo a la capital.

RUPERTA.—Acabemos esto. Sobrino, abraza a tu esposa.

SILVERIO.—Agradezco a usted, tía mía, el permiso que me da, y del cual quiero aprovecharme. *(Vuelve hacia Inés y la abraza.)* ¡Inés mía!

INÉS.—Gracias, Dios mío. *(Abraza a Silverio.)*

DOROTEA.—¡Traición!

RUPERTA.—¿Estoy soñando?

FAUSTINO.—¡Caracoles! Esto es aún mejor que en Santiago

VICTORIANO.—Pues yo no entiendo palabra de lo que estoy viendo y oyendo.

MANUEL.—¿Qué significa esto, Silverio?

SILVERIO.—Esto significa, padre mío, que yo amo a Inés con delirio, desde que la coquetería de Dorotea me ha curado hoy de la locura de amarla a ella.

DOROTEA.—¡Ah, yo me muero! ¡Mamá!

SILVERIO.—Por eso te dije, Dorotea, que no sólo te perdonaba, sino que te agradecía lo que habías hecho conmigo.

MANUEL.—¿Y tú, Inés?

INÉS.—Yo, señor, he amado a Silverio desde que tuve la dicha de conocerlo.

SILVERIO.—Y ha sufrido en silencio seis años de martirio. Hoy mismo la he oído, padre mío, rogar a Dorotea que no me rechazase.

MANUEL *(Abrazando a Inés)*.—¡Ven acá, hija mía!

INÉS.—¡Padre mío!

MANUEL.—Ámala Silverio, como ella se merece. Pero ¿por qué no me abriste tu corazón? Así me habrías ahorrado el tener que hacer una farsa.

FAUSTINO.—¿Qué farsa es ésa, señor?

MANUEL.—La de esta demanda y ese testamento que he tenido que inventar.

FAUSTINO *(A don Manuel)*.—¡Entonces la historia del testamento es falsa?

MANUEL.—No es más que invención mía, como esta demanda.

FAUSTINO.—¡Ah!

MANUEL.—Para que usted vea que aquí también sabemos inventar comedias como en Santiago. *(Toma los papeles y los hace pedazos y los pone en las manos de Faustino.)*

FAUSTINO *(Va a la puerta del fondo)*.—¡Pícaros provincianos, me quitaron un negocio de las manos! *(Arroja los papeles al viento y vase.)*

TELÓN

EDUARDO GUTIÉRREZ y JOSÉ J. PODESTÁ
[*Argentina, 1853-1890*] [*Uruguay, 1858-1936*]

Juan Moreira fue una de las numerosas novelas folletinescas de Eduardo Gutiérrez, publicada en *La Patria Argentina*, desde noviembre de 1879 hasta enero del año siguiente. Al parecer, el héroe popular de la obra estaba basado en un gaucho real, conocido por sus aventuras delictivas. En 1884 un actor cómico uruguayo llamado José J. Podestá utilizó el tema de Moreira para componer una pantomima que se presentó en un circo argentino, y dos años más tarde, por sugestión de un espectador del mimodrama, el mismo Podestá añadió al acto circense un diálogo tomado del texto de Gutiérrez, y así resultó el drama *Juan Moreira*, estrenado en abril de 1886 en Chivilcoy, y representado después innumerables veces en Buenos Aires y otras ciudades.

Como queda dicho, el primer local para las representaciones del drama fue el circo. Este hecho ofrecía al espectáculo algunas ventajas, pues en tanto que las escenas interiores se realizaban en un tablado central, las escenas al aire libre y las animadas fiestas criollas se llevaban a cabo en la pista, con amplia participación de personas a caballo. Las ricas posibilidades de tal montaje escénico —remoto antecedente de los modernos escenarios en teatros-arena— quedaron cercenadas cuando la representación pasó definitivamente del circo al teatro convencional.

La popularidad del *Juan Moreira* propició la avalancha de remedos que trillaban la misma ruta gauchesca: *Juan Cuello*, otro folletín de Gutiérrez adaptado por Podestá; una dramatización de *Martín Fierro* realizada por Elías Regules; *Juan Soldado*, de Orosmán Moratorio; *Las tribulaciones de un criollo*, de Víctor Pérez Petit, etcétera.

La circunstancia especial de que en torno al *Juan Moreira* se hubieran combinado los elementos esenciales para la configuración de un acontecimiento teatral genuinamente nacional —autores nacionales, intérpretes nacionales, obra de asunto nacional, y entusiasta acogida por parte del público— determinó que algunos hombres de letras hayan considerado este drama como punto de partida para el teatro nacional moderno del Río de la Plata. Como es natural, hay quienes, basados en los modestos alcances literarios, en la simplicidad estructural y en cierta truculencia de la obra, han negado tal honor al *Juan Moreira*.

BIBLIOGRAFÍA SUMARIA

Benítez, Rubén A, *Una histórica función de circo*, Buenos Aires, Universidad de Buenos Aires, Departamento Editorial, 1957.

Bonatti, María, "*Juan Moreira* en un contexto modernista", *Revista Iberoamericana*, vol. XLIV, núms. 104-105, julio-diciembre de 1978, pp. 557-567.

Bosch, Mariano G., "Los orígenes del teatro nacional argentino", *Cuadernos de Cultura Teatral*, Buenos Aires, Instituto Nacional de Estudios de Teatro, 1936, pp. 65-67.

Durán-Cerda, Julio, "Civilización y barbarie en el desarrollo del teatro nacional rioplatense", *Revista Iberoamericana*, vol. XXIX, núm. 55, pp. 89-124.

Estrada, Marcos de, *Juan Moreira, realidad y mito*, Buenos Aires, Imprenta López, 1959.

Foster, David William, "The Theatrical Vision of *Juan Moreira*: Dramatic Structure and Audience Competence", *Romantic Notes*, vol. XX, 1979, pp. 182-189.

García Velloso, Enrique, *Memorias de un hombre de teatro*, Buenos Aires, Kraft, 1942, pp. 100-127.

Ghiano, Juan Carlos (comp.), "Eduardo Gutiérrez y la verdad sobre *Juan Moreira*", *Teatro gauchesco primitivo*, Colección Teatro Argentino, Buenos Aires, Losange, 1957, pp. 5-17; 97-101.

Legido, Juan Carlos, *El teatro uruguayo, de Juan Moreira a los independientes, 1886-1967*, Colección "El Baldío", núm. 5, Montevideo, Tauro, 1968.

Livio Foppa, Tito, *Diccionario teatral del Río de la Plata*, Buenos Aires, Carro de Tespis, 1962, pp. 937-941.

Mazzei, Ángel (comp.), *Dramaturgos post-románticos*, Serie Los Fundadores, Buenos Aires, Ministerio de Cultura y Educación, 1970.

McCaaffrey, William Mark, "The Gaucho from Literature to Film; *Martín Fierro* and *Juan Moreira*", tesis doctoral, University of California, San Diego, 1983.

Pelletieri, Osvaldo, "Cambios en el sistema teatral de la gauchesca rioplatense", *Gestos*, vol. II, núm. 5, Irvine, California, noviembre de 1987, páginas 115-124.

Rojas, Nerio, "El verdadero *Juan Moreira*", *Boletín de Estudios de Teatro*, junio de 1943.

Rojas, Ricardo, "Los gauchescos", *Literatura argentina*, Buenos Aires, Librería la Facultad, Juan Roldán y Cía., 1925.

Juan Moreira

DRAMA EN DOS ACTOS

PERSONAJES

MOREIRA
DON FRANCISCO, *alcalde*
SARDETTI
TATA VIEJO
JULIÁN
MARAÑÓN
GIMÉNEZ
NAVARRO
PULPERO
JUANCITO, *el hijo de Moreira*
VICENTA
SOLDADOS
GAUCHOS
PAISANOS
BANDIDOS
MUJERES

PRIMER ACTO

ESCENA I

La escena representa un Juzgado de Paz, en campaña.

ALCALDE.—Señor Sardetti. Usted ha sido llamado porque dice Moreira que usted le debe diez mil pesos.

SARDETTI.—Señor, eso es falso, yo no le debo ni un solo peso.

ALCALDE.—¿Y a qué viene entonces tanta mentira? ¿Por qué vienes a cobrar un dinero que no es tuyo?

MOREIRA.—Señor, yo cobro mi plata que he prestao, y la cobro porque la necesito; este hombre quiere robarme si dice que no me debe, y yo entonces, señor Alcalde, vengo a pedir justicia.

ALCALDE.—La justicia que yo te he dar es una barra de grillos, ladrón, que vienes a contar bolazos.

MOREIRA.—¿Quiere decir que no me debes nada?

SARDETTI.—Nada.

MOREIRA.—Y usted, ¿no quiere hacer que me pague?

ALCALDE.—Es claro, puesto que nada te debe, y que tú has venido a jugar sucio.

MOREIRA.—Está bueno, amigo. Usted me ha negao la deuda para cuyo pago le di tantas esperas, pero yo me la he de cobrar dándole una puñalada por cada mil pesos. Y usted, don Francisco, que me ha echao al medio de puro vicio, guárdese de mí, porque ha de ser mi perdición en esta vida, y de su justicia tengo bastante.

ALCALDE *(Dirigiéndose a los soldados)*.—A ver, préndanlo y métanlo al cepo por desacato a la autoridad. *(En el cepo es castigado; después ordena soltarlo, diciéndole:)*

ALCALDE.—Cuidadito otra vez, porque lo voy a mandar a la frontera con una buena barra de grillos.

MOREIRA.—Hasta la vista entonces, don Francisco. *(Monta a caballo y se va. Cuando el Alcalde ha castigado a Moreira, saluda a Sardetti y éste se va.)*

ESCENA II

Representa una pulpería de campaña, donde están varios gauchos jugando a los naipes y milongueando.

GAUCHO PRIMERO.—Cante, don Mariano, una milonga; déjese de
tanto estar acordinando.

PAISANO PRIMERO.—Vamos al grano, mi amigo:
las pajas las lleva el viento,
pues cantemos un momento
déjense de barajar,
y formando la milonga
como buenos compañeros
y el que dispare primero
las copas ha de pagar.
Y si hay en los presentes
quien se quiera aventurar,
no se deje de largar
y aproveche la ocasión
y ahora que hay mucha gente

que no pierda la bolada
y que cope la parada
siquiera por diversión.

PAISANO SEGUNDO.—Yo, mi amigo, se la copo,
y dispense si así hablo,
no le tengo miedo al diablo
cuanto más a un buen cantor
porque usted ha de saber
de que yo nací cantando;
ya que usté está desafiando
aquí tiene a un payador.

PAISANO PRIMERO.—Eso mismo yo quería
pa poderme ansí floriar,
pues que quería encontrar
un hombre que juera güeno
en contrapunto y milonga,
que sepa filosofía,
que cantando noche y día
retumbara como un trueno.

PAISANO SEGUNDO.—No me diga que soy trueno
porque yo no sé tronar,
si es que quiere chacotiar
yo le debo de advertir
que no sirvo pa la risa
conque así cante parejo:
llévese de mi consejo
que el que es zonzo hace sufrir.

PAISANO PRIMERO.—Ya me dijo que soy zonzo;
lo habrá dicho sin querer,
por eso yo lo perdono,
pero cuídese otra vez,
no le vaya a suceder
lo que le pasó a Mateo:
que por querer dar consejo
lo llaman el bicho feo.

PAISANO SEGUNDO.—Ya me dijo que soy feo,
pero creo más feo a usted.
Se parece a un atorrante
recostao a la paré,
y si quiere otro más feo,
lo presento por primero:

fíjense todos, paisanos,
en la cara del pulpero.

PAISANO PRIMERO.—El pulpero anda muy triste,
pues le va la cosa mal;
si lo agarra Juan Moreira
la cola le va a pelar.
Y perdone, ño Sardetti,
por lo que he dicho recién;
pues según tengo entendido
usted no se portó bien.

GAUCHO SEGUNDO.—Justamente, hablando de Moreira, ¿han visto, paisanos, lo que le ha pasado con el Alcalde?

GAUCHO TERCERO.—Es verdad, paisano; pero ése es un buen criollo, que no ha de tardar mucho en caer por este pago, porque se tiene que vengar de más de cuatro porquerías que le han hecho. A ver, pulpero, eche una copa antes que lo acueste de un talerazo. *(Entra Moreira.)*

GAUCHO PRIMERO *(Dando la mano a Moreira)*.—Dios lo guarde, amigo Moreira.

OTRO GAUCHO.—¿Qué vientos lo traen por aquí, amigo?

MOREIRA.—Tal vez la desgracia, paisano.

OTRO GAUCHO.—¿Cómo va, amigo Moreira? Aquí estábamos comentando lo que le había pasao con el Alcalde y, *juepucha*, será cierto lo que se dice que a un hombre como usted lo haigan puesto en el cepo de cabeza y que le haigan dau una felpiada de mi flor.

MOREIRA.—Sí, han creído que soy vaca que se ordeña sin manear, ¡y así va a ser la cornada! Me han agarrao por güeno, pero se me hace que esta vez no lo han de sacar por *tarja*. ¡A ver, pulpero, eche otra copa! Amigos, yo pago la otra vuelta. La paciencia se gasta, porque no es oro, y siento que la mía ha ido a parar a la loma del diablo. Anoche me ha hecho ser blanco el teniente Alcalde y me ha metido en el cepo, pero hoy la vaca se ha vuelto toro y no hay que hacerle al dolor. Todos ustedes, paisanos, saben que yo presté a este hombre diez mil pesos, pues he tenido que demandarlo porque no había podido conseguir que me pagara, ¿y saben lo que me ha contestado? Pues me ha dicho que yo mentía y que no me debía un medio.

SARDETTI.—E verdá, amigo Moreira, yo he negao la deuda porque nun tenía plata y si lo confesaba me iban a vender el negocio; mas yo sé que le debo e algún día le he de pagar.

MOREIRA.—Me han puesto en el cepo de cabeza, como a un ladrón, me han golpeau cuando me han visto indefenso, y por último, me han largao con el calor de la marca, diciéndome que me habían de mandar a la frontera.

GAUCHO PRIMERO.—Es verdad, Moreira, tenés razón, pero por un *perro* de esta clase no merece la pena que un hombre de bien se pierda haciendo una hombrada; a más, vos tenés un hijo, y éste va a sufrir las consecuencias de lo que vos hagás. Y si no lo hacés por mí, hacelo por esa prenda de tu cariño, y vámonos, tomando la copa del estribo.

MOREIRA.—Yo no me voy, paisano, sin haber cumplido mi palabra, y sin terminar lo que voy a hacer, y no tomo la copa del estribo, porque no quiero que mañana digan que lo que yo he hecho lo hice divertido, porque no tuve entrañas pa hacerlo fresco.

GAUCHO PRIMERO.—No, paisano, vos no tenés que hacer eso; acordate que tenés familia.

MOREIRA.—Dejáme, hermano. Yo tengo que salir con las mías. A ver, concluyamos que es tarde, amigo Sardetti. Vengo a que me pague los diez mil pesos, o a cumplir mi palabra empeñada.

SARDETTI.—Yo no tengo plata, amigo Moreira; espérese unos días más y le juro por Dios que le he de pagar hasta el último peso.

MOREIRA.—No espero más; vengan los diez mil pesos, o te abro diez bocas en el cuerpo, pa que por ellas puedas contar que Juan Moreira cumple lo que promete, aunque lo lleve el diablo. *(Saca la daga.)* O pagás en el acto, o te abro como a un peludo.

SARDETTI.—No tengo plata...

GAUCHO PRIMERO.—No te pierdas, hermano. El hombre no vale la pena y vas atener que huir del pago.

MOREIRA *(Aparta al paisano, y se dirige a Sardetti para matarlo, pero se detiene)*.—¿Qué hacés que no te defendés? ¿Querés que te degüelle como a un peludo?

SARDETTI.—No tengo armas, y aunque las tuviera esto será siempre un asesinato.

GAUCHO PRIMERO.—Dejá, hermano. *(Sardetti recoge la daga que Moreira le tira y éste le dice:)*

MOREIRA.—Así te quería ver, maula. *(Pelean, hasta que Sardetti lo hiere en el pecho; entonces Moreira dice:)* Ahora ya no te tengo asco. *(Atropella a Sardetti y lo mata.)* Ahora, que se cumpla mi destino.

GAUCHO TERCERO.—¿Han visto, paisanos, lo que le ha pasao al pulpero por embrollón?

ESCENA III

Representa la casa de Moreira

VICENTA.—Tata, yo estoy impaciente por Juan. Desde que lo han golpeado en el cepo, él está muy diferente y yo tengo miedo por su ausencia.

TATA VIEJO.—No te aflijás, hija; si no ha de tardar en volver. A más, debés de comprender que esas cosas no se hacen con un hombre de su temple; tanto se baraja el naipe que al fin se gasta, y mi Juan va a hacer uno de estos días una hombrada que los va a dejar a tuitos fritos.

VICENTA.—Vaya usted a buscarlo, tata; vaya a buscarlo porque se me ha puesto que Juan ha ido a matar a don Francisco, que así se ha puesto a perseguirlo.

TATA VIEJO.—Lo que Juan haiga ido a hacer, lo hará aunque se mezcle el diablo, porque cuando él ha salido así, es porque ya estaba resuelto, y tal vez los ruegos lo enojen más. Dejá nomás, hija, que no ha de tardar en venir.

VICENTA.—¿Y si lo matan, tata?

TATA VIEJO.—No hay quien haga esa gauchada; pa matar a Juan tendrán que juntarse dos partidas por lo menos.

VICENTA.—Dios quiera vuelva pronto. *(Se oye el relincho de un caballo.)*

TATA VIEJO.—Allí viene. *(Vicenta va en su busca y entran juntos.)*

VICENTA.—¿Adónde has estao, Juan, que tardaste tanto tiempo en volver?

MOREIRA.—Me entretuve con los amigos. ¿Por qué?, ¿estabas con temor por mi ausencia?

VICENTA.—Sí, Juan.

MOREIRA.—Andá, Vicenta, a cebar unos mates. *(Se va. Moreira toma las manos del viejo.)* Me he desgraciado, tata viejo; he muerto a un hombre.

TATA VIEJO.—¿Y lo has muerto en güena ley?

MOREIRA.—Mire, tata. *(Enseña una herida que tiene en el pecho.)*

TATA VIEJO.—¿Y? ¿Qué pensás hacer ahora, Juan?

MOREIRA.—Me voy del pago, tata viejo, por unos días, mientras pasa el alboroto. He matado sólo a Sardetti, porque no encontré en su casa a don Francisco, pero no por mucho madrugar amanece más temprano; ya le llegará su turno. Ahora es preciso, tata viejo, que usted me cuide a Vicenta y a Juancito, que son prendas suyas también. Sabe Dios cuando pegaré yo la güelta y no es justo que ellos pasen trabajos por mí. Yo me voy, y a eso de la madrugada y antes de rumbiar el camino, hablaré con mi compadre Giménez, y lo enteraré de lo que ha pasao, y si yo tardo pierdan cuidado por mí.

VICENTA *(Entrando)*.—Y qué, ¿ya te vas?

MOREIRA.—Sí, Vicenta, tengo que hacer, pero pronto vuelvo; voy a lo de mi compadre; perdé cuidao por mí. Adiós.

VICENTA.—Adiós. *(Moreira se despide del viejo, besa al hijo que está en la cuna y se retira. Llega don Francisco con dos soldados; golpean. Vicenta va a abrir.)* ¿Qué se le ofrecía, señor?

ALCALDE.—Señora, venimos en busca de Moreira.

VICENTA.—Señor, Moreira no está.

ALCALDE.—Mire, señora, dígame dónde está Moreira, porque si no usted va a ir presa.

VICENTA.—Pero, señor, si nosotros no sabemos nadita, ¡nadita!

ALCALDE.—¡Está bueno! *(Dirigiéndose al viejo.)* Diga, viejo, ¿y usted no sabe dónde está Moreira?

TATA VIEJO.—Yo no sé nada, señor.

ALCALDE.—Está bueno, no quieren decir. A ver *(A los soldados)* registren a ese hombre si tiene armas. Bueno, ustedes carguen con el viejo y usted, señora, va a marchar conmigo.

VICENTA.—No, a mi tata no... ¡Socorro!

ESCENA IV

Representa el campo. Entra Moreira y baja del caballo y dice:

MOREIRA.—Aquí es el sitio ande tengo que esperar al amigo Julián, al amigo que ha ido a buscar noticias de mi familia y a ver qué ha pasado después de la muerte de Sardetti. ¡Ah! Esa muerte es el principio de mi obra y don Francisco es el fin con quien tengo que estrellarme; ya le llegará su turno. ¿Y mi hijo? ¿Qué será de mi hijo y de Vicenta? Tata viejo ya está achacoso y son capaces de matarlo en el cepo pa que confiese dónde estoy. ¡Ah! ¡Don Francisco, no tiene suficiente vida pa pagarme el mal que me ha hecho! ¡A cada Santo le llega su día! *(Se oye el relincho de un caballo.)* Por fin llega el amigo Julián. Eche pie a tierra, paisano, y vaya desembuchando.

JULIÁN.—Coraje, amigo Moreira, todo no sale al paladar, y pa que algunas cosas salgan bien es preciso que otras se las lleve el diablo. Aunque de esta hecha puede que se vuelva con las maletas vacías.

MOREIRA.—Largue todo el rollo, amigo Julián. Largue todo el rollo, que aquí hay suficientes entrañas pa recibir las noticias que usted me traiga; no le haga asco a la relación, por dura que ella sea.

JULIÁN.—Vamos por partes, amigo, que quiero tomar las cosas desde su principio, pa que mi cuento salga bien. Cuando yo caí por su pago, no se hablaba de otra cosa que del hecho de usted, paisano, y de que la partida había salido a perseguirlo con orden de matarlo en donde quiera que lo encontrara, y decir que se había resistido.

MOREIRA.—Eso de matarme, será si pueden y costándole algún trabajo. Siga nomás, amigo.

JULIÁN.—Su compadre Giménez ha hecho todo lo posible pa sacar a Vicenta, pero no la han querido soltar, pues dicen que estando ella presa usted ha de volver a caer por el pago, y pa ese caso, el Alcalde don Francisco se ha instalao en su rancho con dos soldados de la partida y allí están de puro mate y coperío.

MOREIRA.—No me han de esperar mucho tiempo.

JULIÁN.—¿Qué va a hacer, amigo?

MOREIRA.—Voy a dar el güelto a don Francisco, y ya que está en mi casa no quiero que espere mucho.

JULIÁN.—Lo que es yo no lo dejo ir solo.

MOREIRA.—¡No, amigo, esta partida la tengo que hacer solo! ¿Comprende?

JULIÁN.—Pero, amigo Moreira, si los amigos no son pa la ocasión, no sirven ni pa taco de jusil. Además, yo quería decirle algo que no le comuniqué hasta ahora. Los hombres de su tiemple, amigo Moreira, no le hacen asco al dolor; es preciso pues que usted sepa una cosa amarga: ¡qué canejo!, ¡gota más, gota menos, el veneno viene a ser el mesmo y el amargo no se aumenta! Una de mis primeras diligencias fue ir a visitar a la Vicenta, con quien me costó mucho hablar, porque en el juzgao sabían que yo podía ser un mensajero suyo, sospecha que fui bastante ladino pa disipar. Después de conversar un rato con ella sobre los últimos sucesos, le dije que no llorara, que todo se había de arreglar porque usted tiene muchos amigos; pero Vicenta siguió llorando y me dijo estas palabras, que sonaron en mi oído como una puñalada: "Dígale a mi Juan que no tenga cuidao por mí y que no vaya a ir a casa, porque lo van a matar, como han muerto a mi padre diciendo que había pegao una rodada. Que huya lejos, porque don Francisco lo persigue porque es mi marido, y no ha de parar hasta que lo mande a la frontera: que esto me lo dijo él mismo, anoche, que vino a ponerme por condición de que lo dejaría en paz si yo me iba a vivir con él a un puesto que tiene en Navarro."

MOREIRA.—Ahora, ni el mesmo diablo es capaz de salvarlo de la punta de mi daga.

JULIÁN.—Tenga cuidao, amigo, mire que esa gente le lleva más de la media arroba.

MOREIRA.—No li hace, amigo; allá veremos a quién me lo ayuda Dios. Güeno, amigo Julián, hasta la güelta: ya oirán mis mentas.

JULIÁN.—¡Adiós, amigo! *(Aparte.)* Lo que es yo no lo dejo ir solo, Moreira va caliente y es capaz de hacerse matar al ñudo; pa eso son los amigos, ¡qué canejo! y al fin y al cabo uno no tiene el cuero pa negocio. Moreira va bien montao en su pingo, pero yo con el mío, que es como ñudo de la pata, no me va a llevar mucha ventaja, y pronto lo voy a alcanzar pa darle una manita si se ofrece.

ESCENA V

Representa el cuarto de Moreira, donde están don Francisco, dos vecinos y dos soldados

DON FRANCISCO.—Pues sí, amigo, en cuanto Moreira caiga en mis manos no va a contar el cuento.

UN VECINO.—Pero, señor, el amigo Moreira era un buen criollo y lo que él ha hecho, lo hubieda hecho usted mismo, don Francisco, y cuando un hombre como él se halla en la mala, es preciso darle algún alivio, que demasiado tiene con andar huido del pago.

DON FRANCISCO.—No, lo he de perseguir hasta encontrarlo, y cuando lo encuentre, lo he de matar como a un perro, pero antes de matarlo lo he de hacer sufrir alzándome con su mujer, que me ha robado, porque yo me iba a casar con ella, y ya que no ha querido ser mi mujer, será mi *gaucha. (Moreira da un puntapié a la puerta, y cuando entra, todos se paran.)*

MOREIRA.—Quien va a matar de esta hecha, y a matar como matan los hombres, soy yo, don Francisco, que lo vengo a pelear, pa tener el gusto de levantarlo en la punta de mi daga, como quien mata a un perro. *(Don Francisco saca el revólver y le tira un tiro.)* Así matan ustedes, de lejos y sin riesgo. *(Don Francisco le tira otro tiro y dice a los soldados:)*

DON FRANCISCO.—¿Qué hacen ustedes, que no matan a ese hombre? *(Los soldados, sable en mano, uno tras el otro, pelean con Moreira, y éste a los dos los mata; en vista de esto, don Francisco desnuda su espada, y Moreira le dice:)*

MOREIRA.—Vamos a ver, aparcero, el color de sus entrañas y el manejo de su lata vieja. *(Pelean, hasta que Moreira lo desarma y don Francisco retrocediendo dice.)*

DON FRANCISCO.—¡Socorro, en nombre de la justicia!

MOREIRA.—No se asuste tan fiero, don Francisco; no lo he desarmao pa matarlo, sino pa decirle dos palabras que precisaba escuchar usted antes de morir. Usted me ha perseguido sin motivo, reduciéndome a la condición en que me veo; usted me ha golpeado en el cepo, porque no era capaz de golpearme frente a frente, y no contento con esto, usted ha pretendido matarme pa hacer suya a mi mujer, a quien no puede servir ni de taco. Yo lo voy pues a matar a usted, no porque le tenga miedo sino por evitar en mi ausencia, a Vicenta, el asco de oírle una nueva proposición desvergonzada. *(Le tira la espada y le dice:)* Ahora, defiéndase porque va de veras. *(Pelean y Moreira lo hiere.)*

DON FRANCISCO.—¡Socorro,que me han asesinado!

MOREIRA.—Mientes, trompeta, te he muerto en güena ley, y ahí quedan los testigos. *(Moreira se retira, y al hacerlo se encuentra con Julián que le tiende la mano y asombrado le dice:)*

JULIÁN.—Tiene más entrañas que un toro, amigo Moreira. Es lástima que usted esté mal con la justicia, porque nos vamos a quedar sin partidas. *(Se retiran. Baja el telón.)*

SEGUNDO ACTO

ESCENA I

Representa un campo, un cicutal espeso. Noche de luna. Aparecen cinco hombres, emponchados, y se esconden en el cicutal; en seguida, un joven bien vestido atraviesa ese paraje, pero a los pocos pasos le salen al encuentro los cinco hombres, daga en mano; el joven saca su revólver y hace ademán de detenerlos.

BANDIDO.—Venimos a matarte, y es en vano toda resistencia, porque ya tu hora ha llegado. *(Marañón da vuelta para examinar el camino que tiene a su espalda, pero ve venir hacia él un hombre y reconoce en él a Juan Moreira con la daga en la mano. El joven vacila; Moreira da un salto sobre él, lo toma por la cintura y lo tira al suelo; en seguida pelea con los bandidos y a uno de ellos lo mata.)*

MOREIRA.—¡Ríndanse a Juan Moreira, maulas! *(Los bandidos huyen y Moreira larga una gran carcajada; se acercaa Marañón, que ya se había levantado.)*

MARAÑÓN.—¿Cómo ha venido aquí a tan buen tiempo? *(Tendiéndole la mano.)*

MOREIRA.—Supe que lo iban a asesinar esos maulas *(riendo siempre)*, y yo también me escondí, pa darle una manita y pa que la *cosa* no fuera tan despareja. *(Se acerca al caído y al ver que está muerto dice a Marañón:)* Ahora vamos, que lo voy a acompañar hasta su casa, aunque esos maulas no son hombres de volver y han de andar todavía disparando, creyendo que yo los persigo.

ESCENA II

La casa de Marañón. Es de noche

MARAÑÓN.—¿Qué móvil lo ha guiado, amigo Moreira? ¿Qué idea ha tenido al proceder de esta manera tan noble?

MOREIRA.—Jui allí para salvarlo, primero porque yo lo quiero a usted; después, porque no puedo tolerar que se junten de a cinco pa matar a uno. Como usted es un hombre de mucho prestigio en el partido, sus enemigos políticos han querido quitarlo de por medio, porque usted les hacía sombra, y han pagao quince mil pesos a esos bandidos pa que lo asesinaran, pero hoy les salió la torta un pan y en vez de usted ha quedao otro en su lugar.

MARAÑÓN.—¿Y cómo ha sabido usted que a mí me iban a asesinar?

MOREIRA.—Porque me lo dijo una persona a quien propusieron la *cosa* y que fue bastante hombre pa echarlos al diablo por puercos y cobardes.

MARAÑÓN.—Yo agradezco lo que usted ha hecho, amigo Moreira, y si alguna vez puedo serle útil en alguna cosa, acuda a mí, porque desde este momento soy su amigo.

MOREIRA.—No me agradezca nada, señor. Lo que yo he hecho, lo hubiera hecho cualquiera. Yo lo quiero a usted porque necesito querer a alguno, y usted se me figura que es algo mío, que es mi hijo o que es mi hermano. Yo soy un hombre maldito, que he nacido pa penar y pa andar huyendo de los hombres, que han sido mi perdición, y he querido a usted porque siento que al quererlo puedo respirar con más franqueza, y esto es tan dulce para mí, que si usted me mandase entregar a la partida, ahora mismo iba y me presentaba.

MARAÑÓN.—¿Y por qué anda usted así, errante, retando a la justicia con sus actos, que son malos? ¿Por qué no trabaja usted como antes y deja esa mala vida?

MOREIRA *(Muy triste)*.—Con las penas que yo tengo en el corazón habría pa llorar un año. Yo era feliz al lao de mi mujer y de mi hijo, y jamás hice a un hombre ninguna maldad. Pero yo habré nacido con algún sino fatal porque la suerte se me dio güelta y de repente me vi perseguido al extremo de pelear pa defender mi cabeza: usted ya sabe todo cuanto ha pasao, patrón.

MARAÑÓN *(Golpeando el hombro de Moreira)*.—Sí, pero, ¿por qué no sale usted de la Provincia de Buenos Aires? Yo le proporcionaré trabajo en Santa Fe o en Córdoba, donde usted puede vivir tranquilo y ser feliz todavía. Allí tengo muchos amigos, para quienes le daré cartas y al fin de los años ya podrá usted volver. Se habrán olvidado de sus desgracias y podrá ser lo que ha sido.

MOREIRA.–Yo no puedo irme de estos pagos, porque no pienso separarme de mi mujer ni de mi hijo, porque faltando yo, la justicia se ha de alzar con ellos haciéndoles pagar mis yerros.

MARAÑÓN.–Yo les proporcionaré los medios de irse con usted; y entonces usted puede quedarse allí para siempre, viendo crecer a su hijo a su lado y amado por su mujer.

MOREIRA.–Conozco que usted me habla al alma y veo que he puesto bien mi cariño en usted, pero por más que me halaga la propuesta, yo no la puedo aceptar sin saber antes qué ha sido de aquellas dos prendas mías y si tengo que vengarlas de alguno. Los pobres tienen olor a dijuntos, y es preciso darles con el pie pa que no apesten, y sabe Dios lo que habrá sido de aquellos desgraciaos, cuyo único delito en la vida ha sido ser mi mujer y ser mi hijo. Quiera Dios que no les haiga sucedido nada, quiera Dios que no les haigan hecho sufrir un minuto. Yo no soy malo, patrón, pero conozco que si alguno les hubiera tocado el pelo de la ropa, sería yo capaz de hacer una herejía que ni los indios... Bueno, patrón, ya lo he molestao bastante; será hasta la vista o hasta que se presente la ocasión.

MARAÑÓN.–Adiós, Moreira, piense en lo que le he dicho y lo acepte o no lo acepte, ya sabe que puede contar conmigo en cualquier aprieto que se vea.

MOREIRA.–Está bueno patrón. Adiós.

MARAÑÓN.–Gracias, Moreira. *(Le da la mano.)* Hoy he nacido, le debo la vida a este hombre; a este hombre que ha nacido para el bien, y que la fatalidad lo conduce por tan mal camino, haciéndolo rodar inevitablemente por un precipicio.

ESCENA III

Mutación. Vicenta, Giménez, Moreira y el hijo. La escena representa un cuarto pobre; a la derecha una cama, a la izquierda una mesa con una botella con un cabo de vela. Al subir el telón, se oyen ladridos de perros. Giménez se levanta de prisa y se viste apurado. Vicenta despierta sobresaltada; pero Giménez le pone una mano en la boca, recomendándole silencio, y se dirige a la ventana en actitud de saltar al otro lado en cuanto se abriese la puerta. Al oír que la puerta se abre, Giménez salta al otro lado de la ventana y hace que desata el caballo. Se oye la voz de Moreira, que dice:

MOREIRA.—¡Ay juna, se me va; se me va mi venganza! *(Vicenta al oír esa voz, da un grito desgarrador y dice:)*

VICENTA.—¡Ánimas benditas, es el alma de mi Juan que anda penando! *(Se abraza a su hijo poniéndose a rezar. Moreira entra, daga en mano, y la tira al suelo diciendo:)*

MOREIRA.—¡Por fin los maté a estos perros de porquería, que por defenderme de ellos no pude vengarme de mi compadre Giménez, del hombre que yo había depositado toda mi confianza en él y me viene a pagar con la ingratitud de estar viviendo con mi mujer. *Se pone a llorar, Vicenta, al oír aquel llanto, se baja de la cama y enciende un fósforo y al ver a Moreira queda como petrificada de espanto. Moreira enciende un fósforo y en seguida la vela que está sobre la mesa. Mira a la cama, va corriendo y toma al hijo en los brazos y lo quiere comer a besos. En seguida lo lleva junto a la vela y lo contempla y lo vuelve a besar. Juancito toma la mano del padre y dice:*

JUANCITO.—¿Tatita, por qué no has venido en tanto tiempo pa hacerme pasear en mi petisito?

MOREIRA.—Es que no he podido, Juancito, he tenido mucho que hacer. *(Lleva al niño a la cama, lo besa, y mirando con lástima a Vicenta, le dice:)* Vicenta, vení, acercate, que yo no he venido a hacerte mal porque yo te perdono todo el que vos me has hecho a mí.

VICENTA.—¡Cómo! ¿Sos vos? ¿Con que no has muerto? ¿Con que me han engañao? *(Se cubre la cara con las manos. Moreira va a buscar la daga que está en el suelo y al ver esto Vicenta le dice:)* ¡Mátame, Juan mío!

MOREIRA.—No lo permita mi Dios. *(Guardando la daga.)* Vos no tenés la culpa y nuestro hijo te necesita porque yo no lo puedo llevar conmigo: ¿quién cuidará de él si yo manchase mi mano matándote? Adiós, Vicenta; ya no nos volveremos a ver más porque ahora sí voy a hacerme matar de veras, puesto que la tierra no guarda para mí más que amargas penas... *(Se dirige a la cama, besa al niño; lleva las manos a la cara y trata de alejarse.)*

VICENTA.—No te vayas, mi Juan, mátame antes. *(Se prende del chiripá.)* Mátame como a un perro, porque yo te he ofendido, pero antes perdonáme; yo no tuve la culpa, a mí me han engañao diciéndome que vos habías muerto y si yo he dao este paso, fue pa que nuestro hijo no se muriera de hambre. Perdonáme, y después moriré a gusto.

MOREIRA.—¡Jamás! ¿Quién cuidará de ése? *(Señalando a Juancito, que tiende los brazos.)* Basta; que me voy. Adiós.

VICENTA.—No quiero que te vayas. *(Se prende más fuerte del chiripá.)* Llamálo, Juancito, no lo dejes ir. *(Moreira se desprende de su mujer, tira un beso al hijo y sale corriendo. Baja Juancito.)*

JUANCITO.—Tatita... tatita... tatita. *(Abraza a la madre.)*

ESCENA IV

Un Juzgado de Paz. Llega Moreira a caballo y golpea la puerta con el cabo del rebenque. De adentro contestan.

SOLDADO.—¿Quién canejo golpea, como si esto fuera fonda de vascos?

MOREIRA.—Es Juan Moreira, que quiere morir en güena lay: que salga la partida de una vez y aproveche la bolada.

SOLDADO.—¡Más Juan Moreira es el peludo que tenés! Lárguese de aquí, so zonzo, antes que le ruempa el alma a palos.

MOREIRA.—Que salga la partida, que salga de una vez, o le priendo juego al juzgado.

SOLDADO.—Amigo, güelva mañana, porque el juez está en su casa y nos ha dejado orden de no abrir la puerta a naides.

MOREIRA.—Vaya a la maula, so flojo de porra; en la primera ocasión les he de sacar a los azotes. Así son estos maulas: cuando son pocos no salen ni a palos, y cuando son muchos disparan como mulitas. *(Después de pasado un momento, sale el soldado con un fusil y en seguida se entra asustado.)*

ESCENA V

Representa una pulpería de campaña. Van entrando gauchos a caballo, en carro y de a pie –guitarreros, acordeonistas–. Se juega a la taba, se cancha, se ceba mate, se hacen tortas fritas, se bailan bailes nacionales: después entra Moreira; todos lo rodean y le preguntan de su vida.

MOREIRA.—Mi vida es andar vagando, porque ya no encuentro un sitio donde descansar a gusto. Mi vida es pelear siempre con las partidas y matar al mayor número de justicias que pueda, porque de la justicia he recibido todo el mal en esta vida, y por ella me veo acosado como una fiera, ande quiera que me dirijo; qué le hemos de hacer al dolor, es preciso matar las penas, paisano, y el que me quiera acompañar, yo pago esta güelta. A ver, pulpero, eche, que yo pago.

TODOS.—¡Viva Moreira! *(Entra un gaucho, y al ver a Moreira se asombra y le dice:)*

PAISANO.—¿Cómo, amigo Moreira, y usted anda por estos pagos?

MOREIRA.—¿Por qué, paisano?

PAISANO.—Porque esta mañana la partida de plaza ha salido en su busca, con orden de recorrer todo el partido y matarlo donde quiera que lo hallaran, pudiendo alegar después que se había resistido a la autoridad, como siempre, a mano armada.

MOREIRA.—¡Pues se irán como han venido, y soy capaz de pelearlos a zurdazos y con el rebenque!

PAISANO.—Mire, amigo, que la partida viene esta vez mandada, según me dicen, por un tal don Goyo, un sargento de línea muy veterano, que dicen que es un mozo malo, capaz de llevarlo a usted atao de los pieses y de las manos pa que la autoridad lo ajusile.

MOREIRA.—No le haga caso, amigo; no hay partida capaz de prenderme porque la suerte pelea conmigo, eche una copa pa este mozo que está julepiao.

PAISANO.—Un vermut con brite.

MOREIRA.—Mire, paisano, si quiere vaya y dígale que aquí los espero, y verá lo que hago yo con todos esos maulas. ¡No sirven ni pa la cachetada!

TODOS.—¡Bien por Moreira!

UN PAISANO.—Vamos a bailar un gato.

TODOS.—¡A bailar! *(Se baila un gato; a la mitad del baile el negro Agapito dice:)*

AGAPITO.—Muy bien, amigo, Moreira; déjeme un *barato* con esa güena moza.

MOREIRA.—Cuándo no habías de ser vos; güeno, vení. *(Dirigiéndose a la mujer.)* Vea, prenda, la va a acompañar este mozo que baila mejor que yo; está un poco quemao del sol; pero eso no quiere decir que sea mal compañero. *(Bailan; al concluir, todos piden que cante Moreira, éste toma la guitarra y canta una décima. Al concluir entra el paisano que habló primero y muy agitado le dice:)*

PAISANO.—Amigo Moreira, procure disparar porque ahí viene una partida de cuatrocientos soldaos por lo menos.

MOREIRA.—Déjelos venir, nomás. No me hago a un lado de la güella, ni aunque vengan degollando. Este día tengo ganas de pelear, pa que no se vaya sin verme ese veterano que las viene echando de guapo, porque a la fija no me conoce. *(Monta a caballo. Entran el sargento Navarro y algunos militares, a caballlo.)*

NAVARRO *(Dirigiéndose a Moreira)*.—¿Es usted Juan Moreira?

MOREIRA.—¿Qué dice, don? Ése tal soy yo, pa lo que le guste mandar.

NAVARRO.—Pues, amigo, dispense, pero traigo orden del Juez de Paz de prenderlo y con su permiso. *(Echa manos a las riendas del caballo de Moreira.)* Sígame.

MOREIRA.—Vamos por partes, amigo; yo no soy mancarrón patrio pa que me hagan parar a mano, ni soy candil pa que así no más me priendan.

NAVARRO.—Es inútil hacer resistencia, me han mandao que lo prienda, y tengo que cumplir la orden sin remedio; con que dése preso.

MOREIRA.—¿Y qué facilidad, canejo! Ni mi tata que juera pa hablar así *(Saca los trabucos.)*

NAVARRO.—¡A él! *(Saca el sable.)* Cuidado de no matarlo, que he de llevarlo vivo a este maula. *(Moreira hace fuego; cae un soldado.)*

NAVARRO.—¡Que no se vaya! *(Carga sobre Moreira, y éste lo hiere en el brazo, y cambia el sable a la mano izquierda.)*

MOREIRA.—¡Ah! ¡Hijo del pais! Así me gusta un tirano. *(Le arranca el sable de la mano y el sargento cae al suelo. Moreira pide un catre al pulpero, y a los paisanos les dice que lo ayuden a levantar a aquel hombre. Después que está en el catre, lo revisa, le ata la frente con un pañuelo, le da caña en la boca y después le dice:)*

MOREIRA.—¿Qué tal, amigo, cómo se halla?

NAVARRO.—Gracias, paisano; usted es un hombre a carta cabal, y ya no extraño todas las hazañas que de usted me habían contao.

MOREIRA.—Bueno, Sargento, yo me voy; pero antes es preciso que tomemos una copa, pues tal vez no volveremos a vernos. Yo no tengo el cuero pa negocio y alguna vez ha de ser la buena.

NAVARRO.—No habiéndolo prendido yo, lo que es a usted no lo priende naides, a no ser que lo agarren dormido o a traición.

MOREIRA.—Dios lo oiga, amigo, y que se mejore son mis deseos. *(Montando a caballo, después de haber pagado todo el gasto al pulpero.)* Paisanos, hoy la fiesta no ha estao buena porque han venido a estorbarnos. Será hasta otra vez. Pulpero, ya sabe: cuide bien a ese hombre pa que cuente el cuento. Adiós, paisanos.

TODOS.—Adiós, Moreira.

PULPERO *(A Navarro)*.—Puede darse por bien servido, amigo, que este bandido no lo haiga degollao, pues tiene más agallas que un dorao y no se para en una puñalada más o menos.

NAVARRO.—El que diga que ese hombre es un bandido, es un puerco, a quien le voy a sacar los ojos a azotes.

PULPERO.—Está bien, amigo. *(Todos se retiran.)*

ESCENA VI

Una casa de baile. Se ven varios gauchos bailando; entran Moreira y Julián; toman sus compañeras. Moreira se retira a dormir, y lo mismo Julián. Entra la policía, buscando a Moreira; todos se retiran.

MUTACIÓN

Un patio, un pozo a un lado, al fondo una pared de cerco, a la izquierda cuartos donde están Moreira y Julián. Entra la policía y forman frente. Muerte de Moreira.

ÍNDICE

Este libro se terminó de imprimir y encuadernar en el mes de junio de 1994 en los talleres de Encuadernación Progreso, S. A. de C. V. (IEPSA), Calz. de San Lorenzo, 244; 09830 México, D. F.
Se tiraron 3 000 ejemplares.